UMBERTO ECO

CMENTARZ W PRADZE

Przełożył

Krzysztof Żaboklicki

NOIR SUR BLANC

Tytuł oryginału
Il cimitero di Praga

Copyright © RCS Libri S.p.A. – Milano
Bompiani 2010

For the Polish edition
Copyright © 2011, Noir sur Blanc, Warszawa

ISBN 978-83-7392-360-7

Ponieważ epizody są niezbędne, a nawet stanowią zasadniczą część opowiadania historycznego, do naszego wprowadziliśmy egzekucję stu obywateli powieszonych na głównym placu miejskim, spalenie żywcem na stosie dwóch mnichów i pojawienie się komety. Opisy te warte są więcej niż opis stu turniejów, a ich zaletą jest to, że pozwalają czytelnikowi oddalić się od wątku podstawowego.

Carlo Tenca, *La ca' dei cani* (Psiarnia)

1

PRZECHODZIEŃ,
KTÓRY OWEGO SZAREGO PORANKA

Przechodzień, który owego szarego poranka w marcu 1897 roku odważyłby się przejść plac Maubert albo Maub, jak nazywali go złoczyńcy (w średniowieczu był to ośrodek życia uniwer-
syteckiego, gromadzili się tam tłumnie studenci Wydziału Sztuk
przy Vicus Stramineus albo rue du Fouarre; później wykonywano tam wyroki śmierci na apostołach wolnej myśli, takich jak
Étienne Dolet), znalazłby się w jednym z niewielu zakątków
Paryża uchronionych przed wyburzeniami dokonanymi z woli
barona Haussmanna, w plątaninie cuchnących zaułków, przepo-
łowionej korytem rzeczki Bièvre, wypływającej wtedy z trzewi
metropolii, których długo nie opuszczała, zanim rozdygotana,
rzężąca i zarobaczona wpadała do pobliskiej Sekwany. Z oszpeconego już bulwarem Saint-Germain placu Maubert rozcho-
dziła się jeszcze pajęcza sieć uliczek, jak rue Maître-Albert, rue
Saint-Séverin, rue Galande, rue de la Bûcherie, rue Saint-Julien-
-le-Pauvre, aż po rue de la Huchette, usianych obrzydliwymi
hotelikami, których właściciele pochodzili przeważnie z Owernii
i słynęli z chciwości: za pierwszą noc żądali jednego franka, za
następne po czterdzieści centymów (plus dwadzieścia sous od
tych, którzy chcieli mieć pościel).

Gdyby ów przechodzień wszedł w rue Sauton, to mniej więcej
w jej połowie, między udającym piwiarnię burdelem a jadłodaj-
nią, gdzie podawano paskudne wino do posiłku za dwa sous
(nawet wtedy było to bardzo mało, ale na tyle tylko mogli sobie
pozwolić studenci pobliskiej Sorbony), trafiłby w ślepy zaułek,
zwany już wówczas impasse Maubert, lecz przed 1865 rokiem
noszący nazwę cul-de-sac d'Amboise. Jeszcze dawniej mieścił

się tam *tapis-franc* (w żargonie świata przestępczego: szynk, knajpa najniższej kategorii, należąca zazwyczaj do wypuszczonego z więzienia kryminalisty i odwiedzana przez podobnych mu klientów). Zaułek ten długo otaczała smutna sława także dlatego, że w XVIII wieku znajdowało się tam laboratorium trzech słynnych trucicielek, które pewnego dnia znaleziono martwe, zaczadzone oparami destylowanych śmiercionośnych substancji.

W połowie owego zaułka nie rzucała się bynajmniej w oczy witryna sklepiku handlarza starzyzną, z wyblakłym już napisem, który głosił: *Brocantage de Qualité* – Starzyzna Wysokiej Jakości. Jej tafla, zmatowiała pod grubą warstwą kurzu, nie pozwalała dostrzec większości wystawionego towaru ani zajrzeć do wnętrza także dlatego, że składała się ze szklanych kwadratów o rozmiarach dwadzieścia na dwadzieścia centymetrów, ujętych w drewniane oprawy. Obok wystawy przechodzień ujrzałby zamknięte stale drzwi, a przy drucie od dzwonka kartkę z informacją, że właściciel jest czasowo nieobecny.

Gdyby zaś – co rzadko się zdarzało – drzwi były otwarte, wchodzący do środka zobaczyłby w niepewnym świetle, rozjaśniającym tę jaskinię, rozstawione na kilku chwiejnych regałach i równie chwiejnych stołach zbiorowisko przedmiotów na pierwszy rzut oka pociągających. Po dokładniejszym obejrzeniu stałoby się jednak jasne, że w uczciwej wymianie handlowej byłyby one całkowicie nieprzydatne, nawet gdyby chciano je sprzedać po cenie odpowiadającej ich opłakanemu stanowi. Znajdowały się tam na przykład: para wilków, która oszpeciłaby każdy kominek, zegar wahadłowy pomalowany niebieską, odrapaną emalią, poduszki przybrane kiedyś barwnymi bodaj haftami, patery udekorowane obtłuczonymi aniołkami z ceramiki, koślawe stoliki w nieokreślonym stylu, koszyczek na wizytówki spleciony z zardzewiałych drutów, dziwaczne pudełka wykonane z zastosowaniem pirografii, okropne wachlarze z masy perłowej ozdobione chińskimi wzorami, naszyjnik mający wyglądać na bursztynowy, para białych wełnianych pantofelków o zapinkach z naszytymi sztucznymi diamencikami, wyszczerbione popiersie Napoleona, motyle pod popękanym szkłem, owoce z wielobarwnego marmuru nakryte przezroczystym niegdyś kloszem, orzechy kokosowe, stare albumy z kiepskimi akwarelami przedstawiającymi kwiaty, kilka oprawionych dagerotypów (w tamtych latach nie wyglądały jeszcze na starocie). Gdyby znalazł się ktoś, kto ulegając swoim zdeprawowanym gustom, zainteresowałby się jedną z tych wstydliwych resztek zajętego przez komornika mienia zubożałych rodzin i stanąwszy przed niezwykle podejrzliwym właścicielem, spytał o cenę, usłyszałby z jego ust sumę tak wysoką, że nawet będąc najbardziej perwersyjnym kolekcjonerem antykwarycznych potworków, straciłby ochotę na kupno.

Jeśliby zaś po uzyskaniu jakiejś przepustki odwiedzający przekroczył próg drugich drzwi, dzielących wnętrze sklepu od piętra budynku, i wdrapał się po stopniach niepewnych, kręconych schodów, typowych dla owych paryskich domów o fasadzie tej samej szerokości co drzwi wejściowe (w pewnych miejscach domy takie stoją stłoczone jeden obok drugiego w skośnych jakby wiązkach), dotarłby do obszernego salonu i zamiast tandety z parteru ujrzał zbiór całkiem innych przedmiotów, jak stolik empire na trzech nogach ozdobionych głowami orłów, konsola osadzona na skrzydlatym sfinksie, szafa z XVII wieku, mahoniowy regał wypełniony setką książek w safianowych oprawach, biurko zwane amerykańskim, z zasuwaną pokrywą i licznymi szufladkami jak w sekretarzyku. Gdyby ta sama osoba przeszła potem do sąsiedniego pokoju, zobaczyłaby wspaniałe łoże z baldachimem, etażerkę w wiejskim stylu zastawioną sewrską porcelaną, turecką fajkę wodną, wielką alabastrową misę, kryształowy wazon, na ścianie w głębi boazerię z malowidłami wyobrażającymi sceny mitologiczne, dwa wielkie płótna przedstawiające muzy – opiekunki historii i komedii. Na ścianach wisiały też w różnych miejscach arabskie opończe, inne orientalne stroje z kaszmiru, a także stara tykwa pielgrzyma, na półce zaś stojaka przeznaczonego na miednicę i dzbanek z wodą leżało wiele przyborów toaletowych z cennych tworzyw. Jednym słowem, całość była osobliwym zestawem przedmiotów ciekawych i wartościowych, które nie świadczyły może o wyrobionym i wyrafinowanym guście, lecz z pewnością dowodziły chęci zamanifestowania własnego dostatku.

Po powrocie do salonu odwiedzający spostrzegłby starego człowieka w domowym ubiorze, siedzącego przy stole przed jedynym oknem, przez które wpadało nikłe światło z zaułka, i – co mógłby stwierdzić, zerkając mu przez ramię – piszącego to, co my zaraz przeczytamy, a co Narrator miejscami streści, aby nie znudzić zbytnio Czytelnika.

Czytelnik niech nie oczekuje, że zdziwi się, rozpoznając w tej postaci kogoś, o kim była już mowa. Niniejsza opowieść zaczyna się właśnie teraz, więc o nikim wcześniej nie wspominano. Sam Narrator nie wie jeszcze, kim jest ów tajemniczy piszący, i zamierza dowiedzieć się tego wraz z Czytelnikiem, kiedy obaj, zaciekawieni, śledzić będą wzrokiem znaki, które pióro kreśli na papierze.

2

KIM JESTEM?

24 marca 1897

Przystępując do pisania, czuję się nieco zakłopotany. To tak, jakbym obnażał własną duszę na rozkaz – nie, na Boga, nie na rozkaz, tylko idąc za sugestią – niemieckiego Żyda (albo austriackiego, to wszystko jedno). Kim jestem? Łatwiej może mi będzie zastanawiać się nad swoimi namiętnościami niż nad wydarzeniami ze swego życia. Kogo kocham? Nie przypominam sobie w ogóle kochanych twarzy. Wiem, że kocham dobrą kuchnię. Kiedy słyszę nazwę Tour d'Argent, całe moje ciało przenika dreszcz rozkoszy. Czy to jest miłość?

Kogo nienawidzę? Żydów, chciałoby mi się powiedzieć. Jednak sam fakt, że poddałem się tak posłusznie namowom tego austriackiego (albo niemieckiego) doktora, świadczy, że nie mam nic przeciw Żydom.

O Żydach wiem tylko to, czego nauczył mnie dziadek.

– To lud bezbożny w najwyższym stopniu – powiadał. – Żydzi wychodzą z założenia, że dobro ma się urzeczywistnić tutaj, nie w życiu pozagrobowym. Dlatego działają wyłącznie w zamiarze podbicia tego świata.

Byli widmem, które sprawiło, że miałem smutne dzieciństwo. Dziadek opisywał ich śledzące innych oczy, oczy pełne fałszu, od którego się blednie, ich wstrętne uśmiechy, ich wydatne hienie wargi nad zębami, ich spojrzenia natarczywe, nieczyste, tępe, fałdy między nosem a bezustannie poruszającymi się ustami, wyżłobione przez nienawiść, ich nosy jak obrzydliwe dzioby

...Żydzi śnili mi się noc w noc przez długie lata... (s. 15)

ptaków z południowej półkuli... I oko, ach, to oko... Obraca gorączkowo tęczówką barwy opieczonego chleba i zdradza przypadłości wątroby, zepsutej wydzielinami wywołanymi przez gromadzoną od osiemnastu wieków nienawiść; otacza je tysiąc drobnych zmarszczek, rysujących się coraz wyraźniej z wiekiem, ale już dwudziestoletni Judejczyk wydaje się zwiędły jak starzec. Uśmiechając się, Żyd przymyka obrzmiałe powieki tak, że pozostaje między nimi tylko niedostrzegalna prawie linia – oznaka chytrości zdaniem niektórych, lubieżności zdaniem mojego dziadka... Kiedy już podrosłem na tyle, że pewne rzeczy mogłem zrozumieć, zapewniał mnie on, że Żyd – próżny jak Hiszpan, tępy jak Chorwat, chciwy jak Lewantyńczyk, niewdzięczny jak Maltańczyk, bezczelny jak Cygan, brudny jak Anglik, służalczy jak Kałmuk, władczy jak Prusak i oszczerczy jak mieszkaniec Doliny Aosty – oddaje się zapamiętale cudzołóstwu z powodu niepohamowanej żądzy, wywołanej przez pobudzające erekcję obrzezanie; zachodzi też monstrualna dysproporcja między karłowatym wzrostem Żydów a jamistą pojemnością ich na wpół okaleczonych prąci.

Żydzi śnili mi się noc w noc przez długie lata.

Na szczęście nigdy nie miałem z nimi do czynienia – wyjąwszy kurewkę z turyńskiego getta, kiedy byłem jeszcze chłopcem (zamieniłem z nią jednak zaledwie kilka słów), oraz austriackiego doktora (albo niemieckiego, to wszystko jedno).

Niemców poznałem, pracowałem nawet dla nich. To najniższa kategoria rodzaju ludzkiego, jaką można sobie wyobrazić. Niemiec wydziela średnio dwa razy więcej kału niż Francuz – nadczynność funkcji trawiennych ze szkodą dla mózgowych, dowodząca fizjologicznej niższości. W czasach najazdów barbarzyńców germańskie hordy znaczyły przemierzane szlaki niepojętą ilością odchodów. Zresztą nawet w o wiele mniej odległych stuleciach francuski podróżnik zauważał natychmiast, że jest już w Alzacji, gdy widział na drogach niezwykłej wielkości kupy. Na tym nie koniec. Niemców charakteryzuje wydzielanie cuchnącego potu; dowiedziono też, że mocz Niemca zawiera dwadzieścia procent azotu, mocz zaś innych ras – tylko piętnaście.

Niemiec cierpi stale na niestrawność spowodowaną nadmierną konsumpcją piwa i kiełbasy wieprzowej, za którymi przepada. Podczas jedynego pobytu w Monachium przypatrywałem się pewnego wieczoru Niemcom w ich świeckich katedrach zadymionych jak angielskie porty, śmierdzących smalcem i słoniną. Siedzieli tam nawet parami, on i ona, nos przy nosie w zwierzęcym dialogu miłosnym jak dwa obwąchujące się psy, obejmując dłońmi kufle piwa sposobne do napojenia stada słoni, wybuchając hałaśliwym, nieprzyjemnym śmiechem wyrażającym ich mętną, gardłową wesołość, lśniąc od tłuszczu, który stale pokrywa ich twarze i całe ciało jak oliwa skórę zawodników w starożytnych cyrkach.

Usta mają pełne swojego *Geist*, co znaczy „duch". Jest to jednak duch piwska, który od młodości ogłupia. Dlatego w dziedzinie sztuki nigdy nie powstało za Renem nic interesującego, z wyjątkiem obrazów przedstawiających odrażające gęby i śmiertelnie nudnych poematów. Albo ich muzyka... Nie mówię już o łoskoczącym, żałobnym Wagnerze, który dzisiaj otumania także Francuzów, ale i utwory Bacha – niewiele wprawdzie ich słyszałem – są zupełnie pozbawione harmonii, zimne jak grudniowa noc, symfonie zaś tego Beethovena to prawdziwa orgia prostactwa.

Wskutek nadmiernego spożycia piwa Niemcy są całkowicie niezdolni zdać sobie sprawy z własnej wulgarności, której szczytem jest to, że nie wstydzą się być Niemcami. Potraktowali poważnie żarłocznego i lubieżnego mnicha Lutra (jak można ożenić się z mniszką?) dlatego tylko, że zrujnował Biblię, tłumacząc ją na ich język. Kto to powiedział, że nadużyli dwóch najważniejszych europejskich narkotyków – alkoholu i chrześcijaństwa?

...Potraktowali poważnie żarłocznego i lubieżnego mnicha Lutra (jak można ożenić się z mniszką?) dlatego tylko, że zrujnował Biblię, tłumacząc ją na ich język... (s. 16)

Uważają się za głębokie umysły, ponieważ ich język jest ogólnikowy, nie ma jasności francuskiego, nie wyraża nigdy dokładnie tego, co powinien. Niemiec nie wie zatem nigdy, co chciał powiedzieć, i tę niepewność bierze za głębię myśli. Z Niemcami – podobnie jak z kobietami – nigdy nie dochodzi się do sedna. Na nieszczęście do nauki tego właśnie, pozbawionego ekspresji języka – czytając w nim, trzeba niespokojnie szukać oczami czasowników, bo nie ma ich nigdy tam, gdzie być powinny – zmusił mnie w chłopięcych latach dziadek, czemu nie należy się zresztą dziwić, gdyż był zwolennikiem Austrii. Niemieckiego nienawidziłem tak samo jak jezuity, który go uczył, bijąc mnie przy tym prętem po palcach.

Odkąd ten Gobineau napisał o nierówności ras, wydaje się, że kto źle mówi o innym narodzie, robi to, ponieważ swój własny uważa za lepszy. Ja nie mam przesądów. Od kiedy zostałem Francuzem (także przedtem byłem nim w połowie ze względu na matkę), zrozumiałem, jak bardzo moi nowi rodacy są leniwi, szachrajscy, pamiętliwi, zazdrośni, pyszni bezgranicznie – do tego stopnia, że wszystkich innych uważają za dzikusów – niezdolni akceptować upomnień. Zrozumiałem jednak również, że aby skłonić Francuza do przyznania, iż jego plemię nie jest wolne od ułomności, wystarczy przedstawić mu w złym świetle inny naród, mówiąc na przykład: „My, Polacy, mamy taką to a taką wadę". Ponieważ chce on zawsze – nawet w sprawach złych – okazać się pierwszy, powie od razu: „No tak, ale my, Francuzi, mamy wady gorsze", i będzie obmawiał rodaków, dopóki nie zauważy, że wpadł w pułapkę.

Francuzi nie lubią bliźnich nawet wtedy, gdy ciągną z nich zyski. Nikt nie jest bardziej nieuprzejmy od francuskiego oberżysty, który wydaje się nienawidzić klientów (może tak zresztą jest) i pragnąć, żeby ich w ogóle nie było (to z pewnością nie odpowiada prawdzie, ponieważ Francuzi są niezmiernie chciwi). *Ils grognent toujours* – zrzędzą nieustannie. Spróbujcie o coś ich zapytać: *Sais pas moi* – nie wiem – i wydymają wargi, jakby chcieli udać pierdnięcie.

Są źli, zabijają z nudów. Francja to jedyny kraj, którego obywatele przez wiele lat zajmowali się wzajemnym ucinaniem sobie głów. Na szczęście Napoleon ukierunkował tę furię na inne narody, ustawił Francuzów w kolumny i wysłał ich, by pustoszyli Europę.

Szczycą się posiadaniem państwa, które zwą potężnym, lecz przez cały czas usiłują je obalić. Żaden inny naród nie potrafi tak sprawnie wznosić barykad z jakiegokolwiek powodu i przy każdym powiewie wiatru, często nie wiedząc nawet zupełnie dlaczego, i manifestować na ulicy za przykładem najgorszych mętów. Francuz nie wie dobrze, czego chce; wie tylko doskonale, że nie chce tego, co ma. Aby to przekonanie wyrazić, bezustannie śpiewa piosenki.

Francuzi sądzą, że cały świat mówi po francusku. Przed kilkudziesięciu laty dowiódł tego ów Lucas, prawdziwy geniusz: trzydzieści tysięcy fałszywych dokumentów własnoręcznie sporządzonych na starym papierze – wyklejkach wyciętych z książek i wyniesionych po kryjomu z Biblioteki Narodowej – napisanych imitacją różnych charakterów pisma, choć nie tak dobrą jak ta, która byłaby moim dziełem... Sprzedał ich Bóg wie ile za ciężkie pieniądze temu durniowi Chasles'owi (wybitny matematyk – powiadają – i członek Akademii Nauk, ale wielki bałwan). No i nie tylko Chasles, ale i wielu innych jego kolegów z Akademii uwierzyło, że swoje listy pisali po francusku Kaligula, Kleopatra i Juliusz Cezar, że po francusku korespondowali ze sobą Pascal, Newton i Galileusz – a przecież nawet dzieci wiedzą, że uczeni w tamtych czasach posługiwali się łaciną. Francuscy mędrcy nie mieli pojęcia, że inne narody nie mówią tak samo jak Francuzi. Ponadto te sfałszowane listy zawierały twierdzenie, jakoby Pascal opracował teorię powszechnego ciążenia dwadzieścia lat przed Newtonem; to wystarczyło, aby zaślepić owych profesorów Sorbony zżeranych nacjonalistyczną butą.

Niewiedza Francuzów wynika może z ich skąpstwa – narodowej wady, którą oni uważają za cnotę i nazywają oszczędnością. Tylko w tym kraju mogła powstać cała komedia, której akcja obraca się wokół postaci skąpca. Pominę już papę Grandeta.

Świadczą o skąpstwie ich zakurzone mieszkania, nigdy nieodnawiane obicia mebli, odziedziczone po przodkach wanny, kręte, niepewne schody drewniane, dzięki którym zaoszczędzają małostkowo trochę miejsca. Skrzyżujcie – jak krzyżuje się rośliny – Francuza z Żydem (najlepiej pochodzącym z Niemiec), a otrzymacie to, co mamy: Trzecią Republikę.

Zrobiłem się Francuzem, ponieważ nie mogłem znieść tego, że jestem Włochem. Jako Piemontczyk (z urodzenia) czułem się tylko karykaturą Gala o bardziej ograniczonych od niego poglądach. Piemontczycy obawiają się każdej nowości, niespodzianki ich przerażają. Aby nakłonić ich do wyruszenia na Królestwo Obojga Sycylii (z Piemontu pochodziło bardzo niewielu garybaldczyków), potrzebni byli dwaj Liguryjczycy – fanatyk Garibaldi i przynoszący pecha Mazzini. I nie mówmy lepiej o tym, co odkryłem, gdy wysłano mnie do Palermo (kiedy? muszę sobie przypomnieć). Te ludy podobały się tylko próżnemu Dumasowi, chyba dlatego, że schlebiały mu bardziej niż Francuzi, dla których był przecież mieszańcem. Lubili go Neapolitańczycy i Sycylijczycy, sami mieszańcy, nie przez pomyłkę matki nierządnicy, lecz z winy pokoleń zrodzonych ze skrzyżowań zdradzieckich Lewantyńczyków, pocących się Arabów i zwyrodniałych Ostrogotów, które od swoich niejednorodnych przodków brały to co najgorsze: od Saracenów – ociężałość, od Szwabów – krwiożerczość, od Greków – niezdolność do wyciągania wniosków i zamiłowanie do czczej gadaniny, do dzielenia włosa na czworo. Co do całej reszty, wystarczy popatrzeć na neapolitańskich uliczników, jak popisują się przed cudzoziemcami, wpychając sobie palcami do gardła makaron, umazani sosem z zepsutych pomidorów. Ja chyba ich nie widziałem, ale wiem.

Włoch jest podstępny, kłamie i zdradza, woli sztylet od szpady, truciznę od lekarstwa. W pertraktacjach wykrętny, zawsze gotów do zmiany obozu; miałem okazję zobaczyć, co zrobili generałowie burbońscy na sam widok awanturników Garibaldiego i generałów z Piemontu.

Wzór czerpali Włosi z księży, którym zawdzięczali jedyne prawdziwe rządy od czasów, kiedy zdeprawowanego ostatniego cesarza rzymskiego zgwałcili barbarzyńcy, ponieważ za sprawą chrześcijaństwa zniewieściała starożytna rasa.

Księża... Jak ich poznałem? Zdaje się, że u dziadka. Przypominam sobie te rozbiegane oczy, zepsute zęby, nieświeże oddechy, spocone dłonie próbujące pogłaskać mnie po karku. Obrzydliwość. Próżniacy, klasa niebezpieczna, jak złodzieje i włóczędzy. Księdzem lub mnichem zostaje się po to, żeby próżnować; a próżnować mogą, bo jest ich dużo. Gdyby ksiądz był – powiedzmy – jeden na tysiąc dusz, miałby tyle roboty, że nie mógłby leżeć do góry brzuchem i opychać się kapłonami. Spośród księży najmniej godnych rząd wybiera najgłupszych i mianuje ich biskupami.

Księża są przy tobie tuż po urodzeniu, kiedy cię chrzczą. Potem masz ich w szkole, jeżeli rodzice byli bigotami i powierzyli im twoją edukację. Kolej na pierwszą komunię, lekcje katechizmu i bierzmowanie. W dniu ślubu ksiądz powiada ci, co masz robić w sypialni, a nazajutrz, żeby mieć się czym podniecać w konfesjonale, pyta cię na spowiedzi, ile razy to zrobiłeś. Tobie o spółkowaniu mówią księża ze wstrętem, a sami wstają codziennie z łóżek, gdzie je uprawiali; nie myją sobie nawet rąk i idą jeść i pić swojego Pana, żeby potem wydalić go z siebie i wysikać.

Powtarzają, że ich królestwo nie jest z tego świata, ale zgarniają, co się da. Cywilizacja nie osiągnie doskonałości, póki ostatni kamień z ostatniego kościoła nie spadnie na ostatniego księdza i nie uwolni świata od tej hołoty.

Komuniści rozpowszechnili pogląd, że religia to opium dla ludu. To prawda, gdyż religia hamuje zrywy poddanych; gdyby nie ona, na barykadach byłoby dwa razy więcej ludzi, a w dniach Komuny nie było ich tam dosyć i udało się wszystkich wybić bez zbytniej zwłoki. Po tym jednak, co usłyszałem od tego austriackiego lekarza na temat zalet kolumbijskiego narkotyku, powiedziałbym, że religia jest także kokainą narodów, ponieważ pchała i pcha do wojen, do rzezi niewiernych. Dotyczy to chrześcijan, muzułmanów i innych bałwochwalców. Murzyni w Afryce poprzestawali na wyrzynaniu się między sobą, a misjonarze nawrócili ich i zamienili w wojska kolonialne, gotowe umierać na pierwszej linii frontu i gwałcić białe kobiety po wkroczeniu do zdobytego miasta. Ludzie nigdy nie czynią zła w tak szerokim zakresie i z takim zapałem jak wtedy, gdy robią to z przekonań religijnych.

Najgorsi ze wszystkich są z pewnością jezuici. Wydaje mi się, że zrobiłem im kilka kawałów, ale może to oni mi zaszkodzili, nie przypominam sobie dokładnie. A może byli to ich rodzeni bracia – masoni. Są zupełnie jak jezuici, tylko trochę bardziej mętni. Jezuici mają przynajmniej swoją teologię i wiedzą, jak się nią posługiwać, masoni zaś mają teologii zbyt wiele i się w nich gubią. O masonach opowiadał mi dziadek. Wspólnie z Żydami ucięli głowę królowi. Wydali na świat karbonariuszy – takich masonów trochę głupszych, bo kiedyś pozwalali się rozstrzeliwać, a potem ucinać sobie głowy za nieudolnie sfabrykowaną bombę; stawali się też socjalistami, komunistami i komunardami. Wszystkich pod ścianę! Thiers dobrze zrobił.

Masoni i jezuici. Jezuici to masoni w kobiecym stroju.

O kobietach wiem mało, ale ich nienawidzę. Przez lata całe moją obsesją były *brasseries à femmes* – piwiarnie z kobietami – gdzie zbierają się najrozmaitsi przestępcy. To miejsca gorsze od domów publicznych. Z otwarciem takiego domu mogą być trudności, jeśli sąsiedzi wyrażą sprzeciw, a piwiarnię wolno otworzyć wszędzie, ponieważ – jak powiadają – jest to tylko

...Jezuici to masoni w kobiecym stroju... (s. 22)

lokal, do którego chodzi się pić. Tyle że pije się na parterze, a na wyższych piętrach uprawia się nierząd. Każda piwiarnia ma swoje właściwości; dopasowane są do nich stroje kelnerek. Tu kelnerki niemieckie, tam znowu – przed Pałacem Sprawiedliwości – w adwokackich togach. Wystarczą zresztą same nazwy: Brasserie du Tire-cul (Ciągnij za Tyłek), Brasserie des Belles Marocaines (Marokańskich Ślicznotek) albo Brasserie des Quatorze Fesses (Czternastu Pośladków) w pobliżu Sorbony. Właścicielami są prawie zawsze Niemcy, którzy podkopują w ten sposób francuską moralność. W piątym i szóstym *arrondissement* jest takich piwiarni co najmniej sześćdziesiąt, a w całym Paryżu – prawie dwieście, wszystkie otwarte także dla najmłodszych. Chłopcy chodzą tam najpierw z ciekawości, potem z nałogu; wreszcie w najlepszym wypadku tylko zarażają się rzeżączką. Jeżeli piwiarnia znajduje się niedaleko szkoły, uczniowie po lekcjach idą pod drzwi podpatrywać dziewczyny. Ja chodzę pić i podglądać z wnętrza uczniów podglądających przez drzwi. Zresztą nie tylko uczniów; dowiaduję się tam wiele o obyczajach i znajomościach dorosłych, co zawsze może się przydać.

Moją ulubioną rozrywką jest śledzenie rozmaitych sutenerów, którzy siedzą przy stołach i czekają. Część ich to żyjący z wdzięków swoich żon mężowie. Trzymają się razem, są porządnie ubrani, palą i grają w karty. Właściciel i dziewczyny nazywają ich stół stołem rogaczy. W Dzielnicy Łacińskiej wielu z nich to byli studenci, którym się nie powiodło i którzy ciągle się obawiają, że ktoś pozbawi ich źródła dochodu; ci często chwytają za nóż. Najspokojniejsi są złodzieje i mordercy. Wchodzą i wychodzą, ponieważ muszą przygotowywać swoje skoki. Są pewni, że dziewczyny ich nie zdradzą, bo już następnego dnia kołysałyby się na falach Bièvre.

Zdarzają się tam też osobnicy wynaturzeni, którzy czyhają na zdeprawowanych mężczyzn i kobiety, gotowi do najobrzydliwszych usług. Wypatrują klientów w Palais-Royal lub na Polach

Elizejskich i zwabiają ich umówionymi znakami. Kiedy klient jest już w pokoju, często pojawiają się tam przebrani za policjantów wspólnicy, którzy grożą stojącemu w samych kalesonach aresztem; ofiara błaga o litość i wykupuje się zwitkiem banknotów.

Wchodząc do tych domów rozpusty, zachowuję ostrożność, bo wiem, co mogłoby mi się przytrafić. Jeśli klient wygląda na zamożnego, właściciel kiwa na jedną z dziewczyn, ona zbliża się i powoli przekonuje gościa, żeby zaprosił do stolika wszystkie inne, które zamawiają wtedy najdroższe napoje (ale im nie wolno się zalać, więc piją *anisette superfine*, anyżówkę doskonałą, i *cassis fin*, wyborową z czarnej porzeczki – barwioną wodę, za którą klient drogo płaci). Potem próbują grać z tobą w karty, porozumiewając się oczywiście między sobą; przegrywasz i musisz postawić kolację wszystkim, z właścicielem i jego żoną włącznie. Kiedy masz już tego dość, proponują grę nie na pieniądze: jeśli wygrywasz, jedna z dziewczyn coś z siebie zdejmuje... Spod każdej zdejmowanej koronki wygląda wstrętne, białe ciało, ukazują się nabrzmiałe piersi, ciemne pachy o nieprzyjemnej, denerwującej woni...

Nie wszedłem nigdy na wyższe piętro. Ktoś powiedział, że kobiety to tylko namiastka onanizmu, wymagają jednak więcej wyobraźni. Wracam więc do domu i śnię o nich w nocy, nie jestem przecież z żelaza, a zresztą to one mnie sprowokowały.

Czytałem doktora Tissota i wiem, że szkodzą nawet na odległość. Nie wiadomo, czy duchy żywotne i sperma to jedno, lecz nie ulega wątpliwości, że te dwa fluidy mają ze sobą coś wspólnego: po długich polucjach nocnych nie tylko traci się siły, ale ciało chudnie, twarz blednie, słabnie pamięć, wzrok zachodzi mgłą, głos chrypnie, sen zakłócają koszmary, odczuwa się ból oczu, na twarzy pojawiają się czerwone plamy, niektórzy plują wapienną substancją, mają palpitacje, duszą się, mdleją, inni znowu uskarżają się na zatwardzenie lub na puszczanie coraz bardziej smrodliwych wiatrów.

Może to przesada. Jako chłopiec miałem krosty na twarzy, to chyba typowe dla wieku, zresztą może wszyscy chłopcy sobie dogadzają, trzepiąc kapucyna dniem i nocą. Teraz nauczyłem się już ograniczać; niespokojne sny dręczą mnie tylko po wieczorze spędzonym w piwiarni i w przeciwieństwie do wielu innych mężczyzn nie miewam erekcji na widok byle jakiej spódniczki. Praca chroni mnie przed rozwiązłością obyczajów.

Dlaczego jednak filozofuję, zamiast odtwarzać wydarzenia? Może dlatego, że potrzebuję wiedzy nie tylko o tym, co robiłem przed dniem wczorajszym, lecz także o tym, jaki jestem wewnątrz. Pod warunkiem, że mam wnętrze. Mówią, że dusza jest jedynie tym, co się robi. Jeśli jednak kogoś nienawidzę i tę żywą niechęć w sobie pielęgnuję, znaczy to, że – na Boga! – jakieś wnętrze jest. Jak to powiedział filozof? *Odi ergo sum* – nienawidzę, więc jestem.

Niedawno na dole ktoś zadzwonił. Obawiałem się już, że to jakiś dureń, który chce coś kupić, ale ten człowiek powiedział mi od razu, że go przysyła Tissot (dlaczego wybrałem właśnie takie hasło?). Potrzebował testamentu holograficznego z podpisem niejakiego Bonnefoy na korzyść niejakiego Guillota (był to bez wątpienia on sam). Miał ze sobą papier listowy, którego używa lub używał ów Bonnefoy, i próbkę jego charakteru pisma. Zaprosiłem Guillota do gabinetu, wybrałem odpowiednie pióro i atrament, po czym bez żadnych przymiarek zredagowałem dokument. Był znakomity. Guillot zapewne znał cennik, bo wręczył mi honorarium stosowne do wysokości zapisu.

A więc taki jest mój zawód? Piękną rzeczą jest stworzyć z niczego akt notarialny, sfabrykować list, który wydaje się prawdziwy, wymyślić kompromitujące zeznanie, zredagować dokument, który kogoś zgubi. Oto potęga sztuki… Zasłużyłem sobie na odwiedziny w Café Anglais.

Siedzibą mojej pamięci jest chyba nos. Odnoszę wrażenie, że już od wieków nie wdycham aromatu owego menu: suflet à la reine, filety z soli à la vénitienne, *escalopes de turbot au gratin* – zapiekane dzwonka turbota, *selle de mouton purée bretonne* – comber barani z purée po bretońsku... A na przystawkę: kurczak à la portugaise albo *pâté chaud de cailles* – pasztet przepiórczy na gorąco, albo homar à la parisienne, albo wszystko to razem. No i danie główne... czy ja wiem... kaczuszki à la rouennaise albo *ortolans sur canapés* – ortolany na kanapkach, oraz coś lekkiego przed deserem, bakłażany à l'espagnole, *asperges en branches* – łodygi szparagów, *cassolettes princesse* – wazonik księżniczki... A wina... sam nie wiem... chyba Château-Margaux albo Château-Latour, albo Château-Lafite, zależnie od rocznika. I na zakończenie *bombe glacée* – bomba lodowa.

Kuchnia dawała mi zawsze więcej satysfakcji niż współżycie płciowe. Może to piętno wyciśnięte na mnie przez księży.

W głowie mam ciągle coś w rodzaju chmury, która uniemożliwia mi patrzenie wstecz. Dlaczego nagle stają mi w pamięci moje wypady do turyńskiej kawiarni Bicerin w habicie ojca Bergamaschiego? Zapomniałem zupełnie ojca Bergamaschiego. Kto to był? Lubię wodzić piórem zgodnie z nakazami instynktu. Zdaniem tego austriackiego lekarza powinienem dotrzeć do chwili dla mojej pamięci prawdziwie bolesnej, co by mi wyjaśniło, dlaczego tyle wspomnień nagle wykreśliłem.

Wczoraj, we wtorek, dwudziestego drugiego marca – tak przynajmniej uważałem – obudziłem się z uczuciem, że doskonale wiem, kim jestem. Jestem kapitanem Simoninim, mam sześćdziesiąt siedem lat, ale wyglądam młodziej (jestem na tyle tęgi, że można mnie uznać za mężczyznę przystojnego). Stopień kapitana nadałem sobie we Francji z myślą o dziadku, uzasadniając to niejasno służbą w szeregach Tysiąca garybaldczyków, która przynosi pewien prestiż w tym kraju, gdzie Garibaldi szanowany jest bardziej niż we Włoszech. A więc Simone Simonini, urodzony w Turynie z pochodzącego stamtąd ojca

27

i matki Francuzki (lub mieszkanki Sabaudii, ale kiedy się urodziła, Sabaudię okupowali Francuzi).

Leżałem jeszcze w łóżku i rozmyślałem... Biorąc pod uwagę problemy z Rosjanami (z Rosjanami?), lepiej, żebym się nie pokazywał w swoich ulubionych restauracjach. Mógłbym sam sobie coś ugotować. Kilkugodzinna praca nad przygotowaniem jakiegoś smacznego dania zawsze mnie odpręża. Na przykład *côtes de veau Foyot*: mięso cielęce grubości przynajmniej czterech centymetrów – porcja na dwie osoby – dwie średnie cebule, pięćdziesiąt gramów miękiszu chleba, siedemdziesiąt pięć gramów tartego sera szwajcarskiego, pięćdziesiąt gramów masła. Miękisz przeciera się i miesza z serem, cebule obiera się i sieka drobno, topi się w rondelku czterdzieści gramów masła, a z jego pozostałością, w drugim garnuszku, dusi się powoli cebulę. Dno płaskiego naczynia wyściela się połową duszonej cebuli, wkłada do niego mięso przyprawione solą i pieprzem i przybiera je po jednej stronie pozostałością cebuli. Całość przykrywa się pierwszą warstwą miękiszu z serem, polewając mięso topionym masłem i lekko ugniatając dłonią, aby przylegało dokładnie do dna naczynia. Kładzie się drugą warstwę miękiszu, formując ją w coś w rodzaju kopuły, następnie polewa się wszystko białym winem i bulionem – ale tak, żeby płynu nie było w naczyniu zbyt dużo. Potrawę wstawia się do piecyka na jakieś pół godziny, nadal zwilżając ją od czasu do czasu winem i bulionem. Podawać z kalafiorami obsmażanymi na patelni.

Potrzeba na to trochę czasu, ale rozkosze związane z dobrą kuchnią zaczynają się jeszcze przed jedzeniem, bo gotowanie jest zapowiedzią przyjemności. Wylegując się teraz w łóżku, tym właśnie się delektowałem. Tylko głupcy, aby nie czuć się samotnie, muszą mieć pod kołdrą kobietę lub chłopca. Nie wiedzą, że łykać ślinkę jest lepiej, niż mieć erekcję.

W domu miałem prawie wszystko oprócz szwajcarskiego sera i mięsa. Z mięsem każdego innego dnia nie byłoby kłopotu, bo na placu Maubert jest rzeźnik, ale – kto wie dlaczego –

we wtorki jego sklep jest zamknięty. Wiedziałem jednak
o innym, w odległości dwustu metrów stąd, na bulwarze Saint-
-Germain; spacer dobrze mi zrobi. Ubrałem się i przed
wyjściem, patrząc w lustro nad umywalką, przylepiłem sobie
jak zwykle czarne wąsy i piękną brodę. Potem nałożyłem perukę i uczesałem ją z przedziałkiem pośrodku, lekko mocząc
grzebień w wodzie. Wdziałem surdut, w kieszonkę kamizelki
wsunąłem srebrny zegarek z dobrze widocznym łańcuszkiem.
Aby wyglądać na emerytowanego kapitana, podczas rozmowy
chętnie bawię się szylkretowym pudełeczkiem wypełnionym
pastylkami lukrecjowymi, z portrecikiem kobiety brzydkiej,
ale elegancko ubranej, po wewnętrznej stronie pokrywki; to
niewątpliwie ukochana zmarła. Od czasu do czasu wkładam do
ust pastylkę i przesuwam ją językiem, co pozwala mi mówić
wolniej, temu zaś, kto mnie słucha, każe śledzić ruchy moich
warg i nie zwracać większej uwagi na słowa. Chodzi o to,
aby mieć wygląd osoby obdarzonej inteligencją niesięgającą
średniej.

Wyszedłem z domu i skręciłem w rue Sauton, starając się nie
zatrzymywać przed piwiarnią, z której od wczesnego ranka
dolatywały niemiłe głosy kobiet upadłych.

Plac Maubert nie jest już tym niezwykłym miejscem, którym
był jeszcze trzydzieści pięć lat temu, kiedy tu przybyłem. Roiło
się tam wówczas od handlarzy utylizowanym tytoniem – ciętym
grubo z niedopałków cygar i z pozostałości w fajkach oraz
ciętym cienko z niedopałków papierosów; ten pierwszy za
jednego franka dwadzieścia centymów za funt, ten drugi od
jednego franka pięćdziesiąt do jednego franka sześćdziesiąt za
funt (zajęcie to nie przynosiło jednak większego zysku i nie
przynosi go nadal, bo wszyscy ci pomysłowi handlarze, pozbyw-
szy się znacznej części zarobku w jakiejś knajpie, nie wiedzą,
gdzie się w nocy przespać). Pełno było na placu również sutenerów, którzy wylegiwali się w łóżku przynajmniej do drugiej po

południu, a resztę dnia spędzali paląc, oparci o ścianę, za przykładem wielu zacnych emerytów, aby jako psy pasterskie wkroczyć do akcji o zmroku. Nie brakowało złodziei zmuszonych okradać się wzajemnie, bo żaden lepiej sytuowany mieszczanin (z wyjątkiem może jakiegoś przyjezdnego próżniaka) nie ośmieliłby się tam przyjść. Ja byłbym dobrym łupem, gdybym nie chodził krokiem wojskowego, wywijając laską; zresztą miejscowi kieszonkowcy mnie znali, niektórzy kłaniali mi się nawet, tytułując mnie kapitanem – musieli myśleć, że jakimś sposobem należę do ich podejrzanego światka, a kruk krukowi oka nie wykole. Były też przywiędłe prostytutki, które gdyby jeszcze ładnie wyglądały, pracowałyby w *brasseries à femmes*, a teraz liczyły tylko na szmaciarzy, łobuzów i śmierdzących handlarzy utylizowanym tytoniem – ale ujrzawszy porządnie ubranego pana w lśniącym cylindrze, mogłyby się ośmielić i nawet chwycić cię za ramię, podchodząc tak blisko, że poczułbyś obrzydliwy zapach najtańszych perfum zmieszany z wonią potu. Takie przeżycie byłoby zbyt przykre (nie chciałem śnić o nich w nocy), kiedy więc widziałem, że któraś się zbliża, wprawiałem laskę w ruch obrotowy, jakbym chciał stworzyć wokół siebie strefę chronioną i niedostępną, co one pojmowały od razu, bo były przyzwyczajone do posłuszeństwa i dla kija żywiły respekt.

W tym tłumie kręcili się także wywiadowcy prefektury policji, werbując swoich *mouchards*, czyli konfidentów, lub zbierając w locie cenne informacje o przygotowywanych łotrostwach, o których jeden złoczyńca mówił drugiemu zbyt głośnym szeptem w przekonaniu, że jego głos zginie w ogólnym hałasie. Szpicli rozpoznawało się jednak natychmiast, bo mieli strasznie zakazane gęby. Tylko oni wyglądali na łotrów, żaden prawdziwy łotr na takiego nie wygląda.

Teraz po placu Maubert jeżdżą nawet tramwaje, człowiek nie czuje się już jak u siebie w domu. Są tam jednak jeszcze osobnicy, którzy mogą się przydać, trzeba tylko umieć ich rozpoznać. Stoją na rogach, w drzwiach kawiarni Maître-Albert albo w jednej z przyległych uliczek. W każdym razie Paryż nie jest już taki jak kiedyś, odkąd z każdego kąta widać w oddali ten szpikulec – wieżę Eiffla.

Dosyć, nie jestem sentymentalny, istnieją też inne miejsca, gdzie mogę zawsze znaleźć to, czego mi potrzeba. Wczoraj rano potrzebowałem mięsa i sera, znalazłem je jeszcze na placu Maubert.

Kupiłem ser i zatrzymałem się przed swoim sklepem mięsnym, bo zobaczyłem, że jest otwarty.

– Co to, otworzył pan we wtorek? – spytałem rzeźnika, wchodząc.

– Panie kapitanie, przecież dzisiaj środa – odpowiedział z uśmiechem.

Zmieszałem się i przeprosiłem. Dodałem, że z wiekiem traci się pamięć. On na to, że jestem nadal młodzieniaszkiem i że każdy może być trochę roztargniony, jeśli zbyt wcześnie się obudzi. Wybrałem mięso, zapłaciłem, nie wspominając nawet, że mógłby policzyć nieco taniej – to jedyny sposób na pozyskanie sobie szacunku sprzedawców.

W drodze powrotnej zastanawiałem się, jaki to właściwie jest dzień tygodnia. Wszedłem na piętro do sypialni, aby zdjąć wąsy i brodę, jak robię zwykle, kiedy mam być sam. Dopiero wtedy uderzyło mnie coś, co wydawało się nie na miejscu. Na wieszaku obok komody wisiał ubiór – sutanna, bez żadnej wątpliwości księża sutanna. Zbliżyłem się i spostrzegłem, że na komodzie leży peruka koloru kasztanowego, wpadającego prawie w blond.

Kiedy już zacząłem się zastanawiać, jakiego aktorzynę ostatnio gościłem, uświadomiłem sobie, że ja również występuję w masce, bo noszone przeze mnie wąsy i broda nie są przecież moje. Byłem więc kimś, kto przebiera się raz za zamożnego dżentelmena, a raz za duchownego? Dlaczego jednak zapomniałem zupełnie o tym drugim wcieleniu? A może z jakiegoś powodu (na przykład dlatego, że wisi nade mną nakaz aresztowania) maskowałem się za pomocą wąsów i brody, a jednocześnie udzielałem u siebie schronienia komuś, kto przebierał się za księdza? Jeśli jednak ten fałszywy ksiądz (prawdziwy nie nosiłby peruki) mieszkał ze mną, to gdzie sypiał, bo przecież w domu było tylko jedno łóżko. Zresztą może nie mieszkał u mnie, tylko z jakiegoś powodu schronił się tu wczoraj i zostawił swoje przebranie, sam zaś poszedł sobie Bóg wie dokąd robić Bóg wie co.

W głowie czułem pustkę. Wydawało mi się, że widzę coś, co powinienem pamiętać, lecz czego nie pamiętam, coś, co należało jakby do wspomnień innej osoby. Sądzę, że „wspomnienia innej osoby" są sformułowaniem właściwym. W tamtej chwili odnosiłem wrażenie, że jestem kimś innym, kto obserwuje siebie samego z zewnątrz. Ktoś obserwował Simoniniego, który nagle zdał sobie sprawę, że nie wie dokładnie, kim jest.

Spokój, zastanówmy się – powiedziałem sobie. Nie było nieprawdopodobne, że jako indywiduum, które pod pretekstem sprzedawania rupieci fałszuje dokumenty i mieszka w jednej z najbardziej podejrzanych dzielnic Paryża, udzielałem schronienia komuś wmieszanemu w nieczyste kombinacje. Nie wydawało mi się jednak normalne, że zapomniałem, kto to mógł być.

Poczułem, że muszę się zabezpieczyć; moje własne mieszkanie stało się nagle miejscem nieznanym, kryjącym może więcej tajemnic. Zacząłem je badać, jakby należało do kogoś innego. Po wyjściu z kuchni – na prawo sypialnia, na lewo salon ze swojskimi meblami. Pootwierałem szuflady biurka mieszczące moje narzędzia pracy: pióra, buteleczki z atramentami, białe jeszcze (lub żółte) kartki rozmaitego formatu i z różnych epok. Na regałach, oprócz książek, pudełka pełne moich dokumentów i stare tabernakulum z orzecha. Usiłowałem właśnie sobie przypomnieć, do czego służyło, gdy z dołu dobiegł mnie dźwięk dzwonka. Zszedłem po schodach, aby przepędzić natręta, ale zobaczyłem znajomą mi chyba staruszkę.

Powiedziała przez szybę:

– Przysyła mnie Tissot.

Musiałem więc ją wpuścić; Bóg wie dlaczego wybrałem sobie hasło takie, a nie inne.

Weszła i rozwiązała zawiniątko, które przyciskała do piersi. Ujrzałem ze dwadzieścia hostii.

– Ksiądz Dalla Piccola powiedział mi, że pana interesują.

Niespodzianie dla samego siebie powiedziałem: „Oczywiście", i spytałem po ile. Dziesięć franków od sztuki, odrzekła staruszka.

– Oszalała pani – zareagowałem, kierowany instynktem kupca.

– To pan oszalał, odprawia pan czarne msze. Myśli pan, że łatwo jest oblecieć w trzy dni dwadzieścia kościołów, przyjmować komunię, dbając, żeby mieć sucho w ustach, klękać, zakrywając twarz rękami, wyjmować hostie z ust, uważając, żeby ich nie zaślinić, wkładać do torebki na piersi – a wszystko tak, żeby niczego nie spostrzegli ani proboszcz, ani ludzie obok? Nie mówiąc już o świętokradztwie i o piekle, które mnie czeka. Jeżeli więc pan reflektuje, proszę dwieście franków, albo idę do księdza Boullana.

– Ksiądz Boullan umarł, widocznie już dawno nie zajmowała się pani hostiami – odrzekłem jej prawie machinalnie. Potem zdecydowałem, że przy zamieszaniu, jakie mam w głowie, powinienem iść za instynktem, zbytnio się nie zastanawiając. – Już dobrze, biorę – powiedziałem i zapłaciłem jej. Zrozumiałem teraz, że trzeba włożyć opłatki do tabernakulum w pracowni i czekać na klienta amatora. Robota taka sama jak inne.

Właściwie wszystko wydawało mi się codzienne, dobrze znane. A jednak czułem wokół siebie jakby zapach czegoś złowieszczego, czego nie umiałem określić.

Wróciłem na górę do pracowni i spostrzegłem, że w głębi znajdują się zasłonięte kotarą drzwi. Odsunąłem ją, wiedząc już, że wejdę do korytarza tak ciemnego, iż będzie mi potrzebna lampa. Korytarz przypominał magazyn akcesoriów teatralnych albo zaplecze sklepu handlarza starzyzną na rynku Temple. Na ścianach wisiały najrozmaitsze ubiory: wieśniaka, karbonariu-sza, gońca, żebraka, żołnierza. Obok ubiorów – pasujące do nich uczesania. Na tuzinie modeli głowy, ustawionych w szeregu na drewnianej konsoli, umieszczono tyleż peruk. W głębi korytarza stała *coiffeuse* podobna do toalet w garderobach aktorów, a na niej tłoczyły się słoiczki z blanszem i różem, czarne i ciemnoniebieskie kredki, zajęcze łapki, puszki do pudru, pędzelki, szczoteczki.

Korytarz zakręcał potem pod kątem prostym, dalej były drzwi wiodące do pokoju jaśniejszego niż mój, gdyż wpadało do niego światło z jakiejś ulicy, nie z ciasnego zaułka Maubert. Podszedłszy do jednego z okien, zobaczyłem w istocie, że wychodzi ono na rue Maître-Albert.

Z pokoju na ulicę prowadziły schodki, i to wszystko. Było to więc pomieszczenie jednopokojowe, coś pośredniego między kawalerką a sypialnią, wyposażone w proste, ciemne meble: stół, klęcznik, łóżko. Obok wyjścia – malutka kuchenka, przy schodach – ustęp z umywalką.

Najwidoczniej mieszkanko duchownego, z którym musiałem być w dość bliskich stosunkach, ponieważ nasze lokale łączyły się ze sobą. Wszystko tu jakby coś mi przypominało, miałem jednak wrażenie, że jestem w tym pokoju po raz pierwszy.

Podszedłem do stołu i spostrzegłem plik listów w kopertach zaadresowanych do jednej i tej samej osoby: do Przewielebnego lub Wielebnego Ojca Dalla Piccola. Obok listów zobaczyłem kilka kartek papieru zapisanych delikatnym, subtelnym, kobiecym prawie charakterem pisma, bardzo różnym od mojego. Były to szkice listów bez większego znaczenia – podziękowania za prezent, potwierdzenia proponowanych spotkań. Na samym wierzchu leżał jednak arkusz zredagowany nieco chaotycznie, jak gdyby piszący robił notatki z myślą o utrwaleniu spraw, nad którymi ma się zastanowić. Nie bez trudu odczytałem, co następuje:

Wszystko wydaje się nierealne. Jakbym był kimś innym, kto mnie obserwuje. Zapisać, żeby być pewnym, że to prawda.

Dzisiaj mamy dwudziesty drugi marca.

Gdzie są sutanna i peruka?

Co robiłem wczoraj wieczorem? W głowie mam jakby mgłę.

Nie pamiętałem nawet, dokąd prowadzą drzwi w głębi pokoju.

Odkryłem korytarz (nigdy dotąd niewidziany?) pełen ubiorów, peruk, kremów i szminek, jakich używają aktorzy.

Na kołku wisiała porządna sutanna, na półce znalazłem nie tylko ładną perukę, ale i sztuczne brwi. Podkład ochra, na policzkach odrobina różu: teraz jestem znowu taki, jakim się sobie wydaję – blady, z lekką gorączką. Asceta. To ja. Ja – kto?

Wiem, że jestem księdzem Dalla Piccola. Albo tym, kogo ludzie znają jako księdza Dalla Piccola. Najwidoczniej jednak nim nie jestem, bo żeby nim być, muszę się przebrać.

Dokąd prowadzi ten korytarz? Boję się iść nim do końca.

Przeczytaj te notatki. Jeśli są napisane czarno na białym, to znaczy, że wszystko przydarzyło mi się w rzeczywistości. Trzeba wierzyć dokumentom na piśmie.

Ktoś dał mi wypić magiczny napój? Boullan? Byłby do tego w pełni zdolny. Albo jezuici? A może masoni? Ale co ja mam z nimi wspólnego?

Żydzi! To mogli być oni.

Nie czuję się tutaj bezpiecznie. Ktoś mógł wślizgnąć się w nocy, ukraść moje ubrania, albo – co jeszcze gorsze – szperać w moich papierach. Może ktoś krąży po Paryżu, podając się za księdza Dalla Piccola.

Muszę schronić się w Auteuil. Może Diana wie. Kim jest Diana?

Zapiski księdza Dalla Piccola tutaj się urywały. Ciekawe, że nie zabrał on ze sobą tak bardzo poufnego tekstu, świadczącego o wzburzeniu, które z pewnością go ogarnęło. Na tym kończyło się też wszystko, czego mogłem się o nim dowiedzieć.

Wróciłem do mieszkania przy zaułku Maubert i usiadłem za biurkiem. W jaki sposób życie księdza Dalla Piccola krzyżowało się z moim?

Nie mogłem naturalnie pominąć hipotezy najbardziej oczywistej: ja i ksiądz Dalla Piccola byliśmy tą samą osobą; w takim wypadku wszystko stałoby się jasne, dwa połączone lokale i nawet to, że wróciłem do mieszkania Simoniniego ubrany jak Dalla Piccola, zostawiłem tam sutannę z peruką i zasnąłem. Wszystko jasne, oprócz jednego drobnego szczegółu: jeżeli Simonini był Dalla Piccolą, to dlaczego ja nie wiedziałem nic o Dalla Piccoli i nie czułem się Dalla Piccolą, który nie wie nic o Simoninim, aby zaś poznać myśli i uczucia Dalla Piccoli, musiałem przeczytać jego notatki? Ponadto gdybym był Dalla Piccolą, powinienem znajdować się w Auteuil, w tym domu, o którym on zdawał się wszystko wiedzieć, a ja (Simonini) nie wiedziałem nic. No i kim była Diana?

Chyba że byłbym chwilami Simoninim, który zapomniał Dalla Piccolę, a chwilami Dalla Piccolą, który zapomniał Simoniniego. Kto to mi mówił o przypadkach rozdwojonej osobowości? Czy nie było tak z Dianą? Ale kim jest Diana?

Postanowiłem postępować metodycznie. Wiedziałem, że mam zeszyt, w którym zapisuję swoje zajęcia. Znalazłem tam następujące notatki:

21 marca, msza
22 marca, Taxil
23 marca, Guillot w sprawie testamentu Bonnefoy
24 marca, u Drumonta?

Nie wiem zupełnie, dlaczego dwudziestego pierwszego miałem pójść na mszę. Nie sądzę, żebym był wierzący. Czy w coś wierzę? Nie wydaje mi się. Zatem – zgodnie z logiką – jestem niewierzący; ale mniejsza z tym. Czasami chodzi się na mszę z różnych przyczyn, które z wiarą nie mają nic wspólnego.

Rzeczą o wiele pewniejszą było natomiast to, że dzień, który uważałem za wtorek, okazał się w rzeczywistości środą, dwudziestym trzecim marca, wtedy bowiem przyszedł ten Guillot i poprosił, żebym zredagował mu testament Bonnefoy. A więc dwudziesty trzeci, nie dwudziesty drugi, jak sądziłem. Co zaś się zdarzyło dwudziestego drugiego? Kim albo czym był Taxil?

W czwartek miałem się zobaczyć z tym Drumontem, to całkiem pewne. Ale jak mogłem spotkać się z kimś, jeśli nie wiedziałem już nawet, kim jestem ja sam? Musiałem pozostać w ukryciu, dopóki nie rozjaśni mi się w głowie. Drumont... Powtarzałem sobie, że wiem doskonale, kim jest, ale kiedy usiłowałem o nim pomyśleć, wydawało mi się, że umysł mam zamroczony, jakbym wypił zbyt dużo wina.

Spróbujmy innych hipotez – powiedziałem sobie. Dalla Piccola jest kimś innym, kto z niejasnych powodów często przechodzi przez moje mieszkanie, połączone z jego mieszkaniem mniej lub bardziej tajemnym korytarzem. Dwudziestego pierwszego marca wieczorem wszedł do mnie od zaułka Maubert, zostawił sutannę (dlaczego?) i poszedł spać do siebie, gdzie rano się obudził, niczego nie pamiętając. Ja, także niczego nie pamiętając, obudziłem się rano dwa dni później. Jednak co w takim razie robiłem we wtorek dwudziestego drugiego, jeśli obudziłem się, niczego nie pamiętając, dwudziestego trzeciego rano? I dlaczego Dalla Piccola miałby rozebrać się u mnie i iść do siebie bez sutanny – o której godzinie? Ogarnęło mnie przerażenie: może spędził pierwszą część nocy w moim łóżku... Boże kochany, kobiety są odrażające, lecz ksiądz byłby jeszcze gorszy! Kobiet się wystrzegam, ale zboczeńcem nie jestem.

Albo ja i Dalla Piccola jesteśmy jednak tą samą osobą. Ponieważ znalazłem w swoim pokoju sutannę, po dniu, w którym byłem na mszy (dwudziestego pierwszego), mogłem wrócić od zaułka Maubert ubrany jak Dalla Piccola (jeśli już miałem iść na mszę, poszedłem tam najprawdopodobniej jako ksiądz), zdjąć sutannę i perukę, a potem pójść spać do mieszkania księdza

37

(zapominając, że zostawiłem sutannę u Simoniniego). Następnego dnia, we wtorek, dwudziestego drugiego marca rano, obudziwszy się jako Dalla Piccola, nie tylko niczego nie pamiętałem, ale też nie znalazłem obok łóżka sutanny. Jako niepamiętający niczego Dalla Piccola wziąłem z korytarza zapasową sutannę i miałem dość czasu, aby jeszcze w tym samym dniu uciec do Auteuil. Wiele godzin później zmieniłem zdanie, nabrałem odwagi i późnym wieczorem wróciłem do Paryża. Wszedłem do mieszkania w zaułku Maubert i powiesiłem sutannę na wieszaku w sypialni. W środę obudziłem się, znowu niczego nie pamiętając – ale jako Simonini – w przekonaniu, że jest jeszcze wtorek. A zatem – powiedziałem sobie – Dalla Piccola zapomina dwudziesty drugi marca, traci pamięć na cały dzień, potem odnajduje się dwudziestego trzeciego jako niepamiętający niczego Simonini. Nic niezwykłego po tym, czego się dowiedziałem od... jak się nazywa ten doktor z kliniki w Vincennes?

I znowu drobny problem. Przeczytałem ponownie swoje notatki. Gdyby sprawy potoczyły się tak, jak je teraz opisałem, dwudziestego trzeciego marca Simonini znalazłby w swojej sypialni nie jedną, lecz dwie sutanny: tę, którą zostawił tam w nocy dwudziestego pierwszego, i tę, którą zostawił w nocy dwudziestego drugiego. Sutanna była wszakże tylko jedna.

Ależ nie, głuptas ze mnie. Dalla Piccola wrócił z Auteuil dwudziestego drugiego wieczorem, wszedł od ulicy Maître-Albert, zostawił tam swoją sutannę, przeszedł do mieszkania w zaułku Maubert i położył się spać, a potem obudził się następnego ranka (dwudziestego trzeciego marca) jako Simonini; na wieszaku ujrzał wtedy tylko jedną sutannę. Trzeba wprawdzie wziąć pod uwagę, że gdyby sprawy tak właśnie się potoczyły, to ja, wchodząc dwudziestego trzeciego rano do mieszkania Dalla Piccoli, powinienem był znaleźć tam sutannę, zostawioną przez niego dwudziestego drugiego wieczorem. Mógł on jednak powiesić ją z powrotem w korytarzu, skąd ją zabrał. Wystarczy sprawdzić.

Przeszedłem przez korytarz z zapaloną lampą, nie bez obawy. Gdyby Dalla Piccola nie był mną – mówiłem sobie – mógłby mi się ukazać po przeciwnej stronie, także z lampą w wyciągniętej ręce... Na szczęście to się nie zdarzyło. W głębi korytarza znalazłem wiszącą na ścianie sutannę.

A jednak, a jednak... Jeżeli Dalla Piccola wrócił z Auteuil, zostawił u siebie sutannę, przeszedł przez cały korytarz aż do mojego mieszkania i położył się bez wahania do mojego łóżka, zrobił tak, ponieważ przypomniał sobie wtedy o mnie i wiedział, że może spać u mnie równie dobrze jak u siebie, bo jesteśmy przecież tą samą osobą. A zatem Dalla Piccola poszedł spać, wiedząc, że jest Simoninim, Simonini zaś zbudził się następnego ranka, nie wiedząc, że jest Dalla Piccolą. Znaczyłoby to, że Dalla Piccola traci pamięć, potem ją odzyskuje, we śnie poniekąd rozmyśla i swój brak pamięci przekazuje Simoniniemu.

Brak pamięci... Te słowa, znaczące „niezdolność do przypominania sobie", uczyniły jakby wyłom we mgle zapomnianego przeze mnie czasu. Ponad dziesięć lat temu u Magny'ego rozmawiałem o ludziach pozbawionych pamięci. Rozmawiałem o nich z Bourru i Burotem, z Du Maurierem i z austriackim doktorem.

3

U MAGNY'EGO

25 marca 1897, o świcie

U Magny'ego... Kocham dobrą kuchnię, a o ile pamiętam, w tej restauracji na ulicy Contrescarpe-Dauphine nie płaciło się więcej niż dziesięć franków od osoby, jakość zaś odpowiadała cenie. Nie można jednak jadać codziennie u Foyota. W minionych latach wielu bywało u Magny'ego, aby podziwiać z daleka sławnych już pisarzy, jak Gautiera czy Flauberta, a dawniej jeszcze tego polskiego pianistę o suchotniczym nieco wyglądzie, którego utrzymywała chodząca w spodniach degeneratka. Zajrzałem tam pewnego wieczoru i zaraz wyszedłem. Artyści są nieznośni nawet na odległość: ciągle się rozglądają, chcą wiedzieć, czy ich rozpoznajemy.

Później ci „wielcy" porzucili Magny'ego i przenieśli się do restauracji Brébant-Vachette na bulwarze de la Poissonnière, gdzie jadło się lepiej i płaciło więcej, ale, jak widać, *carmina dant panem**. Lokal Magny'ego został więc, że tak powiem, oczyszczony, a ja od początku lat osiemdziesiątych nabrałem zwyczaju czasami go odwiedzać.

Zauważyłem, że jadają tam ludzie nauki, jak na przykład znakomity chemik Berthelot i wielu lekarzy ze szpitala La Salpêtrière, z którego wprawdzie nie było zbyt blisko, ale ci lekarze

---

* Wiersze dają chleb. Odwrotność łacińskiej sentencji: *Carmina non dant panem* – Wiersze nie dają chleba; Nemesianus, *Ecloga IV* (wszystkie przypisy tłumacza).

woleli chyba przejść się po Dzielnicy Łacińskiej, zamiast chodzić do wstrętnych *gargottes* – garkuchni, gdzie stołowali się krewni chorych. Rozmowy lekarzy są zawsze interesujące, bo dotyczą dolegliwości innych ludzi; u Magny'ego był hałas, klienci musieli się przekrzykiwać, więc wprawne ucho zawsze mogło uchwycić coś ciekawego. Być czujnym nie znaczy starać się dowiedzieć czegoś konkretnego. Wszystko, nawet rzeczy mało ważne, może kiedyś się przydać. Trzeba w szczególności wiedzieć to, czego zdaniem innych się nie wie.

Literaci i artyści siadali zawsze razem, przy wspólnym stole, natomiast uczeni jedli sami, podobnie jak ja. Kiedy jednak stoły ze sobą sąsiadują, a my przy którymś z nich zasiadamy dość często, po pewnym czasie nawiązują się znajomości. Poznałem więc najpierw doktora Du Maurier, indywiduum wyjątkowo odpychające – do tego stopnia, że trudno było pojąć, jak mógł on jako psychiatra (taką miał specjalizację) budzić zaufanie pacjentów swoją nadzwyczaj nieprzyjemną, siną i zawistną twarzą człowieka, który uważa się za skazanego na odgrywanie niezmiennie drugorzędnej roli. Kierował małą kliniką dla nerwowo chorych w Vincennes, lecz wiedział doskonale, że jego zakład nie zdobędzie nigdy sławy i dochodów kliniki bardziej znanego doktora Blanche'a. Napomykał więc sarkastycznie, że w tej ostatniej przebywał trzydzieści lat wcześniej niejaki Nerval (według niego liczący się poeta), którego pchnęły do samobójstwa metody leczenia stosowane przez słynnego doktora Blanche'a.

Nawiązałem też dobre stosunki z dwoma innymi gośćmi restauracji, doktorami Bourru i Burotem. Były to osobliwe postaci. Wyglądali jak bliźniacy, stale w jednakowo skrojonych czarnych ubraniach, z takimi samymi czarnymi wąsami i gładko wygolonymi podbródkami, z zawsze lekko przybrudzonymi kołnierzykami. Stan kołnierzyków tłumaczył się tym, że nie mieszkali w Paryżu, lecz przyjeżdżali do niego z daleka. Pracowali bowiem w Szkole Medycznej w Rochefort, a w stolicy

...W przeszłości uważano ją za zjawisko występujące wyłącznie u kobiet, spowodowane zaburzeniami czynności macicy... (s. 44)

spędzali tylko kilka dni w miesiącu, aby obserwować eksperymenty Charcota.

– Jak to, nie ma dziś porów? – zapytał pewnego dnia zirytowany Bourru.

A Burot, ze zgorszeniem:

– Nie ma porów?

Kiedy kelner przepraszał, włączyłem się ja z sąsiedniego stolika:

– Ale jest doskonała salsefia. Moim zdaniem lepsza od porów. – I zanuciłem z uśmiechem: – *Tous les légumes,/au clair de lune/étaient en train de s'amuser/et les passants les regardaient./ Les cornichons/dansaient en rond,/les salsifis/dansaient sans bruit...* Warzywa w świetle luny bawiły się zgodnie,/przyjazne spojrzenia słali im przechodnie./Korniszony w tańcu koła zataczały,/a salsefie obok cichutko pląsały...

Przekonałem ich; zamówili *salsifis*. Dało to początek naszym serdecznym rozmowom, które prowadziliśmy dwa razy w miesiącu.

– Widzi pan, panie Simonini – tłumaczył mi Bourru – doktor Charcot poświęca się dogłębnym badaniom nad histerią, rodzajem nerwicy przejawiającej się różnymi reakcjami psychomotorycznymi, sensorycznymi i wegetatywnymi. W przeszłości uważano ją za zjawisko występujące wyłącznie u kobiet, spowodowane zaburzeniami czynności macicy. Charcot jednak dowiódł, że objawy histerii występują równie często u osób obojga płci, obejmując paraliż, padaczkę, ślepotę i głuchotę, trudności w oddychaniu, mówieniu i przełykaniu.

– Mój kolega – wtrącił się Burot – nie powiedział jeszcze, że Charcot utrzymuje, iż opracował terapię, dzięki której histeria stała się uleczalna.

– Właśnie miałem o tym mówić – obruszył się Bourru. – Charcot wybrał hipnozę, jeszcze do wczoraj uprawianą przez szarlatanów w rodzaju Mesmera. Zahipnotyzowani pacjenci powinni wskrzesić w pamięci traumatyczne epizody,

...Charcot wybrał hipnozę, jeszcze do wczoraj uprawianą przez szarlatanów w rodzaju Mesmera... (s. 44)

z których zrodziła się histeria, i uświadomiwszy je sobie, odzyskać zdrowie.

– Naprawdę je odzyskują?

– W tym właśnie rzecz, panie Simonini – powiedział Bourru. – Dla nas to, co dzieje się w La Salpêtrière, przypomina bardziej teatr niż klinikę psychiatryczną. Proszę mnie źle nie zrozumieć: nie zamierzam, broń Boże, powątpiewać w nieomylność diagnoz Mistrza...

– Nie wątpimy w nią, bynajmniej – potwierdził Burot – tyle że technika hipnozy sama w sobie...

Bourru i Burot wyjaśnili mi różne sposoby hipnotyzowania – od szarlatańskich jeszcze niejakiego księdza Farii (nastawiłem uszu, słysząc to nazwisko z Dumasa, ale – jak wiadomo – Dumas zgłębiał kroniki prawdziwe) po naukowe już doktora Braida, autentycznego pioniera w tej dziedzinie.

– Obecnie – zapewnił Burot – dobrzy hipnotyzerzy stosują metody prostsze.

– I skuteczniejsze – sprecyzował Bourru. – Wprawia się w ruch wahadłowy medal albo klucz, a choremu zleca w ten przedmiot usilnie się wpatrywać. W ciągu trzech minut jego źrenice zaczynają poruszać się wahadłowo, puls słabnie, oczy się zamykają, twarz przybiera wyraz wewnętrznego spokoju. Sen może trwać do dwudziestu minut.

– Należy zaznaczyć – poprawił go Burot – że wiele zależy od podmiotu, ponieważ hipnoza nie polega na przekazywaniu tajemniczych fluidów, jak utrzymywał ten bufon Mesmer, ale łączy się ze zjawiskiem autosugestii. Hinduscy guru osiągają te same wyniki, wpatrując się w czubek własnego nosa, a mnisi z góry Athos – wpatrując się we własny pępek.

– My nie wierzymy zbytnio w te formy autosugestii – powiedział Burot. – Ograniczamy się do stosowania w praktyce tego, co wyczuł Charcot, zanim tak bardzo przejął się hipnozą. Zajmujemy się przypadkami osobowości zmiennej, to jest pacjentami, którzy jednego dnia uważają, że są pewną osobą, a drugiego – że inną, przy czym obie te osoby nic o sobie nie wiedzą. W zeszłym roku trafił do naszego szpitala niejaki Louis.

– Interesujący przypadek – uściślił Bourru. – Dolegały mu: paraliż, znieczulica, skurcze, bóle mięśni, hiperestezja, niemota, stany zapalne skóry, krwotoki, kaszel, wymioty, padaczka, katatonia, lunatyzm, pląsawica, wady wymowy...

– Czasami zdawało mu się, że jest psem – dodał Burot – albo parowozem. Miewał też halucynacje prześladowcze, zwężenia pola widzenia, omamy smakowe, słuchowe i wzrokowe, przekrwienia płucne pseudogruźlicze, bóle głowy i żołądka, zaparcia, brak łaknienia, wilczy głód, letargi, objawy kleptomanii.

– Jednym słowem – zakończył Bourru – normalny obraz kliniczny. Otóż my nie uciekliśmy się do hipnozy, ale umocowaliśmy na prawym ramieniu chorego stalową sztabę – i jak za dotknięciem czarodziejskiej różdżki pojawiła się nam zupełnie nowa postać. Paraliż i niewrażliwość zniknęły z prawego boku i przeniosły się na lewy.

– Mieliśmy przed sobą – sprecyzował Burot – całkiem inną osobę, która nie pamiętała w ogóle, kim była przed chwilą. W zależności od stanu, w jakim się znajdował, Louis mógł być abstynentem, a później stawał się wręcz alkoholikiem.

– Proszę zauważyć – powiedział Bourru – że magnetyczna siła danej substancji działa także na odległość. Nic nie mówiąc podmiotowi, stawia się na przykład pod jego krzesłem buteleczkę zawierającą alkohol. W stanie somnambulizmu wystąpią wówczas u niego wszelkie objawy nietrzeźwości.

– Pojmuje pan, że nasze zabiegi nie szkodzą w żadnej mierze psychice pacjenta – zakończył Burot. – Hipnotyzm wywołuje u niego utratę świadomości, natomiast przy zastosowaniu magnetyzmu żaden organ nie podlega gwałtownemu wstrząsowi, następuje tylko stopniowe ładowanie splotów nerwowych.

Po tej rozmowie nabrałem przekonania, że Bourru i Burot to dwaj głupcy, którzy dręczą nieszczęsnych wariatów piekącymi substancjami. W tym przekonaniu utwierdził mnie doktor Du

Maurier. Widziałem, że siedząc przy pobliskim stoliku, przysłuchiwał się ich wywodom i raz po raz potrząsał głową.

– Drogi przyjacielu – powiedział mi dwa dni później – zarówno Charcot, jak i ci nasi dwaj rochefortczycy, zamiast analizować przeżycia swoich podmiotów i zastanawiać się, co znaczy mieć podwójną świadomość, troszczą się o to, czy można oddziaływać na nich hipnozą lub metalowymi sztabami. Rzecz w tym, że u wielu podmiotów przejście od jednej osobowości do drugiej odbywa się spontanicznie, w nieprzewidywalny sposób i w nieprzewidywalnych chwilach. Można by nawet mówić o autohipnozie. Moim zdaniem Charcot i jego uczniowie nie przemyśleli dostatecznie eksperymentów doktora Azama i przypadku Félidy. O podobnych zjawiskach wiemy jeszcze mało; zaburzenia pamięci mogą być spowodowane zmniejszeniem dopływu krwi do nieznanej nam dotąd części mózgu, a przyczyną przejściowego zwężenia naczyń może być stan histerii. Ale gdzie występuje niedobór krwi przy utracie pamięci?

– No właśnie, gdzie?

– Oto problem. Wiadomo panu, że nasz mózg ma dwie półkule. Mogą się zatem zdarzyć podmioty, które myślą raz półkulą całą, a raz niecałą, pozbawioną władzy pamięci. W mojej klinice mam przypadek bardzo podobny do przypadku Félidy. Kobieta młoda, niewiele ponad dwadzieścia lat. Nazywa się Diana.

Tutaj Du Maurier na chwilę zamilkł, jakby w obawie, że wyzna coś poufnego.

– Powierzyła mi ją na kurację dwa lata temu krewna, która potem zmarła i oczywiście przestała płacić, ale co miałem robić... wyrzucić pacjentkę na bruk? Mało wiem o jej przeszłości. Z jej opowiadań wynika, że już jako dorastająca dziewczynka zaczęła co pięć–sześć dni, po każdym silniejszym wzruszeniu, odczuwać ból w skroniach, a następnie jakby zapadać w sen. To, co nazywa snem, jest w rzeczywistości atakiem histerii. Kiedy się budzi albo uspokaja, bardzo różni się od tej, którą była przedtem, a więc wchodzi w fazę nazywaną przez doktora

Azama stanem wtórnym. W stanie, który nazwiemy normalnym, Diana zachowuje się jak adeptka jakiejś sekty masońskiej... Proszę mnie źle nie zrozumieć, ja sam należę do loży Wielkiego Wschodu, to znaczy do masonerii porządnych ludzi, ale chyba pan wie, że istnieją również rozmaite obediencje, które nawiązują do tradycji templariuszy i cechują się dziwacznym zainteresowaniem wiedzą tajemną, a zdarzają się wśród nich również (na szczęście to tylko margines) grupy ciążące ku satanizmowi. W stanie, który trzeba, niestety, określić jako normalny, Diana uważa się za adeptkę Lucyfera czy coś w tym rodzaju, posługuje się sprośnym słownictwem, opowiada nieprzyzwoite historie, próbuje uwodzić pielęgniarzy i nawet mnie; przykro mi o tej kłopotliwej sprawie wspominać także i dlatego, że Diana jest – jak to się mówi – panną urodziwą. Uważam, że w tym stanie znajduje się ona pod wpływem traum, które przeżyła w wieku dorastania, i że usiłuje uciec przed owymi wspomnieniami, wkraczając okresowo w swój stan wtórny. W stanie wtórnym jawi się jako istota łagodna i niewinna, jest dobrą chrześcijanką, prosi zawsze o książeczkę do nabożeństwa, chce iść na mszę. Zjawiskiem osobliwym jest to, że – podobnie zresztą jak Félida – Diana w stanie wtórnym, a więc Diana cnotliwa, pamięta doskonale, jaka była w stanie normalnym, i głowi się, jak mogła być tak niegodziwa, wkłada włosiennicę, aby się ukarać; stan wtórny nazywa wręcz swoim stanem rozsądku, a stan normalny wspomina jako okres, w którym ulegała przywidzeniom. Natomiast w stanie normalnym Diana nie pamięta w ogóle, co robiła w stanie wtórnym. Nie sposób przewidzieć czasu trwania następujących po sobie stanów; Diana pozostaje w jednym lub w drugim przez wiele dni. Zgodziłbym się tu z doktorem Azamem, który mówił o somnambulizmie doskonałym. I rzeczywiście nie tylko lunatycy robią rzeczy, których nie pamiętają po przebudzeniu. Dzieje się tak również z narkomanami przyjmującymi haszysz, belladonę i opium oraz z ludźmi nadużywającymi alkoholu.

Nie wiem, dlaczego opowieść o chorobie Diany tak bardzo mnie zaintrygowała, lecz przypominam sobie, że powiedziałem doktorowi Du Maurier:

– Porozmawiam o tym ze znajomym, który zajmuje się podobnymi godnymi współczucia przypadkami i wie, kto udziela gościny osieroconym panienkom. Przyślę panu księdza Dalla Piccola; to duchowny bardzo wpływowy, ustosunkowany w instytucjach dobroczynnych.

A zatem, rozmawiając z Du Maurierem, znałem przynajmniej nazwisko Dalla Piccola. Dlaczego jednak tak się przejąłem tą Dianą?

Piszę bez wytchnienia od wielu godzin, rozbolał mnie kciuk. Nie wstając od biurka, zjadłem kromkę chleba z masłem i pasztetem, wypiłem też kilka kieliszków château-latour dla ożywienia pamięci.

Chciałbym jakoś to sobie wynagrodzić, może właśnie odwiedzając restaurację Brébant-Vachette, ale dopóki nie zrozumiem, kim jestem, lepiej nie pokazywać się na mieście. Prędzej czy później będę jednak musiał zaryzykować i znowu pójść na plac Maubert, żeby kupić coś do jedzenia.

Nie myślmy o tym na razie i piszmy dalej.

W tamtych latach (chyba w osiemdziesiątym piątym albo osiemdziesiątym szóstym roku) poznałem u Magny'ego człowieka, którego pamiętam nadal jako austriackiego (albo niemieckiego) doktora. Teraz przypomniałem sobie również nazwisko. Nazywał się Froïde (chyba tak się to pisze), lekarz około trzydziestki, przychodził do Magny'ego zapewne dlatego, że na lepszą restaurację nie było go stać, a także dlatego, że był na stażu u Charcota. Siadał zwykle przy sąsiednim stoliku; z początku pozdrawialiśmy się tylko uprzejmym skinieniem głowy. Uznałem, że to melancholik, który trochę obco się czuje i życzy sobie nieśmiało, aby ktoś wysłuchał jego zwierzeń i pozwolił mu w ten sposób pozbyć się, przynajmniej częściowo, dręczących go obaw. Dwa lub trzy razy szukał pretekstu, aby zamienić ze mną kilka słów, ale ja nigdy go nie zachęcałem.

Chociaż nazwisko Froïde nie wydawało mi się podobne do nazwisk takich jak Steiner czy Rosenberg, wiedziałem, że wszyscy mieszkający i bogacący się w Paryżu Żydzi mają niemieckie nazwiska. Zaniepokoił mnie jego zakrzywiony nos, więc zapytałem kiedyś o zdanie Du Mauriera, lecz ten uczynił nieokreślony gest ręką i dodał:

– Dokładnie nie wiem, ale w każdym razie trzymam się z daleka, bo nie podoba mi się mieszanka Żyda i Niemca.

– Nie jest więc Austriakiem? – spytałem.

– Czy to nie wszystko jedno? Ten sam język, ten sam sposób myślenia. Nie zapomniałem jeszcze defilujących na Polach Elizejskich Prusaków.

– Słyszałem, że do zawodów najchętniej wykonywanych przez Żydów należy zawód lekarza, który odpowiada im tak samo jak zajmowanie się lichwiarstwem. Najlepiej byłoby więc nie potrzebować nigdy pieniędzy i nigdy nie chorować.

– Istnieją jednak także lekarze chrześcijańscy – powiedział z lodowatym uśmiechem Du Maurier.

Popełniłem gafę.

Wśród paryskich intelektualistów są tacy, którzy zanim wyrażą swój wstręt do Żydów, zaznaczają, że Żydami jest kilku ich najlepszych przyjaciół. To obłuda. Ja nie mam żydowskich przyjaciół (strzeż mnie od nich Boże) i przez całe życie zawsze unikałem Żydów. Unikałem ich chyba instynktownie, bo Żyda (podobnie zresztą jak Niemca) czuje się z daleka ze względu na wydzielany przezeń smród (mówił o nim także Wiktor Hugo: *fetor iudaicus*), który pomaga żydostwu się rozpoznać; służą do tego również inne znaki – zupełnie jak u pederastów. Dziadek pouczał mnie, że przyczyną tego zapachu jest nadmierna konsumpcja czosnku i cebuli, a zapewne także baraniny i gęsiny nasyconych lepkimi cukrami, powodującymi powstanie czarnej żółci. Niewątpliwie wchodzi tu jednak w rachubę rasa, skażona krew, osłabione lędźwie. Wszyscy są komunistami, patrz Marks i Lassalle; tu akurat mieli rację moi jezuici.

Żydów unikałem zawsze też i dlatego, że zwracam uwagę na nazwiska. Żydzi austriaccy, wzbogaciwszy się, kupowali sobie nazwiska o miłym brzmieniu, związane z kwiatami, drogimi kamieniami i metalami szlachetnymi, jak Silbermann lub Goldstein; biedniejsi kupowali nazwiska takie jak Grünspan (grynszpan). We Francji i we Włoszech maskowali się, przybierając nazwiska związane z miastami lub regionami, jak Ravenna, Modena, Picard, Flamand. Niekiedy inspirował ich kalendarz republikański (Froment, Avoine, Laurier) – i całkiem słusznie, ponieważ to ich ojcowie doprowadzili potajemnie do królobójstwa. Trzeba jednak uważać także na imiona, pod którymi kryją się czasem imiona żydowskie: Maurycy pochodzi od Mojżesza, Izydor od Izaaka, Edward od Arona, Jacek od Jakuba, Alfons od Adama...

Czy Sigmund to imię żydowskie? Instynktownie nie chciałem spoufalać się z tym lekarzyną, ale pewnego dnia Froïde, sięgając po solniczkę, przewrócił ją. Siedzących obok siebie w restauracji obowiązują pewne zasady grzeczności, więc podałem mu swoją, wspominając, że w niektórych krajach wysypanie soli uchodzi za zły omen. Wtedy on, śmiejąc się, powiedział, że nie jest przesądny. Od tego dnia zaczęliśmy wymieniać ze sobą po kilka słów. Przepraszał za swój francuski, jego zdaniem zbyt chropawy, ale zrozumieć można go było doskonale. Żydzi są nomadami z nałogu, muszą znać wszelkie języki. Powiedziałem uprzejmie:

– Powinien pan tylko nieco się osłuchać.

Uśmiechnął się do mnie z wdzięcznością. Z wdzięcznością oślizgłą.

Froïde był kłamcą także w swoim żydostwie. Słyszałem zawsze, że należącym do jego rasy wolno jeść wyłącznie potrawy specjalne, przygotowywane umyślnie, i dlatego przebywają oni ciągle w swoich gettach. Natomiast Froïde jadł z apetytem wszystko, co mu u Magny'ego proponowano, i nie gardził kuflem piwa do posiłku.

Pewnego wieczoru wydał mi się skłonny do zwierzeń. Wypił już dwa kufle, a po deserze, paląc nerwowo papierosa, zamówił trzeci. Podczas rozmowy gestykulował i nagle znowu przewrócił solniczkę.

– Nie jestem niezręczny – usprawiedliwił się – jestem zdenerwowany. Od trzech dni nie otrzymuję listów od narzeczonej. Nie wymagam, żeby pisała do mnie codziennie, jak ja do niej, ale to milczenie mnie niepokoi. Jest słabego zdrowia, bardzo mnie martwi, że nie mogę przy niej być. Potrzebuję też jej aprobaty na wszystko, co robię. Chciałbym, żeby mi napisała, co myśli o mojej kolacji u Charcota. Bo proszę sobie wyobrazić, panie Simonini, że kilka dni temu ten wielki człowiek zaprosił mnie do siebie na kolację. Nie zdarza się to każdemu młodemu lekarzowi na stażu, a zwłaszcza cudzoziemcowi.

No proszę – powiedziałem sobie – mały semicki parweniusz wkrada się do dobrych rodzin, żeby zrobić karierę. A to wzburzenie z winy narzeczonej czyż nie dowodzi zmysłowej i namiętnej natury Żyda, myślącego nieustannie o spółkowaniu? Marzysz o niej w nocy, prawda? A może się onanizujesz, fantazjując, może i ty powinieneś czytać Tissota. Ale słuchałem go dalej.

– Były tam ważne osoby: syn Daudeta, doktor Strauss, profesor Beck z Instytutu* i Emilio Toffano, wielki malarz włoski. Ten wieczór kosztował mnie czternaście franków, piękny czarny krawat z Hamburga, białe rękawiczki, nową koszulę i frak – włożyłem frak pierwszy raz w życiu. I pierwszy raz w życiu dałem sobie ostrzyc brodę na sposób francuski. Dla przezwyciężenia nieśmiałości zażyłem nieco kokainy, przez co rozwiązał mi się język.

---

* Institut de France w Paryżu, towarzystwo naukowe założone w 1795 roku, zrzeszające pięć akademii.

– Kokainy? Czy to nie trucizna?

– Wszystko jest trucizną, jeśli zbyt dużo tego przyjąć, także wino. Ale ja od dwóch lat badam tę niezwykłą substancję. Kokaina, widzi pan, to alkaloid otrzymywany z liści pewnego krzewu. W Ameryce Południowej tubylcy je żują, żeby lepiej znosić pobyt na andyjskich wyżynach. W odróżnieniu od opium i alkoholu powoduje stan podniecenia umysłu bez skutków ujemnych. Jest doskonałym środkiem znieczulającym, zwłaszcza w okulistyce i przy kuracji astmy, użyteczna w leczeniu alkoholizmu i narkomanii, znakomicie sobie radzi z chorobą morską, okazuje się cenna w walce z cukrzycą, sprawia, że jak za dotknięciem czarodziejskiej różdżki znikają głód, senność i zmęczenie, skutecznie zastępuje tytoń, leczy niestrawność, wzdęcia, kolki, bóle żołądka, hipochondrię, podrażnienia rdzeniowe, katar sienny, jest cennym środkiem wzmacniającym dla gruźlików, zwalcza migrenę. W przypadkach ostrej próchnicy wystarczy wprowadzić do ubytku kłaczek waty nasączony czteroprocentowym roztworem i ból natychmiast ustępuje. A przede wszystkim kokaina przywraca wiarę w siebie dotkniętym depresją, pociesza, skłania do aktywności, budzi optymizm.

Doktor był już przy czwartym kuflu i upijał się najwyraźniej na smutno. Nachylił się ku mnie, jakby chciał się wyspowiadać.

– Kokaina robi doskonale komuś takiemu jak ja, kto... powtarzam to zawsze mojej ukochanej Marcie... nie uważa się za zbyt pociągającego, w młodości nie był nigdy młody, a teraz, w wieku lat trzydziestu, jeszcze nie dojrzał. Byłem kiedyś bardzo ambitny, pragnąłem przede wszystkim się uczyć, ale dzień po dniu się zniechęcałem, ponieważ matka natura nie zechciała uczynić ze mnie w przypływie łaskawości geniusza, jak to czasami robi z innymi.

Zamilkł nagle z miną człowieka, który zdaje sobie sprawę, że obnażył własną duszę. Płaczliwy żydek – powiedziałem sobie i postanowiłem wprawić go w zakłopotanie.

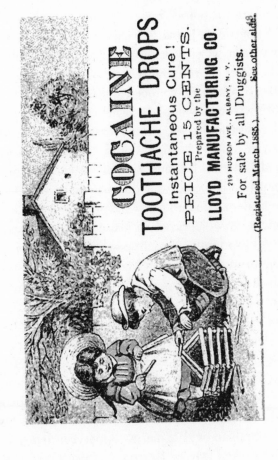

...*W przypadkach ostrej próchnicy wystarczy wprowadzić do ubytku kłaczek waty nasączony czteroprocentowym roztworem i ból natychmiast ustępuje...* (s. 54)

– Czy kokaina nie jest też środkiem pobudzającym popęd płciowy? – spytałem.

Froïde zarumienił się.

– Ma i tę właściwość, tak mi się przynajmniej zdaje… ale brak mi w tej dziedzinie doświadczenia. Podniety zmysłowe nie działają na mnie jako na mężczyznę, jako lekarza zaś seks zbytnio mnie nie interesuje, chociaż zaczyna się o nim dużo mówić także w La Salpêtrière. Jedna z pacjentek Charcota, niejaka Augustine, wyznała w zaawansowanej fazie swoich objawów histerycznych, że jej choroba zaczęła się od traumy wywołanej gwałtem, którego dokonano na niej w dzieciństwie. Oczywiście nie przeczę, że wśród powodujących histerię traum mogą być także zjawiska związane z seksem, wręcz przeciwnie… Jednak wydaje mi się, że sprowadzanie wszystkiego do seksu jest po prostu przesadą. Niewykluczone zresztą, że to moja drobnomieszczańska pruderia nie zezwala mi zająć się tą tematyką.

Nie, powiedziałem sobie, to nie twoja pruderia; jak u wszystkich obrzezańców z twojej rasy seks jest u ciebie obsesją, usiłujesz tylko o tym zapomnieć. Jestem pewien, że kiedy położysz wreszcie swoje brudne łapy na tej Marcie, spłodzisz z nią całą gromadę małych żydków i tak ją wymęczysz, że zapadnie na suchoty…

Tymczasem Froïde ciągnął dalej:

– Mój problem polega raczej na tym, że wyczerpałem zapas kokainy i wkraczam w stan melancholii; lekarze starożytni powiedzieliby, że zalewa mnie czarna żółć. Dawniej kupowałem preparaty Mercka i Gehego, ale musieli oni wstrzymać produkcję, bo docierał do nich już tylko złej jakości surowiec. Świeże liście można obrabiać wyłącznie w Ameryce; najlepsze są produkty firmy Parke i Davis z Detroit – łatwiej rozpuszczalne, aromatyczne i o czystej białej barwie. Miałem pewien zapas, a tu, w Paryżu, nie wiem, do kogo się zwrócić.

Dla kogoś wtajemniczonego we wszystkie sekrety placu Maubert i okolic zabrzmiało to jak zaproszenie na ucztę.

Znałem osobników, którym wystarczy wspomnieć już nawet nie o kokainie, ale o diamencie, wypchanym lwie lub butli witriolu, a następnego dnia ci je przyniosą, i nie pytaj, skąd to mają. Dla mnie kokaina to trucizna – mówiłem sobie – i chętnie się przyczynię do zatrucia Żyda. Zapewniłem więc Froïde'a, że za kilka dni dostarczę mu spory zapas jego alkaloidu. Doktor oczywiście był przekonany, że dokonam tego w niebudzący żadnych wątpliwości sposób.

– Wie pan – powiedziałem mu – my, antykwariusze, znamy najrozmaitszych ludzi.

Wszystko to nie ma nic wspólnego z moim problemem; piszę dla wyjaśnienia, że w końcu zbliżyliśmy się do siebie i poruszaliśmy różne wątki. Froïde był dowcipny i pełen pomysłów. Mogłem się mylić, może w ogóle nie był Żydem. Rozmawiało mi się z nim lepiej niż z Bourru i Burotem, których eksperymenty w pewnej chwili stały się tematem naszej rozmowy. W związku z tym wspomniałem o pacjentce Du Mauriera.

– Sądzi pan – spytałem – że taką chorą można uzdrowić magnesami Bourru i Burota?

– Drogi przyjacielu – odrzekł Froïde – w wielu badanych przez nas przypadkach zbytnią wagę przywiązuje się do aspektów fizycznych, a zapomina się, że choroba ma najprawdopodobniej przyczyny psychiczne. Jeśli zaś przyczyny są psychiczne, to psyche trzeba leczyć, nie ciało. W przypadku nerwicy traumatycznej prawdziwą przyczyną choroby nie jest obrażenie, zazwyczaj samo w sobie niewielkie, lecz pierwotna trauma psychiczna. Czyż nie zdarza się zemdleć wskutek silnego wzruszenia? Dla zajmujących się chorobami nerwów problemem nie jest to, w jaki sposób traci się przytomność, lecz rodzaj wzruszenia, które do jej utraty doprowadziło.

– Ale jak można określić rodzaj wzruszenia?

– Widzi pan, drogi przyjacielu, przy objawach wyraźnie histerycznych, jak w przypadku pacjentki Du Mauriera, hipnoza może wywołać sztucznie te same objawy i dotarcie do traumy pierwotnej rzeczywiście staje się możliwe. Jednak u innych pacjentów zdarzały się przeżycia tak trudne do zniesienia, że zapragnęli oni całkowicie wykreślić je z pamięci, składając je jakby w niedostępnym zakątku swojej duszy, ukrytym tak głęboko, że nie sięga do niego nawet hipnoza. Dlaczego zresztą w stanie hipnozy możliwości naszego umysłu miałyby być większe niż podczas czuwania?

– Więc nigdy się nie dowiemy...

– Proszę nie oczekiwać ode mnie odpowiedzi jasnej i definitywnej, bo przekazuję panu myśli, które nie przybrały jeszcze ostatecznego kształtu. Niekiedy wydaje mi się, że do tej strefy głębokiej można dotrzeć jedynie podczas snu. Już starożytni wiedzieli, że sny mogą wyjawiać tajemnice. Przypuszczam, że gdyby umożliwić choremu mówienie, mówienie długo, całymi dniami, także o swoich snach, do osoby, która umiałaby go słuchać, pierwotna trauma mogłaby nagle wyjść na jaw, stać się zrozumiała. Po angielsku nazywa się to *talking cure*. Zauważył pan pewno, że opowiadając komuś o zdarzeniach odległych w czasie, przypominamy sobie zapomniane szczegóły, to znaczy szczegóły, które nam wydawały się zapomniane, lecz które w rzeczywistości kryły się w jakimś tajemnym zakamarku naszego mózgu. Sądzę, że im dokładniejsza byłaby tego rodzaju rekonstrukcja, tym większe byłoby prawdopodobieństwo wynurzenia się z pamięci epizodu... co mówię, nawet tylko pozbawionego znaczenia faktu, jakiegoś odcienia... który okazał się jednak tak brzemienny w szkodliwe skutki, że spowodował... jak to określić... *Abtrennung, Beseitigung*... nie znajduję właściwego słowa. Po angielsku powiedziałbym *removal*, po francusku... jak nazywa się wycięcie organu? *Une ablation?* A więc po niemiecku powiedziałoby się chyba *Entfernung*.

No i znowu wypływa na wierzch to jego żydostwo, pomyślałem. Wówczas zajmowałem się już zapewne różnymi spiskami żydowskimi i powziętym przez tę rasę zamiarem wykształcenia swoich ludzi na lekarzy i aptekarzy w celu zawładnięcia zarówno ciałami, jak i umysłami chrześcijan. Gdybym był chory, chciałbyś, żebym oddał się w twoje ręce, opowiadając ci o sobie wszystko, nawet to, o czym sam nie wiem, i żebym w ten sposób uczynił cię panem mojej duszy? Jesteś gorszy od jezuickiego spowiednika, bo do niego mówiłbym przynajmniej chroniony kratą i nie powiedziałbym mu tego, co myślę, tylko wymienił to, co robią wszyscy i co się wyraża wręcz technicznymi terminami, którymi posługuje się każdy: kradłem, cudzołożyłem, nie czciłem ojca i matki. Zdradza cię twoje słownictwo, mówisz o amputacji, jakbyś chciał obrzezać mi mózg...

Tymczasem Froïde zaczął się śmiać i zamówił jeszcze jedno piwo.

– Proszę jednak nie brać na serio wszystkiego, co panu mówię. To mrzonki fantasty. Po powrocie do Austrii ożenię się, będę musiał utrzymać rodzinę, otworzę gabinet. Będę wtedy stosował hipnozę rozsądnie, zgodnie z nauką Charcota, wystrzegając się grzebania w snach swoich chorych. Nie jestem pytią. Myślę, że pacjentce Du Mauriera mogłoby pomóc trochę kokainy.

Tak skończyła się ta rozmowa, która zostawiła w moim umyśle niewiele śladów. Przypomina mi się to wszystko teraz, ponieważ mógłbym się znaleźć może nie w sytuacji Diany, lecz w każdym razie w sytuacji osoby prawie normalnej, która utraciła część pamięci. Pomijając już fakt, że Froïde jest obecnie Bóg wie gdzie, za nic w świecie nie opowiedziałbym swojego życia ani Żydowi, ani nawet dobremu chrześcijaninowi. W moim zawodzie (jakim?) muszę opowiadać o sprawach innych – za opłatą – ale w żadnym wypadku nie wolno mi opowiadać o sprawach własnych. Mogę jednak opowiadać o nich sobie. Pamiętam, że Bourru (albo Burot) mówił mi o guru, którzy hipnotyzowali samych siebie, wpatrując się we własny pępek.

Postanowiłem więc prowadzić niniejszy dziennik. Spisuję go, cofając się w czasie, opowiadając o swojej przeszłości, w miarę jak udaje mi się ją sobie przypomnieć, z rzeczami zupełnie błahymi włącznie, dopóki czynnik traumatyczny (to chyba właściwe określenie) sam nie wyjdzie na jaw. Wyzdrowieć chcę sam, bez pomocy zajmujących się wariatkami lekarzy.

Zanim zacznę (ale zacząłem już wczoraj), poszedłbym chętnie na ulicę Montorgueil *chez Philippe*, aby wprowadzić się w stan ducha sprzyjający tej swego rodzaju autohipnozie. Usiadłbym wygodnie, przejrzał dokładnie menu podawane od szóstej do północy i zamówił: zupę à la Crécy, turbota w sosie z kaparów, filet wołowy i *langue de veau au jus* – ozór cielęcy w bulionie, a na koniec sorbet z likierem maraskino i ciastka różne; zapiłbym to wszystko dwiema butelkami starego burgunda.

Tymczasem minęłaby północ i mógłbym wziąć pod uwagę menu nocne: zamówiłbym zupkę z żółwia (przypomniałem sobie wyśmienitą u Dumasa; czyżbym znał Dumasa?) oraz łososia z cebulkami i karczochami posypanymi jawajskim pieprzem; na zakończenie sorbet z rumem i angielskie ciasto korzenne. Późno w nocy dogodziłbym sobie delikatnym menu porannym, a więc *soupe aux oignons*, zupą cebulową – taką, jaką delektują się wtedy w Halach tragarze, którym chętnie dotrzymałbym towarzystwa. I wreszcie, aby przygotować się do wypełnionego zajęciami przedpołudnia, bardzo mocna kawa i *pousse-café* – kieliszek koniaku z dodatkiem kirszu.

Poczułbym się potem wprawdzie nieco ociężały, ale byłoby mi lekko na duszy.

Nie mogłem, niestety, pozwolić sobie na taką miłą chwilę wytchnienia. Straciłem pamięć – powiedziałem sobie – co by się stało, gdybym w restauracji spotkał kogoś, kto mnie zna, a ja bym go nie poznał? Jak miałbym się wtedy zachować?

Zastanowiłem się także, jak zachować się wobec kogoś, kto mógłby przyjść do mnie do sklepu. Z tym facetem od testamentu Bonnefoy i ze staruszką od hostii jakoś mi się udało, ale co dalej? Wywiesiłem kartkę z napisem: „Właściciel będzie nieobecny przez miesiąc", nie precyzując, kiedy ten miesiąc się zaczął i kiedy się skończy. Dopóki nie zrozumiem lepiej swojej sytuacji, muszę zaszyć się w domu i wychodzić tylko od czasu do czasu, aby kupić coś do jedzenia. Może post dobrze mi zrobi; kto wie, czy to, co się przydarzyło, nie jest wynikiem jakiejś szczególnie obfitej uczty, na którą sobie pozwoliłem... kiedy? W ten sławetny wieczór dwudziestego pierwszego?

A ponadto, żeby zacząć rozmyślać nad swoją przeszłością, powinienem wpatrywać się w pępek, jak powiedział Burot (czy Bourru?). O pełnym brzuchu zaś – a i tak jestem otyły, jak przystało na mężczyznę w moim wieku – musiałbym rozpocząć rozmyślania, patrząc w lustro.

Zacząłem już wczoraj, siedząc za tym biurkiem i pisząc bez przerwy, niestrudzenie. Od czasu do czasu przegryzam coś tylko i piję – tak, popijam sobie zdrowo. Najlepszą stroną tego domu jest dobra piwniczka.

4

CZASY DZIADKA

26 marca 1897

Moje dzieciństwo. Turyn... Wzgórze za Padem, ja na balkonie z mamą. Potem matki już nie było, ojciec płakał, siedząc o zmierzchu na balkonie naprzeciw wzgórza, dziadek zaś mówił, że to wola boska.

Z matką rozmawiałem po francusku, jak każdy Piemontczyk z dobrej rodziny (kiedy mówię po francusku tu, w Paryżu, wydaje się, że język opanowałem w Grenoble, gdzie ludzie mówią najczystszym francuskim, różnym od *babil* – świergotania paryżan). Od dzieciństwa czułem się bardziej Francuzem niż Włochem, jak wszyscy Piemontczycy. Dlatego właśnie uważam, że Francuzi są nie do zniesienia.

***

Moje dzieciństwo upłynęło bardziej pod znakiem dziadka niż ojca i matki. Nienawidziłem matki, która odeszła ode mnie bez uprzedzenia, i ojca za to, że nie umiał temu zapobiec, nienawidziłem Boga, który tego chciał, i dziadka, któremu wydawało się normalne, że Bóg tego chce. Ojciec przebywał ciągle daleko, tworzył Włochy – jak mówił. Potem Włochy wykończyły jego.

Dziadek, Giovan Battista Simonini, były oficer armii sabaudzkiej – opuścił ją, jak sobie chyba przypominam, za czasów najazdu Napoleona – zaciągnął się do wojsk Burbonów florenc-

kich, a kiedy Toskania znalazła się pod kontrolą księżnej z rodu
Bonaparte, jako emerytowany kapitan wrócił do Turynu, aby
rozpamiętywać swoje gorzkie doświadczenia.

Nos miał pokryty brodawkami. Kiedy siedziałem obok niego,
widziałem tylko ten nos i czułem na twarzy ślinę, którą parskał.
Był jednym z ludzi nazywanych przez Francuzów *ci-devant*,
tęsknił za *ancien régime*, nie pogodził się nigdy ze zbrodniami
rewolucji. Nosił nadal *culottes* – miał jeszcze kształtne łydki –
spięte pod kolanem złotą sprzączką, złote klamry zdobiły także
jego lakierowane obuwie. Ubierał się na czarno, z czarną kamizelką i fularem włącznie, co sprawiało, że wyglądał trochę na
księdza. Chociaż zgodnie z ówczesnymi zasadami elegancji
powinien był zakładać upudrowaną na biało perukę, zrezygnował z tego, ponieważ – jak mówił – pudrowane peruki nosili
także zbóje w rodzaju Robespierre'a.

Nie dorozumiałem się nigdy, czy był bogaty, ale nie odmawiał sobie dobrej kuchni. Dziadka i dzieciństwo wspominam
przede wszystkim dzięki *bagna caöda*. Na wypełnionym żarem
piecyku w rozgrzanym terakotowym naczyniu skwierczała
oliwa, a w niej sardele, czosnek i masło; wrzucało się tam kardy
(wymoczone najpierw w zimnej wodzie z sokiem z cytryny,
a dla niektórych – ale nie dla dziadka – w mleku), surową i opie-
kaną paprykę, liście białej kapusty, topinambur, bardzo miękkie
kalafiory albo (lecz zdaniem dziadka było to dobre tylko dla
biedoty) gotowane warzywa – cebulę, buraki, kartofle i marchew.
Lubiłem jeść, a dziadka cieszyło, że robię się tłusty – mawiał
czule – jak prosiaczek.

Opryskując mnie śliną, wykładał mi swoją wiedzę.

– Rewolucja, mój chłopcze, uczyniła z nas niewolników
bezbożnego państwa, bardziej nierównych niż przedtem,
wrogich sobie braci, z których każdy jest Kainem dla innych.
Niedobrze jest być zbyt wolnym i niedobrze jest także mieć
wszystko, czego się potrzebuje. Nasi ojcowie byli ubożsi
i szczęśliwsi, bo utrzymywali kontakt z naturą. Nowoczesność

dała nam parę, która zatruwa wsie, i krosna mechaniczne, które pozbawiają pracy tylu biedaków i sprawiają, że tkaniny nie są już takie jak kiedyś. Człowiek nie powinien być wolny, bo pozostawiony sam sobie staje się zły. Wolności trzeba mu niewiele – tyle, ile przyzna władca.

Jego ulubionym tematem był jednak ksiądz Barruel. Myśląc o swoim dzieciństwie, niemal widzę księdza Barruela, który jakby mieszkał u nas w domu, chociaż musiał już od dawna być martwy.

– Widzisz, chłopcze – słyszę jeszcze słowa dziadka – po szale rewolucyjnym, który wstrząsnął wszystkimi krajami Europy, rozległ się pewien głos i wyjawił, że rewolucja była tylko ostatnim, najbliższym nam w czasie etapem powszechnego sprzysiężenia, wymierzonego przez templariuszy w tron i ołtarz, to jest w królów, a zwłaszcza w królów Francji, oraz w Kościół, naszą ukochaną matkę... Był to głos księdza Barruela, który w końcu ubiegłego wieku napisał swoją *Historię jakobinizmu*[*].

– Ale, panie dziadku, co mieli z tym wspólnego templariusze? – pytałem wtedy. Znałem już wprawdzie tę historię na pamięć, lecz chciałem dać dziadkowi ponownie się wypowiedzieć na ulubiony temat.

– Chłopcze, templariusze to był nadzwyczaj potężny zakon rycerski, który król francuski zniszczył, aby zawładnąć jego mieniem. Większość templariuszy spalono na stosie, ale ci, którzy przeżyli, ustanowili tajemne zgromadzenie, żeby dokonać zemsty na królach Francji. I rzeczywiście: kiedy gilotyna ścięła głowę króla Ludwika, na szafot wszedł nieznany osobnik i podniósł tę biedną głowę, wołając: „Jakubie de Molay, jesteś pomszczony!" De Molay był wielkim mistrzem templariuszy, którego król Filip IV kazał spalić na krańcu Île de la Cité w Paryżu.

---

[*] Wydanie polskie: Raczyński, Berdyczów 1812, 4 tomy, w opracowaniu Karola Surowieckiego.

...niemal widzę księdza Barruela, który jakby mieszkał u nas w domu, chociaż musiał już od dawna być martwy... (s. 65)

– Ale kiedy spalono tego de Molay?

– W tysiąc trzysta czternastym roku.

– Zaraz policzę, panie dziadku. To prawie pięćset lat przed rewolucją. Jak udało się templariuszom pozostać w ukryciu przez pięćset lat?

– Wkradli się do stowarzyszeń dawnych budowniczych katedr, murarzy. Z tych stowarzyszeń zrodziła się angielska masoneria, która tak się nazywa, bo jej członkowie uważali się za *free masons*, czyli za wolnomularzy.

– A dlaczego murarze mieli robić rewolucję?

– Barruel zrozumiał, że dawni templariusze i wolnomularze zostali zawojowani i zdeprawowani przez iluminatów bawarskich! To straszna sekta, założona przez niejakiego Weishaupta. Każdy jej członek znał tylko swojego bezpośredniego przełożonego i nic nie wiedział o innych, stojących wyżej w hierarchii, ani o ich zamiarach. Celem sekty było nie tylko zniszczenie tronu i ołtarza, lecz także stworzenie społeczeństwa bez praw i moralności, w którym obowiązywałaby wspólnota dóbr, a nawet kobiet... Boże, wybacz mi, że mówię o tym chłopcu, ale trzeba przecież poznać knowania Szatana. Ściśle związani z iluminatami bawarskimi byli ci wrogowie wszelkiej wiary, którzy ułożyli haniebną Encyklopedię, a więc Wolter, d'Alembert, Diderot i ta cała klika, która za przykładem iluminatów mówiła we Francji o *Siècle des Lumières*, w Niemczech zaś o *Aufklärung*, i która wreszcie, zbierając się potajemnie, aby uknuć obalenie królów, powołała do życia klub zwany jakobinami, od imienia właśnie Jakuba de Molay. Oto kto spiskował, żeby we Francji wybuchła rewolucja!

– Ten Barruel wszystko pojął...

– Nie zrozumiał jednak, jak z grupy chrześcijańskich rycerzy mogła wyrosnąć sekta wroga Chrystusowi. Wiesz, to jak drożdże w cieście: jeśli ich za mało, ciasto nie rośnie, nie pęcznieje, i nie ma chleba. Co było tymi drożdżami, które ktoś... może los, a może diabeł... wprowadził do zdrowych jeszcze konwentykli templariuszy i wolnomularzy, żeby wyrosła z nich najbardziej diabelska sekta wszech czasów?

W tym miejscu dziadek robił przerwę, splatał dłonie, jakby chciał bardziej się skupić, uśmiechał się chytrze i oświadczał z wyważoną, lecz tryumfalną skromnością:

– Człowiekiem, który pierwszy miał odwagę odpowiedzieć na to pytanie, był twój dziadek, drogi chłopcze. Po przeczytaniu książki Barruela nie zawahałem się napisać do niego listu. Idź tam pod ścianę, chłopcze, i przynieś mi szkatułkę.

Przynosiłem szkatułkę, dziadek otwierał ją złotym kluczykiem, który nosił zawieszony na szyi, i wyjmował pożółkły arkusz papieru sprzed czterdziestu lat.

– Oto oryginał listu, który przepisałem potem na czysto dla Barruela.

Mam jeszcze przed oczami dziadka czytającego z dramatycznymi przerwami.

Zechce Pan przyjąć od nieuczonego żołnierza, jakim jestem, najszczersze gratulacje z powodu Pańskiej książki, zasługującej w pełni na nazwę najwybitniejszego dzieła ubiegłego stulecia. Och! Jakże umiejętnie zdemaskował Pan owe ohydne sekty, które torują drogę Antychrystowi i są nieubłaganymi wrogami nie tylko religii chrześcijańskiej, ale też wszelkiego kultu, wszelkiego społeczeństwa i wszelkiego porządku! Jednakże istnieje jedna jeszcze, o której Pan wspomniał tylko pobieżnie. Być może postąpił Pan tak umyślnie, jest ona bowiem najbardziej znana i dlatego uchodzi za najmniej groźną. Moim jednak zdaniem jest dzisiaj najstraszniejszą potęgą ze względu na swoje niezmierne bogactwa i na poparcie, jakim się cieszy we wszystkich prawie państwach Europy. Zrozumiał Pan z pewnością, że mówię o sekcie żydowskiej. Wydaje się ona odrębna i wroga innym sektom, lecz w rzeczywistości tak nie jest. Wystarczy bowiem, aby jedna z tych sekt okazała się wroga chrześcijaństwu, a żydostwo zaczyna jej sprzyjać, finansować ją i protegować. Czyż nie widzieliśmy już i nie widzimy nadal, że nie skąpi

ono swojego złota i srebra, aby popierać i inspirować współczes-
nych sofistów, wolnomularzy, jakobinów i iluminatów? Żydzi
tworzą zatem wraz ze wszystkimi innymi sekciarzami jedno
stronnictwo, którego celem jest zniszczenie chrześcijaństwa, jeśli to
możliwe. Proszę, nie sądź, Panie, że przesadzam. Nie piszę
o niczym, czego nie powiedzieliby mi sami Żydzi...

– A jak dowiedział się o tym dziadek od Żydów?
– Miałem niewiele ponad dwadzieścia lat, byłem młodym
oficerem armii sabaudzkiej, kiedy Napoleon najechał Królestwo
Sardynii. Ponieśliśmy klęskę pod Millesimo, Piemont został
wcielony do Francji. Był to tryumf bezbożnych bonapartystów,
którzy ścigali nas, oficerów królewskich, i wieszali na suchej
gałęzi. Lepiej było nie nosić już munduru, ani nawet nie pokazywać się na ulicy. Mój ojciec jako kupiec znał Żyda lichwiarza,
któremu wyświadczył jakąś przysługę. Za pośrednictwem tego
Żyda dano mi do dyspozycji na kilka tygodni – oczywiście po
słonej cenie – pokoik w getcie znajdującym się wówczas właśnie
na tyłach naszego domu, między ulicami San Filippo i delle Ro-
sine; zostałem tam, dopóki w mieście nie zrobiło się bezpiecz-
niej, potem wyjechałem do krewnych we Florencji. Było mi
bardzo niemiło mieszkać wśród tej hołoty, ale tylko tam nikt by
mnie nie szukał: Żydzi nie mogli wychodzić z getta, a porządni
ludzie trzymali się od niego z daleka.
Dziadek zakrywał sobie oczy dłońmi, jakby chciał się pozbyć
nieznośnego widoku.
– Tak więc w oczekiwaniu na koniec burzy przebywałem
w tych brudnych dziurach. W jednym pokoju, będącym zarazem kuchnią, sypialnią i ustępem, gnieździło się tam nieraz
osiem osób, wyniszczonych anemią, o woskowej cerze z prawie
niedostrzegalnym niebieskim odcieniem jak w porcelanie sewr-
skiej, szukających bezustannie najbardziej odosobnionych
kątów, które oświetlał tylko płomień świecy. Twarze bezkrwi-
ste żółtawej barwy, włosy koloru kleju rybnego, brody ryżawe

albo czarne, połyskujące jak wytarty tużurek... Nie mogąc znieść smrodu w swoim pokoju, krążyłem po pięciu dziedzińcach. Pamiętam je doskonale: Dziedziniec Wielki, Dziedziniec Księży, Dziedziniec Winorośli, Dziedziniec Karczmy i Dziedziniec Tarasu. Łączyły je okropne kryte przejścia, Ciemne Korytarze. Teraz spotkasz Żydów nawet na placu Carlina, spotkasz ich zresztą wszędzie, bo panujących obleciał strach, ale wtedy w Turynie Żydzi tłoczyli się jeden obok drugiego w tych mrocznych zaułkach. Pośród tej zatłuszczonej, niechlujnej ciżby zapewne bym wymiotował, gdyby nie strach przed bonapartystami...

Dziadek robił przerwę, żeby wytrzeć sobie wargi chusteczką, jakby chciał się pozbyć nieznośnego smaku w ustach.

– I to im właśnie zawdzięczałem ratunek, co za upokorzenie! My, chrześcijanie, gardziliśmy nimi, oni zaś bynajmniej nas nie kochali, wręcz przeciwnie, nienawidzili nas, podobnie jak dziś jeszcze nas nienawidzą. Zacząłem więc opowiadać, że urodziłem się w Livorno w żydowskiej rodzinie i byłem wychowywany przez krewnych, którzy na nieszczęście dali mnie ochrzcić, ale w głębi serca zawsze pozostałem Żydem. Moje wyznania nie robiły na nich większego wrażenia, ponieważ – mówili mi – w podobnej sytuacji było już tylu, że przestano zwracać na nich uwagę. Zdobyłem jednak w ten sposób zaufanie pewnego starca mieszkającego na Dziedzińcu Tarasu obok piekarni mac.

Tutaj dziadek się ożywiał. Gdy opowiadał o tym spotkaniu, przewracał oczami i gestykulował, naśladując Żyda, o którym mówił. Otóż ten Mordechaj pochodził podobno z Syrii i miał w Damaszku przykrą sprawę. W mieście zniknął arabski chłopiec. Nie pomyślano najpierw o Żydach, gdyż uważano, że na swoje obrządki zabijają tylko chłopców chrześcijańskich. Ale potem na dnie jakiegoś rowu znaleziono resztki małego trupa, który musiał zostać pocięty na tysiąc kawałków, utłuczonych następnie w moździerzu. Tak bardzo przypominało to zbrodnie przypisywane zazwyczaj Żydom, że żandarmi powzięli podejrzenie: zbliża się Pascha, Żydzi potrzebują krwi chrześcijańskiej na mace, nie udało się im pochwycić syna chrześcijan, więc złapali Araba, ochrzcili go, a później zarżnęli.

– Wiesz – komentował dziadek – że chrzest jest ważny zawsze, niezależnie od tego, kto go udziela, byleby ta osoba chrzciła zgodnie z nauką świętego Kościoła rzymskiego. Perfidni Żydzi świetnie o tym wiedzą i bezwstydnie mówią: „Chrzczę cię tak, jak zrobiłby to chrześcijanin, w którego bałwochwalstwo nie wierzę, ale któremu on hołduje, w pełni w nie wierząc". I tak tego małego męczennika spotkało przynajmniej to szczęście, że poszedł do raju, chociaż za przyczyną diabła.

Mordechaj od razu wydał się podejrzany. Aby zmusić go do mówienia, związano mu ręce z tyłu, do stóp przyczepiono ciężary, a potem z tuzin razy podnoszono go na krążku linowym i gwałtownie opuszczano. Następnie podsunięto mu pod nos siarkę, później wrzucono go do lodowatej wody, a kiedy wynurzał głowę, wpychano mu ją z powrotem, dopóki się nie przyznał. To znaczy – jak opowiadano – że aby wreszcie położyć temu kres, nieszczęśnik wymienił nazwiska pięciu współwyznawców, niemających ze sprawą nic wspólnego. Zostali skazani na śmierć, a on, z wywichniętymi kończynami, wyszedł na wolność, ale stracił rozum. Jakaś litościwa dusza wsadziła go na statek handlowy płynący do Genui, bo gdyby został, inni Żydzi niechybnie by go ukamienowali. Ktoś powiedział nawet, że na statku omotał go pewien barnabita i namówił do przyjęcia chrztu, aby po przybyciu do Królestwa Sardynii mógł uzyskać pomoc. Mordechaj zgodził się, ale w głębi duszy zachował wierność religii ojców, byłby więc z tych, których chrześcijanie nazywają marrani. Kiedy wszak przyjechał do Turynu i poprosił, by włączono go do społeczności getta, wyparł się, jakoby chrzest w ogóle przyjmował. Wielu uważało go jednak za fałszywego Żyda, który w duchu pozostał wierny swojej nowej, chrześcijańskiej religii; byłby więc marranem podwójnym. Ponieważ jednak nikt nie potrafił potwierdzić tych wszystkich zamorskich pogłosek, a obłąkanemu należała się litość, mógł biedować, utrzymywany przez ogół, w norze, którą wzgardziłby nawet mieszkaniec getta.

Dziadek twierdził, że bez względu na to, co ten starzec zrobił w Damaszku, nie był bynajmniej obłąkany. Ożywiała go po prostu niezmierzona nienawiść do chrześcijan. W swojej klitce bez okien, trzymając dziadka za nadgarstek drżącą ręką i wlepiając w niego błyszczące w ciemności oczy, zapewniał go, że od tamtego czasu poświęcił życie zemście. Opowiadał mu, że Talmud nakazuje nienawidzić całego chrześcijańskiego plemienia i że dążąc do deprawacji chrześcijan, oni, Żydzi, wynaleźli wolnomularstwo, a on, Mordechaj, został jednym z jego nieznanych zwierzchników, rozkazującym lożom od Neapolu po Londyn; musiał jednak pozostawać w ukryciu, żyć sekretnie i samotnie, aby nie zasztyletowali go jezuici, którzy wszędzie nań czyhają.

Mówiąc, rozglądał się wokół, jakby z każdego ciemnego kąta miał wynurzyć się nagle uzbrojony w puginał jezuita, wycierał sobie hałaśliwie nos, trochę popłakiwał nad swoim smutnym losem, trochę uśmiechał się chytrze i mściwie, zadowolony, że cały świat nic nie wie o jego straszliwej potędze, głaskał przypochlebnie Simoniniego po ręce i fantazjował dalej. Zapewniał więc, że jeśli dziadek zechce, ich sekta przyjmie go z radością, że zostanie wprowadzony do najtajniejszej loży masońskiej.

Wyjawił mu też, że do żydowskiej rasy należeli zarówno Manes, prorok sekty manichejczyków, jak i ohydny Starzec z Gór, który upajał narkotykami swoich asasynów, aby zabijali potem chrześcijańskich władców. I dalej, że sekty wolnomularzy i iluminatów założyli dwaj Żydzi, że od Żydów wywodziły się wszystkie przeciwne chrześcijaństwu sekty, których jest obecnie na świecie tyle, iż obejmują wiele milionów ludzi płci obojga, wszelkiego stanu, wszelkich narodowości, piastujących wszelkiego rodzaju urzędy. Nie brakowało wśród nich – mówił – licznych duchownych, a nawet kilku kardynałów; sekta nie traciła też nadziei, że niebawem przyłączy się do niej papież (wiele lat później, gdy na Tron Piotrowy wstąpiła postać tak dwuznaczna jak Pius IX, dziadek miał skomentować, że nie było to całkiem nieprawdopodobne). Aby łatwiej oszukiwać chrześcijan – opowiadał Mordechaj – członkowie sekty udają często, że są chrześcijanami, i podróżują z jednego kraju do drugiego z fałszywymi świadectwami chrztu, kupionymi u sprzedajnych proboszczów; mają też nadzieję, że za pomocą pieniędzy i oszustw nakłonią wszystkie rządy do przyznania im pełni praw cywilnych, jak stało się to już w wielu krajach. Nabywszy posiadane przez wszystkich innych uprawnienia, zaczną wykupywać domy i grunty, poprzez lichwę wyzują chrześcijan z wszelkich dóbr i bogactw, nie minie sto lat, a staną się władcami świata, zniosą wszystkie inne sekty, aby mogła panować jedynie ich własna, kościoły chrześcijan zamienią w synagogi, samych zaś chrześcijan w niewolników.

– To właśnie – kończył dziadek – wyjawiłem Barruelowi. Może przesadziłem nieco, oświadczając, że usłyszałem od wszystkich to, co powiedział mi jeden człowiek, ale byłem i jestem nadal przeświadczony, że ten starzec mówił prawdę. Napisałem więc... pozwól mi przeczytać do końca.

I czytał dalej:

Takie są, Panie, perfidne zamiary żydowskiej nacji, o których usłyszałem na własne uszy... Byłoby zatem bardzo wskazane, aby pióro mocne, wyższego gatunku, podobne Pańskiemu, otworzyło oczy wspomnianym rządom, pouczając je, że powinny ponownie wtrącić ten lud w stan upodlenia, na który zasłużył i w którym utrzymywali go zawsze nasi najlepiej znający politykę i najrozsądniejsi ojcowie. Błagam Pana o to we własnym imieniu, prosząc zarazem, aby zechciał Pan wybaczyć Włochowi i żołnierzowi błędy wszelkiego rodzaju, które w niniejszym liście Pan znajdzie. Życzę Panu, aby otrzymał Pan z ręki Boga jak najbardziej hojną nagrodę za wspaniałe pisma, którymi wzbogacił Jego Kościół, i aby wzbudził On w ich czytelnikach jak największą wdzięczność, jak najgłębszy szacunek dla Pańskiej osoby, z którymi to uczuciami mam zaszczyt pozostawać Pańskim najpokorniejszym i najbardziej oddanym sługą, kładąc swój podpis.

Giovanni Battista Simonini

Tutaj dziadek za każdym razem chował list z powrotem do szkatułki, a ja pytałem:

– I co odpowiedział ksiądz Barruel?

– Nie raczył mi odpowiedzieć. Ale ja miałem w kurii rzymskiej dobrego znajomego i doszło do mnie, że ten tchórz obawiał się, iż rozpowszechnienie owej prawdy spowoduje rzeź Żydów, której on nie chciał wywoływać w przekonaniu, że są wśród nich także niewinni. Nie bez znaczenia były też zapewne ówczesne machinacje francuskich Judejczyków; przecież Napoleon, żeby uzyskać poparcie dla swoich dążeń, spotkał się wtedy z przedstawicielami Wielkiego Sanhedrynu. Ktoś musiał powiedzieć księdzu, że nie trzeba mącić wody. Jednak Barruel nie chciał zachować milczenia i przesłał oryginał mojego listu Ojcu Świętemu Piusowi VII, a kopie – wielu biskupom. Sprawa na tym się nie kończy, bo przekazał treść listu także kardynałowi Feschowi, prymasowi Galii, aby zapoznał z nią Napoleona, jak również szefowi paryskiej policji. Jak słyszałem, paryska policja dowiadywała się w kurii, czy jestem wiarygodnym świadkiem – a byłem nim przecież, klnę się na Szatana, kardynałowie nie mogli temu zaprzeczyć! Barruel działał więc z ukrycia, nie chciał wsadzać kija w mrowisko głębiej, niż uczynił to za pomocą swojej książki, ale udając, że milczy, zapoznawał z moimi odkryciami pół świata. Musisz wiedzieć, że zanim

Ludwik XV wypędził jezuitów z Francji, to właśnie oni wychowywali Barruela, i że został on potem wyświęcony na duchownego świeckiego, a następnie – po przywróceniu zakonowi przez Piusa VII pełnej legalności – znowu stał się jezuitą. Otóż wiesz, że ja jestem żarliwym katolikiem i żywię najwyższy szacunek dla każdego, kto nosi szaty duchowne, ale jezuita z pewnością zawsze będzie jezuitą, jedno mówi, a drugie robi, jedno robi, a drugie mówi, no i Barruel tak właśnie się zachował...

Rozbawiony swoją diabelską impertynencją, dziadek rechotał, pryskając śliną spomiędzy niewielu zębów, jakie mu jeszcze pozostały.

– Widzisz, mój Simonino, ja jestem stary, nie mam siły wołać na puszczy; ci, którzy nie chcieli mnie słuchać, odpowiedzą za to przed Bogiem. Teraz wam młodym przekazuję pochodnię prawdy, dziś, kiedy ci po tysiąckroć przeklęci Żydzi stają się coraz silniejsi, a nasz bojaźliwy władca Karol Albert traktuje ich z coraz większym pobłażaniem. Ale obali go ich spisek...

– Spiskują i tu, w Turynie? – pytałem.

Dziadek rozglądał się dookoła, jakby w cieniach ogarniających pokój podczas zachodu słońca ktoś go podsłuchiwał.

– Tutaj i wszędzie – mówił. – To przeklęta rasa. Kto umie czytać ich Talmud, zapewnia, że nakazuje on Żydom przeklinać chrześcijan trzy razy na dzień i prosić Boga, aby zostali wytępieni i zniszczeni; napisano tam też, że jeśli Żyd spotka chrześcijanina na brzegu przepaści, winien go w nią zepchnąć. Czy wiesz, dlaczego nazywasz się Simonino? Chciałem, żeby rodzice tak cię ochrzcili na cześć świętego Simonina, małego męczennika, którego dawno temu, w piętnastym wieku, trydenccy Żydzi porwali, zabili i posiekali na kawałki, żeby użyć jego krwi w swoich obrządkach.

***

„Jeśli będziesz niegrzeczny i nie pójdziesz zaraz spać, w nocy przyjdzie do ciebie straszny Mordechaj". Tak grozi mi dziadek. A ja nie mogę zasnąć w swoim pokoiku na poddaszu, nasłuchuję trzeszczenia podłóg i ścian w starym domu, słyszę prawie na drewnianych schodkach kroki strasznego starca, który nadchodzi, aby zaciągnąć mnie do swojej piekielnej klitki i nakarmić macą z mąki zmieszanej z krwią zamęczonych dzieci. Opowiadanie dziadka kojarzy mi się z opowiadaniami mammy Teresy, starej służącej, która karmiła kiedyś piersią mojego ojca i dziś jeszcze powłóczy nogami po pokojach. Słyszę Mordechaja, jak śliniąc się lubieżnie, mamrocze: „Mniam, mniam, pachnie mi tu małym chrześcijaninem".

***

Mam już prawie czternaście lat i nieraz nachodzi mnie pokusa, aby wejść do getta, które występuje teraz ze swoich dawnych granic, albowiem także w Piemoncie znoszone są liczne restrykcje. Krążąc na pograniczu tego zakazanego świata, spotykałem niewielu Żydów, ale – jak słyszałem – znaczna ich część zrzuciła swoje dawne stroje. Przebierają się, mówił dziadek, przebierają się, przechodzą obok nas, a my nawet tego nie wiemy. Kiedy poruszałem się po tamtej okolicy, zauważyłem czarnowłosą dziewczynę, która przechodziła co rano przez plac Carlina, niosąc jakiś przykryty płótnem kosz do pobliskiego sklepu. Płomienne spojrzenie, aksamitne oczy, smagła cera... Niemożliwe, aby to była Żydówka; opisywani przez dziadka ojcowie o twarzach groźnych drapieżników i jadowitym wzroku nie mogli przecież spłodzić takiej istoty. A jednak na pewno szła z getta.

Po raz pierwszy patrzę na kobietę, która nie jest mammą Teresą. Chodzę tam i z powrotem co rano, a gdy widzę ją z daleka, dostaję jakby palpitacji serca. Kiedy jej rankiem nie ujrzę, błąkam się po placu, jakbym szukał drogi ucieczki, lecz żad-

*...słyszę prawie na drewnianych schodkach kroki strasznego
starca, który nadchodzi, aby zaciągnąć mnie do swojej piekielnej klitki i nakarmić macą z mąki zmieszanej z krwią zamęczonych dzieci... (s. 76)*

na mi nie odpowiada. Krążę tam jeszcze, kiedy w domu dziadek czeka na mnie przy stole, przeżuwając ze złością miękisz chleba.

Pewnego ranka ośmielam się zatrzymać dziewczynę i ze spuszczonymi oczami pytam, czy nie mógłbym jej pomóc nieść kosza. Odpowiada wyniośle, w dialekcie, że doskonale sama sobie radzi. I nie nazywa mnie *monssü*, panem, tylko *gagnu*, chłopcem. Potem już jej nie widziałem, nie szukałem · więcej. Upokorzyła mnie córa Syjonu. Może dlatego, że jestem gruby? W każdym razie od tamtej chwili rozpoczęła się moja wojna z córkami Ewy.

***

Przez całe moje dzieciństwo dziadek nie chciał posyłać mnie do szkół państwowych, ponieważ – jak mówił – uczyli tam tylko karbonariusze i republikanie. Spędzałem wszystkie te lata w domu, samotny, godzinami przyglądając się innym chłopcom, którzy bawili się na brzegu rzeki i do których miałem żal, jakby zabierali mi coś mojego. Resztę czasu musiałem poświęcać na naukę. Zamykano mnie w pokoju z jezuitą, którego dziadek wybierał zawsze – stosownie do mojego wieku – z grona tych otaczających go czarnych kruków. Nienawidziłem wszystkich kolejnych nauczycieli nie tylko dlatego, że uczyli mnie za pomocą uderzeń prętem po palcach, lecz także dlatego, że mój ojciec (w rzadkich, prowadzonych z roztargnieniem rozmowach ze mną) sączył mi w serce nienawiść do księży:

– Ale moi nauczyciele nie są księżmi, to zakonnicy, jezuici – mówiłem.

– Jeszcze gorzej – odpowiadał ojciec. – Jezuitom nigdy nie wolno wierzyć. Wiesz, co napisał święty ksiądz... zważ na to, że mówię „ksiądz", nie „mason", „karbonariusz", „iluminat szatański", jak mnie nazywają... anielskiej dobroci ksiądz Gioberti? Jezuityzm zniesławia, nęka, dręczy, oczernia, prześladuje i niszczy ludzi wolnego ducha, jezuityzm pozbawia urzędów ludzi zacnych i wartościowych, a zastępuje ich złymi i podłymi, jezuityzm hamuje rozwój oświaty publicznej i prywatnej, szkodzi jej, wypacza, osłabia i psuje ją na tysiąc sposobów, jezuityzm sieje urazy, nieufność, animozje, nienawiść, kłótnie, otwarte i potajemne waśnie między jednostkami, rodzinami, klasami społecznymi, państwami, rządami i narodami, przytępia umysły, zmiękcza gnuśnością serca i wolę, młodzież pozbawia energii miękką dyscypliną, deprawuje wiek dojrzały obłudną, ustępliwą moralnością, u całej rzeszy obywateli zwalcza, studzi i gasi przyjaźń, braterstwo, miłość synowską, świętą miłość ojczyzny...

Nie ma na świecie sekty bardziej bez serca, mówił ojciec, bardziej bezwzględnej i bezlitosnej w obronie swoich interesów niż Towarzystwo Jezusowe. Jezuita poddany dyscyplinie swojego zakonu i posłuszny zleceniom przełożonych jest ujmujący i przypochlebny, czaruje uprzejmym sposobem bycia, z jego ust leje się miód, lecz pod tą maską kryje duszę ze stali, której obce są wszelkie święte i szlachetne uczucia. Trzyma się skrupulatnie zasady Machiavellego: gdy w rachubę wchodzi dobro ojczyzny... dla jezuitów: zakonu... nie wolno rozróżniać między tym, co sprawiedliwe, a tym, co niesprawiedliwe, między litością a okrucieństwem. Dlatego tych ludzi od dzieciństwa uczy się w kolegiach, by zapominali o związkach rodzinnych, nie mieli przyjaciół, donosili przełożonym o najdrobniejszym nawet przewinieniu najdroższego towarzysza, poskramiali każdy zryw serca, przygotowywali się do posłuszeństwa absolutnego, *perinde ac cadaver*. Gioberti mawiał, że indyjscy *fasingari*, czyli dusiciele, składają swojemu bóstwu w ofierze ciała wrogów, których zabili pętlą lub nożem, włoscy jezuici zaś mordują dusze językiem, jak gady, albo piórem.

– Nie mogłem jednak nigdy powstrzymać się od uśmiechu na myśl – kończył swój wywód ojciec – że część tych poglądów

Gioberti zaczerpnął z drugiej ręki, z powieści, która ukazała się rok wcześniej: *Żyd wieczny tułacz* Eugeniusza Sue.

***

Mój ojciec, czarna owca w rodzinie. Jeśli wierzyć dziadkowi, pokumał się z karbonariuszami. Wspominając mi o przekonaniach dziadka, zaznaczał po cichu, abym nie wierzył w te brednie. Nie wiem zupełnie, czy przez wstydliwość, czy przez szacunek dla poglądów swojego ojca, czy wreszcie ze względu na brak zainteresowania moją osobą unikał mówienia mi o własnych ideałach. Mnie wystarczało jednak podsłuchać jakąś rozmowę dziadka z jego jezuitami lub plotki wymieniane z odźwiernym przez mammę Teresę, aby zrozumieć, że ojciec należał do tych, którzy nie dość, że pochwalali rewolucję i Napoleona, to jeszcze mówili wręcz o Italii wyzwolonej spod jarzma austriackiego cesarstwa, Burbonów i papieża – Italii, która stałaby się Narodem (tego słowa w obecności dziadka nie wolno było wymawiać).

***

Pierwszych nauk udzielał mi ojciec Pertuso o profilu kuny, zapoznając mnie z dziejami naszych czasów (o czasach minionych uczył mnie dziadek).

Później, kiedy zaczynano już mówić o karbonariuszach – dowiadywałem się o nich z przysyłanych na adres ojca gazet, które przechwytywałem, zanim dziadek zdążył je zniszczyć – musiałem, jak sobie przypominam, uczyć się łaciny i niemieckiego; lekcji udzielał mi ojciec Bergamaschi, zaprzyjaźniony z dziadkiem tak bardzo, że przydzielono mu w naszym domu pokoik w pobliżu mojego. Ojciec Bergamaschi... W odróżnieniu od ojca Pertuso był młody, przystojny, z falującymi włosami, wyraziście zarysowanym owalem twarzy, czarujący w rozmowie; przynajmniej w domu nosił z godnością piękny habit. Pamiętam jego białe ręce o delikatnych palcach, których paznokcie były nieco dłuższe, niż można by oczekiwać u duchownego.

Kiedy widział mnie pochylonego nad książką, często siadał za mną i głaszcząc mnie po głowie, przestrzegał przed licznymi niebezpieczeństwami czyhającymi na niedoświadczonego młodzieńca. Tłumaczył mi, że w istocie karbonaryzm kryje za sobą inną, straszniejszą plagę – komunizm.

– Komuniści – mówił – jeszcze do wczoraj nie wydawali się groźni, ale po manifeście tego Marsha (chyba tak właśnie wymawiał) musimy obnażać ich knowania. Nie wiadomo ci nic o Babette d'Interlaken, godnej prawnuczce Weishaupta, nazwanej Wielką Dziewicą szwajcarskiego komunizmu.

Nie wiedzieć z jakiej przyczyny obsesją ojca Bergamaschiego wydawały się nie powstania w Mediolanie i Wiedniu, o których w tamtych dniach tyle się mówiło, lecz starcia na tle religijnym między katolikami a protestantami, mające miejsce w Szwajcarii.

– Zrodzona z nieślubnego związku Babette dorastała wśród orgii, złodziejstwa, rabunków i krwi; Boga znała tylko stąd, że wokół niej bezustannie Go przeklinano. Kiedy w potyczkach w pobliżu Lucerny radykałowie zabijali jakiegoś katolika ze starych kantonów, nakazywali Babette wyrwać mu serce i wyłupać oczy. Wiatr burzył jej jasne włosy babilońskiej nierządnicy, a ona pod płaszczykiem wdzięków kryła swoją rolę herolda sekretnych stowarzyszeń, demona doradzającego tym szajkom wszelkie oszustwa i wybiegi. Pojawiała się niespodziewanie i znikała w okamgnieniu jak jakiś duszek, znała niedostępne tajemnice, odczytywała depesze dyplomatyczne, nie złamawszy ich pieczęci, wiła się jak wąż w najpilniej strzeżonych gabinetach Wiednia, Berlina, a nawet Petersburga, podrabiała weksle, fałszowała paszporty, już jako mała dziewczynka umiała sporządzać trucizny i podawać je zgodnie z rozkazami sekty. Wydawało się, że posiadł ją diabeł, tak potężny był jej gorączkowy wigor, tak nieprzeparty urok jej spojrzenia.

Zamykałem oczy, usiłowałem nie słuchać, ale nocą marzyłem o Babette d'Interlaken. W półśnie starałem się zatrzeć obraz tego demona o blond włosach opadających na ramiona, z pewnością nagie, tego szatańskiego i wonnego duszka o piersi dyszącej zmysłowością bezbożnej i grzesznej bestii. Jednocześnie śniłem o niej jako o wzorze do naśladowania; przerażeniem napełniała mnie sama myśl, że mógłbym jej dotknąć choćby tylko czubkiem palców, lecz odczuwałem pragnienie, żeby być takim jak ona, wszechmocnym tajnym agentem, który fałszuje paszporty i wiedzie do zguby swoje ofiary płci przeciwnej.

**

Moi nauczyciele lubili dobrze zjeść i to przyzwyczajenie musiało przetrwać u mnie w wieku dojrzałym. Pamiętam biesiady w poważnym nastroju, kiedy zacni ojcowie jezuici dyskutowali o zaletach gotowanego mięsiwa, które dziadek kazał dla nich przyrządzić.

Potrzeba było do tego co najmniej pół kilo wołowiny, kawałka ogona, zrazówki, serdelków, ozora cielęcego, głowy cielęcej, kiełbasy, kury, jednej cebuli, dwóch marchwi, tyluż selerów, garści pietruszki. Gotować należało krócej lub dłużej, zależnie od jakości mięsa. Dziadek zaznaczał też, a ojciec Bergamaschi energicznie mu przytakiwał, że tuż po umieszczeniu dania na tacy trzeba posypać je solą kuchenną i polać kilkoma łyżkami gorącego bulionu, aby nabrało lepszego smaku. Dodatków prawie żadnych oprócz kilku kartofli, ale podstawowe znaczenie mają sosy: musztardowy, chrzanowy, z kandyzowanych owoców w syropie z domieszką musztardy, lecz przede wszystkim (tu dziadek okazywał stanowczość) sosik zielony, a więc garść pietruszki, cztery koreczki z sardeli, miękisz jednej bułki, łyżka kaparów, ząbek czosnku, żółtko jajka na twardo, wszystko dokładnie utarte, podlane oliwą i octem.

Takie to były, jak sobie przypominam, przyjemności mojego dzieciństwa i wieku dorastania. Czyż można pragnąć więcej?

**

*...Zamykałem oczy, usiłowałem nie słuchać, ale nocą marzy-
łem o Babette d'Interlaken... (s. 81)*

Upalne, duszne popołudnie. Odrabiam lekcje. Ojciec Bergamaschi siada cicho za mną, jego dłoń obejmuje mój kark, szepce mi, że chłopcu tak pobożnemu, tak roztropnemu, który chciałby ustrzec się pokus wrogiej nam płci, on mógłby zaoferować nie tylko ojcowską przyjaźń, lecz także ciepło i uczucie dojrzałego mężczyzny.

Odtąd nie pozwalam się już dotknąć żadnemu księdzu. Może jednak przebieram się za księdza Dalla Piccola, aby dotykać innych?

***

Miałem około osiemnastu lat, kiedy dziadek, który chciał, abym został adwokatem (w Piemoncie nazywa się adwokatem każdego, kto skończył studia prawnicze), zdecydował się wreszcie wypuścić mnie z domu i skierować na uniwersytet. Po raz pierwszy zetknąłem się z rówieśnikami – zbyt późno, toteż odnosiłem się do nich nieufnie. Nie rozumiałem ich tłumionego śmiechu i porozumiewawczych spojrzeń, gdy rozmawiali o kobietach i wymieniali między sobą francuskie książki z obrzydliwymi rycinami. Wolałem samotność i lekturę. Mój ojciec był abonentem „Le Constitutionnel", gdzie ukazywał się w odcinkach *Żyd wieczny tułacz* Eugeniusza Sue, więc oczywiście pożerałem te numery. Dowiedziałem się stamtąd, że wstrętne Towarzystwo Jezusowe za pomocą najohydniejszych zbrodni umie zawładnąć majątkami, depcząc prawa spadkowe ubogich i dobrych. Nabrałem wtedy niechęci do jezuitów i odkryłem rozkosze powieści w odcinkach. Na strychu znalazłem skrzynię książek, które ojcu najwyraźniej udało się ocalić. Podobnie jak on ukrywając przed dziadkiem swoje upodobania, spędzałem na lekturze *Tajemnic Paryża*, *Trzech muszkieterów* czy *Hrabiego Monte Christo* całe popołudnia, dopóki nie rozbolały mnie oczy.

Rozpoczął się ów cudowny rok 1848. Wszystkich studentów przepełniało radością wstąpienie na tron papieski kardynała

Mastai-Ferretti, Piusa IX, który dwa lata wcześniej ogłosił amnestię dla więźniów politycznych. Pierwsze przejawy oporu wobec Austriaków pojawiły się już w styczniu w Mediolanie, gdzie mieszkańcy przestali palić tytoń, aby przynieść straty skarbowi cesarsko-królewskiego rządu (mediolańscy studenci, stawiający czoło wojskowym i policjantom, którzy ich prowokowali kłębami dymu z wonnych cygar, moim turyńskim kolegom wydawali się bohaterami). Jeszcze w tym samym miesiącu wybuchła rewolucja w Królestwie Obojga Sycylii i Ferdynand II obiecał tam konstytucję. W lutym powstanie ludowe w Paryżu obaliło króla Ludwika Filipa i proklamowało (znowu i nareszcie!) republikę; zniesiono niewolnictwo i karę śmierci za przestępstwa polityczne, uchwalono powszechne prawo wyborcze. W marcu papież zaakceptował nie tylko konstytucję, lecz także wolność prasy, wyzwolił Żydów z getta, zniósł wiele upokarzających dla nich rytuałów i obowiązków. W tym samym okresie konstytucję zatwierdził także wielki książę Toskanii, Karol Albert zaś ogłosił statut dla Królestwa Sardynii. Płomienie rewolucji objęły potem Wiedeń oraz Czechy i Węgry. Pięciodniowe powstanie mediolańskie skończyło się wypędzeniem Austriaków, przeciw którym wystąpiła armia sabaudzka, ażeby przyłączyć wyzwolony Mediolan do Piemontu. Moi towarzysze szeptali o ogłoszeniu *Manifestu komunistycznego*, cieszyli się więc nie tylko studenci, ale i ludzie pracy z warstw niższych, przekonani, że niebawem powiesi się ostatniego księdza na jelitach ostatniego króla.

Nie wszystkie wieści były dobre. Karol Albert ponosił klęskę za klęską, a w oczach mediolańczyków, i w ogóle prawdziwych patriotów, uchodził za zdrajcę. Przestraszony zabójstwem jednego ze swoich ministrów Pius IX schronił się w Gaecie u króla Obojga Sycylii i działał w ukryciu, wykazując się o wiele mniejszym liberalizmem niż na początku. Odwoływano przyjęte już konstytucje... Ale do Rzymu przybyli tymczasem Garibaldi i patrioci Mazziniego; po Nowym Roku miała zostać ogłoszona Republika Rzymska.

W marcu mój ojciec zniknął zupełnie. Mamma Teresa była przekonana, że przyłączył się do powstańców w Mediolanie, ale bodajże w grudniu jeden z naszych domowych jezuitów dowiedział się, że wraz z ludźmi Mazziniego śpieszy ustanawiać Republikę Rzymską. Załamany dziadek bombardował mnie straszliwymi proroctwami, które *annus mirabilis*, rok cudowny, zamieniały w *annus horribilis*, rok straszliwy. I rzeczywiście w tym właśnie czasie rząd piemoncki zniósł zakon jezuitów, skonfiskował jego mienie, a żeby pozbawić go wszelkiego oparcia, zniósł także zakony pokrewne, jak oblaci świętego Karola i Maryi Niepokalanej oraz redemptoryści.

– Nadchodzi Antychryst – lamentował dziadek i oczywiście przypisywał wszystko machinacjom Żydów, przekonany, że sprawdzają się najczarniejsze przepowiednie Mordechaja.

***

Dziadek udzielał schronienia kryjącym się przed gniewem ludu jezuitom, którzy chcieli przeczekać, a potem przejść w jakiś sposób do kleru świeckiego. Na początku 1849 roku wielu zbiegło potajemnie z Rzymu i opowiadało straszne rzeczy o tym, co się tam działo.

Ojciec Pacchi. Po przeczytaniu *Żyda wiecznego tułacza* Sue widziałem w nim wcielenie ojca Rodina, perfidnego jezuity, który działał podstępnie, wyrzekając się dla tryumfu Towarzystwa wszelkich zasad moralnych. Przypominał mi Rodina może dlatego, że podobnie jak on ukrywał swoją przynależność do zakonu pod zwykłym ubiorem, to jest wyświechtanym surdutem z kołnierzem przesiąkniętym zatęchłym potem i obsypanym łupieżem, chusteczką do nosa zamiast fularu, wytartą kamizelką z czarnego sukna; swoimi ciągle zabłoconymi buciorami deptał bez wstydu nasze piękne dywany. Twarz miał pociągłą, chudą i pobladłą, siwe tłuste włosy przylepione do skroni, oczy żółwia, wargi wąskie i zsiniałe.

Nie wystarczało mu budzić wstręt samym swoim widokiem, który przy stole odbierał wszystkim apetyt. Tonem i językiem świątobliwego kaznodziei opowiadał jeszcze mrożące krew w żyłach historie.

– Przyjaciele, głos mi drży, lecz muszę wam to powiedzieć. Ta zaraza rozprzestrzeniła się z Paryża, bo Ludwik Filip nie był wprawdzie wzorem cnót, ale stanowił tamę przeciw anarchii. Widziałem lud rzymski w tych dniach! Czy to był jednak lud rzymski? To ciemne typy, obszarpane i rozczochrane, łotry zbiegłe spod szubienicy, które dla szklanki wina wyrzekłyby się raju. Nie lud, ale pospólstwo, do którego przyłączyły się w Rzymie najpodlejsze wyrzutki społeczeństwa z miast włoskich i obcych, garybaldczycy, ludzie Mazziniego, ślepe narzędzia wszelkiego zła. Nie wiecie, jak straszne, jak ohydne czyny popełniają republikanie. Wpadają do kościołów i rozbijają urny z prochami świętych; prochy rzucają na wiatr, a z urny robią urynał. Wyrywają poświęcone kamienie z ołtarzy i smarują je kałem, puginałami dźgają figury Matki Bożej, podobiznom świętych wydłubują oczy, wypisują na nich węglem sprośności. Księdza, który wypowiedział się przeciwko republice, wciągnęli do bramy, przebili ciosami sztyletów, wydłubali mu oczy i wyrwali język, rozcięli brzuch, jelitami okręcili szyję i tak go zadusili. I nie myślcie, że nawet po wyzwoleniu Rzymu... mówi się już o pomocy ze strony Francji... zwolennicy Mazziniego zostaną zwyciężeni. Rzygają nimi wszystkie krainy włoskie, są chytrzy, przebiegli, symulują i oszukują, są bojowi i zuchwali, wytrwali i cierpliwi. Będą nadal gromadzić się w najtajniejszych kryjówkach miast, za sprawą fałszu i obłudy poznają sekrety rządu, policji, wojska, floty i cytadeli.

– A mój syn do nich należy – płakał załamany fizycznie i psychicznie dziadek, po czym zabierał się do stojącej na stole wyśmienitej duszonej wołowiny podlanej winem Barolo. – On nigdy nie zrozumie doskonałości tego mięsa z cebulą, marchwią, selerem, szałwią, rozmarynem, listkami bobkowymi, goździkami, cynamonem, jagodami jałowca, solą, pieprzem, masłem,

...Księdza, który wypowiedział się przeciwko republice, wciąg-
nęli do bramy, przebili ciosami sztyletów, wydłubali mu oczy
i wyrwali język... (s. 87)

oliwą i oczywiście butelką barola, a podawanego z polentą albo z ziemniakami purée. Róbcie, róbcie rewolucję... Ginie smak życia... Chcecie przepędzić papieża, żeby jeść *bouillabaisse*, zupę rybną na sposób nicejski, bo zmusi was do tego ten rybak Garibaldi... Nie ma już nic świętego.

***

Ojciec Bergamaschi wkładał często zwykłe ubranie i oddalał się, mówiąc, że nie będzie go przez kilka dni; nie wyjaśniał, dokąd idzie ani po co. Ja wtedy wchodziłem do jego pokoju, brałem habit, wkładałem go i stawałem przed lustrem, wykonując taneczne *pas*. Jakbym był – niech mi Bóg wybaczy – kobietą albo jakby kobietą był on, którego naśladowałem. Gdyby się okazało, że to ja jestem księdzem Dalla Piccola, mógłbym powiedzieć, że odkryłem odległe w czasie pochodzenie swoich teatralnych upodobań.

W kieszeniach habitu znalazłem raz trochę pieniędzy (zakonnik najwidoczniej o nich zapomniał) i postanowiłem pozwolić sobie na popełnienie grzechu łakomstwa oraz zapoznać się z kilkoma miejscami, które mi często zachwalano.

Nadal w habicie – nie zdawałem sobie sprawy, że w owych czasach stanowiło to prowokację – zapuściłem się w meandry Balôn, dzielnicy w pobliżu Porta Palazzo, zamieszkanej wtedy przez najgorsze turyńskie męty; to właśnie stamtąd pochodziła grasująca w mieście armia zbójów. Z okazji świąt na rynku przy Porta Palazzo panowało niezwykłe ożywienie, ludzie popychali się, tłoczyli wokół straganów, chmara służących oblegała sklepy rzeźnicze, dzieci przyglądały się z zachwytem sprzedawcom nugatów, żarłoki kupowały drób, dziczyznę i wędliny, w restauracjach nie było ani jednego wolnego miejsca. Ja ocierałem się habitem o zwiewne damskie stroje, widząc kątem oka – wlepionego księżym obyczajem w splecione na brzuchu ręce – głowy kobiet w kapelusikach, czepkach, woalkach i chustach; byłem oszołomiony jadącymi we wszystkich kierunkach dyliżansami i wozami, krzykami, wrzaskiem i zgiełkiem.

Podniecony tym harmiderem, od którego dziadek i ojciec – choć obaj z odmiennych powodów – trzymali mnie dotychczas z daleka, zapędziłem się aż do jednego z legendarnych w ówczesnym Turynie lokali. W habicie jezuity – zdziwienie, jakie budziłem, sprawiało mi złośliwą satysfakcję – wszedłem do kawiarni Bicerin* obok bazyliki La Consolata, aby wypić zawartość kieliszka w oprawie z metalowym uchwytem, pachnącą mlekiem, kakao, kawą i innymi woniami. Nie przypuszczałem wtedy, że o *bicerin* napisze kilka lat później Aleksander Dumas, jeden z moich ulubionych bohaterów. W ciągu nie więcej niż dwóch lub trzech wypadów w to magiczne miejsce dowiedziałem się jednak wszystkiego o owym nektarze pochodzącym od *bavareisa*, z tym że w bawarce kawa z czekoladą są zmieszane, a do „kieliszeczka" gorącą kawę, czekoladę i mleko wlewa się oddzielnie, warstwami; można więc zamówić *bicerin pur e fiur* z kawy i mleka, *pur e barba* z kawy i czekolady oraz *'n poc' d tut* ze wszystkiego po trochu.

Jak rozkosznie było siedzieć w tej kawiarni o żelaznych drzwiach, z tablicami po obu stronach, zachwalającymi menu, wśród żeliwnych kolumienek i kapiteli, ozdobionych lustrami boazerii, stolików z marmurowym blatem, przed kontuarem, za którym było widać pachnące migdałami słoje wypełnione czterdziestoma rodzajami cukierków... Lubiłem przyglądać się tam klientom zwłaszcza w niedzielę, wtedy bowiem boskim napojem delektowali się wierni szukający pokrzepienia po przyjęciu na czczo komunii w La Consolata. Na *bicerin* był też wielki popyt w okresie wielkopostnym, jako że gorąca czekolada nie uchodziła za pokarm. Co za hipokryzja!

Pomijając jednak przyjemność czerpaną z kawy i czekolady, dużą satysfakcję sprawiało mi to, że występowałem jako ktoś

---

* W dialekcie piemonckim: Kieliszeczek.

...Pomijając jednak przyjemność czerpaną z kawy i czekolady, dużą satysfakcję sprawiało mi to, że występowałem jako ktoś inny... (s. 90)

inny. Fakt, że ludzie nie wiedzieli, kim jestem naprawdę, dawał mi poczucie wyższości. Miałem swoją tajemnicę.

***

Musiałem potem ograniczyć te przygody, a wreszcie skończyć z nimi zupełnie z obawy, że trafię na któregoś z kolegów, którzy z pewnością nie uważali mnie za bigota i sądzili, że jestem, podobnie jak oni, entuzjastą karbonaryzmu.

Z tymi zwolennikami odrodzenia ojczyzny spotykałem się zwykle pod Złotym Rakiem. W wąskiej i ciemnej ulicy ponad ciemniejszym jeszcze wejściem wisiał szyld z pozłacanym rakiem i napisem: „Gospoda pod Złotym Rakiem, wypijesz i zjesz ze smakiem". Wewnątrz znajdowało się pomieszczenie będące jednocześnie kuchnią i winiarnią. Popijaliśmy wśród zapachów wędlin i cebuli, czasami grywaliśmy w morę, lecz najczęściej jako niespiskujący spiskowcy spędzaliśmy noce na fantazjowaniu o nieuniknionych powstaniach. Kuchnia dziadka uczyniła ze mnie smakosza, pod Złotym Rakiem zaś można było co najwyżej (przy ograniczonych wymaganiach) zaspokoić głód. Chciałem jednak prowadzić życie towarzyskie, odetchnąć od dziadkowych jezuitów; wolałem więc tłuste żarcie pod Rakiem z wesołymi kompanami od ponurych kolacji w domu.

Opuszczaliśmy gospodę o świcie, ziejąc czosnkiem, przepełnieni patriotycznym żarem, i okrywał nas przyjazny płaszcz mgły, chroniący przed dociekliwością policyjnych szpicli. Wspinaliśmy się niekiedy na wzgórza nad Padem, aby patrzeć stamtąd na dachy i dzwonnice unoszące się ponad mgłą, która zalewała równinę, i na oświeconą już promieniami słońca bazylikę na Superdze, podobną do latarni morskiej wśród fal.

My, studenci, rozmawialiśmy jednak nie tylko o mającym powstać Narodzie. Rozmawialiśmy także, jak w naszym wieku bywa, o kobietach. Każdy po kolei, z błyszczącymi oczami, opowiadał o uśmiechu, którym go obdarzono z balkonu, o ręce dotkniętej na schodach, o zwiędłym kwiecie, co wypadł z książeczki do nabożeństwa i został podniesiony (jak zapewniał samochwała), zanim jeszcze utracił wonny zapach dłoni, która go między te poświęcone kartki włożyła. Ja cofałem się wtedy zagniewany, zyskując opinię młodzieńca czystych i surowych obyczajów, oddanego wyłącznie Mazziniemu.

Jednak pewnego wieczoru najbardziej rozwiązły z naszej kompanii zdradził nam, że odkrył na strychu, dobrze schowane w skrzyni swojego bezwstydnego ojca obżartucha, kilka książek zwanych wówczas w Turynie po francusku *cochons*, świńskimi, a nie ośmieliwszy się ich rozłożyć na zatłuszczonym stole pod Złotym Rakiem, postanowił wypożyczać je nam, jednemu po drugim. Kiedy nadeszła moja kolej, nie mogłem się wymówić.

I tak późno w nocy przejrzałem te tomy, które musiały być cenne i kosztowne, bo miały safianowe oprawy, na grzbietach szwy i naklejki z czerwonej skóry na tytuł, pozłacane brzegi stron i winiety, czasem nawet herby. Tytuły brzmiały na przykład *Wieczór młodej dziewczyny* lub *Ach, jaśnie panie, gdyby Tomasz nas zobaczył!*, a mną wstrząsały dreszcze, gdy kartkując, znajdowałem ryciny, na których widok pot ściekał mi strumykami z włosów, zwilżał policzki i szyję. Młode kobiety zadzierały spódnice, pokazując oślepiającej białości pośladki lubieżnym samcom; nie wiedziałem już, czy bardziej podniecają mnie te bezwstydne krągłości, czy dziewiczy prawie wygląd panienki, która zwracała nieskromnie głowę ku bezczeszczącemu ją mężczyźnie, zerkając na niego szelmowsko z niewinnym uśmiechem, rozjaśniającym twarz obramowaną kruczymi włosami, uczesanymi w dwa zwinięte po bokach warkocze. O wiele straszniejsze były trzy kobiety, które z rozstawionymi szeroko nogami siedziały na kanapie, ukazując to, co z woli natury miało osłaniać ich dziewicze łona; jednej położył tam prawą rękę rozczochrany samiec, spółkujący jednocześnie z bezwstydną sąsiadką, którą na dodatek całował, rozchylając lewą ręką niezbyt głęboki dekolt trzeciej damy i miętosząc jej gorset, przy czym najwyraźniej nie zdradzał zainteresowania jej obnażoną pachwiną. Znalazłem też osobliwą karykaturę duchownego z pokrytą brodawkami twarzą. Z bliska widać było, że składa się z nagich, splecionych na różne sposoby ciał kobiecych i męskich, poprzebijanych ogromnymi członkami, z których wiele opadało szeregiem na kark, tak że ich jądra wydawały się gęstą czupryną z tłustawymi lokami.

Nie przypominam już sobie, jak skończyła się owa szatańska noc, kiedy to sprawy płci ukazały mi się w swojej najgroźniejszej postaci, niczym huk grzmotu przypominający o istnieniu bóstwa, lecz wywołujący także strach przed diabłem i świętokradztwem. Pamiętam tylko, że po tym wstrząsającym doświadczeniu powtarzałem sobie półgłosem niby akt strzelisty zdania nie wiem już jakiego religijnego pisarza, których ksiądz Pertuso kazał mi przed laty nauczyć się na pamięć: „Piękno ciała to wyłącznie skóra. Gdyby mężczyźni wiedzieli, co się pod nią znajduje, sam widok kobiet przyprawiałby ich o mdłości. Kobiecy wdzięk jest niczym innym, jak tylko rozpustą, krwią, jadem, żółcią. Pomyślcie o tym, co kryją w sobie nozdrza, gardło, brzuch… I my, którzy nie śmiemy dotknąć czubkiem palca wymiocin lub gnoju, chcielibyśmy brać w ramiona worki ekskrementów?"

Może w tym wieku wierzyłem jeszcze w boską sprawiedliwość i przypisałem jej zemście za ową szatańską noc to, co zdarzyło się nazajutrz. Zastałem dziadka leżącego bezwładnie w swoim fotelu, rzężącego, ze zmiętą kartką papieru w ręku. Sprowadziliśmy lekarza, a ja zabrałem list i przeczytałem, że mój ojciec padł ugodzony francuską kulą podczas walki w obronie Republiki Rzymskiej w czerwcu 1849 roku, kiedy to z woli Ludwika Napoleona generał Oudinot przybył wyzwolić Stolicę Piotrową z rąk ludzi Mazziniego i garybaldczyków.

Dziadek nie umarł, choć miał ponad osiemdziesiąt lat, lecz przez długie dni zachowywał gniewne milczenie – nie wiadomo, czy z nienawiści do Francuzów i żołnierzy papieskich, którzy zabili jego potomka, czy do syna, który nierozsądnie ośmielił się ich wyzwać, czy też do ogółu patriotów, którzy go zdeprawowali. Chwilami syczał żałośnie, napomykając o odpowiedzialności Żydów za wydarzenia, które wstrząsały Italią, podobnie jak miało to miejsce pół wieku wcześniej we Francji.

**

Chyba z myślą o ojcu spędzam całe godziny na strychu nad pozostawionymi przezeń powieściami. Udaje mi się przechwycić *Józefa Balsamo*, który nadszedł pocztą zbyt późno, aby on mógł go przeczytać.

Jak wszystkim wiadomo, ta niezwykła książka Dumasa poświęcona jest przygodom Cagliostra, a zwłaszcza temu, w jaki sposób doprowadził do afery z naszyjnikiem królowej, za jednym zamachem niszcząc moralnie i finansowo kardynała de Rohan, kompromitując władczynię i ośmieszając cały dwór. Zdaniem wielu jego oszustwo podkopało prestiż monarchii i przyczyniło się do wytworzenia owego klimatu, z którego zrodziła się rewolucja 1789 roku.

Dumas idzie jeszcze dalej i dopatruje się w Cagliostrze, to znaczy w Józefie Balsamo, człowieka, który działając wśród masonerii, świadomie przygotował nie oszustwo, lecz spisek polityczny.

Urzekł mnie początek powieści. Scena: Mont Tonnerre, Góra Gromów. Na lewym brzegu Renu, kilka mil od Wormacji, zaczyna się szereg ponurych gór: Tron Królewski, Skała Sokołów, Grzebień Węża i najwyższa z nich Góra Gromów. Szóstego maja 1770 roku (prawie dwadzieścia lat przed wybuchem zadekretowanej przez los rewolucji), kiedy słońce za katedrą w Strasburgu, podzielone przez jej iglicę jakby na dwie ogniste półkule, skłania się ku zachodowi, przybywający z Moguncji Nieznajomy wspina się po stoku tej góry. W pewnej chwili musi zsiąść z konia i ruszyć na piechotę, a wtedy chwyta go nagle kilka zamaskowanych postaci. Związanego prowadzą przez las na polanę, gdzie oczekuje go trzysta widm owiniętych całunami i uzbrojonych w szpady. Rozpoczyna się szczegółowe przesłuchanie.

Czego chcesz? Ujrzeć światło. Gotów jesteś przysiąc? Następują kolejne próby: picie krwi zabitego właśnie zdrajcy, strzelanie sobie z pistoletu w głowę, aby dowieść posłuszeństwa, i inne tego rodzaju głupstwa należące do obrządków masońskich najniższego rzędu, dobrze znanych nawet wywodzącym się z ludu czytelnikom Dumasa. Podróżny postanawia więc położyć temu kres i zwraca się dumnie do zgromadzenia, oświadczając, że zna wszystkie rytuały i sztuczki i że nie muszą już odgrywać przed nim komedii, jest bowiem kimś więcej niż oni wszyscy – jest z bożej łaski przywódcą powszechnej masonerii.

I zaczyna wzywać pod swoją komendę członków lóż masońskich, którzy przybyli ze Sztokholmu, Londynu, Nowego Jorku, Zurychu, Madrytu, Warszawy i z różnych krajów azjatyckich i stawili się wszyscy na Górze Gromów.

Dlaczego zebrali się tam masoni z całego świata? Nieznajomy wyjaśnia: trzeba żelaznej ręki, ognistego miecza i diamentowych wag, aby wygnać zewsząd Nieczystego, to jest pognębić i zniszczyć dwóch wielkich wrogów ludzkości – tron i ołtarz (dziadek mówił mi, że hasło nikczemnego Woltera brzmiało: *écrasez l'infâme*, zgnieść nikczemnego). Przypomina dalej, że jak każdy porządny czarnoksiężnik owych czasów żyje od nieskończonej liczby pokoleń, że urodził się przed Mojżeszem, a może i przed Aszurbanipalem, i przybył ze Wschodu, aby oznajmić, że wybiła godzina. Ludy tworzą olbrzymią falangę maszerującą nieustannie ku światłu, jej awangardą zaś jest Francja. Niech weźmie ona w swoje ręce prawdziwą pochodnię owego marszu i zapali na świecie nowe światło. We Francji panuje król stary i zepsuty, pozostało mu zaledwie kilka lat życia. Chociaż jeden ze zgromadzonych – Lavater, znakomity fizjonomista – próbuje zauważyć, że z twarzy młodej pary następców tronu (przyszłego Ludwika XVI i Marii Antoniny) można odczytać charakter dobry i miłosierny, Nieznajomy – w którym czytelnicy rozpoznali już zapewne niewymienionego dotąd przez Dumasa z nazwiska Józefa Balsamo – podkreśla, że nie ma miejsca na litość, gdy kroczy się naprzód z pochodnią postępu. W ciągu dwudziestu lat monarchię francuską należy zetrzeć z powierzchni ziemi.

W tym momencie wszyscy przedstawiciele wszystkich lóż ze wszystkich krajów oświadczają, że ich ludzie i bogactwa służyć będą tryumfowi sprawy republikańsko-masońskiej w myśl hasła: *lilia pedibus destrue* – zdepcz lilie Francji.

Nie zastanawiałem się, czy spisek pięciu kontynentów to nie zbyt dużo, aby zmienić ustrój we Francji. W gruncie rzeczy ówczesny Piemontczyk sądził, że na świecie istnieją tylko Francja, z całą pewnością Austria, może gdzieś bardzo daleko także Kochinchina, i poza nimi nie dostrzegał żadnego kraju godnego uwagi – z wyłączeniem oczywiście Państwa Kościelnego. W obliczu inscenizacji Dumasa (wielbiłem tego wielkiego pisarza) zapytywałem się, czy opowiadając o jednym spisku, Wieszcz nie odkrył Uniwersalnej Formuły wszelkich możliwych spisków.

Zapomnijmy Górę Gromów, lewy brzeg Renu, epokę historyczną – mówiłem sobie. Myślmy o przybyłych ze wszystkich części świata spiskowcach, którzy reprezentują macki swojej sekty sięgające każdego kraju, zgromadźmy ich na polanie, w jaskini, w zamku, na cmentarzu, w krypcie, byleby tam było w miarę ciemno, i zlećmy jednemu wygłosić mowę obnażającą knowania organizacji, jej wolę podboju świata... Wiedziałem dobrze, że wiele osób obawia się spisku jakiegoś ukrytego wroga: dziadek – Żydów, jezuici – masonów, mój ojciec garybaldczyk – jezuitów, królowie z połowy Europy – karbonariuszy, moi towarzysze spod znaku Mazziniego – króla podżeganego przez księży, policja z połowy świata – iluminatów bawarskich, i tak dalej, kto wie, ilu jeszcze jest na ziemi ludzi, którzy

sądzą, że zagraża im jakaś konspiracja. Oto więc forma dająca
się wypełnić treścią według uznania, dla każdego jego spisek.
Dumas był rzeczywiście głębokim znawcą ludzkiej duszy. Do
czego dąży każdy tym usilniej, im bardziej jest nieszczęśliwy,
im mniej sprzyja mu fortuna? Do pieniędzy nabytych bez trudu,
do władzy (jakaż rozkosz w rozkazywaniu bliźniemu, upoka-
rzaniu go!) i do zemsty za wszystkie doświadczone krzywdy
(a w życiu każdy doznał co najmniej jednej krzywdy, choćby
najdrobniejszej). W *Hrabim Monte Christo* Dumas pokazuje, że
możesz zdobyć ogromne bogactwo, które zapewni ci nadludzką
władzę, i zmusić swoich wrogów do zapłacenia za wszystkie
winy. Ale dlaczego do mnie – zapytuje każdy – los się nie
uśmiechnie (albo nie uśmiechnie się tak, jak bym ja sobie tego
życzył), dlaczego odmawia mi łask, którymi obdarował innych,
o mniejszych od moich zasługach? Ponieważ nikt nie myśli, że
jego niepowodzenia mogą być spowodowane własną mierno-
ścią, musi znaleźć winnego. Dumas podsuwa wszystkim frustra-
tom (zarówno jednostkom, jak i narodom) wytłumaczenie ich
klęsk. To inni, zgromadzeni na Górze Gromów, zaplanowali
twoją ruinę...

Jeśli dobrze się zastanowić, Dumas właściwie niczego nie
wymyślił, nadał tylko kształt narracji temu, co zdaniem dziadka
wyjawił ksiądz Barruel. Ta okoliczność sugerowała mi, że aby
w jakiś sposób sprzedać wykrycie spisku, nie musiałem dostar-
czać nabywcy niczego oryginalnego, lecz tylko i przede wszystkim to, o czym już wiedział lub czego mógł łatwo się dowiedzieć inną drogą. Ludzie wierzą jedynie w to, co już wiedzą,
i na tym polega piękno Uniwersalnej Formuły Spisku.

***

Był rok 1855, miałem już dwadzieścia pięć lat, ukończyłem
studia prawnicze i nie wiedziałem jeszcze, co zrobić z życiem.
Widywałem dawnych kolegów, lecz nie entuzjazmowałem się

zbytnio ich rewolucyjnym zapałem, sceptycznie przewidując z kilkumiesięcznym wyprzedzeniem kolejne rozczarowania: Rzym z powrotem w rękach papieża, Pius IX z reformatora zamienia się w reakcjonistę większego niż wszyscy jego poprzednicy, rozwiewają się z winy losu lub przez tchórzostwo nadzieje, jakoby Karol Albert miał zostać heroldem zjednoczenia Włoch, po gwałtownych zrywach socjalistycznych, od których rozgorzały wszystkie umysły, we Francji przywrócono cesarstwo, a nowy rząd piemoncki, zamiast wyzwalać Włochy, wysyła wojsko na bezużyteczną wojnę krymską...

I nie mogłem już nawet czytać książek, które do mojego wykształcenia przyczyniły się bardziej niż wysiłki dziadkowych jezuitów, ponieważ we Francji jakaś Wyższa Rada Uniwersytecka, w której nie wiadomo dlaczego zasiadało trzech arcybiskupów i jeden biskup, ogłosiła tak zwaną poprawkę Rianceya, narzucającą gazetom podatek w wysokości pięciu centymów od każdego egzemplarza zawierającego powieść w odcinkach. Dla ludzi, którzy na sprawach wydawniczych się nie znali, wiadomość ta niewiele znaczyła, ale ja i moi koledzy zrozumieliśmy od razu, jak była ważna: podatek zbyt wysoki, francuskie gazety zrezygnują z publikowania powieści, pisarze demaskujący zło społeczne, jak Sue i Dumas, będą musieli zamilknąć na zawsze.

Mimo wszystko dziadek, chwilami coraz bardziej rozkojarzony, lecz często całkiem sprawnie rejestrujący w umyśle to, co się wokół niego działo, lamentował głośno, że rząd piemoncki kierowany przez masonów w rodzaju d'Azeglia i Cavoura zamienił się w synagogę Szatana.

– No powiedz sam, chłopcze, ustawy tego Siccardiego znoszą tak zwane przywileje duchowieństwa. Po co znosić prawo azylu w kościołach? Czy Kościół ma mieć mniej praw od żandarmerii? Po co znosić trybunał kościelny dla duchownych oskarżonych o przestępstwa pospolite? Kościół miałby nie mieć prawa sądzenia swoich ludzi? Po co zakazywać prewencyjnej cenzury publikacji? Czy dzisiaj każdemu już wolno mówić, co mu się podoba, bez żadnego umiaru i bez szacunku dla wiary i moralności? A kiedy nasz arcybiskup Fransoni wezwał turyńskie duchowieństwo, aby nie poddawało się tym rozporządzeniom, został aresztowany jak złoczyńca i skazany na miesiąc więzienia! No a teraz likwidacja zakonów żebraczych i kontemplacyjnych, łącznie prawie sześć tysięcy zakonników. Państwo konfiskuje ich mienie, oświadczając, że będzie z tego dofinansowywać probostwa, ale zsumowanie dóbr tych zakonów daje liczbę przewyższającą dziesięciokrotnie... co mówię, stokrotnie... wszystkie środki przeznaczone dla wszystkich probostw w całym królestwie, a rząd wyda te pieniądze na szkoły publiczne, w których uczyć się będzie tego, czego lud nie potrzebuje wiedzieć, albo wykorzysta je na brukowanie ulic w gettach! A wszystko pod hasłem: „Wolny Kościół w wolnym państwie", co w gruncie rzeczy oznacza, że państwu wolno nadużywać władzy. Prawdziwa wolność to prawo człowieka do poddania się nakazom Boga, do zasłużenia sobie na niebo lub piekło. Teraz zaś przez wolność rozumie się możliwość wybierania wierzeń i poglądów, które najbardziej ci odpowiadają, jedne warte są drugich, a państwu wszystko jedno, czyś ty mason, chrześcijanin, żyd albo wyznawca religii sułtana tureckiego. W ten sposób ludziom staje się obojętna Prawda.

Pewnego wieczoru dziadek, który w swoim starczym otępieniu nie odróżniał już mnie od mojego ojca, zapłakał i mówił, dysząc i pojękując:

– I tak, mój synu, znikają kanonicy laterańscy, kanonicy regularni świętego Idziego, karmelici trzewiczkowi i bosi, kartuzi, benedyktyni z Monte Cassino, cystersi, oliweci, minimici, minoryci klasztorni, minoryci obserwanci, minoryci reformowani, minoryci kapucyni, oblaci Maryi Niepokalanej, pasjoniści, dominikanie, mercedarianie, serwici, oratorianie, a dalej klaryski, klaryski kapucynki, cysterki, salezjanki, serafitki.

Recytował tę listę, jakby odmawiał różaniec, tyle że z coraz większym wzburzeniem, aż na koniec zabrakło mu niemal tchu.

...A kiedy nasz arcybiskup Fransoni wezwał turyńskie ducho-
wieństwo, aby nie poddawało się tym rozporządzeniom, został
aresztowany jak złoczyńca i skazany na miesiąc więzienia!...
(s. 100)

Kazał wtedy przynieść na stół *civet*, potrawę, na którą składały się: słonina, masło, mąka, pietruszka, pół litra wina Barbera, zając pokrojony wraz z sercem i wątrobą na kawałki wielkości jajka, cebulki, sól, pieprz, przyprawy korzenne i cukier. Już prawie się nią pocieszył, gdy w pewnej chwili wytrzeszczył oczy i z lekkim beknięciem wyzionął ducha.

Na moim zegarze wahadłowym wybiła północ. Zbyt długo piszę niemal bez przerwy. Mimo wszelkich wysiłków nie mogę sobie teraz nic przypomnieć z lat, które nastąpiły po śmierci dziadka.

Kręci mi się w głowie.

5

SIMONINO KARBONARIUSZEM

27 marca 1897, w nocy

Proszę mi wybaczyć, kapitanie Simonini, że wtrącam się do pańskiego dziennika, którego nie mogłem nie czytać. To nie z własnej woli obudziłem się dzisiaj w pańskim łóżku. Zrozumiał pan już, że jestem księdzem Dalla Piccola (lub przynajmniej za takiego się uważam).

Obudziłem się w nie swoim łóżku, w nieznanym mi mieszkaniu, moja sutanna i moja peruka zniknęły bez śladu. Przy łóżku tylko sztuczna broda. Sztuczna broda?

Już kilka dni temu obudziłem się, nie wiedząc, kim jestem, ale zdarzyło mi się to we własnym mieszkaniu, a dziś rano zdarza się w cudzym. Odniosłem wrażenie, że mam zaropiałe oczy. Język mnie bolał, jakbym go sobie przygryzł.

Patrząc przez okno, spostrzegłem, że wychodzi ono na zaułek Maubert, dokładnie na róg ulicy Maître-Albert, gdzie mieszkam.

Zacząłem szperać po całym mieszkaniu. Wydaje mi się, że należy ono do osoby świeckiej, najwyraźniej tej od sztucznej brody, a zatem (proszę mi wybaczyć) wątpliwej moralności. Wszedłem do umeblowanego z pewną ostentacją gabinetu; w głębi za kotarą zobaczyłem drzwi i zapuściłem się w korytarz. Przypominał on skład rekwizytów teatralnych; zupełnie jak miejsce, gdzie przed kilkoma dniami znalazłem sutannę, pełny był strojów i peruk. Zdałem sobie sprawę, że korytarz, który tamtego dnia przemierzyłem w przeciwnym kierunku, prowadzi do mojego mieszkania.

Na swoim stole ujrzałem notatki, które zgodnie z pańską rekonstrukcją miałbym napisać dwudziestego drugiego marca, kiedy to, podobnie jak dziś rano, obudziłem się, niczego nie pamiętając. Co znaczy – zastanowiłem się – ostatni zapisek z tego dnia, dotyczący Auteuil i Diany? Kim jest Diana?

To ciekawe. Pan podejrzewa, że my dwaj jesteśmy tą samą osobą, ale pan pamięta wiele z własnego życia, a ja ze swojego – prawie nic. I na odwrót: jak dowodzi pański dziennik, nie wie pan nic o mnie, a ja uświadamiam sobie teraz, że wiem wiele o tym, co zdarzyło się panu, i że dziwnym trafem wiem właśnie to, czego – jak się wydaje – pan nie może sobie przypomnieć. Czy mam powiedzieć, że skoro pamiętam tyle z pańskiej przeszłości, jestem panem?

Może nie, może jesteśmy dwiema różnymi osobami, z jakiejś tajemniczej przyczyny złączonymi swego rodzaju wspólnym życiem; ja jestem przecież duchownym i może wiem o panu to, co opowiedział mi pan na spowiedzi. Albo jestem tym, kto zajął miejsce doktora Froïde'a i – pan wszystko zapomniał – wydobył z głębi pańskich trzewi to, co chciał pan tam na zawsze zagrzebać.

Jakkolwiek by było, jest moim kapłańskim obowiązkiem przywrócić pańskiej pamięci to, co zdarzyło się po śmierci pańskiego dziadka, niechaj Bóg zachowa w pokoju jego duszę sprawiedliwego. Gdyby pan miał umrzeć w obecnej chwili, Bóg zapewne nie zachowałby w pokoju pańskiej duszy, ponieważ wydaje mi się, że nie postępował pan właściwie wobec bliźnich, może więc pańska pamięć odrzuca wspomnienia, które nie przynoszą panu zaszczytu.

**

W rzeczywistości Dalla Piccola przytoczył Simoniniemu jedynie szereg suchych faktów, zanotowanych drobniutkim pismem, jakże różnym od pisma jego samego. Jednak te właśnie skąpe zapiski stały się dla Simoniniego jakby wieszakami, na których umieszczał strumienie obrazów i słów, obudzone nagle w pamięci. Narrator spróbuje je streścić albo należycie rozbudować, aby tę grę bodźców i reakcji uczynić bardziej spójną oraz oszczędzić czytelnikowi obłudnie cnotliwego tonu, jakim ksiądz robi aluzje

104

do przewinień swojego alter ego, by następnie ganić je z przesadnym namaszczeniem.

Wygląda na to, że nie tylko zniesienie zakonu karmelitów, lecz nawet śmierć dziadka nie wzburzyły szczególnie Simonina. Do dziadka był chyba przywiązany, ale po dzieciństwie i wieku dojrzewania spędzonych w zamknięciu – w domu, gdzie wszystko wydawało się pomyślane tak, aby go przytłaczać, gdzie zarówno sam dziadek, jak i wychowawcy w czarnych habitach wzniecali w nim wobec świata nieufność, urazę i żal – prawie wyzbył się uczuć, z wyjątkiem płochliwej miłości własnej, prowadzącej z wolna do nacechowanej spokojem i pogodą postawy filozofa.

Po zajęciu się pogrzebem, w którym wzięli udział dostojni duchowni i kwiat piemonckiej szlachty związanej z *ancien régime*, Simonino odwiedził sędziwego notariusza rodziny, niejakiego Rebaudenga, który odczytał mu testament. Starzec zapisał wnukowi całe swoje mienie, ale – oświadczył notariusz (jak się wydawało, nie bez satysfakcji) – było ono tak obciążone długami hipotecznymi i stratami powstałymi wskutek nieudanych inwestycji, że nie pozostało z niego już nic. Nawet dom i wszystkie znajdujące się w nim meble – powiedział – przejmą niezwłocznie wierzyciele, którzy dotychczas wstrzymywali się przez wzgląd na osobę ogólnie poważanego szlachcica, ale nie będą mieli żadnych skrupułów wobec jego wnuka.

– Widzi pan, drogi mecenasie – dodał notariusz – w tych nowych czasach jest już inaczej niż kiedyś; dzisiaj także młodzieńcy z dobrych rodzin nieraz muszą się zdecydować na podjęcie pracy. Gdyby pan zechciał uczynić podobny, upokarzający doprawdy wybór, mógłbym zaoferować panu posadę w mojej kancelarii, gdzie przydałby mi się młody człowiek z przygotowaniem prawniczym. Oczywiście nie byłbym w stanie przyznać panu wynagrodzenia zgodnego z pańskim talentem, zaproponowałbym jednak sumę, która powinna wystarczyć na opłacenie mieszkania i skromne, lecz przyzwoite utrzymanie.

Simone od samego początku podejrzewał, że notariusz przywłaszczył sobie znaczną część funduszy dziadka, który sądził, że przepadły, bo sam nieostrożnie je zainwestował. Dowodów jednak brakowało, a trzeba było żyć. Pomyślał, że jako pracownik Rebaudenga mógłby mu kiedyś odpłacić pięknym za nadobne i wziąć sobie to, czego notariusz z pewnością go pozbawił. Zadowolił się zatem dwupokojowym mieszkaniem na ulicy Barbaroux, rzadziej odwiedzał knajpy, gdzie zbierali się jego kompani, i zaczął pracować u skąpego, władczego i nieufnego Rebaudenga, który od razu przestał zwracać się do niego per mecenasie czy panie, nazywając go po prostu Simoninim, aby nie było nieporozumień co do tego, kto tam rządzi. Po kilku latach pracy w charakterze skryby (jak się wówczas mawiało) zakwalifikowano go oficjalnie jako prawnika. W miarę jak zdobywał ostrożne zaufanie szefa, stawało się dla niego jasne, że głównym zajęciem tegoż jest nie tyle to, co notariusz zazwyczaj robi, a więc poręczanie prawdziwości testamentów, darowizn, transakcji kupna-sprzedaży i innych umów, ile poświadczanie darowizn, transakcji kupna-sprzedaży, testamentów i umów, do których nigdy nie doszło. Innymi słowy, notariusz Rebaudengo za rozsądne honoraria redagował fałszywe dokumenty, naśladując w razie potrzeby cudze pismo i dostarczając świadków, których rekrutował w sąsiadujących z jego kancelarią szynkach.

– Nie zrozum mnie źle, drogi Simone – tłumaczył, zwracając się już do niego per ty. – Ja nie sporządzam dokumentów fałszywych, lecz kopie dokumentów autentycznych, które zaginęły lub które przez prosty przypadek nigdy nie powstały, ale które mogły i powinny były powstać. Byłbym fałszerzem, gdybym zredagował świadectwo chrztu, z którego by wynikało... wybacz mi ten przykład... że zrodziła cię prostytutka w miejscowości Odalengo Piccolo. – I rechotał zadowolony z tej upokarzającej hipotezy. – Nie ośmieliłbym się nigdy popełnić takiej zbrodni, bo jestem człowiekiem honoru. Ale gdyby na przykład jakiś twój wróg chciał zawładnąć twoim dziedzictwem, a ty wiedziałbyś, że on z pewnością nie urodził się ani z twojego ojca, ani z twojej matki, lecz jest synem nierządnicy z Odalengo Piccolo, i że zniszczył swoje świadectwo chrztu, aby posiąść twój majątek, i gdybyś

...Nie zrozum mnie źle, drogi Simone – tłumaczył, zwracając się już do niego per ty. – Ja nie sporządzam dokumentów fałszywych, lecz kopie dokumentów autentycznych, które zaginęły lub które przez prosty przypadek nigdy nie powstały, ale które mogły i powinny były powstać... (s. 106)

zwrócił się do mnie, żebym odtworzył to zaginione świadectwo w celu pognębienia złoczyńcy, ja wystąpiłbym, że tak powiem, w obronie prawdy, poświadczyłbym to, o czym wiemy, że jest prawdą, i nie miałbym żadnych wyrzutów sumienia.

– No dobrze, ale skąd by pan wiedział, czyim ten ktoś naprawdę jest synem?

– Ty byś mi to powiedział. Przecież dobrze go znasz.

– A pan by mi uwierzył?

– Ja zawsze wierzę swoim klientom, bo obsługuję wyłącznie ludzi honoru.

– No ale gdyby przypadkiem klient panu skłamał?

– Grzech popełniłby wtedy on, nie ja. Jeśli miałbym myśleć, że klient może mnie okłamać, przestałbym wykonywać ten zawód, który opiera się na zaufaniu.

Simone nie był całkiem przekonany, czy zawód, który wykonuje Rebaudengo, wszyscy nazwaliby uczciwym. Jednakże – skoro poznał już sekrety kancelarii – brał udział w fałszerstwach, przewyższając wkrótce mistrza i odkrywając w sobie niezwykłe zdolności do naśladowania różnych charakterów pisma.

Ze swej strony notariusz – jak gdyby chciał uzyskać przebaczenie za to, co powiedział, albo też dlatego, że dostrzegł słabostkę współpracownika – zapraszał go niekiedy do luksusowych restauracji, takich jak Cambio (jadał tam nawet Cavour), i zapoznawał z tajnikami „finansjery" – prawdziwej symfonii z kogucich grzebieni, podrobów cielęcych, filetów wołowych, borowików, pół kieliszka słodkiego wina Marsala, mąki, soli, oliwy i masła, doprawionej odmierzoną precyzyjnie dozą octu dla nadania całości lekko kwaskowatego smaku; aby rozkoszować się w pełni tą potrawą, należało zasiąść do stołu – jak sugerowała nazwa – w nienagannym stroju, charakterystycznym dla finansistów.

Simonino, mimo zaleceń ojca, nie został wychowany na zdolnego do poświęceń bohatera i zapewne dlatego za owe wieczory gotów był służyć notariuszowi Rebaudengo aż do śmierci – przynajmniej do śmierci pryncypała, jak się przekonamy, a może i do własnej.

Tymczasem wzrosła nieco jego pensja, także i dlatego, że notariusz starzał się w zawrotnym tempie, zawodził go wzrok, drżała ręka, i Simonino stał mu się wkrótce niezbędny. Mógł sobie teraz pozwolić na pewne luksusy i nie udawało mu się unikać najbardziej renomowanych turyńskich restauracji (ach, co za delicja! *agnolotti alla piemontese* – uszka po piemoncku, wypełnione farszem z pieczonego mięsa białego i czerwonego, gotowanej wołowiny, gotowanej kury bez kości, kapusty zapiekanej wraz z pieczenią, czterech jajek, parmezanu z Reggio, gałki muszkatołowej, soli i pieprzu, do tego sos z pieczeni wzbogacony masłem, ząbkiem czosnku i liśćmi rozmarynu), przez co zaczęła się rodzić jego największa, najbardziej zmysłowa namiętność. Aby ją zaspokoić, młody Simonini nie mógł do tych restauracji chodzić w znoszonym ubraniu. Wraz z rosnącymi możliwościami rosły więc jego wymagania.

Pracując u notariusza, Simone spostrzegł, że wykonuje on poufne zadania nie tylko dla klientów prywatnych, lecz także – może po to, aby zabezpieczyć się na wypadek, gdyby o pewnych aspektach jego nie całkiem legalnej działalności dowiedziały się władze – dla czynników strzegących bezpieczeństwa publicznego, ponieważ niekiedy (jak mawiał), aby doprowadzić do słusznego skazania podejrzanego, trzeba przedstawić sędziom dokumenty, które ich przekonają, że wnioskowanie policji nie jest bezzasadne. Simone wszedł więc w styczność z osobami o trudnej do określenia tożsamości, pojawiającymi się niekiedy w kancelarii, a w słowniku notariusza noszącymi nazwę „panów z Urzędu". Co to był za Urząd i co sobą przedstawiał, łatwo było się domyślić: tajne sprawy rządowe.

Jednym z tych panów był kawaler orderów Bianco, który oświadczył kiedyś, że jest bardzo zadowolony ze sposobu, w jaki Simone spreparował pewien niepodważalny dokument. Musiał to być człowiek, który zanim nawiąże z kimś kontakt, zasięga o nim dokładnych informacji. Wziął bowiem później Simone na bok, spytał, czy odwiedza jeszcze kawiarnię Bicerin, i zaprosił go tam – jak to określił – na prywatną rozmowę.

– Drogi mecenasie, wiemy doskonale, że jest pan wnukiem wiernego poddanego Jego Królewskiej Mości i że w związku z tym otrzymał pan zdrową edukację. Wiemy też, że pański ojciec zapłacił życiem za sprawę, którą my również uważamy za słuszną, chociaż zrobił to... jak by tu powiedzieć... w zbytnim pośpiechu. Ufamy zatem w pańską lojalność i gotowość do współpracy, o czym świadczy także to, że okazaliśmy panu dużą pobłażliwość, ponieważ już dawno mogliśmy oskarżyć pana i notariusza Rebaudengo o nie całkiem chwalebne przedsięwzięcia. Wiemy, że obcuje pan ze znajomymi, przyjaciółmi, kolegami o przekonaniach... jak by tu powiedzieć... bliskich ideom Mazziniego i Garibaldiego. Z karbonariuszami. To całkiem normalne, takie tendencje dominują teraz wśród młodzieży. Ale my nie chcemy dopuścić, aby ci młodzi ludzie robili głupstwa, przynajmniej dopóki nie okażą się one pożyteczne i wskazane. Zaniepokoiła bardzo nasz rząd szaleńcza wyprawa tego Pisacane, który kilka miesięcy temu wsiadł na statek z dwudziestoma czterema wywrotowcami, wylądował na wyspie Ponza z rozwiniętym trójkolorowym sztandarem, uwolnił trzystu więźniów i popłynął dalej do Sapri w przekonaniu, że miejscowa ludność uzbroiła się i radośnie go powita. Najbardziej pobłażliwi mówią, że Pisacane był człowiekiem szlachetnym, najbardziej sceptyczni – że głupcem, prawda zaś jest taka, że się łudził. Ci prostacy, których pragnął wyzwolić, zmasakrowali go wraz ze wszystkimi jego towarzyszami. Dowodzi to, dokąd mogą zaprowadzić dobre chęci, jeśli się zapomina, jak rzeczywiście sprawy stoją.

– Rozumiem – powiedział Simone – ale czego oczekuje pan ode mnie?

– No więc tak... Jeśli mamy uniemożliwić tym młodym ludziom popełnianie błędów, najlepiej wtrącić ich na pewien czas do więzienia pod zarzutem zamachu na ustrój państwa i uwolnić wtedy, kiedy te szlachetne serca będą naprawdę potrzebne. Należy więc zaskoczyć ich w chwili, gdy będzie oczywiste, że stali się winni przestępstwa konspiracji. Pan wie z pewnością, którym przywódcom są posłuszni. Wystarczyłoby, żeby otrzymali od jednego z nich wiadomość, zlecającą im stawić się w określonym miejscu w pełnym uzbrojeniu, z kokardami, sztandarami i innymi świecidełkami, które dowiodą, że to gotowi do boju karbonariusze. Przybywa wtedy policja, aresztuje ich i po wszystkim.

– Ale gdybym wówczas z nimi był, aresztowano by także mnie, a gdyby mnie nie było, zrozumieliby, że to ja ich zdradziłem.

– Ależ, proszę pana, nie jesteśmy na tyle niedoświadczeni, aby o tym nie pomyśleć.

Przekonamy się, że Bianco pomyślał o wszystkim należycie. Znakomitym myślicielem okazał się jednak również nasz Simone, który uważnie wysłuchawszy proponowanego mu planu, wykoncypował niezwykłego rodzaju wynagrodzenie i zakomunikował kawalerowi Bianco, czego oczekuje od wielkodusznego monarchy.

– Widzi pan, notariusz Rebaudengo, zanim zacząłem z nim współpracować, popełnił już wiele przestępstw. Wystarczyłoby, żebym ustalił kilka takich przypadków, właściwie udokumentowanych, ale niedotyczących żadnych prawdziwie ważnych osób – raczej związanych z kimś już nieżyjącym – i za pańskim uprzejmym pośrednictwem przesłał anonimowo cały ten obciążający materiał sądom. Mielibyście dosyć dowodów, aby oskarżyć notariusza o wielokrotne sfałszowanie dokumentów urzędowych i wsadzić go do więzienia na tyle lat, by przed ich upływem rozprawiła się z nim matka natura. Biorąc pod uwagę stan, w jakim starzec się znajduje, nie byłoby trzeba długo na to czekać.

– A potem?

– A potem, po uwięzieniu notariusza, ja przedstawiłbym antydatowaną umowę, z której by wynikało, że na kilka dni przed jego aresztowaniem spłaciłem mu wyznaczone raty, nabywając definitywnie jego kancelarię i stając się jej właścicielem. Jeśli chodzi o sumy, które mu przekazałem, wszyscy by myśleli, że odziedziczyłem dosyć po dziadku, prawdę bowiem zna tylko Rebaudengo.

– To interesujące – powiedział Bianco – ale sędzia by się zastanawiał, co z pieniędzmi, które pan rzekomo notariuszowi wpłacił.

– Rebaudengo nie dowierza bankom i trzyma wszystko w kasie pancernej w kancelarii. Oczywiście umiem ją otwierać, bo on odwraca się tylko do mnie plecami i ponieważ mnie nie widzi, jest przekonany, że nie widzę, co on robi. Otóż stróże prawa z pewnością otworzą w jakiś sposób tę kasę i stwierdzą, że jest pusta. Ja mógłbym zaświadczyć, że Rebaudengo złożył mi ofertę prawie niespodziewanie, że sam byłem zdziwiony, jak niewiele żąda, że zrodziło się we mnie nawet podejrzenie, iż z jakiejś przyczyny chce zaprzestać wykonywania zawodu. I w istocie znajdą się oprócz pustej kasy pancernej także popioły Bóg wie jakich dokumentów spalonych w kominku, a w szufladzie jego biurka list z hotelu w Neapolu, potwierdzający rezerwację pokoju. Stanie się wtedy jasne, że Rebaudengo wiedział już, iż aparat sprawiedliwości ma go na oku, i zamierzał się ulotnić, aby cieszyć się swoim majątkiem w państwie Burbonów, gdzie może zdążył ulokować pieniądze.

– Ale gdyby powiedziano mu o tej waszej umowie, on w obliczu sędziego wszystkiemu by zaprzeczył...

– Zaprzeczyłby bez wątpienia i wielu innym rzeczom, ale sędzia z pewnością by mu nie uwierzył.

– To sprytny plan. Podoba mi się pan, mecenasie. Jest pan szybszy, bardziej zaangażowany, bardziej zdecydowany niż Rebaudengo i... jak by tu powiedzieć... ma pan szersze od niego horyzonty. Proszę nam pomóc w sprawie tej grupy karbonariuszy, potem zajmiemy się Rebaudengiem.

Aresztowanie karbonariuszy okazało się dziecinnie łatwe, bo przecież ci młodzi entuzjaści byli właściwie dziećmi, a karbonariuszami – jedynie w swojej rozgorączkowanej wyobraźni. Simone wiedział, że źródłem każdej rewelacji, którą im przekazywał, był dla nich jego bohaterski ojciec, i już od dawna – początkowo powodowany po prostu próżnością – wmawiał im na temat karbonaryzmu różne bzdury, opowiadane mu szeptem przez ojca Bergamaschiego. Jezuita ostrzegał go nieustannie przed knowaniami karbonariuszy, masonów, zwolenników Mazziniego, republikanów i podających się za patriotów Żydów, którzy kryjąc się przed policją połowy świata, udawali handlarzy węglem i zbierali się w tajnych miejscach pod pretekstem rozmów o swoim towarze.

– Wszyscy karbonariusze są podporządkowani Wysokiej Wencie złożonej z czterdziestu członków, których większość – strach

...Wszyscy karbonariusze są podporządkowani Wysokiej Wencie złożonej z czterdziestu członków, których większość – strach mówić – to kwiat rzymskiego patrycjatu, oprócz oczywiście kilku Żydów... (s. 112)

mówić – to kwiat rzymskiego patrycjatu, oprócz oczywiście kilku Żydów. Przewodził jej Nubius, bardziej zdeprawowany od całej rzeszy skazanych na dożywocie przestępców, ale znakomitego rodu i ogromnie bogaty, dzięki czemu nic mu w Rzymie nie groziło, nikt go nie podejrzewał. Buonarroti, generał Lafayette i Saint-
-Simon zwracali się doń z Paryża o radę jak do wyroczni delfickiej. Rady zasięgali u niego także kierujący najważniejszymi wentami w Monachium, Dreźnie, Berlinie, Wiedniu, Petersburgu i gdzie indziej: Tscharner, Heymann, Jacobi, Chodźko, Lieven, Murawjow, Strauss, Pallavicini, Driesten, Bem, Batthyány, Oppenheim, Klaus i Carolus. Nubius sterował Wysoką Wentą mniej więcej do tysiąc osiemset czterdziestego czwartego roku, kiedy ktoś podstępnie go otruł. Nie myśl tylko, że to byliśmy my, jezuici. Podejrzewa się, że zabójstwo należy przypisać Mazziniemu, który chciał i chce nadal stanąć przy pomocy Żydów na czele wszystkich karbonariuszy. Następcą Nubiusa jest teraz Żyd Tygrysik, który podobnie jak Nubius podróżuje niestrudzenie, werbując wrogów Chrystusa; ale skład Wysokiej Wenty i miejsce, gdzie się ona zbiera, okryte są obecnie tajemnicą. Nie mogą ich znać loże, którymi kieruje i które czerpią z niej siły. Nawet owych czterdziestu członków Wysokiej Wenty nie wie, skąd pochodzą rozkazy, które należy wykonać lub przekazać innym. A mówi się, że jezuici są niewolnikami swoich przełożonych. To karbonariusze są niewolnikami władcy, którego nigdy nie oglądają. Może to jakiś Wielki Starzec rozkazuje tej podziemnej Europie.

Simone zrobił z Nubiusa własnego bohatera, jakby męskiego odpowiednika Babette d'Interlaken. Nadając kształt poematu epickiego treściom, które ojciec Bergamaschi podawał mu w formie powieści gotyckiej, hipnotyzował nimi swoich towarzyszy. Ukrywał przy tym mało znaczący szczegół – to, że Nubiusa nie było już wśród żywych.

Pewnego dnia pokazał więc towarzyszom list – sporządził go z łatwością – w którym Nubius ogłaszał natychmiastowe powstanie w całym Piemoncie, miasto po mieście. Grupie Simone przypadało w udziale niebezpieczne i ekscytujące zadanie. Miała zebrać się w określonym dniu rankiem na podwórzu przed Złotym Rakiem, gdzie znajdzie szable i karabiny oraz cztery wozy wyładowane starymi meblami i materacami. Młodzi ludzie mieli się uzbroić, zaciągnąć wozy na ulicę Barbaroux i u jej wylotu zbudować barykadę, która zagrodzi dostęp na plac Zamkowy. Potem należało tam czekać na dalsze rozkazy.

Wystarczyło to w zupełności, aby wzbudzić entuzjazm około dwudziestu studentów, którzy owego fatalnego ranka zgromadzili się na podwórzu gospody i znaleźli w kilku porzuconych tam beczkach obiecaną broń. Kiedy nie zdążywszy nawet nabić karabinów, rozglądali się wokół, wypatrując wozów ze sprzętem domowym, na podwórze wpadło pół setki żandarmów z bronią gotową do strzału. Obrona była niemożliwa, chłopcy poddali się, zostali rozbrojeni. Wyprowadzono ich z podwórza i ustawiono po obu stronach bramy twarzą do muru.

– Dalej, kanalie, ręce do góry, milczeć! – wrzeszczał groźny funkcjonariusz w cywilu.

Spiskowców ustawiono pozornie prawie przypadkowo. Dwaj żandarmi zaprowadzili Simone na sam koniec szeregu, na róg zaułka, po czym, wezwani przez sierżanta, oddalili się w stronę wejścia na podwórze. Była to właściwa chwila (z góry ustalona). Simone zwrócił się do stojącego obok towarzysza i coś mu szepnął. Zerknęli na stojących dość daleko żandarmów, jednym susem skoczyli za róg i puścili się biegiem.

– Alarm, uciekają! – krzyknął ktoś.

Uciekinierzy słyszeli kroki i wołania żandarmów, którzy również byli już za rogiem. Potem Simone usłyszał huk dwóch wystrzałów. Kula trafiła jego przyjaciela, ale nie zatroszczył się, czy ranny przeżył. Wystarczyło mu, że zgodnie z umową drugą kulę wystrzelono w powietrze.

Skręcił teraz w inną ulicę, później w jeszcze inną; dochodziły do niego z daleka nawoływania ścigających, którzy, odpowiednio do otrzymanego rozkazu, biegli nie tam, gdzie trzeba. Znalazł się wkrótce na placu Zamkowym i wrócił do domu jak spokojny przechodzień. Towarzysze, których prowadzono teraz do więzienia, uznali, że udało mu się zbiec. Ponieważ zaś aresztowano ich zbiorowo i ustawiono od razu plecami do żandarmów, było oczywiste, że żaden ze stróżów prawa nie był w stanie zapamiętać jego twarzy. Nie musiał więc w ogóle opuszczać Turynu i mógł wrócić do pracy, a nawet odwiedzać i pocieszać rodziny uwięzionych przyjaciół.

Nadszedł czas na rozprawę z notariuszem Rebaudengo, która przebiegła według ustalonego planu. Starcowi rok później pękło w więzieniu serce, ale Simonini nie miał sobie nic do zarzucenia. Byli teraz kwita: notariusz nauczył go zawodu, ale on przez kilka lat pozostawał jego niewolnikiem; notariusz zrujnował dziadka, on zrujnował notariusza.

Oto wszystko, co ujawnił Simoniniemu ksiądz Dalla Piccola. Wspomnienia te bez wątpienia bardzo go przygnębiły, na co wskazywała okoliczność, że jego wkład do dziennika urywał się na niedokończonym zdaniu, jakby autor podczas pisania nagle stracił przytomność.

6

NA SŁUŻBIE U SŁUŻB

28 marca 1897

Wielebny księże,

uważam za osobliwe, że to, co miało być dziennikiem, który czytać będzie jedynie jego autor, zamienia się teraz w wymianę informacji. Piszę jednak do księdza list, będąc prawie pewny, że przeczyta go ksiądz, kiedy tutaj zajdzie.

Zbyt wiele ksiądz o mnie wie. Jest świadkiem bardzo nieprzyjemnym i przesadnie surowym.

Tak, przyznaję, że z moimi kolegami, kandydatami na karbonariuszy, i z Rebaudengiem nie postąpiłem wedle zasad, które ksiądz winien głosić. Powiedzmy sobie jednak prawdę: Rebaudengo był łajdakiem, a kiedy pomyślę o tym wszystkim, co zrobiłem później, wydaje mi się, że dopuszczałem się łajdactw wyłącznie wobec łajdaków. Co się tyczy chłopców, byli fanatykami, a fanatycy to najgorsza hołota, bo przez nich, upajających się mętnymi hasłami, wybuchają wojny i rewolucje. A ponieważ zrozumiałem już, że na naszym świecie liczby fanatyków nigdy nie uda się ograniczyć, uważam, że z ich fanatyzmu warto przynajmniej wyciągnąć jakąś korzyść.

Wrócę do swoich wspomnień, jeśli ksiądz pozwoli. Widzę się teraz jako właściciela kancelarii należącej przedtem do Rebaudenga i nie dziwi mnie, że już razem z nim sporządzałem tam fałszywe akty notarialne, ponieważ dzisiaj w Paryżu robię dokładnie to samo.

Teraz przypominam sobie dobrze także kawalera Bianco. Powiedział mi kiedyś:

– Widzi pan, mecenasie, jezuici zostali wygnani z Królestwa Sardynii, ale wszyscy wiedzą, że oni działają nadal i w przebraniu werbują adeptów. Dzieje się tak we wszystkich krajach, skąd ich wypędzono. Widziałem w zagranicznej gazecie zabawną karykaturę. Przedstawiała grupkę jezuitów, którzy co roku udają, że chcą wrócić do ojczyzny, ale robią to dlatego, aby nie zauważono, że ich współbracia są już w danym kraju i cieszą się wolnością w szatach innych zakonów. Oczywiście jezuitów zatrzymuje się na granicy, ale oni i tak znowu są wszędzie, a my musimy wiedzieć gdzie. Otóż wiadomo nam, że od czasów Republiki Rzymskiej kilku z nich odwiedzało dom pańskiego dziadka. Wydaje się nam zatem mało prawdopodobne, żeby nie miał pan już z nimi w ogóle kontaktów, i dlatego prosimy pana o wybadanie ich nastrojów i zamiarów. Odnosi się bowiem wrażenie, że ten zakon ponownie urósł w siłę we Francji, a między tym, co dzieje się we Francji, a sytuacją w Turynie nie ma wielkiej różnicy.

Nie było prawdą, jakobym utrzymywał jeszcze stosunki z zacnymi ojcami, ale o jezuitach wiedziałem wiele, i to z dobrego źródła. Eugeniusz Sue opublikował w tamtych latach swoje ostatnie arcydzieło, *Tajemnice ludu*, ukończone na krótko przed śmiercią na wygnaniu w sabaudzkim Annecy, dokąd od dawna związany z socjalistami pisarz trafił po energicznym proteście przeciw objęciu władzy i proklamowaniu cesarstwa przez Ludwika Napoleona. Ponieważ z powodu poprawki Rianceya nie drukowano już powieści w odcinkach, ostatnie dzieło Sue wyszło w tomikach, zakazanych przez cenzurę w wielu krajach, z Królestwem Sardynii włącznie, trudno więc mi było je skompletować. Pamiętam, że nudziłem się śmiertelnie, czytając te mętne dzieje dwóch rodzin, jednej z Galów, drugiej z Franków, od prehistorii po Napoleona III. Występnymi ciemięzcami są tam Frankowie, Galowie wydają się socjalistami od czasów Wercyngetoryksa, ale Sue był już wtedy, jak wszyscy idealiści, ofiarą obsesji.

Było oczywiste, że ostatnie części swojego dzieła pisał na wygnaniu, w miarę jak Ludwik Napoleon przejmował władzę i stawał się cesarzem. Pragnąc wzbudzić wstręt do jego zamiarów, Sue wpadł na genialny pomysł: ponieważ od czasów rewolucji nieprzejednanym wrogiem republikańskiej Francji byli jezuici, należało dowieść, że dążącego do objęcia rządów Ludwika Napoleona inspirowali i prowadzili jezuici. Wygnano ich wprawdzie z Francji po rewolucji lipcowej 1830 roku, lecz w rzeczywistości zostali tam, działali w ukryciu i mieli się coraz lepiej, odkąd Ludwik Napoleon rozpoczął swoją wspinaczkę do władzy i tolerował ich, aby utrzymać dobre stosunki z papieżem.

Książka zawierała tasiemcowy list ojca Rodina (zamieszczony już w *Żydzie wiecznym tułaczu*) do generała jezuitów, ojca Roothaana, omawiający szczegóły spisku. W powieści Sue wydarzenia najnowsze toczą się w ostatniej fazie wystąpienia socjalistów i republikanów przeciwko zamachowi stanu, a list jest zredagowany tak, że to, co Ludwik Napoleon miał później naprawdę zrobić, wydaje się jeszcze projektem. Proroctwo było więc tym bardziej wstrząsające, że kiedy książka trafiła do czytelników, zamieniło się już w rzeczywistość.

Przypomniałem sobie naturalnie początek *Józefa Balsamo* Dumasa. Wystarczyłoby zastąpić Górę Gromów jakimś innym, bardziej pasującym do księży miejscem, może kryptą starego klasztoru, zgromadzić tam nie masonów, tylko przybyłych z całego świata synów Loyoli, przemówienie włożyć w usta nie Balsama, lecz ojca Rodina, a stara dumasowska Uniwersalna Formuła Spisku zostałaby przystosowana do teraźniejszości.

Stąd pomysł, aby kawalerowi Bianco sprzedać nie tylko jakąś zasłyszaną gdzieś plotkę, lecz także cały wykradziony jezuitom dokument. Z pewnością musiałbym to i owo zmienić, wyeliminować ojca Rodina, którego ktoś mógł zapamiętać jako postać z powieści, i wprowadzić ojca Bergamaschiego, który teraz jest Bóg wie gdzie, ale o którym w Turynie bez wątpienia słyszano. Ponadto za czasów Sue generałem zakonu był jeszcze ojciec

Roothaan, a obecnie zastąpił go – jak mówiono – niejaki ojciec Bechx.

Dokument miał się wydawać dosłownym niemal zapisem relacji godnego zaufania informatora, jednak ów człowiek nie mógł być donosicielem (wiadomo bowiem, że jezuici nigdy nie zdradzają swojego zakonu), lecz raczej powinien sprawiać wrażenie starego przyjaciela mojego dziadka, któremu powierzył te sekrety, aby dowieść mu wielkości i niezwyciężoności Towarzystwa Jezusowego.

W hołdzie dziadkowi chętnie włączyłbym do sprawy Żydów, ale Sue o nich nie pisał i trudno było skojarzyć ich z jezuitami, zresztą w tamtych latach Żydzi nikogo w Piemoncie nie obchodzili. Ponadto agentom rządowym nie należy przeładowywać głów nadmiarem informacji. Oni chcą rzeczy jasnych i prostych: tu biali, tam czarni, tu dobrzy, tam źli, a zły musi być jeden.

Z Żydów nie chciałem jednak całkiem zrezygnować i z myślą o nich zaplanowałem scenografię. Był to sposób na zasianie w umyśle Bianca podejrzeń wobec żydostwa.

Pomyślałem, że autentyczność wydarzenia, do którego jakoby doszło w Paryżu – a tym bardziej w Turynie – można sprawdzić. Musiałem więc zgromadzić swoich jezuitów w miejscu, do którego trudno było dotrzeć nawet tajnym służbom piemonckim – w miejscu, które mogło im się wydać wręcz baśniowym. Jezuici zaś, jako polipy Pana Boga, byli wszędzie, sięgając swymi zakrzywionymi szponami także po kraje protestanckie.

Fałszerz musi zawsze zebrać dokumentację, dlatego też uczęszczałem do bibliotek. Biblioteki są fascynujące: czasem człowiek może odnieść wrażenie, że siedzi na dworcu kolejowym i czytając o egzotycznych krajach, jakby podróżuje ku dalekim stronom świata. Zdarzyło się mi raz trafić na książkę z pięknymi rycinami, przedstawiającymi cmentarz żydowski w Pradze. Ta opuszczona już nekropolia mieściła prawie dwanaście tysięcy nagrobków na bardzo ograniczonej przestrzeni, ale grobów musiało być o wiele więcej, ponieważ stare przez kilka wieków przysypywano kolejnymi warstwami nawożonej ziemi. Po zamknięciu cmentarza ktoś podniósł część zasypanych kamieni nagrobkowych i w ten sposób powstało zbiorowisko poprzechylanych na wszystkie strony płyt (może zresztą poutykali je tak bezładnie sami Żydzi, pozbawieni wszelkiego poczucia piękna i porządku).

To odosobnione miejsce pasowało mi również dlatego, że jego wybór wydawał się niedorzeczny. Co mogło skłonić chytrych jezuitów do zebrania się w miejscu świętym niegdyś dla Żydów? Jaką mieli władzę nad tym cmentarzem przez wszystkich zapomnianym i zapewne niedostępnym? Oto pytania bez odpowiedzi, które nadadzą wiarygodność mojej opowieści; uważałem bowiem, że Bianco był głęboko przekonany, iż jeśli fakty są całkowicie wytłumaczalne i prawdopodobne, relacja musi być fałszywa.

Jako wielbiciel Dumasa z przyjemnością odmalowałem to nocne zgromadzenie ciemnymi, budzącymi grozę barwami: cmentarne pole w nikłej poświacie sierpa księżyca, jezuici ustawieni półkolem, tak że ich widziane z góry czarne kapelusze o szerokich rondach zdają się rojem pełzających po ziemi karaluchów. Opisałem też ojca Bechxa, jak z diabelskim chichotem wygłasza swoją mowę o niecnych zamiarach tych wrogów ludzkości (opis ten bez wątpienia ucieszył ducha mojego ojca na niebiańskich wysokościach… co mówię… w piekielnych czeluściach, dokąd Bóg strąca zapewne zwolenników Mazziniego i republikanów), a później ukazałem jego odrażających posłańców, którzy rozjeżdżają się w różne strony, aby oznajmić jezuitom wszystkich krajów nowy, iście szatański plan podboju świata. Wyglądali jak czarne ptaszyska wylatujące o bladym świcie po tej przypominającej sabat czarownic nocy.

Musiałem jednak być zwięzły, ograniczać się do rzeczy istotnych, zgodnie z zasadami pisania poufnych raportów. Wiadomo bowiem, że policjanci to nie literaci i więcej niż dwóch–trzech stron nie przeczytają.

Mój rzekomy informator opowiadał zatem, że tamtej nocy przedstawiciele Towarzystwa ze wszystkich krajów zebrali się w Pradze, aby wysłuchać ojca Bechxa, który przedstawił im ojca

...Opisałem też ojca Bechxa, jak z diabelskim chichotem wygłasza swoją mowę o niecnych zamiarach tych wrogów ludzkości (opis ten bez wątpienia ucieszył ducha mojego ojca na niebiańskich wysokościach... co mówię... w piekielnych czeluściach, dokąd Bóg strąca zapewne zwolenników Mazziniego i republikanów)... (s. 121)

Bergamaschiego, oznajmiając, że ten ostatni dzięki szeregowi opatrznościowych wydarzeń został doradcą Ludwika Napoleona.

Z kolei ojciec Bergamaschi zapewnił zgromadzonych, że Ludwik Napoleon Bonaparte okazuje posłuszeństwo rozkazom Towarzystwa.

– Zasługują na pochwałę – oświadczył – przebiegłość, z którą Bonaparte oszukał rewolucjonistów, udając, że podziela ich poglądy, zręczność, z jaką konspirował przeciwko Ludwikowi Filipowi, przyczyniając się do upadku jego rządu bezbożników, oraz wierność naszym zaleceniom, kiedy w tysiąc osiemset czterdziestym ósmym roku zaprezentował się wyborcom jako szczery republikanin, przez co wybrano go na prezydenta. Trzeba też pamiętać, że przyczynił się walnie do obalenia Republiki Rzymskiej i przywrócenia Ojca Świętego na Tron Piotrowy.

Ażeby – ciągnął Bergamaschi – rozprawić się ostatecznie z socjalistami, rewolucjonistami, filozofami, ateistami oraz wszystkimi nikczemnymi racjonalistami głoszącymi suwerenność narodu, wolność sumienia i wyznań religijnych, jak też swobody polityczne i społeczne, Napoleon planuje rozwiązać zgromadzenie ustawodawcze, uwięzić pod zarzutem konspiracji parlamentarzystów, zarządzić w Paryżu stan wyjątkowy, nakazać rozstrzeliwanie bez sądu schwytanych z bronią w ręku na barykadach oraz zsyłkę najbardziej niebezpiecznych buntowników do Kajenny*, znieść wolność prasy i stowarzyszeń, wycofać wojsko z miasta do fortów i ogniem artyleryjskim zniszczyć stolicę, zamienić ją w popiół, nie zostawić kamienia na kamieniu, by w ten sposób doprowadzić do tryumfu Kościoła rzymskokatolickiego i apostolskiego na ruinach współczesnego Babilonu. Zamierza potem zwołać swój lud, aby w powszechnym głosowaniu najpierw przedłużył na dziesięć lat jego mandat prezydencki, a później przekształcił republikę we wskrzeszone cesarstwo; głosowanie powszechne to jedyny sposób na przeciwstawienie

---

* Cayenne – główny ośrodek kolonii karnej w Gujanie Francuskiej.

się demokracji, ponieważ głosuje przede wszystkim ludność wiejska, która słucha jeszcze swoich proboszczów.

Rzeczy najbardziej interesujące powiedział Bergamaschi na końcu, omawiając politykę wobec Piemontu. Włożyłem tu w usta mnicha zamysły Towarzystwa Jezusowego na przyszłość, które w chwili redagowania raportu już się w pełni urzeczywistniły.

– Tchórzliwy król Wiktor Emanuel marzy o Królestwie Włoch, a jego minister Cavour te wygórowane ambicje podtrzymuje. Obaj chcą nie tylko wypędzić z Półwyspu Austriaków, lecz także znieść władzę doczesną papieża. Zabiegają o poparcie Francji, będzie więc łatwo wciągnąć ich w wojnę z Rosją, obiecując pomoc przeciwko Austrii, ale żądając w zamian Sabaudii i Nicei. Potem cesarz uda, że angażuje się po stronie Piemontu, lecz po kilku wygranych bitwach bez większego znaczenia zawrze pokój z Austrią, nie zapytawszy Piemontczyków o zdanie, i opowie się za utworzeniem konfederacji włoskiej, której przewodniczyć będzie papież i w której znajdzie się również Austria z resztką swoich włoskich posiadłości. I tak Piemont, jedyne na Półwyspie państwo o ustroju liberalnym, zostanie podporządkowany zarówno Francji, jak i Rzymowi; pilnować go będą wojska francuskie stacjonujące w Rzymie oraz te, które stacjonują w Sabaudii.

Taki to był dokument. Nie wiedziałem wprawdzie, czy rządowi piemonckiemu spodoba się owo demaskowanie Napoleona III jako wroga Królestwa Sardynii, lecz wyczułem już to, co nabyte doświadczenie miało mi później potwierdzić: ludziom ze służb specjalnych przydaje się zawsze jakiś dokument – nawet jeśli nie mogą się nim chwilowo posłużyć – który umożliwiłby im szantażowanie rządzących, wzniecenie niepokoju lub nagłą zmianę sytuacji.

I rzeczywiście Bianco przeczytał sprawozdanie z uwagą, podniósł wzrok znad kartek, spojrzał mi w oczy i powiedział, że to materiał najwyższej wagi. Tak jak myślałem: kiedy szpieg pragnie sprzedać nieznane wiadomości, wystarczy, że opowie to, co można znaleźć na jakimkolwiek stoisku z używanymi książkami.

Jednakże Bianco, choć niewiele wiedział o literaturze, na temat mojej osoby był dobrze poinformowany, dodał więc z obojętną jakby miną:

– Oczywiście pan to wszystko zmyślił.

– Ależ, proszę pana! – wykrzyknąłem ze zgorszeniem, lecz on powstrzymał mnie uniesioną dłonią.

– Mecenasie, niech się pan nie przejmuje. Nawet jeśli to są pańskie wymysły, mnie i moim zwierzchnikom jest na rękę zapewnić rząd o autentyczności tego raportu. Wie pan niechybnie, bo sprawa stała się już powszechnie znana, że nasz premier Cavour był przeświadczony, iż ma Napoleona w garści, skoro naraił mu hrabinę Castiglione, bez wątpienia piękną kobietę, a Francuz nie dał się prosić i od razu skorzystał z jej gotowości. Później stało się jednak jasne, że Napoleon nie robi wszystkiego tak, jak chciałby Cavour, i że hrabina Castiglione roztrwoniła otrzymane od Stwórcy wdzięki, nic w zamian nie otrzymując; zresztą może znajdowała w tym związku przyjemność, ale my nie możemy uzależniać spraw państwowych od zachcianek niezbyt niedostępnej damy. Miłościwie nam panujący władca nie powinien ufać Bonapartemu, to bardzo ważne. Przewiduje się już, że niebawem Garibaldi albo Mazzini, albo obaj razem zorganizują wyprawę na Królestwo Neapolitańskie. Gdyby ich przedsięwzięcie przypadkiem się udało, Piemont byłby zmuszony do interwencji, aby nie zostawić tych ziem w ręku szalonych republikanów. To zaś wymagałoby przejścia przez cały Półwysep, z terytorium Państwa Kościelnego włącznie. Trzeba więc, by nasz władca żywił nieufność i urazę do papieża oraz nie cenił sobie zbytnio zaleceń Napoleona III; to warunek niezbędny dla osiągnięcia owego celu. Pojął pan już, drogi mecenasie, że o polityce decydują często skromni słudzy państwa, a nie ci, którzy rządzą nim w oczach narodu...

Ten raport był moim pierwszym naprawdę poważnym osiągnięciem. Nie był to już testament nagryzmolony dla pierwszego lepszego klienta, lecz złożony tekst polityczny, który wywarł chyba pewien wpływ na politykę Królestwa Sardynii. Przypominam sobie, że napełnił mnie dumą.

Nadszedł tymczasem pamiętny rok 1860. Pamiętny dla kraju, ale jeszcze nie dla mnie, bo ograniczałem się do śledzenia rozwoju wydarzeń z dystansu, przysłuchując się w kawiarniach rozmowom próżniaków. Przeczuwałem już, że zawsze będę zajmować się polityką, i uważałem, że wiadomości najbardziej pożądane, warte fabrykowania, to te, na które czekają owi próżniacy, odnoszący się z nieufnością do informacji podawanych jako pewne przez dziennikarzy.

Dowiedziałem się w ten sposób, że ludność Wielkiego Księstwa Toskanii, Księstwa Modeny i Księstwa Parmy przegnała swoich władców, że tak zwane Legacje papieskie w Emilii-Romanii odmówiły posłuszeństwa papieżowi i że wszyscy pragnęli połączyć się z Królestwem Sardynii. W kwietniu 1860 roku w Palermo wybuchła rewolucja; Mazzini napisał do jej przywódców, że Garibaldi pośpieszy im z pomocą. Szeptano, że już zbiera ludzi, pieniądze i broń na wyprawę i że marynarka wojenna Burbonów krąży u brzegów Sycylii, aby zagrodzić nieprzyjacielowi drogę.

– Ale wie pan, że Cavour za pośrednictwem swojego powiernika La Fariny pilnuje Garibaldiego?

– Co też pan mówi?! Minister zatwierdził subskrypcję na zakup dwunastu tysięcy karabinów właśnie dla garybaldczyków.

– W każdym razie wstrzymano ich rozdawanie, no i kto to zrobił? Królewscy karabinierzy.

– Ależ, proszę pana, skąd znowu! Cavour bynajmniej nie wstrzymał rozdawania, on je ułatwił.

– Tak, tyle że nie są to piękne karabiny Enfield, których Garibaldi oczekiwał, ale stary szmelc. Teraz nasz bohater będzie mógł co najwyżej polować na wróble.

– Wiem od ludzi z pałacu królewskiego... mniejsza o nazwiska... że La Farina przekazał Garibaldiemu osiem tysięcy lirów i tysiąc karabinów.

– No tak, miało ich być trzy tysiące, ale dwa zatrzymał dla siebie gubernator Genui.

– Dlaczego właśnie Genui?

– Przecież nie wyobraża pan sobie, że Garibaldi wybierze się na Sycylię na grzbiecie muła. Podpisał umowę na zakup dwóch statków, które wypłyną z Genui lub okolic. A wie pan, kto poręczył, że dług będzie spłacony? Masoneria, a dokładniej loża genueńska.

– Jaka tam loża, masoneria to wymysł jezuitów!

– Niech pan zamilknie, sam pan jest masonem i wszyscy o tym wiedzą!

– Dajmy temu pokój. Wiem z pewnego źródła, że przy podpisywaniu umowy byli obecni – tutaj głos mówiącego stawał się ledwo słyszalny – adwokat Riccardi i generał Negri di Saint Front...

– A co to za pajace?

– Nie wie pan? – Głos stawał się jeszcze cichszy. – To szefowie Urzędu Spraw Poufnych albo dokładniej Urzędu Nadzoru Politycznego, czyli służby wywiadowczej premiera... Są potęgą, znaczą więcej od niego samego, to oni działają, żadni tam masoni...

– Tak pan mówi... Można pracować w Urzędzie Spraw Poufnych i być masonem, wtedy nawet łatwiej sobie tam radzić.

Piątego maja wszystkim było już wiadomo, że Garibaldi z tysiącem ochotników wyruszył przez morze w kierunku Sycylii. Piemontczyków miał ze sobą nie więcej niż dziesięciu; nie brakowało cudzoziemców, ogromną większość stanowili adwokaci, lekarze, inżynierowie i właściciele dóbr. Ochotnicy z ludu byli nieliczni.

Jedenastego maja garybaldczycy wylądowali w Marsali. A marynarka burbońska w którą stronę patrzyła? Wydaje się, że przestraszyły ją dwa okręty brytyjskie zakotwiczone w porcie – oficjalnie dla ochrony mienia rodaków, którzy w Marsali posia-

...Jaka tam loża, masoneria to wymysł jezuitów!
– Niech pan zamilknie, sam pan jest masonem i wszyscy
o tym wiedzą!... (s. 127)

dali bogate składy wysokogatunkowych win. A może Anglicy chcieli pomóc Garibaldiemu?

No i w ciągu kilku dni Tysiąc Garibaldiego (tak ich teraz powszechnie nazywano) rozbił wojsko burbońskie pod Calatafimi i wzmocnił się dzięki napływowi miejscowych ochotników. Garibaldi proklamował się dyktatorem Sycylii w imieniu Wiktora Emanuela II, a w końcu miesiąca zdobył Palermo.

A Francja? Co na to Francja? Francja wydawała się ostrożnym obserwatorem, ale jeden Francuz, sławniejszy jeszcze od Garibaldiego, wielki powieściopisarz Aleksander Dumas, na swoim prywatnym statku „Emma" przyłączył się pośpiesznie do wyzwolicieli, dostarczając im pieniędzy i broni.

W Neapolu nieszczęsny król Obojga Sycylii Franciszek II, ogarnięty strachem, ponieważ garybaldczycy odnieśli kilka zwycięstw na skutek zdrady jego generałów, ogłosił szybko amnestię dla więźniów politycznych i przywrócił konstytucję z 1848 roku, którą wcześniej sam odwołał. Było już jednak za późno, lud wrzał nawet w jego stolicy.

Na początku czerwca otrzymałem od kawalera Bianco liścik z zawiadomieniem, abym czekał tego dnia o północy na karetę, która podjedzie pod drzwi mojej kancelarii. Brzmiało to niezwyczajnie, domyślałem się już interesującej sprawy i o północy, pocąc się obficie z powodu okropnego upału, który panował wtedy w Turynie, wyszedłem przed drzwi biura. Nadjechała zamknięta kareta z zasuniętymi firankami. Siedział w niej nieznany mi jegomość, który zawiózł mnie w jakieś miejsce chyba niezbyt odległe od śródmieścia; odniosłem wrażenie, że kareta przejeżdża dwa lub trzy razy tymi samymi ulicami.

Stanęła na otoczonym rozpadającym się murem podwórzu starej czynszowej kamienicy, wśród istnej plątaniny poskręcanych poręczy balkonów. Wprowadzono mnie przez małe drzwi do długiego korytarza, na którego końcu inne drzwi wiodły do westybulu budowli o całkiem odmiennym charakterze. Ujrzałem szerokie, monumentalne schody. Weszliśmy jednak nie po nich, lecz po małych schodkach w głębi i znaleźliśmy się w gabinecie z wielkim portretem króla na jednej z wybitych adamaszkiem ścian. Wokół pokrytego zielonym suknem stołu zasiadali czterej mężczyźni. Jednym z nich był kawaler Bianco, który przedstawił mnie pozostałym. Żaden nie podał mi ręki, poprzestając na lekkim skinieniu głową.

– Proszę usiąść, mecenasie. Pan po pańskiej prawej stronie to generał Negri di Saint Front, po lewej – mecenas Riccardi, a naprzeciwko pana zasiada profesor Boggio, deputowany z okręgu Valenza Po.

Przypominając sobie kawiarniane szepty, rozpoznałem w dwóch pierwszych osobistościach owych kierowników Urzędu Nadzoru Politycznego, którzy zgodnie z *vox populi* mieli ułatwić Garibaldiemu zakup obu sławnych już statków. Znane mi też było nazwisko trzeciego: ów deputowany, dziennikarz, w wieku trzydziestu lat już profesor prawa na uniwersytecie, znajdował się zawsze bardzo blisko Cavoura. Miał rumianą twarz ozdobioną wąsami, monokl rozmiarów podstawki kieliszka i wygląd najbardziej niewinnego człowieka na świecie. Jednakże szacunek, jaki okazywali mu trzej pozostali, świadczył dobitnie o jego wpływach w rządzie.

Zaczął Negri di Saint Front.

– Drogi mecenasie, znając pańską umiejętność zbierania informacji oraz roztropność i dyskrecję, z jakimi pan je wykorzystuje, chcielibyśmy powierzyć panu wielce delikatną misję na obszarach podbitych przez generała Garibaldiego. Proszę nie robić takiej zmartwionej miny, nie zamierzamy zlecić panu prowadzenia czerwonych koszul do ataku. Chodzi o dostarczanie nam wiadomości. Ażeby jednak pan wiedział, jakie informacje rząd interesują, musimy powierzyć panu sekrety, których nie zawaham się nazwać tajemnicą państwową. Rozumie pan zatem, jak wielką ostrożność będzie pan musiał okazywać, poczynając od dzisiejszego wieczoru aż do końca swojej misji i później.

Także i dlatego, żeby... jak to powiedzieć... zadbać o swoją nietykalność osobistą, na której oczywiście bardzo nam zależy. Trudno było się wyrazić w bardziej dyplomatyczny sposób. Saint Front troszczył się o moje zdrowie i dlatego mnie ostrzegał, że gdybym zaczął rozpowiadać o tym, co za chwilę usłyszę, naraziłbym je na wielkie niebezpieczeństwo. Jednak ów wstęp pozwalał mi również przypuszczać, że ze względu na wagę misji mogę na niej dużo zarobić. Dlatego też przytaknąłem z szacunkiem, zachęcając Saint Fronta, by mówił dalej.

– Nikt nie potrafiłby wytłumaczyć panu sytuacji lepiej od deputowanego Boggio, także i dlatego, że czerpie on swoje informacje i dezyderaty z najwyższego źródła, któremu jest bardzo bliski. Proszę, panie profesorze...

– Widzi pan, mecenasie – zaczął Boggio – nie ma w Piemoncie nikogo, kto bardziej niż ja podziwiałby tego nieskazitelnego, szlachetnego człowieka, jakim jest generał Garibaldi. Wraz z garstką walecznych dokonał on na Sycylii cudów, przeciwstawiając się jednej z najlepiej uzbrojonych armii w Europie.

Te słowa wystarczały, bym pomyślał, że Boggio jest zaciętym wrogiem Garibaldiego, lecz nakazałem sobie słuchać w milczeniu.

– Jednakże – ciągnął Boggio – chociaż Garibaldi ogłosił się dyktatorem podbitych ziem w imieniu naszego króla Wiktora Emanuela II, stojący za nim ludzie bynajmniej nie aprobują tej decyzji. Mazzini nalega usilnie, aby z wielkiego powstania na Południu zrodziła się republika, a wiadomo nam, jak ogromna jest siła perswazji tego człowieka, który mieszkając sobie spokojnie w obcych krajach, przekonał już tylu naiwnych, aby szli na śmierć. Wśród najbliższych współpracowników Garibaldiego są Crispi i Nicotera, obaj żarliwi zwolennicy Mazziniego, wywierający zgubny wpływ na generała niezdolnego pojąć przebiegłości innych. Mówmy więc jasno: Garibaldi dotrze wkrótce do Cieśniny Mesyńskiej i przedostanie się do Kalabrii. Jest on doświadczonym strategiem, jego ochotników przepełnia entuzjazm, przyłączyło się do nich, może z patriotyzmu, a może z oportunizmu, wielu wyspiarzy, natomiast kilku generałów burbońskich dowiodło już takiej niekompetencji, że należy podejrzewać, iż otrzymane potajemnie dary zachwiały ich żołnierskim męstwem. Nie powiemy panu, od kogo naszym zdaniem te dary pochodzą – w każdym razie na pewno nie od naszego rządu. Sycylia jest obecnie w rękach Garibaldiego, a jeśli wpadną w nie także Kalabria i region Neapolu, popierany przez republikanów Mazziniego generał będzie miał do dyspozycji zasoby królestwa o dziewięciu milionach mieszkańców i stanie się potężniejszy od naszego władcy, także ze względu na swoją ogromną popularność. Zapobiec podobnemu nieszczęściu można w jeden tylko sposób: nasz król ze swoim wojskiem rusza na Południe, przemierza, z pewnością nie bez problemów, terytorium Państwa Kościelnego i wkracza do Neapolu przed przybyciem Garibaldiego. Czy to jasne?

– Jasne. Nie wiem tylko, jak ja...

– Chwileczkę. Garybaldczyków natchnęła miłość ojczyzny, ale żeby nad nimi zapanować lub – powiem dokładnej – zneutralizować ich wyprawę, musimy poprzez należycie rozprowadzane pogłoski i artykuły w prasie dowieść, że umysły tych ludzi zmącili dwuznaczni i zdeprawowani osobnicy, co uczyniło interwencję Piemontu niezbędną.

– Jednym słowem – odezwał się adwokat Riccardi, który dotąd nie zabierał głosu – należy, nie podważając wiary w wyprawę Garibaldiego, osłabiać wiarę w rewolucyjną administrację, która z niej wyrosła. Hrabia Cavour wysyła teraz na Sycylię wielkiego tamtejszego patriotę La Farinę. Niegdyś został on zmuszony do udania się na wygnanie, powinien zatem cieszyć się zaufaniem Garibaldiego, a jest jednocześnie od lat oddanym współpracownikiem naszego rządu i założycielem Narodowego Stowarzyszenia Włoskiego, popierającego włączenie Królestwa Obojga Sycylii do zjednoczonych Włoch. La Farina ma sprawdzić kilka wysoce niepokojących wieści, które do nas dotarły. Wygląda na to, że przez swój brak kompetencji i łatwowierność

Garibaldi ustanawia tam teraz rząd, który jest negacją wszelkich rządów. Generał oczywiście nie może kontrolować wszystkiego, jego uczciwość nie podlega dyskusji, ale w czyje ręce składa odpowiedzialność za sprawy publiczne? Cavour oczekuje od La Fariny dokładnego raportu o ewentualnych malwersacjach, lecz zausznicy Mazziniego zrobią wszystko, aby trzymać go z dala od prostego ludu, czyli od tych warstw ludności, od których najłatwiej uzyskać bezpośrednie informacje o skandalach.

– W każdym razie nasz Urząd ma do La Fariny ograniczone zaufanie – stwierdził Boggio. – Nie chcemy go, broń Boże, krytykować, ale on też jest Sycylijczykiem. To niewątpliwie zacni ludzie, lecz nieco się od nas różnią, nie sądzi pan? Otrzyma pan list polecający do La Fariny, co zapewni panu możliwość korzystania z jego pomocy, a jednocześnie będzie pan miał znaczną swobodę ruchu i nie będzie musiał zbierać wyłącznie udokumentowanych danych; może pan nawet – jak już niejednokrotnie się panu zdarzało – fabrykować informacje, gdyby zaszła potrzeba.

– W jakim charakterze tam pojadę?

– Jak zwykle pomyśleliśmy o wszystkim – odparł z uśmiechem Bianco. – Słyszał pan zapewne o panu Dumas, słynnym powieściopisarzu. Płynie on do Palermo, do Garibaldiego, swoim własnym statkiem „Emma". Nie jesteśmy pewni, co zamierza tam robić; może chce napisać zbeletryzowane dzieje wyprawy generała, może jest próżny i manifestuje ostentacyjnie przyjaźń, która łączy go z bohaterem. Jakkolwiek by było, wiemy, że mniej więcej za dwa dni zatrzyma się na Sardynii, w zatoce Arzachena, a więc na naszym terytorium. Pan wyjedzie pojutrze o świcie do Genui i wsiądzie na nasz statek, który zawiezie pana na Sardynię, gdzie zgłosi się pan do Dumasa z listem polecającym od kogoś, komu on wiele zawdzięcza i do kogo żywi pełne zaufanie. Wystąpi pan jako wysłannik dziennika redagowanego przez profesora Boggio, skierowany na Sycylię, aby sławić przedsięwzięcie Dumasa i wyprawę Garibaldiego. Dzięki temu zostanie pan zaliczony do otoczenia powieściopisarza i wraz z nim wysiądzie na ląd w Palermo. Przybywając tam z Dumasem, zyska pan prestiż i znajdzie się poza wszelkimi podejrzeniami, a nie byłoby tak, gdyby przyjechał pan sam. Będzie pan tam mógł zmieszać się z ochotnikami i jednocześnie nawiązać kontakt z miejscową ludnością. Drugi list od osoby znanej i szanowanej zaskarbi panu zaufanie młodego oficera, kapitana Nievo, którego Garibaldi mianował podobno zastępcą generalnego intendenta. Proszę sobie wyobrazić, że kiedy wypływały w morze „Lombardo" i „Piemonte", dwa statki, na których garybaldczycy dotarli do Marsali, powierzono mu czternaście tysięcy z dziewięćdziesięciu tysięcy lirów stanowiących całą kasę wyprawy. Nie wiemy dobrze, dlaczego zlecono zadania administracyjne właśnie temu Nievo, który podobno jest literatem; chyba dlatego, że cieszy się jakoby sławą człowieka kryształowo uczciwego. Będzie zapewne szczęśliwy, mogąc porozmawiać z kimś, kto pisze do gazet i przedstawia się jako znajomy słynnego Dumasa.

Reszta wieczoru upłynęła na omawianiu technicznych aspektów mojej misji i uzgadnianiu wynagrodzenia. Nazajutrz zamknąłem kancelarię na czas nieokreślony, zapakowałem kilka niezbędnych drobiazgów oraz – jako źródło inspiracji – habit ojca Bergamaschiego, który zostawił on w domu dziadka i który udało mi się uratować, zanim wszystko zagarnęli wierzyciele.

7

Z TYSIĄCEM

29 marca 1897

Nie wiem, czy zdołałbym przypomnieć sobie wszystkie wydarzenia, a tym bardziej wszystkie wrażenia związane z moim pobytem na Sycylii od czerwca 1860 do marca 1861 roku, gdybym wczorajszej nocy, szperając w starych papierach na dnie komody w sklepie, nie znalazł zwoju arkuszy, na których spisywałem w brudnopisie swoje spostrzeżenia, prawdopodobnie po to, aby sporządzić potem szczegółowy raport dla turyńskich zleceniodawców. Zapiski są niekompletne; najwyraźniej notowałem tylko to, co moim zdaniem miało znaczenie, albo też to, czemu znaczenie chciałem nadać. Nie wiadomo mi, co przemilczałem.

***

Od szóstego czerwca jestem na pokładzie „Emmy". Dumas przyjął mnie bardzo serdecznie. Miał na sobie lekką jasnobrązową kurtkę i wyglądał bezspornie na mieszańca, którym w rzeczywistości jest. Oliwkowa cera, wydatne, mięsiste, zmysłowe wargi, hełm z kędzierzawych włosów jak u afrykańskiego dzikusa. Ponadto żywe, ironiczne spojrzenie, przyjazny uśmiech, krągła otyłość smakosza. Przypomniałem sobie jedną z wielu dotyczących go anegdotek. W Paryżu jakiś laluś zrobił w jego obecności aluzję do aktualnych teorii, według których istnieje związek między człowiekiem prymitywnym a gatunkami niższymi. Na co Dumas: „Tak, proszę pana, ja pochodzę od małpy, ale pan się do niej wspina!"

Przedstawił mi kapitana Beaugranda, drugiego oficera Brémonda, pilota Podimatasa (osobnika kudłatego jak dzik, z brodą i włosami splątanymi na całej twarzy tak, że ogolone wydawały się tylko białka oczu), a przede wszystkim kucharza Jeana Boyera, który, sądząc z zachowania Dumasa, wydawał się najważniejszy w całym tym towarzystwie. Dumas podróżuje ze swoim dworem jak wielcy panowie z przeszłości.

Odprowadzając mnie do mojej kabiny, Podimatas powiedział, że specjalnością Boyera są *asperges aux petits pois* – szparagi z groszkiem. Osobliwe danie, bo groszku wcale w nim nie ma.

Minęliśmy Caprerę – wyspę, gdzie chroni się Garibaldi, kiedy nie wojuje.

– Generała spotka pan niebawem – powiedział mi Dumas. Wystarczyło, że wspomniał tę postać, a już na jego twarzy odmalował się podziw. – Ze swoją jasną brodą i niebieskimi oczami wygląda jak Jezus z *Ostatniej Wieczerzy* Leonarda. Jego ruchy są pełne wdzięku, w jego głosie brzmi bezgraniczna słodycz. Wydaje się człowiekiem spokojnym, ale niech pan tylko wypowie przy nim słowo „Italia" lub „niepodległość", a zobaczy pan, że wybuchnie jak wulkan ogniem i strumieniami lawy. Do walki nie przystępuje nigdy uzbrojony; idąc do ataku, chwyta szablę najbliższego żołnierza, odrzuca pochwę i pędzi na nieprzyjaciela. Ma tylko jedną słabość: sądzi, że umie po mistrzowsku grać w kule.

Wkrótce potem na pokładzie zapanowało wielkie poruszenie. Marynarze wyławiali wielkiego morskiego żółwia, jakie zdarzają się na południe od Korsyki. Dumas był podniecony.

– Będzie dużo roboty. Trzeba najpierw przewrócić go na grzbiet; naiwny żółw wyciągnie szyję, a my wykorzystamy chwilę jego nieostrożności i utniemy mu głowę, ciach! Później powiesimy go za ogon na dwanaście godzin, żeby się wykrwawił. Następnie położymy znowu na grzbiecie, mocną klingą przebijemy łuski

...Generała spotka pan niebawem – powiedział mi Dumas. Wystarczyło, że wspomniał tę postać, a już na jego twarzy odmalował się podziw. – Ze swoją jasną brodą i niebieskimi oczami wygląda jak Jezus z Ostatniej Wieczerzy *Leonarda... (s. 136)*

brzucha i grzbietu, uważając, żeby nie uszkodzić woreczka żółciowego, bo mięso stałoby się niejadalne. Wyjmiemy wnętrzności i zachowamy jedynie wątrobę; zawiera przezroczystą miazgę całkiem bezużyteczną, ale są w niej dwa płaty mięsa przypominające najlepszą część cielęcego udźca, białe i smakowite. Odcinamy błony, szyję i płetwy, mięso siekamy na kawałeczki wielkości orzecha, płuczemy, wrzucamy do dobrego bulionu z pieprzem, goździkami, marchwią, tymiankiem i liśćmi bobkowymi, potem gotujemy wszystko na małym ogniu przez trzy, góra cztery godziny. Tymczasem przygotowujemy wąskie pasemka kurczaka z dodatkiem pietruszki, cebulki i koreczków z sardeli, gotujemy to w bulionie, odcedzamy i zalewamy zupą z żółwia, wzbogaconą uprzednio trzema lub czterema szklankami wytrawnej madery. Z braku madery można dodać marsali z kieliszeczkiem okowity lub rumu, ale tylko w najgorszym razie. Posmakujemy naszej zupy jutro wieczorem.

Mimo nader wątpliwej rasy tego człowieka poczułem do niego sympatię, bo tak bardzo kochał dobrą kuchnię.

***

(13 czerwca) „Emma" przypłynęła do Palermo przedwczoraj. Miasto roi się od czerwonych koszul, przypomina pole maków. Wielu ochotników Garibaldiego jest jednak ubranych i uzbrojonych jak popadnie, niektórzy są całkiem po cywilnemu, mają tylko szpetne kapelusze z piórami. A to dlatego, że czerwonej tkaniny już brak i koszula czerwonego koloru kosztuje majątek; łatwiej o nią chyba synom miejscowej szlachty, którzy przyłączyli się gromadnie do garybaldczyków dopiero po pierwszych, najkrwawszych bitwach, niż ochotnikom przybyłym z Genui. Bianco dał mi dosyć pieniędzy na sycylijską misję, wystarałem się więc od razu o mundur wystarczająco znoszony, aby nie wyglądać na elegancika, który świeżo tu się pojawił. Wielokrotnie prana koszula stała się już prawie różowa, spodnie były

mocno wyświechtane, ale sama koszula kosztowała mnie piętnaście franków, za którą to sumę w Turynie kupiłbym sobie cztery. Wszystko jest tutaj obłędnie drogie. Jedno jajko kosztuje cztery soldy, funt chleba – sześć soldów, funt mięsa – trzydzieści. Nie wiem, czy dlatego, że wyspa jest biedna i okupanci pożerają jej skromne zapasy, czy też dlatego, że mieszkańcy Palermo uznali garybaldczyków za mannę z nieba i należycie ich obskubują.

Spotkanie dwóch wielkich ludzi w Pałacu Senatu („Podobny do paryskiego Ratusza w 1830 roku!" – powiedział wniebowzięty Dumas) było bardzo teatralne. Nie wiem, który z nich obu okazał się lepszym aktorem.

– Drogi Dumas, bardzo mi ciebie brakowało! – zawołał generał, a na gratulacje pisarza odpowiedział: – Nie mnie, nie mnie gratuluj, ale tym ludziom. To giganci! – A potem do swojej świty: – Przydzielcie natychmiast panu Dumasowi najpiękniejszy apartament w pałacu. Niczego nie będzie za wiele dla człowieka, który przywiózł mi listy zapowiadające przybycie dwóch i pół tysiąca ochotników z dziesięcioma tysiącami karabinów oraz dwóch parowców!

Przyglądałem się bohaterowi z nieufnością, którą po śmierci ojca żywiłem do wszystkich bohaterów. Dumas opisał mi go jako Apolla, mnie wydał się miernego wzrostu, nie jasnowłosy, tylko płowy, z krótkimi, pałąkowatymi nogami, a także – sądząc po chodzie – cierpiący na reumatyzm. Spostrzegłem, że konia dosiada nie bez trudu, z pomocą dwóch swoich ludzi.

Późnym popołudniem pod pałacem królewskim zebrał się tłum krzyczący: „Niech żyje Dumas! Niech żyje Italia!" Pisarzowi wyraźnie to pochlebiało, lecz mam wrażenie, że manifestację zorganizował Garibaldi, który zna próżność swojego przyjaciela i potrzebuje obiecanych karabinów. Wmieszałem się w tłum i usiłowałem pojąć treść rozmów w tym niezrozumiałym, podobnym do afrykańskiego dialekcie. Jeden krótki dialog uchwyciłem: ktoś pytał kogoś drugiego, kim jest ten Dumas, na którego cześć się wiwatuje, a odpowiedź brzmiała, że to bajecznie bogaty czerkieski książę, przybyły do Garibaldiego z pieniędzmi.

Dumas przedstawił mnie kilku ludziom generała. Spiorunowany dzikim wzrokiem namiestnika Garibaldiego, strasznego Nina Bixio, poczułem tak wielkie onieśmielenie, że odszedłem. Muszę znaleźć odpowiedni hotelik, żeby móc wychodzić i wracać przez nikogo niezauważony.

W oczach Sycylijczyków jestem teraz garybaldczykiem, w oczach garybaldczyków – niezależnym dziennikarzem.

***

Widziałem Bixia na ulicy, jechał konno. Mówi się, że to on jest prawdziwym dowódcą wyprawy. Garibaldi rozprasza się, myśli zawsze o tym, co zrobi jutro, dzielnie atakuje i pociąga za sobą innych, a Bixio myśli o dniu dzisiejszym i ustawia wojsko w szyku. Kiedy przejeżdżał, usłyszałem, jak stojący obok mnie garybaldczyk mówi do kolegi:

– Popatrz tylko, co za oko, ciska błyskawice. A profil – tnie jak szabla. Bixio! Samo nazwisko ma w sobie coś piorunującego.

Nie ulega wątpliwości, że Garibaldi i jego oficerowie urzekli tych ochotników. To źle. Przywódcom obdarzonym zbyt wielkim czarem trzeba od razu pościnać głowy dla dobra i spokoju państwa. Mają rację moi turyńscy mocodawcy: nie wolno dopuścić do rozpowszechnienia się mitu Garibaldiego także na Północy, bo inaczej wszyscy poddani naszego króla włożą czerwone koszule i nastanie republika.

***

(15 czerwca) Z tutejszymi trudno rozmawiać. Jasne jest tylko, że usiłują wykorzystać każdego o wyglądzie Piemontczyka, jak to oni mówią, chociaż wśród ochotników Piemontczycy są bardzo nieliczni. Znalazłem gospodę, gdzie za tanie pieniądze próbuję wieczorami potraw o niemożliwych do wymówienia nazwach. Zatkałem się bułkami nafaszerowanymi śledzioną; tylko popijając dobrym miejscowym winem, da się zjeść więcej niż jedną. Przy kolacji poznałem dwóch ochotników: Abbę, nieco ponaddwudziestoletniego Liguryjczyka, i Bandiego, dziennikarza z Livorno w moim mniej więcej wieku. Dzięki ich opowieściom odtworzyłem przybycie na wyspę garybaldczyków i ich pierwsze bitwy.

– Ach, drogi Simonini, żebyś ty wiedział! – mówił Abba. – Lądowanie w Marsali to był prawdziwy cyrk! Stoją przed nami dwa burbońskie okręty, „Stromboli" i „Capri". Kiedy nasz „Lombardo" wpada na rafę, Nino Bixio oświadcza, że woli, aby go schwytano z dziurą w brzuchu niż całego i zdrowego, i że będziemy musieli zatopić także „Piemonte". A ja, że to marnotrawstwo, ale rację miał on, nie wolno nam było ofiarować nieprzyjacielowi dwóch statków, zresztą tak właśnie robią wielcy wodzowie: po przybiciu do brzegu palą okręty i naprzód, nie można już się cofnąć. Z „Piemonte" ludzie zaczynają schodzić na ląd, „Stromboli" chce rozpocząć ostrzał, ale armata nie wypala. Kapitan zakotwiczonego w porcie okrętu angielskiego udaje się na pokład „Stromboli" i ostrzega jego dowódcę, że jeśli otworzy ogień, weźmie na siebie odpowiedzialność za ewentualny incydent międzynarodowy, ponieważ na lądzie znajdują się angielscy poddani. Wiadomo ci, że w Marsali Anglicy prowadzą na szeroką skalę interesy związane z winem. Dowódca burboński odpowiada, że gwiżdże na incydenty międzynarodowe, i każe strzelać, ale działo znowu zawodzi. Gdy wreszcie burbońskim okrętom udaje się kilka razy wystrzelić, nie trafiają nikogo oprócz psa, którego kula armatnia przepoławia.

– A więc Anglicy wam pomogli?

– Powiedzmy, że interweniowali spokojnie, aby naszego nieprzyjaciela wprowadzić w zakłopotanie.

– Ale jak wyglądają stosunki generała z Anglikami?

Abba uczynił wymijający gest, jakby chciał dać do zrozumienia, że tacy jak on szeregowi słuchają rozkazów i nie stawiają sobie zbyt wielu pytań.

– Posłuchaj raczej tej historii, jest interesująca. Po wkroczeniu do miasta generał każe zająć urząd telegraficzny i przeciąć druty. Idzie tam porucznik z kilkoma żołnierzami; na ich widok telegrafista bierze nogi za pas. Porucznik wchodzi do biura i czyta treść depeszy wysłanej przed chwilą do komendanta garnizonu w Trapani: „Dwa statki pod banderą Królestwa Sardynii wpłynęły do portu, wysiadają z nich ludzie". Właśnie w tym momencie nadchodzi odpowiedź, którą natychmiast odczytuje jeden z ochotników, pracownik urzędu telegraficznego w Genui: „Ilu ludzi i dlaczego wysiadają?" Nasz oficer każe mu odpowiedzieć: „Przepraszam, pomyliłem się, to dwa frachtowce z Girgenti z ładunkiem siarki". Reakcja z Trapani: „Dureń z pana". Zadowolony porucznik przyjmuje to do wiadomości, każe poprzecinać druty i odchodzi.

– Nie przesadzajmy jednak – włączył się Bandi. – To schodzenie na ląd nie było takim znowu cyrkiem, jak chce Abba. Kiedy byliśmy już na brzegu, z okrętów burbońskich zaczęły padać pierwsze granaty i kartacze. Ale zabawę mieliśmy, to prawda. Wśród wybuchów pojawił się stary, spasiony zakonnik i pozdrowił nas kapeluszem. Któryś z naszych kompanów zawołał: „Czego tu, u diabła, chcesz, mnichu?!", lecz Garibaldi podniósł rękę i spytał: „Braciszku, co tutaj robisz? Czy nie słyszysz, jak świszczą kule?" Na to zakonnik: „Kul się nie boję. Jestem sługą biedaczyny świętego Franciszka i synem Italii". „Jesteś więc z ludem?" – spytał generał. „Z ludem, z ludem" – odpowiedział mnich. Wtedy zrozumieliśmy, że Marsala jest nasza. Generał wysłał Crispiego, aby w imieniu Wiktora Emanuela, króla Włoch, skonfiskował kasę poborcy podatków. Pieniądze pobrane za

pokwitowaniem przekazano intendentowi Acerbiemu. Królestwo Włoch jeszcze nie istniało, ale pokwitowanie, które Crispi
wystawił poborcy, to pierwszy dokument, w którym Wiktora
Emanuela nazywa się królem Włoch.

– Czy intendentem nie jest kapitan Nievo?

– Nievo to zastępca Acerbiego – sprecyzował Abba. – Taki
młody, a już wielki pisarz, prawdziwy poeta. Jego czoło jaśnieje
talentem. Zawsze samotny, ze wzrokiem wbitym w dal, jakby
chciał nim poszerzyć horyzont. Sądzę, że Garibaldi mianuje go
wkrótce pułkownikiem.

A Bandi ze swojej strony dorzucił:

– Pod Calatafimi został nieco w tyle, żeby rozdawać chleb.
Bozzetti wezwał go do udziału w bitwie, a on natychmiast rzucił
się na wroga. Leciał jak wielki czarny ptak, powiewając połami
płaszcza, który od razu przebiła mu kula...

Wystarczyło mi to, abym nie polubił tego Nieva. Jest chyba
moim rówieśnikiem, a już się uważa za sławnego. Poeta wojow-
nik. Pewno, że płaszcz ci przestrzelą, jeśli go rozepniesz
i rozpostrzesz szeroko. Możesz potem pokazywać wszystkim
otwór po kuli, nie nosząc jej w piersi...

Abba i Bandi zaczęli teraz opowiadać o bitwie pod Calatafimi
i cudem odniesionym zwycięstwie: tysiąc ochotników przeciwko dwudziestu pięciu tysiącom dobrze uzbrojonych żołnierzy
Burbonów.

– Garibaldi na czele – mówił Abba – na gniadoszu godnym
wielkiego wezyra, w przepięknym siodle ze zdobionymi strze-
mionami, w czerwonej koszuli i kapeluszu na węgierską modłę.
W Salemi dołączają do nas miejscowi ochotnicy. Przybywają
zewsząd konno i na piechotę, są ich setki, prawdziwe diabły
uzbrojone po zęby, o twarzach zbójów i oczach jak wyloty luf
pistoletów. Przewodzi im jednak szlachta, właściciele okolicznych majątków. Salemi to miasteczko brudne, z ulicami jak
rynsztoki, ale mnisi mają tam piękne klasztory, gdzie nas
zakwaterowano. O nieprzyjacielu dochodziły do nas wtedy

różne wieści: cztery tysiące żołnierzy... nie, dziesięć tysięcy, dwadzieścia tysięcy, z kawalerią i armatami, okopują się tam w górze... nie, tam w dole, idą naprzód, cofają się... No i nagle wróg się pojawia. Będzie ich chyba z pięć tysięcy; gdzie tam, mówi ktoś z nas, z dziesięć tysięcy. Między nami a nimi nieuprawne pole. Strzelcy neapolitańscy schodzą ze wzgórz spokojni, pewni siebie. Widać, że są dobrze wyćwiczeni, to nie taka zbieranina jak my. Ich trąby wydają ponure dźwięki. Pierwszy strzał rozlega się dopiero o wpół do drugiej. Strzela neapolitańska piechota, która zeszła w dół pośród wielkich kaktusów. „Nie odpowiadać, nie odpowiadać na ogień!" – wołają nasi oficerowie, ale kule Neapolitańczyków przelatują nam nad głowami, świszczą, trudno zachować spokój. Pada jeden strzał, potem drugi, trębacz generała daje sygnał do ataku, ruszamy biegiem. Grad kul, góra wygląda jak chmura dymu, walą do nas stamtąd z armat. Przebiegamy równinę, łamiemy pierwszą linię nieprzyjaciela. Odwracam się i widzę na pagórku Garibaldiego; zsiadł z konia, na prawym ramieniu niesie szablę w pochwie, idzie powoli, obserwując całą bitwę. Bixio nadjeżdża galopem, aby osłonić go przed kulami ciałem własnego konia, i woła: „Generale, tak chce pan umrzeć?!" On odpowiada: „Czyż mógłbym umrzeć lepiej, niż walcząc za swój kraj?", i kroczy dalej, nie bacząc na grad kul. Obawiałem się wtedy, że generałowi zwycięstwo wydało się niemożliwe i że szukał śmierci. Ale zaraz zagrzmiało z drogi jedno z naszych dział i jakby tysiąc ramion przyszło nam z pomocą. Naprzód, naprzód, naprzód! Słychać teraz jedynie tę trąbkę, która przez cały czas wzywa do ataku. Z nasadzonymi bagnetami wspinamy się na pierwszy, drugi, trzeci taras wzgórza. Bataliony neapolitańskie cofają się wyżej, zwierają szeregi, zbierają siły. Wydaje się, że już nie sposób ich atakować: są wszyscy na szczycie, a my na krawędzi, śmiertelnie zmęczeni. Chwila przerwy, oni na górze, my na dole. Rzadkie strzały, wrogowie staczają na nas głazy, rzucają kamieniami, podobno jednym trafili generała. Widzę między kaktusami pięknego młodzieńca, jest śmiertelnie ranny, podtrzymuje go dwóch towarzyszy. Prosi innych, żeby okazywali litość Neapolitańczykom, bo oni też są Włochami. Cały stok jest pokryty ciałami zabitych i rannych, ale nie słychać ani jednego jęku. Ze szczytu Neapolitańczycy od czasu do czasu wołają: „Niech żyje król!" Przybywają nasze posiłki. Pamiętam, że pojawiłeś się wtedy ty, Bandi, pokryty ranami, groźna była zwłaszcza kula, która wbiła ci się nad lewym sutkiem; pomyślałem, że za pół godziny będziesz już martwy. Ale kiedy ruszyliśmy po raz ostatni do ataku, rzuciłeś się przed wszystkimi. Skąd w tobie tyle życia?

– Głupstwo – powiedział Bandi. – To były zadrapania.

– No i ci franciszkanie walczący po naszej stronie! Był jeden taki chudy i brudny, ładował swojego garłacza kulami i kamieniami, wspinał się po stoku i strzelał jak kartaczem z armaty. Widziałem innego, rannego w udo: wyciągnął kulę z ciała i dalej prowadził ogień.

Potem Abba zaczął wspominać bitwę o most Admiralski.

– Klnę się na Boga, Simonini, to była bitwa jak z poematu Homera! Jesteśmy już u bram Palermo, przybywa nam z pomocą oddział miejscowych powstańców. Jeden z nich krzyczy: „Boże!", obraca się wokół własnej osi, robi trzy lub cztery kroki bokiem, jak pijany, i pada do rowu u stóp dwóch topoli, tuż obok martwego piechura neapolitańskiego, może pierwszego wartownika, którego zaskoczyli nasi. Słyszę jeszcze tego genueńczyka, który wśród gradu kul pyta z charakterystycznym akcentem: „Belandi, jak tędy przejść?" I trafiają go w samo czoło, pada na ziemię z rozłupaną czaszką. Na moście Admiralskim, na drodze, na łukach, pod mostem i w sadach walka na bagnety, rzeź. O świcie zawładnęliśmy mostem, lecz zatrzymał nas huraganowy ogień ustawionego za murem rzędu piechurów. Z lewej strony zaatakowała nas kawaleria, ale odepchnęliśmy ją w pole. Przeszliśmy wreszcie most, gromadzimy się na skrzyżowaniu przy bramie Termini, ale jesteśmy pod ostrzałem armatnim z zakotwiczonego w porcie okrętu oraz karabinowym ze wznoszącej się przed nami barykady. Nic to. Wciąż bije na alarm jakiś dzwon.

*...Na moście Admiralskim, na drodze, na łukach, pod mostem
i w sadach walka na bagnety, rzeź... (s. 145)*

Zagłębiamy się w zaułki i nagle… Boże mój, co za widok! Uchwycone kraty w oknie dłońmi białymi jak lilie, patrzą na nas niemo trzy przepiękne panienki w bieli, podobne do aniołów z kościelnych fresków. „Kim jesteście" – pytają nas po chwili. „Jesteśmy Włochami" – odpowiadamy i pytamy z kolei, kim są one. „Mniszkami" – mówią. „O wy biedaczki – wzdychamy – wyzwolilibyśmy was chętnie z tego więzienia i rozweselili". Na co one: „Niech żyje święta Rozalia!", a my: „Niech żyje Italia!" Wtedy i one zawołały swoimi melodyjnymi głosami: „Niech żyje Italia!", jakby śpiewały psalm, i życzyły nam zwycięstwa. Byliśmy się jeszcze w Palermo przez pięć dni, zanim nastało zawieszenie broni, ale mniszeczek żadnych, musiały nam wystarczyć dziwki!

Czy mogę wierzyć tym dwóm entuzjastom? Są młodzi, po raz pierwszy powąchali prochu, swojego generała uwielbiali już przedtem, na swój sposób są powieściopisarzami jak Dumas, w ich wspomnieniach kura zamienia się w orła. Bez wątpienia walczyli dzielnie w tych potyczkach, ale czy to przez przypadek Garibaldi spacerował sobie spokojnie pod kulami (nieprzyjaciel musiał przecież widzieć go z daleka) i żadna nigdy go nie trafiła? Czy nie było czasem tak, że wrogowie zgodnie z otrzymanym z góry rozkazem strzelali niecelnie?

Podobne myśli kołatały mi się po głowie pod wpływem pomruków właściciela gospody, który przebywał zapewne w różnych częściach Półwyspu, bo mówił zrozumiałym nieomal językiem. To on poradził mi pogwarzyć z panem Fortunatem Musumecim, notariuszem, który zdaje się wiedzieć wszystko o wszystkich i przy rozmaitych okazjach dowiódł swojej nieufności wobec garybaldczyków.

Nie mogłem oczywiście stanąć przed nim w czerwonej koszuli, ale przypomniałem sobie habit ojca Bergamaschiego, który ze sobą zabrałem. Przyczesałem odpowiednio włosy, przybrałem namaszczony wygląd i ze spuszczonymi oczami wyślizgnąłem się z gospody przez nikogo nierozpoznany. Była to wielka nieostrożność, mówiono bowiem, że jezuici zostaną wkrótce wygnani z wyspy. Udało mi się jednak. A jako ofiara mającej spotkać zakon niesprawiedliwości mogłem zdobyć zaufanie w środowisku przeciwnym Garibaldiemu.

Rozmowę z panem Fortunatem zacząłem w barze, gdzie popijał wolno kawę po porannej mszy. Lokal znajdował się w śródmieściu i był prawie elegancki. Pan Fortunato siedział wygodnie, z twarzą zwróconą ku słońcu i przymkniętymi oczami, miał kilkudniowy zarost, nosił czarne ubranie z fularem mimo panującego wtedy okropnego upału, w pożółkłych od nikotyny palcach trzymał na wpół zgasłe cygaro. Zauważyłem, że w tych stronach wkłada się do kawy skórkę cytryny; mam tylko nadzieję, że nie wkładają jej do kawy z mlekiem.

Usiadłem przy stoliku obok i wystarczyło mi ponarzekać na upał, a zaraz nawiązaliśmy rozmowę. Powiedziałem, że przysłała mnie kuria rzymska, abym postarał się zrozumieć, co się tutaj dzieje. Musumeci mógł zatem swobodnie się wypowiedzieć.

– Ojcze mój przewielebny, czy to możliwe, żeby tysiąc zebranych przypadkowo ludzi, uzbrojonych jak popadnie, przybyło do Marsali bez najmniejszych strat? Dlaczego burbońskie okręty, należące do drugiej po angielskiej marynarki wojennej Europy, strzelały na oślep i nikogo nie trafiły? A później pod Calatafimi jak to się stało, że tych samych tysiąc obdartusów przy pomocy kilkuset chłopów – popędzanych kopniakami przez kilku tamtejszych dziedziców pragnących zabłysnąć przed okupantem – mając przed sobą jedną z najlepiej wyćwiczonych armii świata (ojciec nie wie, jaką akademię wojskową posiadają Burbonowie!), zdołało przepędzić dwadzieścia pięć tysięcy żołnierzy? Co prawda w polu było ich zaledwie kilka tysięcy, bo reszta nie opuściła jeszcze koszar. Tu weszły w grę pieniądze, mój panie, góra pieniędzy na opłacenie oficerów marynarki w Marsali i generała Landiego pod Calatafimi, który po nierozstrzygniętej właściwie bitwie miał jeszcze do dyspozycji dosyć wypoczętego wojska, żeby pokonać panów ochotników, lecz wolał wycofać się do Palermo. Dostał podobno czternaście tysięcy dukatów, wie ojciec? A jego zwierzchnicy? Za znacznie mniejsze przewinienia Piemontczycy kilkanaście lat temu rozstrzelali generała Ramorino; Piemontczyków nie lubię, ale na wojsku się znają. Tutaj zaś Landiego zastąpiono po prostu Lanzą, według mnie także przekupionym. No bo proszę się przyjrzeć temu słynnemu zdobyciu Palermo... Garibaldi wzmocnił swoje bandy trzema i pół tysiąca drabów zwerbowanych wśród sycylijskich kryminalistów, ale Lanza dowodził szesnastoma tysiącami ludzi, powtarzam: szesnastoma. I zamiast przypuścić zmasowany atak, wysyła ich przeciw rebeliantom małymi grupami, więc oczywiście przegrywają, także i dlatego, że przekupieni palermiańscy zdrajcy strzelają do nich z dachów. W porcie tuż pod nosem załóg burbońskich okrętów statki piemonckie wyładowują karabiny dla ochotników, na lądzie pozwala się Garibaldiemu jechać do więzienia Vicaria i do Ciężkich Robót, gdzie uwalnia jeszcze tysiąc pospolitych przestępców, aby ich wcielić do swojej bandy. A nie powiem, co dzieje się teraz w Neapolu; naszego nieszczęsnego władcę otaczają nędznicy, którzy otrzymali już zapłatę i kopią pod nim dołki...

– Ale skąd się biorą te wszystkie pieniądze?

– Przewielebny ojcze! Dziwię się, że w Rzymie tak mało wiecie. To przecież angielska masoneria! Nie widzi ojciec związku? Garibaldi mason, Mazzini mason, na wygnaniu w Londynie pokumał się z angielskimi masonami, Cavour mason, rozkazują mu angielskie loże, masońskie jest całe otoczenie Garibaldiego. Chodzi im nie tyle o zniszczenie Królestwa Obojga Sycylii, ile o zadanie śmiertelnego ciosu Jego Świątobliwości, bo jest przecież jasne, że po zajęciu Królestwa Wiktor Emanuel sięgnie także po Rzym. Wierzy ojciec w te bajki o ochotnikach, którzy wyruszyli, mając w swojej kasie dziewięćdziesiąt tysięcy lirów, sumę niewystarczającą nawet na wyżywienie przez całą drogę tej zgrai pijaków i obżartuchów? Proszę tylko popatrzeć, jak pożerają ostatnie zapasy Palermo, jak ogołacają okoliczne wsie! To angielscy masoni wypłacili Garibaldiemu trzy miliony franków francuskich w tureckich złotych piastrach, przyjmowanych we wszystkich krajach śródziemnomorskich!

– A kto przechowuje to złoto?

– Zaufany mason generała, ten kapitan Nievo, młodzieniaszek, nie ma nawet trzydziestu lat, jest oficerem skarbnikiem. Ci szatani płacą generałom, admirałom i Bóg wie komu jeszcze, a głodzą wieśniaków. Chłopi mieli nadzieję, że Garibaldi podzieli między nich ziemie panów, ale on musi oczywiście trzymać z tymi, którzy mają włości i pieniądze. Zobaczy ojciec, że kiedy chłopi, którzy poszli umierać pod Calatafimi, zrozumieją, że nic się nie zmienia, zaczną strzelać do ochotników z karabinów skradzionych zabitym.

Zdjąłem habit i krążąc po mieście w czerwonej koszuli, uciąłem sobie na stopniach kościoła pogawędkę z zakonnikiem, ojcem Carmelo. Mówi, że ma dwadzieścia siedem lat, ale wygląda na czterdzieści. Zwierza mi się, że chciałby się do nas przyłączyć, ale coś go powstrzymuje. Pytam co, przecież pod Calatafimi byli też mnisi.

– Poszedłbym z wami – mówi – gdybym wiedział, że dokonacie czegoś naprawdę wielkiego. Nie potraficie mi powiedzieć nic ponadto, że chcecie zjednoczyć Włochy, zrobić z nich jeden naród. Ale w narodzie lud zjednoczony czy podzielony cierpi nadal, a ja nie wiem, czy zdołacie sprawić, żeby cierpieć przestał.

– Lud będzie miał wolność i szkoły – powiedziałem mu.

– Wolność nie daje chleba, szkoła też nie. Wystarczają one może wam, Piemontczykom, ale nie nam.

– A wam czego by potrzeba?

– Nie wojny z Burbonami, ale wojny biednych przeciwko tym, którzy ich głodzą, a ci są nie tylko na królewskim dworze, są wszędzie.

– Więc także przeciwko wam, noszącym tonsurę, bo wszędzie macie klasztory i grunty?

– Także przeciwko nam, a nawet najpierw przeciwko nam,

przeciwko innym później. Ale z Ewangelią i krzyżem w ręku! Wtedy poszedłbym z wami. Teraz nie, to za mało.

Z tego, czego nauczyłem się na uniwersytecie o słynnym *Manifeście komunistycznym*, wnioskuję, że ten mnich jest komunistą. Naprawdę trudno mi zrozumieć Sycylię.

***

Ciągnę za sobą tę obsesję chyba od czasów dziadka i dlatego przyszło mi zaraz na myśl, że do spisku na rzecz Garibaldiego mogą należeć także Żydzi, uczestniczący zwykle we wszelkich spiskach. Zwróciłem się więc do Musumeciego.

– Jakżeby nie? – powiedział. – Wprawdzie nie wszyscy masoni są Żydami, ale wszyscy Żydzi są masonami. A wśród garybaldczyków? Przejrzałem sobie dla rozrywki spis ochotników, którzy przybyli do Marsali, opublikowany „na cześć walecznych". Znalazłem tam takie nazwiska jak Eugenio Ravà, Giuseppe Uziel, Isacco D'Ancona, Samuele Marchesi, Abramo Isacco Alpron, Moisè Maldacea i Colombo Donato, ale syn Abrama. Proszę mi powiedzieć, czy ludzie o takich nazwiskach mogą być dobrymi chrześcijanami.

***

(16 czerwca) Ze swoim listem polecającym poszedłem do tego kapitana Nievo. Laluś ze starannie pielęgnowanym wąsikiem i pieprzykiem pod wargą, pozuje na marzyciela. Pozuje, bo kiedy podczas naszej rozmowy wszedł ochotnik i spytał o jakieś koce, które miał pobrać, on jak pedantyczny księgowy przypomniał mu, że jego kompania przed tygodniem pobrała ich już dziesięć.

– Czy wy te koce jecie? – zapytał i dodał: – Jeśli chcesz zjeść jeszcze więcej, to będziesz musiał je strawić w areszcie.

Ochotnik zasalutował i zniknął.

– Widzi pan, jaką mi dali robotę? Powiedziano panu pewno, że jestem literatem. No i muszę ludziom wypłacać żołd i wydawać odzież, a teraz zamówić następne dwadzieścia tysięcy mundurów, bo codziennie przybywają nowi ochotnicy z Genui, La Spezii i Livorno. Wpływają też podania; hrabiowie i księżne, w przekonaniu, że Garibaldi jest zesłanym przez Boga archaniołem, chcą po dwieście dukatów miesięcznej pensji. Tutaj wszyscy oczekują, że coś spadnie im z nieba, to nie tak jak u nas, gdzie jeśli ktoś czegoś chce, zabiera się do pracy. Powierzono mi kasę chyba dlatego, że uzyskałem w Padwie tytuł doktora obojga praw, albo może dlatego, że wiadomo, iż nie kradnę, a nie kraść jest wielką cnotą na tej wyspie, gdzie książę i oszust to jedno.

Najwyraźniej odgrywa roztargnionego poetę. Gdy go zapytałem, czy jest już pułkownikiem, odrzekł, że nie wie.

– Proszę posłuchać – powiedział. – Panuje tutaj pewne zamieszanie. Bixio usiłuje narzucić wojskową dyscyplinę w piemonckim stylu, jakbyśmy byli w Pinerolo, lecz my jesteśmy formacją nieregularną. Ale jeśli pisze pan do prasy turyńskiej, proszę o tych sprawach nie wspominać. Proszę starać się oddać nastrój podniecenia, prawdziwy entuzjazm, który wszystkich ożywia. Tu są ludzie ryzykujący życie dla czegoś, w co wierzą. Cała reszta to jakby przygoda w koloniach. W Palermo jest zabawnie, plotkuje się tutaj jak w Wenecji. Podziwia się nas jako bohaterów; dwa łokcie czerwonej bluzy i siedemdziesiąt centymetrów szabli czynią nas godnymi pożądania w oczach pięknych pań pozornej jedynie cnoty. Co wieczór czeka na nas loża w teatrze, a sorbety są wyborne.

– Mówi mi pan, że ma wiele wydatków. Jak pan sobie radzi, dysponując tą skromną sumą, z którą wypłynęliście z Genui? Korzysta pan z pieniędzy skonfiskowanych w Marsali?

– To były grosze. Zaraz po wkroczeniu do Palermo Garibaldi wysłał Crispiego, żeby przejął kasę Banku Obojga Sycylii.

– Słyszałem, to podobno pięć milionów dukatów...

Poeta znowu zamienił się w powiernika generała. Wzniósł oczy ku niebu.

– Och, wie pan, tyle rzeczy się mówi. W każdym razie powinien pan wziąć pod uwagę dary patriotów z całych Włoch, powiedziałbym nawet: z całej Europy. Proszę napisać o tym w swojej turyńskiej gazecie, żeby podsunąć myśl zapominalskim. Jednym słowem, najtrudniej jest porządnie prowadzić rejestry, bo kiedy powstanie już oficjalnie Królestwo Włoch, będę musiał zdać wszystko w należytym stanie rządowi Jego Królewskiej Mości, nie pominąwszy ani centyma w przychodach i rozchodach.

A co zrobisz z tymi milionami od angielskich masonów? – zastanawiałem się. A może jesteście wszyscy w zmowie, ty, Garibaldi i Cavour: pieniądze nadeszły, ale nie wolno o nich mówić. Albo może inaczej: pieniądze były, ale ty o tym nie wiedziałeś i dalej nic nie wiesz, jesteś figurantem, naiwniakiem, którego oni (ale kto?) używają jako parawanu. Czy ty naprawdę myślisz, że bitwy wygrywa się tylko z łaski Boga? Nie rozumiałem jeszcze dobrze tego człowieka. W jego słowach szczery był moim zdaniem tylko gorący żal wywołany tym, że kiedy ochotnicy maszerują ku wschodniemu brzegowi wyspy i odnosząc zwycięstwo za zwycięstwem, szykują się do przebycia Cieśniny Mesyńskiej i wkroczenia do Kalabrii, a potem do Neapolu, jemu rozkazano siedzieć w Palermo i prowadzić rachunki, choć chciał przecież walczyć. Są tacy ludzie: zamiast dziękować losowi, że pozwala im się cieszyć wyśmienitymi sorbetami i towarzystwem pięknych dam, pragną, aby kolejne kule dziurawiły im płaszcze.

Słyszałem, że na świecie żyje ponad miliard ludzi. Nie wiem, jak ich policzono, ale dość rozejrzeć się po ulicach Palermo, aby zrozumieć, że jest nas zbyt dużo i że depczemy sobie po palcach. Na dodatek większość tych ludzi śmierdzi. Już teraz żywności jest niewiele, więc wyobraźmy sobie, co się stanie, jeśli nas przybędzie. Trzeba zatem upuścić ludzkości krwi. No tak, są zarazy, samobójstwa, egzekucje, są tacy, co stale się pojedynkują, i tacy, którzy lubią pędzić konno przez lasy i łąki na złamanie karku; słyszałem też o angielskich dżentelmenach, którzy pływają w morzu i oczywiście się topią... Ale to nie wystarcza. Wojna to najbardziej skuteczne i najbardziej naturalne rozwiązanie, jakiego można zapragnąć, jeśli chce się ograniczyć wzrost liczby ludzkich istot. Czyż niegdyś, kiedy ruszano na wojnę, nie mówiło się, że Bóg tego chce? Trzeba jednak znaleźć ludzi, którzy mają ochotę wojować. Gdyby wszyscy się zadekowali, nikt by nie zginął, no i po co wtedy byłyby wojny? Są więc niezbędni tacy osobnicy jak Nievo, Abba i Bandi, gotowi iść do ataku pod gradem kul. Są niezbędni także i po to, aby tacy jak ja mogli żyć, nie martwiąc się zbytnio, że ludzkie mrowie ich zdusi. Reasumując: pięknoduchów nie lubię, ale są nam potrzebni.

***

Ze swoim listem polecającym zgłosiłem się do La Fariny.

– Jeśli oczekuje pan ode mnie jakiejś dobrej wiadomości, którą mógłby przekazać do Turynu, to głęboko się pan myli. Tutaj nie ma rządu. Garibaldi i Bixio rozkazują tak, jakby rozkazywali swoim genueńczykom, a nie Sycylijczykom takim jak ja. Na wyspie, gdzie obowiązkowa służba wojskowa jest nieznana, zarządzono pobór trzydziestu tysięcy rekrutów; w wielu gminach doszło do prawdziwego buntu. Zadekretowano, że z rad obywatelskich wyklucza się byłych królewskich urzędników, ale tylko oni umieją czytać i pisać. Kilka dni temu grupka antyklerykałów wystąpiła z wnioskiem, aby spalić bibliotekę publiczną, bo założyli ją jezuici. Gubernatorem Palermo obwołano nikomu nieznanego młodzieniaszka z miasteczka Marcilepre. W głębi wyspy szerzy się przestępczość, mordercami są często ci, którzy powinny strzec porządku publicznego, bo zwerbowano także prawdziwych rozbójników. Garibaldi jest człowiekiem uczciwym, ale niezdolnym dostrzec tego, co dzieje się pod jego nosem: z zarekwirowanego w prowincji Palermo ogromnego stada koni zniknęło bez śladu aż dwieście sztuk! Upoważnia się do sformowania batalionu wojska każdego, kto sobie tego zażyczy, i tak są już bataliony z orkiestrą i pełnym składem oficerów na najwyżej czterdziestu, pięćdziesięciu szeregowych! Na ten sam urząd wyznacza się trzy lub cztery osoby! Zostawia się całą Sycylię bez sądownictwa cywilnego, karnego, handlowego, bo pozwalniano masowo sędziów, a powołano w ich miejsce komisje wojskowe, które mają sądzić wszystko i wszystkich, jak za czasów Hunów! Crispi ze swoją bandą utrzymuje, że Garibaldi nie chce sądów cywilnych, bo sędziowie i adwokaci to oszuści; że nie chce zgromadzenia ustawodawczego, bo deputowani to ludzie pióra, a nie miecza; że nie chce żadnej policji, bo wszyscy obywatele powinni mieć broń i sami się bronić. Nie wiem, czy to prawda, ponieważ teraz nie udaje mi się już nawet porozmawiać z generałem.

Siódmego lipca dowiedziałem się, że z rozkazu Garibaldiego, którego najwidoczniej poduszczył Crispi, La Farinę aresztowano i odesłano do Turynu. Cavour stracił więc informatora. Teraz wszystko zależy od mojego raportu.

Nie mam już po co przebierać się za księdza, żeby zbierać plotki. Plotkuje się po gospodach, nieraz sami ochotnicy skarżą się na ogólny nieporządek. Jak słyszę, z Sycylijczyków, którzy wstąpili do wojska Garibaldiego po zajęciu przezeń Palermo, pół setki odeszło, czasem zabierając ze sobą broń. „To wieśniacy, słomiany ogień, szybko się męczą” – usprawiedliwia ich Abba. Na wyspie sąd wojenny skazuje ich na śmierć, a potem pozwala im iść, gdzie zechcą, byle daleko. Usiłuję zrozumieć, co ci Sycylijczycy naprawdę czują. Całe panujące teraz na Sycylii poruszenie zostało spowodowane tym, że była to ziemia zapomniana przez Boga, spalona słońcem, bez żadnej wody poza morską, z nielicznymi owocami, po części kolczastymi. Na tę ziemię, gdzie od wieków nic się nie działo, przybył Garibaldi ze swoimi ochotnikami. Tutejsza ludność nie staje po jego stronie ani nie żałuje króla, którego Garibaldi detronizuje. Jest po prostu jakby pijana tym, że zdarzyło się coś niezwykłego, a tę niezwykłość każdy tłumaczy sobie na swój sposób. Może ów wielki podmuch nowego okaże się tylko gorącym wiatrem sirocco, który ich wszystkich z powrotem uśpi.

***

(30 lipca) Nievo, z którym jestem teraz dość blisko, zwierza mi się, że Garibaldi otrzymał od Wiktora Emanuela oficjalne pismo, zlecające mu nie przedostawać się na drugą stronę Cieśniny Mesyńskiej. Do pisma dołączony jest jednak prywatny liścik króla o takiej mniej więcej treści: napisałem najpierw jako król, teraz sugeruję, aby w odpowiedzi oświadczył pan, że chciałby pójść za moją radą, ale obowiązek wobec Italii nie zezwala panu obiecać, że odmówi Neapolitańczykom, jeśli ci potraktują pana jako swojego wyzwoliciela. To podwójna gra króla, ale przeciw komu? Przeciw Cavourowi? Albo przeciw samemu Garibaldiemu, któremu najpierw zleca nie wkraczać na kontynent, potem go do tego zachęca, a kiedy Garibaldi już wkroczy, wyśle do Neapolu wojska piemonckie, aby ukarać go za nieposłuszeństwo?

– Generał jest zbyt naiwny i wpadnie w jakąś pułapkę – mówi Nievo. – Chciałbym z nim być, ale moim obowiązkiem jest zostać tutaj.

Odkryłem, że ten niewątpliwie wykształcony człowiek jest również wielbicielem Garibaldiego. W chwili słabości pokazał mi swój tomik wierszy, który niedawno otrzymał, *Garybaldyjskie przygody miłosne*. Tomik wydrukowano na Północy, Nievo zatem nie miał możności dokonania korekty autorskiej.

– Czytelnicy powinni pomyśleć, że jako bohater mam prawo być głupawy. Wydawca zrobił co w jego mocy, żeby mojej głupoty dowieść, zostawiając kompromitującą serię błędów drukarskich.

Przeczytałem jeden z tych utworów, poświęcony samemu Garibaldiemu, i przekonałem się, że Nievo rzeczywiście musi być trochę głupi.

Ma w oczach coś,
co umysł rozjaśnia
i do klękania
ludzi nakłania.

...Ma w oczach coś,/co umysł rozjaśnia/i do klękania/ludzi nakłania... (s. 156)

A przecież sam widziałem,
gdy w tłumie na placu stałem,
jak z ludźmi grzecznie rozmawiał,
dziewczętom rękę podawał.

Wszyscy szaleją tutaj za karłem na krzywych nogach.

***

(12 sierpnia) Idę do Nieva, żeby mi potwierdził to, co słyszałem: garybaldczycy wylądowali już na wybrzeżu kalabryjskim. Jest w złym nastroju, niemal bliski płaczu. Z Turynu doszła go wiadomość, że krążą o nim plotki jako o kiepskim administratorze.
– Ale ja mam wszystko zapisane tutaj. – Uderza dłonią po swoich rejestrach oprawionych w czerwone płótno. – Jeśli ktoś coś ukradł, wykażą to moje rachunki. Kiedy oddam te rejestry właściwym osobom, spadnie czyjaś głowa. Ale nie moja.

***

(26 sierpnia) Nie jestem strategiem, ale na podstawie otrzymanych informacji chyba nawet ja zrozumiałem, co w trawie piszczy. Kilku ministrów neapolitańskich spiskuje przeciwko królowi Franciszkowi – może za sprawą masońskiego złota, może dlatego, że przekonali się do dynastii sabaudzkiej. W Neapolu ma wybuchnąć powstanie, powstańcy zwrócą się o pomoc do rządu piemonckiego, Wiktor Emanuel wkroczy na Południe. Garibaldi jakby niczego nie zauważa albo wszystko już pojął i śpieszy się, aby dotrzeć do Neapolu przed Wiktorem Emanuelem.

***

Zastaję Nieva wściekłego, potrząsa trzymanym w ręce listem.

– Pański przyjaciel Dumas – mówi – bawi się w krezusa, a myśli, że prawdziwym krezusem jestem ja! Proszę tylko popatrzeć, co do mnie napisał, twierdząc przy tym bezczelnie, że zrobił to w imieniu generała! Stacjonujący pod Neapolem najemnicy szwajcarscy i bawarscy w służbie Burbona przeczuwają klęskę i gotowi są zdezerterować za cztery dukaty od żołnierza. Jest ich pięć tysięcy, chodzi więc o dwadzieścia tysięcy dukatów, czyli dziewięćdziesiąt tysięcy franków. Dumas, który wydawał się hrabią Monte Christo, nie ma takiej sumy i prawdziwie wielkopańskim gestem oferuje nędzne tysiąc franków. Dodaje, że trzy tysiące uzbierają jeszcze patrioci neapolitańscy, i pyta mnie, czy przypadkiem nie mógłbym zadbać o resztę. Co on sobie wyobraża? Skąd ja mam wziąć pieniądze?

Proponuje mi coś do picia.

– Wie pan, panie Simonini, teraz wszyscy są podnieceni desantem na kontynent i nikt nie zwrócił uwagi na tragedię, która przyniesie wstyd naszej wyprawie. Zdarzyło się to w Bronte, niedaleko Katanii: dziesięć tysięcy mieszkańców, przeważnie chłopi i pasterze, skazani na życie w warunkach przypominających średniowieczny feudalizm. Cały ten obszar otrzymał w darze wraz z tytułem księcia Bronte lord Nelson, w praktyce rządziła tam zawsze garść majętnych „szlachciców", jak ich nazywają. Prostych ludzi wyzyskiwano, traktowano jak zwierzęta, zabraniano im wstępu do prywatnych lasów, gdzie zbierali kiedyś jadalne zioła, kazano im płacić myto, jeśli chcieli dostać się na własne pole. Wraz z przybyciem Garibaldiego ci ludzie zaczynają myśleć, że nadeszła pora sprawiedliwości, że dostaną ziemię; powstają komitety nazwane liberalnymi. Na czoło wysuwa się niejaki Lombardo, adwokat. Ale Bronte należy do Anglików, ci zaś pomogli Garibaldiemu w Marsali, więc to jasne, że stanie on po ich stronie. Ludzie nie słuchają już adwokata Lombardo i innych liberałów, w głowach im się pomieszało, wybucha bunt, dochodzi do masakry „szlachciców". Oczywiście postąpiono źle, wśród buntowników znaleźli się także przestępcy... Wiadomo, w zamęcie, jaki zapanował na wyspie, wydostały się z więzień typy, które powinny były tam zostać... Ale wszystko zdarzyło się dlatego, że przyszliśmy tutaj my. Pod naciskiem Anglików Garibaldi wysyła do Bronte Bixia, który nie bawi się w rozważania. Ogłasza stan wyjątkowy, stosuje wobec ludności surowe represje i zawierzywszy oskarżeniom „szlachciców", uznaje adwokata Lombardo za przywódcę buntu, co nie jest prawdą. Nic nie szkodzi, trzeba dać przykład: Lombardo zostaje rozstrzelany wraz z czterema innymi, w tym z nieszczęsnym wiejskim wariatem, który jeszcze przed rzezią przeklinał na ulicach „szlachciców" i którego nikt się nie obawiał. Pomijając już smutek, jaki te okrucieństwa u wszystkich wywołują, mnie sprawa ta martwi w szczególności. Rozumie pan, co mam na myśli? Do Turynu napływają z jednej strony wiadomości o akcjach, które ukazują nas niemal jako wspólników bogaczy z czasów burbońskich, a z drugiej – wspomniane już pogłoski o trwonieniu pieniędzy. Łatwo wyciągnąć stąd wniosek, że bogacze płacą nam za rozstrzeliwanie biedaków, a my za to grosiwo świetnie się tu zabawiamy. A przecież sam pan widzi, że tutaj się umiera, i to gratis. Cała ta historia doprowadza mnie do rozpaczy.

✳✳✳

(8 września) Garibaldi wkroczył do Neapolu, w ogóle nie napotkawszy oporu. Rozzuchwalił się najwidoczniej, ponieważ – mówi mi Nievo – zażądał od Wiktora Emanuela odprawienia Cavoura. W Turynie będzie teraz potrzebny mój raport i wiem, że powinien być on utrzymany w tonie zdecydowanie przeciwnym Garibaldiemu. Będę musiał przedstawić w szczególnie ciemnych barwach sprawę złota masońskiego, odmalować generała jako osobę nierozważną, rozpisać się o rzezi w Bronte, o innych zbrodniach, kradzieżach, łapówkach, ogólnej korupcji i marnotrawstwie. Wyeksponuję znane mi z opowieści Musumeciego

...Garibaldi wkroczył do Neapolu, w ogóle nie napotkawszy oporu... (s. 160)

obyczaje ochotników, jak również hulanki w klasztorach i gwałcenie panienek (może nawet mniszek – trochę przesady nigdy nie zawadzi).

Załączę kilka kopii nakazów rekwizycji mienia prywatnego. Sfabrykuję list anonimowego informatora, który donosi mi o stałych kontaktach Garibaldiego z Mazzinim za pośrednictwem Crispiego i o ich wspólnych planach ustanowienia republiki także w Piemoncie. Jednym słowem, zredaguję solidny, energiczny raport, który Garibaldiemu może sprawić wiele kłopotu. Również dlatego, że Musumeci podsunął mi jeszcze jeden wdzięczny temat: garybaldczycy to przede wszystkim banda cudzoziemskich najemników. Do tego Tysiąca należą łowcy przygód z Francji, Ameryki, Anglii, Węgier, a nawet z Afryki, męty ze wszystkich krajów. Wielu z nich, razem z samym Garibaldim, było korsarzami w Ameryce Południowej. Wystarczy przytoczyć nazwiska jego dowódców: Turr, Eber, Tuccorì, Telochi, Maghiarodi, Czudaffi, Frigyessi (Musumeci rzuca tymi nazwiskami z dużą swobodą, ja ich zupełnie nie znam, wiem tylko, że są Turr i Eber). Są wśród nich podobno także Polacy, Turcy, Bawarczycy i Niemiec nazwiskiem Wolff, dowodzący niemieckimi i szwajcarskimi dezerterami z wojska Burbona. Rząd angielski oddał pod rozkazy Garibaldiego bataliony algierskie i indyjskie. No i co to za włoscy patrioci? Włochów jest w tym Tysiącu mniej niż połowa. Musumeci przesadza, bo wokół słyszę tylko wymowę wenecką. lombardzką, z Emilii i Toskanii. Hindusów nie widziałem, ale w raporcie napiszę o owej zbieraninie wszelkich ras, to nie zaszkodzi.

Oczywiście wspomnę także kilkakrotnie o Żydach, ściśle powiązanych z masonerią.

Uważam, że raport powinien jak najszybciej dotrzeć do Turynu, nie dostawszy się w niepowołane ręce. Natrafiłem w porcie na okręt wojenny Królestwa Sardynii, który wraca niezwłocznie do kraju, i bez trudu sporządziłem oficjalny dokument, nakazujący kapitanowi odstawić mnie do Genui. Mój pobyt na Sycylii dobiegł więc końca. Żałuję trochę, że nie zobaczę, co się zdarzy w Neapolu i dalej, ale nie przyjechałem tutaj dla rozrywki ani po to, żeby napisać epicki poemat. W gruncie rzeczy z całej tej podróży wspominam z przyjemnością jedynie przyrządzone w specjalny sposób ślimaki oraz rurki z kremem, ach, te rurki z kremem... Nievo obiecał mi też, że spróbuję pewnego dania z włócznika, ale nie zdążyłem, pamiętam tylko, że miało jakąś tchnącą aromatem nazwę.

8

„HERKULES"

Z dziennika, 30 i 31 marca oraz 1 kwietnia 1897

Narrator jest nieco zakłopotany faktem, że musi rejestrować ten dialog – jakby śpiew na dwa głosy – między Simoninim a jego wścibskim księdzem. Wydaje się jednak, że trzydziestego marca Simonini rekonstruuje w przybliżeniu ostatnie wydarzenia na Sycylii; w jego tekście wiele linijek jest wykreślonych zupełnie, inne są anulowane iksami, ale jeszcze czytelne, o niepokojącej treści. Trzydziestego pierwszego marca wpisuje się do dziennika ksiądz Dalla Piccola, który pragnie poniekąd wyłamać hermetycznie zamknięte drzwi pamięci Simoniniego, wyjawiając to, czego ów pamiętać zdecydowanie nie chce. Pierwszego kwietnia Simonini po niespokojnej nocy – przypomina sobie, że kilkakrotnie wymiotował – wpisuje się znowu, wyraźnie poirytowany, jakby chciał skorygować to, co uważa za przesadę i moralizowanie oburzonego księdza. Jednym słowem, Narrator, nie wiedząc komu przyznać w końcu rację, pozwala sobie zrekonstruować te wydarzenia na swój sposób, za co oczywiście bierze odpowiedzialność.

Natychmiast po powrocie do Turynu Simonini przekazał swój raport kawalerowi Bianco. Następnego dnia został powiadomiony, że wieczorem kareta zawiezie go znowu w miejsce, gdzie za pierwszym razem czekali na niego Bianco, Riccardi i Negri di Saint Front. Byli tam również i teraz.

– Mecenasie Simonini – zaczął Bianco – nie wiem, czy łącząca nas już zażyłość upoważnia mnie do całkiem swobodnego

165

wyrażania moich myśli, lecz muszę panu powiedzieć, że jest pan głupcem.

– Panie, pan się ośmiela...

– Ośmiela się, ośmiela – włączył się Riccardi – i mówi także w naszym imieniu. Ja dodam: jest pan głupcem, i to niebezpiecznym do tego stopnia, że nie wiadomo, czy z poglądami, które zrodziły się w pańskiej głowie, w ogóle powinien pan poruszać się po Turynie.

– Przepraszam, mogłem w czymś się pomylić, ale nie rozumiem...

– Pomylił się pan, pomylił, i to we wszystkim. Czy zdaje pan sobie sprawę, że za kilka dni... wiedzą już o tym wszystkie kumoszki... generał Cialdini wkroczy na czele naszych wojsk na teren Państwa Kościelnego? Nasza armia prawdopodobnie za miesiąc stanie u bram Neapolu. Przedtem zdążymy przeprowadzić plebiscyt ludowy, w którego wyniku całe terytorium Królestwa Obojga Sycylii stanie się częścią Królestwa Włoch. Jeśli Garibaldi jest dżentelmenem i realistą, o czym jesteśmy przekonani, zdoła narzucić swoje zdanie także temu zapaleńcowi Mazziniemu, chcąc nie chcąc pogodzi się z sytuacją i jak przystało na wspaniałego patriotę, przekaże zdobyte ziemie królowi. Wtedy będziemy musieli zdemobilizować armię Garibaldiego, liczącą już prawie sześćdziesiąt tysięcy ludzi, których lepiej nie zostawiać samopas; ochotników przyjmiemy do naszego wojska piemonckiego, resztę odeślemy z odprawą do domów. Sami dzielni chłopcy, sami bohaterowie. A pan chciałby, żebyśmy udostępnili pański nieszczęsny raport prasie i opinii publicznej, oświadczając tym samym, że ci garybaldczycy – wkrótce nasi żołnierze i oficerowie – to zgraja łotrów, która ograbiła Sycylię? Że Garibaldi nie jest nieskazitelnym bohaterem, zasługującym na wdzięczność całych Włoch, lecz awanturnikiem, który wygrał z nieprawdziwym wrogiem, ponieważ go przekupił? I że do ostatniej chwili spiskował z Mazzinim, by zrobić z Włoch republikę? Że Nino Bixio krążył po wyspie, rozstrzeliwując liberałów, masakrując pasterzy i wieśniaków? Pan całkiem zwariował!

– Ale przecież panowie zlecili mi...

– Nie zleciliśmy panu zniesławiać Garibaldiego i dzielnych Włochów, którzy wraz z nim walczyli, zleciliśmy znaleźć dokumenty dowodzące, że otoczenie generała źle administruje zajętymi obszarami. Miało to uzasadnić interwencję Piemontu...

– Ale panowie wiedzą doskonale, że La Farina...

– La Farina pisał do hrabiego Cavoura prywatnie. Publicznie nigdy się tą korespondencją nie chwalił. Ponadto La Farina to La Farina, osoba żywiąca szczególną urazę do Crispiego. A co mają oznaczać te brednie o złocie angielskich masonów?

– Wszyscy o tym mówią.

– Wszyscy? My nie. No i kim właściwie są ci masoni? Pan jest masonem?

– Ja nie, ale...

– Proszę więc nie zajmować się sprawami, które pana nie dotyczą. Masonów zostawmy w spokoju.

Simonini nie zrozumiał najwidoczniej, że w rządzie piemonckim masonami byli wszyscy (może oprócz Cavoura), a przecież wyrósł wśród jezuitów i powinien był się domyślić. Tymczasem Riccardi przeszedł już do Żydów, pytając Simoniniego, co zaciemniło mu umysł tak bardzo, że umieścił ich w swoim raporcie.

Simonini wyjąkał:

– Żydzi są przecież wszędzie i nie sądzi pan...

– Mniejsza o to, co sądzimy, a czego nie sądzimy – przerwał mu Saint Front. – W zjednoczonych Włoszech będziemy potrzebowali wsparcia także ze strony gmin żydowskich. Ponadto nie należy oznajmiać dobrym włoskim katolikom, że wśród kryształowych ochotników Garibaldiego byli również Żydzi. Krótko mówiąc, popełnił pan tyle gaf, że powinno się pana osadzić na kilka dziesięcioleci w jednej z naszych komfortowych twierdz w Alpach, żeby pooddychał pan tam sobie świeżym powietrzem. Niestety, jest pan nam jeszcze potrzebny. Został tam ten kapitan czy pułkownik Nievo ze wszystkimi swoimi rejestrami, a my nie wiemy, po pierwsze, czy prowadził je i prowadzi właściwie, a po drugie, czy z politycznego punktu widzenia opublikowanie jego rachunków byłoby wskazane. Pan nas informuje, że Nievo zamierza nam je wręczyć, z czego bylibyśmy zadowoleni, ale zanim do nas dotrze, może udostępnić je innym, z czego zadowoleni już byśmy nie byli. Dlatego wróci pan teraz na Sycylię, nadal jako wysłannik deputowanego Boggio mający opisywać nowe, cudowne wydarzenia, przyklei się pan do Nieva jak pijawka i zatroszczy o to, aby owe rejestry zniknęły, rozpłynęły się w powietrzu, poszły z dymem, tak że nikt już o nich nie usłyszy. Jak pan tego dopnie, pańska sprawa. Jest pan upoważniony do użycia wszelkich środków... oczywiście dopuszczonych prawem... innego pełnomocnictwa pan od nas nie dostanie. Kawaler Bianco zadba, aby mógł pan podjąć niezbędną sumę w Banku Sycylijskim.

W tym miejscu nawet relacja Dalla Piccoli staje się pełna niedomówień, fragmentaryczna, jakby i jemu trudno było przypomnieć sobie to, co jego partner usiłował zapomnieć.

Wydaje się jednak, że po powrocie na Sycylię w końcu września Simonini zabawił tam aż do marca roku następnego, starając się bezskutecznie zawładnąć rejestrami Nieva, a poirytowany kawaler Bianco co dwa tygodnie słał do niego depesze z pytaniem, czego zdołał dokonać.

Rzecz w tym, że przejęty coraz bardziej wymierzonymi w siebie pogłoskami Nievo duszą i ciałem oddawał się teraz pracy nad owymi rachunkami. Z największą uwagą badał więc, sprawdzał, przeglądał tysiące pokwitowań, aby się upewnić, że rejestrował właściwie. Miał teraz więcej władzy, ponieważ Garibaldi, który także zaczął obawiać się skandali i oszczerstw, dał mu do dyspozycji biuro z czterema współpracownikami. U wejścia stał jeden wartownik, na schodach drugi, nie można więc było, ot tak sobie, wślizgnąć się do tego lokalu w nocy i poszukać rejestrów.

Nievo dał nawet do zrozumienia, że podejrzewa, iż jego rozliczenia mogą komuś przeszkadzać, więc boi się kradzieży lub zniszczenia ksiąg rachunkowych i robi co w jego mocy, aby dobrze je ukrywać. Simoniniemu nie pozostawało zatem nic innego, jak tylko zacieśniać dalej więzy przyjaźni z poetą – przeszli już na koleżeńskie „ty" – i starać się przynajmniej zrozumieć, co zamierza on zrobić z tą przeklętą dokumentacją.

Spędzali razem wiele wieczorów w jesiennym Palermo, korzystając z przyjemnej, ciepłej pogody, niezmąconej jeszcze przez morskie wiatry. Popijali chętnie wodę z anyżówką, która rozpuszczała się powoli jak obłoczek dymu. Nievo wyzbywał się stopniowo swojej nieufności wojskowego i snuł zwierzenia, może dlatego, że Simonini był mu sympatyczny, a może dlatego, że czuł się już w tym mieście więźniem i chciał sobie z kimś pogawędzić. Mówił o ukochanej, którą zostawił w Mediolanie, a której kochać nie mógł, bo była żoną jego kuzyna i zarazem najlepszego przyjaciela. Zresztą każda miłość wywoływała u niego hipochondrię.

– Taki jestem, nie ma na to rady. Zawsze będę dziwakiem, nadąsanym, skrytym i popędliwym. Mam już trzydzieści lat, a ciągle jestem na wojnie, żeby uciec od świata, którego nie lubię. W domu zostawiłem grubą powieść jeszcze w rękopisie. Chciałbym oddać ją do druku, ale nie mogę się tym zająć, bo muszę troszczyć się o te wstrętne rachunki. Gdybym był ambitny... gdybym przynajmniej pragnął przyjemności... Gdybym choć był niedobry... chociaż tak jak Bixio. Ale nie. Jestem nadal chłopcem, żyję z dnia na dzień, lubię ruch, żeby się ruszać, powietrze, żeby oddychać. Umrę, żeby umrzeć... I wszystko się skończy.

Simonini nie usiłował go pocieszać. Uważał to za bezcelowe.

Na początku października w bitwie nad Volturno Garibaldi odparł ostatnią ofensywę armii burbońskiej. W tym samym czasie generał Cialdini pobił wojsko papieskie pod Castelfidardo i zajął Abruzję i Molise, terytoria należące do królestwa Burbonów. W Palermo Nievo się zżymał. Dowiedział się, że wśród jego oskarżycieli w Piemoncie byli ludzie La Fariny, to zaś znaczyło, że La Farina nie może już ścierpieć niczego, co łączy się z czerwonymi koszulami.

– Przychodzi ochota wszystko rzucić – mówił Nievo – ale właśnie w takich chwilach nie wolno wypuszczać steru z rąk.

Dwudziestego szóstego października wielkie wydarzenie. Garibaldi spotkał się z Wiktorem Emanuelem w Teano i w praktyce przekazał mu Włochy Południowe. Powinien co najmniej być mianowany senatorem Królestwa – mówi Nievo. A tymczasem kiedy na początku listopada Garibaldi uszykował w Casercie czternaście tysięcy piechoty i trzystu jeźdźców, aby król mógł dokonać przeglądu, ten w ogóle się nie pojawił.

Siódmego listopada król wjechał tryumfalnie do Neapolu, Garibaldi zaś – współczesny Cincinnatus – udał się na swoją wyspę Caprerę.

– Oto człowiek – mówił Nievo i płakał, jak przystoi poecie (drażniło to bardzo Simoniniego).

W kilka dni później nastąpiło rozwiązanie armii Garibaldiego. Dwadzieścia tysięcy ochotników przyjęto do wojska królewskiego, do którego wcielono również trzy tysiące oficerów armii burbońskiej.

– I słusznie – mówił Nievo. – Oni też są Włochami, ale to smutny finał tej naszej epopei. Ja nie zostaję w wojsku, biorę sześciomiesięczny żołd i żegnajcie. Mam nadzieję, że w ciągu tych sześciu miesięcy uda mi się zakończyć robotę.

Będzie musiał solidnie się napracować, bo w ostatnich dniach listopada zdążył zamknąć rachunki zaledwie za okres do końca lipca. Tak na oko potrzebuje jeszcze trzech miesięcy, może więcej.

Kiedy w grudniu Wiktor Emanuel przybył do Palermo, Nievo powiedział Simoniniemu:

– Jestem tutaj ostatnią czerwoną koszulą, patrzą na mnie jak na jakiegoś dzikusa. Muszę odpierać oszczerstwa tych durniów z otoczenia La Fariny. Boże mój, gdybym wiedział, że tak się to skończy, to w Genui, zamiast wsiąść na statek i płynąć do tego więzienia, prędzej bym się utopił. Tak by było lepiej.

Simoniniemu nie udało się dotąd dobrać do tych przeklętych rejestrów. Nagle w połowie grudnia Nievo oznajmił mu, że wraca na krótko do Mediolanu. Zostawia rejestry w Palermo? Zabiera je ze sobą? Nie sposób się dowiedzieć.

Nieobecność Nieva trwała prawie dwa miesiące. Simonini starał się w tym smutnym okresie (nie jestem sentymentalny – mówił sobie – ale co to za Boże Narodzenie na pustyni bez śniegu, porośniętej kaktusami?) zwiedzić okolice Palermo. Kupił muła, włożył habit ojca Bergamaschiego i jeździł od wioski do wioski, zbierając plotki u proboszczów i chłopów, lecz przede wszystkim usiłując zgłębić tajniki sycylijskiej kuchni.

W samotnych karczmach za miastem znajdował wiejskie przysmaki po niskiej cenie, a miłe podniebieniu, takie jak „gotowana woda". Do wazy wkłada się kromki chleba obficie polane oliwą i posypane świeżo zmielonym pieprzem, w trzech czwartych litra posolonej wody gotuje się pokrojoną cebulę, pomidory i miętę, po dwudziestu minutach zalewa się tym wszystkim chleb, potem odczekuje kilka minut i zjada, póki gorące.

Pod Bagherią odkrył tawernę z kilkoma zaledwie stolikami w mrocznym korytarzu, ale w tym przyjemnym także w zimowe miesiące cieniu właściciel, z pozoru (a może i rzeczywiście) okropnie brudny, przygotowywał znakomite dania z podrobów, jak faszerowane serce, galaretkę wieprzową, mleczko cielęce i wszelkiego rodzaju flaki.

Simonini spotkał tam dwóch dość różniących się między sobą ludzi, których dopiero później jego geniusz potrafi umieścić w ramach tego samego planu. Nie uprzedzajmy jednak faktów.

Pierwszy wydawał się obłąkanym biedakiem. Właściciel utrzymywał, że daje mu mieszkanie i wyżywienie z litości, chociaż, prawdę mówiąc, pełnił on w tawernie sporo użytecznych posług.

Nazywano go Bronte i chyba rzeczywiście zdołał zbiec stamtąd po rzezi. Prześladowały go bezustannie wspomnienia buntu; po kilku szklankach wina walił pięścią w stół, krzycząc: „Bogacze, strzeżcie się, godzina sądu jest bliska! Ludu, stań na wezwanie!" Tak samo nawoływał do buntu jego przyjaciel Nunzio Ciraldo Fraiunco, jeden z czterech, których potem Bixio kazał rozstrzelać.

Życie umysłowe tego Bronte nie było zbyt intensywne, ale miał jedną myśl, myśl prawdziwie obsesyjną: chciał zabić Nina Bixia.

Simonini widział w nim tylko dziwacznego typa urozmaicającego nudne zimowe wieczory. Za bardziej interesującego uznał natomiast niezwłocznie drugiego osobnika, kudłatego i zrazu gburowatego, który jednak usłyszawszy, że przybysz dopytuje się o przepisy na różne potrawy, zaczął z nim rozmawiać, okazując się nie mniejszym od niego smakoszem. Simonini opowiadał mu, jak się przyrządza uszka po piemoncku, a on odwzajemniał się wszystkimi tajemnicami bakłażanów smażonych na oliwie z kaparami i selerem w sosie słodko-kwaśnym. Simonini opisywał danie z surowego mięsa na sposób z Alby, a rozmówcy ślinka ciekła do ust, skłaniając go do zilustrowania zalet marcepana.

Ten majster Ninuzzo mówił prawie po włosku i dawał do zrozumienia, że dużo podróżował także po obcych krajach. Czcił niezmiernie święte dziewice z miejscowych sanktuariów i odnosił się z szacunkiem do szaty zakonnej Simoniniego, któremu wyznał w końcu, w jak osobliwej znalazł się sytuacji. Był przedtem pirotechnikiem w armii burbońskiej, ale nie wojskowym, tylko cywilem, doświadczonym specjalistą, zatrudnionym jako nadzorca pobliskiej prochowni. Garybaldczycy przegnali stamtąd żołnierzy burbońskich, skonfiskowali amunicję i proch, ale nie chcieli całkiem likwidować składu i zostawili Ninuzza w służbie wojskowej intendentury. No i on tam siedział, nudził się, czekając na rozkazy. Okupantów z Północy nie lubił, żałował swojego króla, marzył o rewoltach i powstaniach.

– Gdybym chciał, mógłbym jeszcze wysadzić w powietrze pół Palermo – szepnął Simoniniemu, kiedy już zrozumiał, że i on nie stoi po stronie Piemontczyków.

...Nazywano go Bronte i chyba rzeczywiście zdołał zbiec stamtąd po rzezi... (s. 172)

Dostrzegłszy zdumienie rozmówcy, wyjaśnił, że uzurpatorzy nie zauważyli, iż pod prochownią znajduje się piwnica, a w niej są baryłki z prochem, granaty i inny sprzęt wojenny. Przechowywał to wszystko na dzień odwetu, który nadejdzie niechybnie, ponieważ już teraz zbierają się w górach partyzanci, zamierzający dać się we znaki piemonckim najeźdźcom.

Kiedy mówił o materiałach wybuchowych, jego twarz rozjaśniała się tak bardzo, że mimo spłaszczonego profilu i ponurego spojrzenia wyglądał niemal pięknie. Pewnego dnia zaprowadził Simoniniego do składu, zszedł do piwnicy, a kiedy stamtąd wrócił, trzymał w dłoni ziarnka koloru pośredniego między czarnym a szarym.

– Ach, ojcze przewielebny – mówił – nie ma nic piękniejszego ponad proch dobrej jakości. Proszę zwrócić uwagę na czarnoszarą barwę, ziarnka nie kruszą się pod naciskiem palców. Gdyby miał ojciec ze sobą arkusz papieru, nasypałbym na niego tych ziarnek i je zapalił; spaliłyby się, a papier pozostałby nienaruszony. Dawniej proch zawierał siedemdziesiąt pięć części saletry, dwanaście węgla i trzynaście siarki, potem zastosowano tak zwane dozowanie angielskie, czyli piętnaście części węgla i dziesięć siarki, no i przegrywa się wojny, bo granaty nie eksplodują. Dzisiaj my, zawodowcy... ale niestety, lub Bogu dzięki, jest nas niewielu... stosujemy saletrę chilijską, to zupełnie co innego.

– Jest lepsza?

– Jest najlepsza, ojcze. Nowe materiały wybuchowe wymyśla się codziennie, jeden gorszy od drugiego. Był tutaj oficer królewski (mam na myśli króla prawowitego), który udawał mędrca. Polecił mi najnowszy wynalazek – piroglicerynę. Nie wiedział, że działa tylko wskutek uderzenia, trudno więc ją zdetonować, bo trzeba by stać przy niej i walić młotem, a wtedy samemu poleci się do nieba. Proszę mi wierzyć: jeśli chce się naprawdę wysadzić kogoś w powietrze, najlepszy jest wszystkim znany proch. Wtedy dopiero mamy widowisko!

Majster Ninuzzo wydawał się wniebowzięty, jakby na świecie nie było nic piękniejszego. Simoniniego wówczas nie zainteresowały zbytnio te jego wywody, ale później, w styczniu, miał je sobie przypomnieć.

Rozmyślając bowiem nad tym, jak dobrać się do ksiąg rachunkowych wyprawy Garibaldiego, powiedział sobie: są one albo tutaj, w Palermo, albo będą tu znowu, kiedy Nievo wróci z Północy. Potem będzie musiał przewieźć je do Turynu drogą morską. Nie ma więc sensu śledzić go dniem i nocą, bo do ukrytej kasy pancernej i tak się nie dostanę, a jakbym nawet się dostał, to jej nie otworzę. A jeśli dostanę się i otworzę, wybuchnie skandal, Nievo nada zniknięciu rejestrów rozgłos i niewykluczone, że podejrzenie padnie na moich turyńskich mocodawców. Skandal wybuchłby także i wtedy, gdybym zaskoczył Nieva z rejestrami w ręku i wbił mu nóż w plecy, bo przecież zabójstwo kogoś takiego jak on nie przeszłoby niezauważone. Trzeba więc, by rejestry zamieniły się w popiół, jak powiedziano mi w Turynie. Jednak razem z nimi powinien zamienić się w popiół także sam Nievo, tak aby wobec jego śmierci (która powinna wyglądać na przypadkową, z przyczyn naturalnych) zniszczenie ksiąg rachunkowych stało się sprawą drugorzędną. A zatem pożar lub wysadzenie w powietrze siedziby intendentury? Zaraz byłoby wiadomo, o co poszło. Pozostaje jedno tylko rozwiązanie: doprowadzić do zniknięcia Nieva, rejestrów i wszystkich jego rzeczy, kiedy będzie płynął statkiem z Palermo do Turynu. Jeśli zdarzy się katastrofa morska, w której zginie pięćdziesiąt albo sześćdziesiąt osób, nikomu nie przyjdzie do głowy, że zaaranżowano ją, by zniszczyć kilka brulionów.

Pomysł z pewnością śmiały i świadczący o wyobraźni, bo Simonini dojrzewał, nabierał wiedzy; nie były to już czasy niewinnych stosunkowo gier, gdy w rachubę wchodziło kilku kolegów uniwersyteckich. Simonini widział wojnę. Śmierć – na szczęście cudza, nie własna – stała mu się bliska. Bardzo mu też zależało na tym, aby nie skończyć w jednej z fortec, o których mówił Negri di Saint Front.

Nad swoim projektem zastanawiał się długo także i dlatego, że nie miał nic innego do roboty. Naradzał się tymczasem z majstrem Ninuzzem, którego zapraszał na smaczne obiady.

– Mistrzu Ninuzzo, pewno was ciekawi, po co tu jestem. Wiedzcie więc, że przybyłem z rozkazu Ojca Świętego, aby przywrócić na tron naszego króla Obojga Sycylii.

– Ojcze, jestem z ojcem, proszę mi powiedzieć, co mam zrobić.

– Chodzi o to, że... nie wiem jeszcze dokładnie kiedy... z Palermo na kontynent ma odpłynąć parowiec. Na pokładzie będzie kasa pancerna zawierająca rozkazy i plany, które unicestwiłyby na zawsze autorytet Ojca Świętego i zniesławiły naszego władcę. Ten parowiec powinien zatonąć, zanim dopłynie do Genui, nie powinno uratować się nic, ani ludzie, ani rzeczy.

– Ojcze, nic łatwiejszego. Zastosuje się najnowszy wynalazek, który, zdaje się, udoskonalają teraz Amerykanie. To „torpeda węglowa", bomba wyglądająca na bryłę węgla. Chowa się ją w zapasie opału przeznaczonego dla statku. Kiedy trafi do kotła i dostatecznie się rozgrzeje, wybuchnie.

– Nieźle, ale ten kawał węgla trzeba by wrzucić do kotła we właściwej chwili. Do wybuchu na statku nie może dojść ani za wcześnie, ani za późno, to znaczy ani zaraz po wypłynięciu z portu, ani na krótko przed przybyciem do celu, bo wtedy zauważą eksplozję z brzegu. Wybuch powinien nastąpić w pół drogi, daleko od ludzkich oczu.

– To rzecz trudniejsza. Palacza nie można przekupić, bo stałby się pierwszą ofiarą. Należałoby obliczyć dokładnie, kiedy dana ilość węgla znajdzie się w kotle. Tego sam diabeł nie potrafi.

– A zatem?

– A zatem, drogi ojcze, jedynym niezawodnym rozwiązaniem jest baryłka prochu z pięknym lontem.

– Ale kto zgodziłby się zapalić lont na pokładzie, wiedząc, że sam padnie ofiarą eksplozji?

– Nikt z wyjątkiem jednego z nas, specjalistów, których, na szczęście lub niestety, zostało już niewielu. Dawniej jako lontów używało się wypełnionych czarnym prochem słomek albo nasyconych siarką knotów, bądź też nasyconych saletrą, smołowanych sznurów i nigdy nie było wiadomo, kiedy dojdzie do wybuchu. Ale od jakichś trzydziestu lat jest już, dzięki Bogu, lont pozwalający spowolnić proces spalania. Nie chwaląc się, mam w piwnicy kilka metrów.

– A co to za lont?

– Używając go, można ustalić, ile trzeba czasu, żeby płomień dotarł do prochu, a tym samym można regulować ów czas długością lontu. Zatem pirotechnik powinien mieć pewność, że po zapaleniu lontu znajdzie w określonym miejscu na statku kogoś, kto będzie go oczekiwał ze spuszczoną szalupą. Odpłyną, a kiedy statek wyleci w powietrze, będą już dostatecznie daleko. To byłoby rozwiązanie doskonałe, prawdziwy majstersztyk!

– Mistrzu Ninuzzo, jest jednak pewna trudność... Gdyby tego dnia morze było wzburzone i nikt nie mógł spuścić szalupy... Czy pirotechnik taki jak wy chciałby zaryzykować?

– Ojcze, będę szczery: nie.

Od majstra Ninuzzo nie można było wymagać, żeby poszedł na pewną prawie śmierć; ale od kogoś mniej odeń roztropnego – może tak.

W końcu stycznia Nievo przyjechał z Mediolanu na dwa tygodnie do Neapolu, chyba w celu skompletowania swojej dokumentacji. Kazano mu potem wrócić do Palermo, zabrać wszystkie rejestry (a więc tam je zostawił) i dostarczyć je do Turynu.

Spotkanie z Simoninim przebiegło w czułej, braterskiej atmosferze. Nievo trochę się rozkleił, nie szczędził sentymentalnych rozważań o podróży na Północ, o swojej niemożliwej miłości, która na nieszczęście – lub wręcz zachwycająco – ożyła podczas tych krótkich odwiedzin... Simonini słuchał na pozór uważnie, wydawał się wzruszony do łez elegijnymi opowiadaniami przyjaciela, lecz w rzeczywistości pragnął tylko się dowiedzieć, w jaki sposób rejestry pojadą do Turynu.

Nievo w końcu mu to wyjawił. Na początku marca wypłynie z Palermo do Neapolu na pokładzie „Herkulesa", a z Neapolu popłynie dalej do Genui. „Herkules" był porządnym parowcem produkcji angielskiej, z dwoma bocznymi kołami łopatkowymi, piętnastoosobową załogą i miejscem dla kilkudziesięciu pasażerów. Miał już za sobą długie dzieje, ale jeszcze daleko było mu do gruchota – działał sprawnie. Simonini zbierał teraz wszelkie możliwe informacje na jego temat. Dowiedział się, w której oberży mieszka kapitan Michele Mancino, rozmawiał z marynarzami i poznał w przybliżeniu rozkład pomieszczeń na statku.

Wtedy ponownie włożył habit, pojechał do Bagherii i poprosił na stronę Brontego.

– Bronte – powiedział – z Palermo wyrusza statek, którym płynie do Neapolu Nino Bixio. Nadeszła chwila, kiedy my, ostatni obrońcy tronu, możemy pomścić krzywdy, jakie wyrządził on twemu miasteczku. Będziesz miał zaszczyt uczestniczyć w egzekucji.

– Ojcze, co mam zrobić?

– Oto lont; będzie się palił tak długo, jak ustalił to ktoś, kto zna się na tym lepiej od ciebie i ode mnie. Nasz człowiek, kapitan Simonini, oficer Garibaldiego, w rzeczywistości wierny naszemu królowi, każe wnieść na pokład skrzynię objętą tajemnicą wojskową, z poleceniem, żeby w ładowni pilnował jej nieustannie jego zaufany podwładny, to znaczy ty. Skrzynia będzie oczywiście pełna prochu. Simonini wsiądzie z tobą na pokład i kiedy będziecie przepływali w pobliżu Stromboli, przekaże ci rozkaz, byś rozwinął lont, którym teraz się obwiążesz, ułożył go i zapalił. Jednocześnie spuści na morze szalupę. Długość i wytrzymałość lontu będą takie, że zdążysz wyjść z ładowni i przejść na rufę, gdzie będzie na ciebie czekał Simonini. Starczy wam czasu, żeby oddalić się od statku, zanim nastąpi wybuch i ten przeklęty Bixio wyleci w powietrze. Ale ty wcześniej Simoniniego w ogóle nie zobaczysz, a gdybyś się na niego natknął, nie wolno ci się zbliżać. Pod statek zawiezie cię Ninuzzo, tam spotkasz marynarza, nazywa się Almalò. Zaprowadzi cię do ładowni, gdzie poczekasz sobie grzecznie, dopóki nie wróci i nie powie ci tego, o czym już wiesz.

Brontemu zabłysły oczy, ale całkiem głupi nie był.

– A przy wzburzonym morzu? – spytał.

– Jeśli poczujesz w ładowni, że statek trochę się kołysze, nie przejmuj się, szalupa jest duża i mocna, z masztem i żaglem, a do lądu nie będziecie mieli daleko. Zresztą jeżeli kapitan Simonini uzna, że fale są zbyt wysokie, nie zechce narażać się na śmierć. Nie dostaniesz wtedy rozkazu, a Bixia zabije się innym razem. Ale jeśli rozkaz otrzymasz, będzie to znaczyć, że ktoś, kto na morzu zna się lepiej od ciebie, uznał, iż dopłyniecie bezpiecznie do brzegów Stromboli.

Bronte zgodził się na wszystko z entuzjazmem. Simonini długo naradzał się potem z majstrem Ninuzzem nad machiną piekielną. W odpowiedniej chwili, ubrany prawie jak żałobnik, to jest tak, jak większość ludzi wyobraża sobie ubiór szpiegów i tajnych agentów, zgłosił się do kapitana Mancino z opatrzonym wieloma pieczęciami glejtem, z którego wynikało, że na rozkaz Jego Królewskiej Mości Wiktora Emanuela II trzeba dostarczyć do Neapolu dużą skrzynię z nadzwyczaj poufnymi dokumentami. Aby skrzynia nie rzucała się w oczy, należało umieścić ją w ładowni wraz z innym towarem; strzec jej tam będzie dzień i noc zaufany człowiek Simoniniego. Przyjmie go marynarz Almalò, który już niejednokrotnie wykonywał wymagające dyskrecji zadania dla wojska, a kapitan nie będzie musiał całą tą sprawą zaprzątać sobie głowy. W Neapolu odbierze skrzynię oficer bersalierów.

Plan był więc bardzo prosty, operacja zostanie przeprowadzona niepostrzeżenie, a już z pewnością nic nie zauważy Nievo, zajęty pilnowaniem własnej skrzynki z rejestrami.

„Herkules" miał odpłynąć około pierwszej po południu i przybyć do Neapolu po piętnastu lub szesnastu godzinach. Było zatem wskazane, aby wybuch nastąpił, gdy statek znajdzie się na wysokości wyspy Stromboli, której stale czynny wulkan wyrzuca w nocy jasne płomienie. Eksplozja przeszłaby niezauważona nawet wczesnym świtem.

Simonini oczywiście już dawno porozumiał się z Almalò, który wydał mu się najbardziej sprzedajny z całej załogi. Opłacił go sowicie i zlecił, co następuje: ma oczekiwać Brontego na molo i umieścić go w ładowni wraz z jego skrzynią.

– Co do reszty – poinstruował – wypatruj wieczorem płomieni wulkanu na Stromboli. Kiedy je dojrzysz, zejdziesz do ładowni i bez względu na stan morza powiesz temu człowiekowi: „Kapitan mówi, że już pora". Nie troszcz się o to, co on zrobi, ale żeby zaspokoić twoją ciekawość, powiem ci tylko, że poszuka w skrzyni butelki z listem w środku i wyrzuci ją przez iluminator; w pobliżu statku będzie czekał w łodzi ktoś, kto butelkę wyłowi i dostarczy na Stromboli. Ty wrócisz po prostu na swoje miejsce i zapomnisz o sprawie. A teraz powtórz, co masz mu powiedzieć.

– „Kapitan mówi, że już pora".

– Doskonale.

Zanim statek odpłynął, Simonini przyszedł na molo pożegnać się z Nievem. Rozstanie było wzruszające.

– Najdroższy przyjacielu – powiedział Nievo – towarzyszyłeś mi tak długo, otwarłem przed tobą duszę. Może więcej się nie spotkamy. Zawiozę rachunki do Turynu, potem wrócę do Mediolanu, a tam... Zobaczymy. Pomyślę o swojej książce. Żegnaj, uściskaj mnie, i niech żyje Italia!

– Żegnaj, mój Ippolito, nigdy cię nie zapomnę – powiedział Simonini, któremu udało się nawet uronić kilka łez, tak bardzo wczuł się w rolę.

Nievo kazał wydobyć ze swojego powozu ciężką skrzynkę i nie spuszczał wzroku z przenoszących ją na pokład współpracowników. Szykował się już sam do wejścia na schodki, gdy nadeszło dwóch jego przyjaciół, których Simonini nie znał, i zaczęło go namawiać, aby nie wsiadał na niepewnego ich zdaniem „Herkulesa", lecz poczekał do następnego ranka, bo wtedy odpłynie bardziej godny zaufania „Elettrico". Simonini mocno się zaniepokoił, ale Nievo od razu wzruszył ramionami, mówiąc, że im prędzej jego dokumenty dotrą do celu, tym lepiej. Wkrótce potem „Herkules" wypłynął z portu.

Gdybyśmy stwierdzili, że Simonini wesoło spędził następne godziny, przecenilibyśmy jego zimną krew. Wręcz przeciwnie, cały dzień i wieczór wyczekiwał w napięciu wydarzenia, którego nie mógł zobaczyć nawet z najwyższego punktu cypla Raisi. Około dziewiątej wieczorem powiedział sobie, że chyba jest już po wszyst-

...Około dziewiątej wieczorem powiedział sobie, że chyba jest już po wszystkim... (s. 180)

kim. Nie był pewny, czy Bronte potrafi dokładnie wykonać rozkazy, ale wyobrażał sobie, jak na wysokości Stromboli marynarz rzuca mu hasło, a ten nieszczęśnik, schylony, wsuwa lont do skrzyni, zapala go i biegnie szybko na rufę, gdzie nikogo nie znajduje. Może zrozumiał, że go oszukano, może popędził jak wariat (czyż nim nie był?) z powrotem do ładowni, aby zgasić w porę lont; byłoby jednak za późno, wybuch zaskoczyłby go w połowie drogi.

Simonini czuł się tak zadowolony z wypełnienia misji, że znowu włożył habit i udał się do tawerny pod Bagherią na obfitą kolację: makaron z sardelami i „sztokfiszem dla łakomych" (sztokfisz moczony przez dwa dni w zimnej wodzie i pokrajany na paski, jedna cebula, jeden seler, jedna marchew, szklanka oliwy, miąższ pomidorów, czarne oliwki bez pestek, orzeszki piniowe, rodzynki, suszona gruszka, kapary niesolone, sól i pieprz).

Potem pomyślał o majstrze Ninuzzo... Nie można było zostawić, ot tak sobie, bardzo niebezpiecznego świadka. Dosiadł muła i pojechał do prochowni. Majster Ninuzzo stał w drzwiach, paląc starą fajkę. Powitał go z miłym uśmiechem.

– Myśli ojciec, że już się stało?

– Myślę, że tak. Mistrzu Ninuzzo, możecie być z siebie dumny – powiedział Simonini i ze słowami „Niech żyje król!" uściskał go według tamtejszego obyczaju. Obejmując go jedną ręką, drugą wbił mu w brzuch dziesięciocalowy puginał.

Nikt tamtędy nigdy nie przechodził, więc kto wie, kiedy odnajdą trupa. Gdyby zaś – co wydawało się bardzo mało prawdopodobne – żandarmi albo ich pomocnicy trafili do tawerny pod Bagherią, dowiedzieliby się, że w ciągu ostatnich miesięcy Ninuzzo spędził wiele wieczorów w towarzystwie dość żarłocznego zakonnika. Do tego duchownego nie dałoby się już jednak dotrzeć, bo Simonini miał właśnie wyjechać na kontynent. Co do Brontego – jego zniknięciem nikt się nie zmartwi.

Simonini wrócił do Turynu w połowie marca. Śpieszno mu było spotkać się ze swoimi mocodawcami, miał przecież podjąć należne honorarium.

Pewnego popołudnia Bianco przyszedł do kancelarii, usiadł przed jego biurkiem i powiedział:

– Panie Simonini, nic panu nie wychodzi.

– Jak to? Chcieliście, żeby rejestry poszły z dymem, spróbujcie je teraz odnaleźć!

– No tak, ale poszedł z dymem także pułkownik Nievo, a tego nie pragnęliśmy. O tym zaginionym statku zbyt wiele już się mówi i nie wiem, czy da się całą sprawę zatuszować. Trudno będzie wyłączyć z tej historii Urząd Spraw Poufnych. W końcu nam się to uda, ale najsłabszym ogniwem łańcucha jest tutaj pan. Wcześniej czy później mógłby pojawić się jakiś świadek, który przypomni, że był pan serdecznym przyjacielem Nieva w Palermo, a jednocześnie – co za przypadek! – działał tam z polecenia Boggia. Boggio, Cavour, rząd... Mój Boże, nie śmiem nawet pomyśleć o podejrzeniach, jakie mogłyby się z tego zrodzić! Musi pan zatem zniknąć.

– Twierdza? – spytał Simonini.

– Nawet o kimś uwięzionym w twierdzy mogłyby krążyć plotki. Nie chcemy powtarzać farsy z człowiekiem w żelaznej masce, pomyśleliśmy o mniej teatralnym rozwiązaniu. Zamyka pan tutaj cały swój kram i ulatnia się za granicę, do Paryża. Na pierwsze wydatki będzie musiała panu wystarczyć połowa wynagrodzenia, jakie obiecaliśmy. W gruncie rzeczy pan przedobrzył, a to równa się wykonaniu roboty w połowie. Nie możemy jednak od pana wymagać, aby po przyjeździe do Paryża wytrzymał pan długo bez pieniędzy, nie sprawiając znowu jakichś kłopotów. Skontaktujemy więc pana niezwłocznie z naszymi tamtejszymi kolegami, którzy będą panu zlecać delikatne zadania. Powiedzmy, że przechodzi pan do pracy w innym urzędzie.

9

PARYŻ

2 kwietnia 1897, późnym wieczorem

Odkąd prowadzę ten dziennik, nie byłem jeszcze w restauracji. Dziś wieczorem, żeby podtrzymać się na duchu, postanowiłem pójść do lokalu, gdzie każdy, kogo spotkam, będzie tak pijany, że choćbym nawet ja go rozpoznał, on nie rozpozna mnie. To szynk Ojca Okularnika niedaleko stąd, na rue des Anglais, nazwany tak od ogromnych binokli nad wejściem, zawieszonych nie wiadomo kiedy i dlaczego.

Można w tym lokalu nie tyle zjeść, ile poobgryzać sobie jakiś kawałek sera, który dostaje się prawie za darmo, bo wywołuje pragnienie. Pije się więc i śpiewa – to znaczy śpiewają tamtejsi „artyści", Absyntowa Fifi, Armand Morda, Gaston Trzy Łapy. Pierwsza sala to korytarz, którego połowę zajmuje długi, obity cynkiem bufet; siedzą za nim właściciel i właścicielka z małym dzieckiem, pogrążonym we śnie mimo głośnych przekleństw i rechotu klienteli. Naprzeciw bufetu, wzdłuż ściany, drewniana ławka dla gości trzymających już kieliszek w ręku. Na półce za bufetem najpiękniejsza w całym Paryżu kolekcja pobudzających do wymiotów alkoholi. Prawdziwi goście idą jednak do sali w głębi, gdzie wokół dwóch stołów drzemią pijacy z głową na ramieniu sąsiada. Na ścianach rysunki gości, prawie bez wyjątku sprośne.

Usiadłem obok kobiety opróżniającej powoli Bóg wie który kieliszek absyntu. Wydało mi się, że ją poznaję. Rysowała bodaj dla czasopism ilustrowanych, zanim stopniowo zeszła na psy, chyba dlatego, że zdawała sobie sprawę, iż ma suchoty i długo nie pożyje; teraz proponuje klientom rysunki za alkohol, ale już trzęsie jej się ręka. Jeśli los się do niej uśmiechnie, nie umrze na suchoty, skończy wcześniej, bo wpadnie w nocy do Bièvre i utonie.

Zamieniłem z nią kilka słów (od dziesięciu dni żyję w zupełnym osamotnieniu, więc nawet rozmowa z kobietą przyniosła mi ulgę) i przy każdym stawianym jej absyncie nie mogłem uniknąć zamówienia kieliszka także dla siebie.

I tak oto teraz piszę z zamglonym wzrokiem i zamroczoną głową. To idealne warunki, aby przypominać sobie niewiele i niedokładnie.

Wiem tylko, że po przybyciu do Paryża byłem oczywiście zatroskany – przecież znalazłem się właściwie na wygnaniu – lecz miasto mnie urzekło i postanowiłem, że spędzę tu resztę życia.

Nie wiedziałem, na jak długo mają mi starczyć posiadane pieniądze, toteż wynająłem pokój w hoteliku w pobliżu Bièvre. Na szczęście mogłem sobie pozwolić na samodzielne lokum, bo w tych przytułkach w jednym pomieszczeniu bez okien leży nieraz po piętnaście sienników. U mnie meble były pozostałością po jakiejś przeprowadzce, w pościeli lęgło się robactwo, do ablucji miałem cynkową miedniczkę, do siusiania wiaderko, krzeseł nie było w ogóle, o mydle i ręcznikach mogłem jedynie pomarzyć. Na ścianie kartka z nakazem zostawiania klucza w zamku od zewnątrz, najwidoczniej po to, aby oszczędzić trudu policjantom, którzy podczas częstych odwiedzin łapali śpiących za włosy, w świetle latarki przyglądali się uważnie ich twarzom, nieznanych sobie rzucali z powrotem na legowisko, poszukiwanych zaś chwytali i ciągnęli na dół po schodach, w razie oporu okładając ich sumiennie pałkami.

Jeśli chodzi o posiłki, znalazłem na ulicy Petit Pont jadłodajnię, gdzie wydawało się grosze. Personel zbierał o świcie całe mięso, które rzeźnicy z Hal wyrzucali na śmietnik – tłuszcz zzieleniały, reszta czarna – czyścił je z grubsza, nacierał garściami soli i pieprzu, moczył w occie i wieszał na dwie doby na świeżym powietrzu w głębi podwórza. Po tych zabiegach nadawało się ono dla klientów. Biegunka zapewniona, cena przystępna.

Z przyzwyczajeniami z Turynu i po obżarstwie w Palermo umarłbym przed upływem kilku tygodni, gdyby – co wyjaśnię później – nie zaczęły napływać honoraria od ludzi, do których skierował mnie kawaler Bianco. Wtedy mogłem już sobie pozwolić na Noblota przy ulicy Huchette. Wchodziło się tam do obszernej sali naprzeciw starego podwórza, przynosząc ze sobą pieczywo. Przy wejściu znajdowała się kasa obsługiwana przez właścicielkę; jej trzy córki wydawały dania luksusowe, jak rostbef, sery, marmolady, gotowane gruszki z dodatkiem dwóch orzechów. Za kasę wpuszczano tych, którzy zamówili co najmniej pół litra wina: rzemieślników, ubogich artystów, kopistów.

Dalej była kuchnia, gdzie na olbrzymim palenisku warzyła się potrawka z baraniny, królika lub wołowiny, a obok purée z grochu albo soczewicy. Obowiązywała samoobsługa: trzeba było poszukać sobie talerza i sztućców, a potem stanąć w kolejce do kucharza. Goście, popychając się wzajemnie, przesuwali się z talerzem w ręku, nim wreszcie zdołali usiąść przy ogromnym stole. Rosołu za dwa sous, wołowiny za cztery, przyniesiony chleb – dziesięć centymów; cały posiłek kosztował czterdzieści centymów. Wszystko wydawało mi się wyborne, zauważyłem zresztą, że przychodzili tam też ludzie zamożni, znajdujący przyjemność w mieszaniu się z hołotą.

Jednak nawet zanim jeszcze dostałem się do Noblota, nie żałowałem ani przez chwilę tych pierwszych tygodni w piekle. Zawarłem wtedy użyteczne znajomości i oswoiłem się ze środowiskiem, w którym potem miałem się poruszać jak ryba w wodzie. Słuchając rozmów w okolicznych zaułkach, odkryłem inne ulice w innych częściach Paryża, na przykład ulicę Lappe pełną sklepów z wyrobami żelaznymi zarówno dla rzemiosła i zwykłych użytkowników, jak też dla osób potrzebujących do swoich zajęć zgoła odmiennych narzędzi, na przykład wytrychów i podrobionych kluczy lub nawet noży sprężynowych, które nosi się ukryte w rękawie kurtki.

Starałem się jak najmniej przesiadywać w swoim pokoju i oddawałem się jedynym przyjemnościom, na które stać paryżanina z pustkami w kieszeniach, to znaczy spacerom po bulwarach. Nie zdawałem sobie przedtem sprawy, o ile Paryż jest większy od Turynu. Moje oczy zachwycał widok ludzi ze wszystkich warstw społecznych, którzy mnie mijali; niewielka ich część szła coś załatwić, cała reszta przyglądała się sobie wzajemnie. Paryżanki z dobrego towarzystwa ubierały się bardzo gustownie i moja uwaga skupiała się nie tyle na nich samych, ile na ich toaletach. Niestety, po chodnikach spacerowały także paryżanki z towarzystwa – jak by to powiedzieć – nie najlepszego, o wiele bardziej pomysłowe w wynajdywaniu strojów budzących zainteresowanie mężczyzn.

Były to prostytutki, lecz nie tak wulgarne jak te, które miałem później poznać w „piwiarniach z kobietami"; zajmowały się dżentelmenami z dobrze wypchanym portfelem, co było widać po szatańskiej zręczności, z jaką uwodziły swoje ofiary. Jeden z moich informatorów wyjaśnił mi potem, że dawniej na bulwarach widywało się tylko *grisettes* – gryzetki, młode, raczej głupiutkie dziewczyny niezbyt surowych obyczajów, ale bezinteresowne, które od kochanków nie domagały się drogich sukien i biżuterii także i dlatego, że byli oni jeszcze biedniejsi od nich. Zniknęły, podobnie jak poznikały mopsy. Pojawiła się natomiast *lorette** albo *biche* – łania, albo *cocotte* – kokota, nie bardziej dowcipna i wykształcona niż *grisette*, ale spragniona kaszmirów i falbanek. W czasie gdy przybyłem do Paryża, *lorette* zastąpiła kurtyzana, która chce bardzo bogatych kochan-

---

* Od paryskiego kościoła Notre Dame de Lorette, w którego okolicach mieszkało wiele takich kobiet.

...Moje oczy zachwycał widok ludzi ze wszystkich warstw społecznych, którzy mnie mijali... (s. 188)

ków, a także diamentów i karet. Kurtyzany z rzadka przechadzają się jeszcze po bulwarach. Te damy kameliowe hołdują następującej zasadzie: nie wolno mieć ani serca, ani wrażliwości, ani wdzięczności, trzeba tylko umieć wykorzystywać impotentów, którzy płacą im wyłącznie za to, że wystawiają je na pokaz w swojej loży w Operze. Cóż to za wstrętna płeć!

Skontaktowałem się tymczasem z Clémentem Fabre'em de Lagrange. Rodacy z Turynu skierowali mnie do biura mieszczącego się w skromnie wyglądającym budynku przy pewnej ulicy, której nazwy, powodowany ostrożnością nabytą przez lata wykonywania swojego zawodu, nie wymienię nawet na tej kartce, choć nikt nigdy jej nie przeczyta. Sądzę, że Lagrange pracował w Wydziale Politycznym Generalnej Dyrekcji Bezpieczeństwa Publicznego, ale nigdy nie zrozumiałem, czy w hierarchii służbowej znajdował się na górze, czy na dole. Wydawało mi się, że nikt już nad nim nie stał, lecz nawet na torturach nie mógłbym powiedzieć więcej o tej machinie wywiadu politycznego. W rzeczy samej nie wiedziałem nawet, czy Lagrange ma w owym budynku biuro. Napisałem do niego na ten adres, zawiadamiając, że mam list polecający od kawalera Bianco, i po dwóch dniach otrzymałem odpowiedź z wezwaniem do stawienia się na placu przed katedrą Notre Dame; nadawcę miałem rozpoznać po czerwonym goździku w butonierce. Odtąd Lagrange spotykał się ze mną w miejscach najbardziej nieprawdopodobnych: w kabarecie, w kościele, w parku, ale nigdy dwa razy w tym samym punkcie.

Potrzebował wtedy jedynie pewnego dokumentu. Sporządziłem go znakomicie, więc od razu wyrobił sobie o mnie dobrą opinię i od tego dnia zacząłem dla niego pracować jako *indicateur* – donosiciel, jak się tutaj mówi. Pobierałem co miesiąc trzysta franków plus sto trzydzieści na koszty własne oraz w wyjątkowych wypadkach specjalne gratyfikacje; za fabrykowanie dokumentów płacono mi osobno. Cesarstwo na swoich informatorów wydaje dużo, z pewnością więcej niż Królestwo Sardynii. Słyszałem, że z rocznego budżetu policji, który wynosi siedem milionów franków, dwa miliony idą na wywiad polityczny. Inni utrzymują, że ten budżet to czternaście milionów, z czego jednak opłaca się także owacje organizowane podczas publicznych wystąpień cesarza, specjalne brygady korsykańskie, które pilnują, by zwolennicy Mazziniego byli pod stałą obserwacją, jak również prowokatorów i właściwych szpiegów.

U Lagrange'a zarabiałem co najmniej pięć tysięcy franków rocznie. Ponadto zyskałem dzięki niemu klientelę prywatną, mogłem więc szybko zainstalować się w swojej obecnej siedzibie, czyli w tym sklepiku ze starzyzną maskującym moją prawdziwą działalność. Fałszowanie testamentów i handel poświęconymi hostiami przynosiły mi drugie pięć tysięcy franków, a mając dziesięć tysięcy franków rocznie, byłem tym, kogo w Paryżu nazywa się zamożnym mieszczaninem. Oczywiście moje dochody nie były nigdy pewne, marzyłem więc o tym, aby mieć dziesięć tysięcy franków miesięcznie nie z zarobków, ale z oprocentowanego kapitału. W tym celu musiałbym nabyć trzyprocentowe obligacje skarbowe (jako najpewniejsze) za trzysta tysięcy franków – sumę będącą wówczas w zasięgu kurtyzany, ale nie prawie nieznanego jeszcze nikomu notariusza.

W oczekiwaniu na uśmiech losu mogłem już z obserwatora paryskich przyjemności zamienić się w ich uczestnika. Nie interesował mnie nigdy teatr, te koszmarne tragedie recytowane w aleksandrynach, a w salach muzeów jest mi smutno. Paryż oferował mi jednak o wiele więcej, czyli swoje restauracje.

Mimo okropnie wysokich cen pozwoliłem sobie najpierw na lokal, który zachwalano mi jeszcze w Turynie: Grand Véfour pod arkadami Palais-Royal. Wiktor Hugo chodził tam podobno na baranią pierś z białą fasolą. Urzekła mnie też od razu Café Anglais na rogu ulicy Gramont i bulwaru des Italiens – dawniej restauracja dla woźniców i służących, obecnie dla *tout Paris*, najlepszego towarzystwa. Odkryłem tam *pommes Anna* – kartofle Anny, *écre-*

visses bordelaises – raki z Bordeaux, *mousses de volaille* – mus drobiowy, *mauviettes en cerises* – skowronki w czereśniach, tymbaliki à la Pompadour, *cimier de chevreuil* – filet z polędwicy sarniej, serca karczochów à la jardinière, sorbet na szampanie. Sam dźwięk tych nazw sprawia, że życie staje się dla mnie piękne.

Oprócz restauracji urzekały mnie *passages*. Ubóstwiałem pasaż Jouffroy może dlatego, że były tam aż trzy z najlepszych paryskich restauracji: Dîner de Paris, Dîner du Rocher i Dîner Jouffroy. Dziś jeszcze – zwłaszcza w sobotę – wydaje się, że ta kryształowa galeria jest miejscem spotkań *tout Paris*; tłoczą się tam eleganccy panowie, nieustannie znudzeni, i panie, jak na mój gust nieco zbyt wyperfumowane.

Najbardziej intrygował mnie pasaż des Panoramas. Widuje się tam faunę bardziej pospolitą, paryskich mieszczan i przybyszy z prowincji, pożerających wzrokiem artykuły antykwaryczne, na które nigdy nie będzie ich stać, ale przechodzą tamtędy również młode robotnice, które wyszły właśnie z fabryki. Jeśli ktoś już koniecznie chce się przyglądać spódniczkom, lepszym miejscem jest pasaż Jouffroy z damami w wyszukanych strojach, ale pasaż des Panoramas preferują *suiveurs* – „spacerowicze", panowie w średnim wieku w zielonych, przyciemnionych okularach, którzy tam krążą, aby przypatrywać się robotnicom. Można powątpiewać, czy są one rzeczywiście robotnicami; ich skromny ubiór – tiulowy czepeczek, fartuszek – niczego jeszcze nie dowodzi. Trzeba by obejrzeć czubki ich palców, bo jeśli nie noszą śladów po ukłuciach, zadrapaniach i drobnych oparzeniach, to znak, że te dziewczyny żyją bardziej dostatnio właśnie dzięki *suiveurs*, którzy tak się nimi zachwycają.

W tym pasażu zerkam nie na robotnice, ale na *suiveurs* (kto to powiedział, że w *café chantant* filozof patrzy nie na scenę, lecz na widownię?). Ci ludzie mogliby pewnego dnia stać się moimi klientami albo moimi narzędziami. Śledzę niektórych, kiedy wracają do domu, aby, być może, uścisnąć grubą żonę i pół

...*W tym pasażu zerkam nie na robotnice, ale na* suiveurs...
(s. 192)

tuzina dzieciaków. Zapisuję adresy, nigdy nie wiadomo. Pewnego dnia mógłbym ich zrujnować anonimowym listem. Pewnego dnia – powtarzam – gdyby okazało się to konieczne.

Z różnych zadań zleconych mi na początku przez Lagrange'a niczego prawie nie udaje mi się przypomnieć. Zapamiętałem tylko jedno nazwisko – księdza Boullana, ale musi ono łączyć się z czymś, co zdarzyło się później, chyba na krótko przed wojną albo już po wojnie (przypominam sobie, że była wojna, Paryż wywrócony do góry nogami).

Absynt dokonuje dzieła. Gdybym, zasypiając, padł na świecę, z knota wytrysnąłby na chwilę wysoki płomień.

10

DALLA PICCOLA W KŁOPOCIE

3 kwietnia 1897

Drogi kapitanie Simonini,
obudziłem się dziś rano z ciężką głową i dziwnym smakiem
w ustach. Boże, przebacz mi, to był smak absyntu! Zapewniam
pana, że nie przeczytałem jeszcze pańskich uwag z wczorajszej
nocy. Skąd miałbym wiedzieć, co pan pił, jeżeli ja nie wypiłbym
tego samego? Jak miałby duchowny rozpoznać smak zakazanego,
a zatem nieznanego mu napoju? A może nie... mam w głowie
zamęt... piszę o smaku, który budząc się, miałem w ustach, ale
piszę to po przeczytaniu pana notatek, zasugerowany tym, co
pan napisał. No bo jeżeli nigdy nie piłem absyntu, skąd mógłbym
wiedzieć, że to, co czuję, to właśnie absynt? Chodzi zapewne
o smak czegoś innego, co wziąłem za absynt wskutek lektury
pańskiego dziennika.
Ach, Jezusie miły, obudziłem się rzeczywiście w swoim łóżku
i wszystko wyglądało normalnie, jakbym przez cały zeszły miesiąc
nic innego nie robił. Wiedziałem jednak, że musiałem pójść do
pańskiego mieszkania. I to tam, czyli tutaj, przeczytałem nieznane
mi jeszcze strony pańskiego dziennika. Zauważyłem pańską
wzmiankę o Boullanie i coś sobie przypomniałem – ale niejasno,
niewyraźnie.
Kiedy kilkakrotnie powtórzyłem głośno to nazwisko, odczułem
wstrząśnienie mózgu, jakby pańscy doktorzy Bourru i Burot przy-
łożyli do jakiejś części mego ciała namagnesowaną metalową
sztabę albo jakby doktor Charcot pomachał mi przed oczami nie

wiem czym – palcem, kluczem, otwartą dłonią – wprowadzając mnie w stan trzeźwego somnambulizmu.

Ujrzałem coś, co wydawało się obrazem księdza plującego w usta opętanej.

11

JOLY

Z dziennika, 3 kwietnia 1897, późno w nocy

Swój wpis do dziennika Dalla Piccola zakończył nagle. Może usłyszał jakiś hałas, skrzypienie otwieranych na dole drzwi, i zdecydował się ulotnić. Pozwólcie, że zakłopotanie okaże również Narrator. Wydaje się bowiem, że Dalla Piccola budzi się tylko wtedy, gdy Simonini potrzebuje głosu sumienia, który wypomina mu dywagacje i przywołuje do rzeczywistości; co do całej reszty, ksiądz jakby niczego nie pamiętał. A zatem gdyby nie fakt, że treść niniejszych stron absolutnie odpowiada prawdzie, mogłoby się zrodzić podejrzenie, że to Narrator umyślnie zaplanował tę przemienność amnezyjnych euforii i dysforycznych nawrotów pamięci.

Wiosną 1865 roku Lagrange pewnego ranka wezwał Simoniniego, a gdy usiedli na ławce w Ogrodzie Luksemburskim, pokazał mu książkę w pogniecionej żółtawej okładce, wydaną anonimowo w październiku 1864 roku w Brukseli. Tytuł brzmiał: *Dialog w piekle między Machiavellim a Monteskiuszem albo polityka Machiavellego w XIX wieku opisana przez współczesnego autora**.

– Oto książka – powiedział Lagrange – pióra niejakiego Maurice'a Joly'ego. Teraz wiemy, kim jest, ale zdemaskowaliśmy go nie bez trudu, kiedy wwoził do Francji te wydrukowane za granicą egzemplarze, by potajemnie je rozpowszechniać. Dokład-

---

* *Dialogue aux enfers entre Machiavel et Montesquieu ou la politique de Machiavel au XIXe siècle, par un contemporain.*

niej mówiąc, kosztowało nas to nieco wysiłku, ale trudne właściwie nie było, ponieważ wielu przemytników publikacji politycznych to nasi agenci. Niech pan wie, że kontrolować sektę wywrotową można tylko w jeden sposób: stając na jej czele lub przynajmniej mając na swojej liście płac głównych przywódców. Nie wykrywa się machinacji wrogów państwa jedynie dzięki pomocy bożej Opatrzności. Jak ktoś się wyraził, zapewne nie bez przesady, na dziesięciu członków tajnego stowarzyszenia trzech to nasi szpicle... proszę mi wybaczyć ten termin, ale pospólstwo tak ich nazywa... sześciu to pełni wiary głupcy, a jeden to człowiek niebezpieczny. Ale nie oddalajmy się od tematu. Joly siedzi obecnie w więzieniu Sainte-Pélagie; zostawimy go tam możliwie najdłużej. Chcielibyśmy jednak wiedzieć, skąd czerpał informacje.

– O czym w tej książce pisze?

– Przyznam się panu, że jej nie czytałem; liczy ponad pięćset stron, co było posunięciem błędnym, ponieważ oszczerczy pamflet powinno się przeczytać w pół godziny. Nasz wyspecjalizowany w podobnych sprawach agent Lacroix dostarczył nam streszczenie, ale daję panu ostatni zachowany egzemplarz. Zobaczy pan, że wyobrażona tam jest rozmowa Machiavellego i Monteskiusza w królestwie zmarłych. Machiavellego przedstawia się jako teoretyka cynicznej koncepcji władzy, głoszącego słuszność szeregu poczynań, które zmierzają do zniesienia wolności prasy i słowa, zgromadzenia ustawodawczego i wszystkiego, za czym zawsze opowiadali się republikanie. Tłumaczy on to w sposób tak szczegółowy i tak bardzo nawiązujący do czasów dzisiejszych, że nawet najmniej rozgarnięty czytelnik pojmie, iż pamflet ma na celu zniesławienie naszego cesarza poprzez przypisanie mu zamiaru zneutralizowania Izby Deputowanych, zaapelowania do narodu o przedłużenie o dziesięć lat kadencji prezydenta, przekształcenia republiki w cesarstwo...

– Panie Lagrange, proszę mi wybaczyć, ale rozmawiamy poufnie, a pan zna moje oddanie rządowi... Po tym, co pan powiedział, muszę zauważyć, że ten Joly pisze o rzeczach, które cesarz w rzeczywistości uczynił, więc nie rozumiem, dlaczego mielibyśmy szukać jego źródeł informacji...

– Jednak Joly w swojej książce nie tylko ironizuje na temat tego, co rząd już zrobił, lecz także formułuje insynuacje co do jego zamierzeń, jakby autor przypatrywał się pewnym sprawom nie z zewnątrz, ale od wewnątrz. Widzi pan, w każdym ministerstwie, w każdym rządowym biurze jest zawsze jakiś kret, jakiś *sous--marin*, który wynosi stamtąd wiadomości. Zwykle pozostawia się takiego człowieka w spokoju, aby za jego pośrednictwem wyciekały informacje fałszywe, których rozpowszechnieniem ministerstwo jest zainteresowane; czasem jednak staje się on niebezpieczny. Trzeba ustalić, kto poinformował Joly'ego albo, co gorsza, był jego zleceniodawcą.

Simonini pomyślał wtedy, że logika wszystkich despotycznych rządów jest zawsze taka sama i że wystarczyło przeczytać Machiavellego – tego prawdziwego – aby wiedzieć, co zrobi Napoleon. Dzięki tej refleksji skonkretyzował wrażenie, które mu towarzyszyło, gdy słuchał streszczenia Lagrange'a: ów Joly kazał wypowiadać swojemu Machiavellemu-Napoleonowi prawie te same słowa, które on, Simonini, włożył w usta jezuitów w dokumencie sporządzonym na użytek piemonckich służb specjalnych. Było więc oczywiste, że Joly czerpał z tego samego źródła co on, to znaczy z listu ojca Rodina do ojca Roothaana w *Tajemnicach ludu* Sue.

– Dlatego – ciągnął Lagrange – osadzimy pana w więzieniu Sainte-Pélagie jako podejrzanego o powiązania z francuskimi republikanami. Jest tam już Włoch zamieszany w zamach Orsiniego, niejaki Gaviali. Pan oczywiście postara się z nim skontaktować jako emigrant spod znaku Mazziniego, garybaldczyk, karbonariusz i Bóg wie kto jeszcze. Za pośrednictwem Gavialego pozna się pan z Jolym; pomiędzy więźniami politycznymi, odosobnionymi wśród zbójów wszelkiej maści, łatwo o porozumienie. Pociągnie go pan za język, będzie mówił, ludzie w celi się nudzą.

– Jak długo zostanę w tym więzieniu? – spytał Simonini, zatroskany myślą o tamtejszym wikcie.

– To będzie zależało od pana. Im prędzej zdobędzie pan potrzebne informacje, tym prędzej pana zwolnimy. Powie się, że dzięki zręczności pańskiego adwokata sędzia śledczy całkowicie pana uniewinnił.

Simonini nie miał jeszcze za sobą więziennych doświadczeń. Nie okazały się przyjemne, zwłaszcza ze względu na woń potu i moczu oraz nienadające się do przełknięcia zupy. Dzięki Bogu Simonini – podobnie jak inni zamożniejsi więźniowie – mógł otrzymywać codziennie koszyczek z artykułami spożywczymi lepszego gatunku.

Z dziedzińca wchodziło się do wielkiej sali, pośrodku której królował piec, a wzdłuż ścian stały ławki. Tam spożywali zazwyczaj posiłki ci, którzy dostawali jedzenie z zewnątrz. Jedni pochłaniali je pochyleni nad swoim koszykiem, zasłaniając go rękami przed wzrokiem innych, drudzy okazywali się szczodrzy zarówno wobec przyjaciół, jak i przypadkowych sąsiadów. Simonini stwierdził, że najbardziej hojni byli z jednej strony zawodowi przestępcy solidaryzujący się z sobie podobnymi, z drugiej zaś – więźniowie polityczni.

W Turynie, na Sycylii i w ciągu pierwszych lat pobytu w Paryżu, spędzonych w plugawych zaułkach, Simonini zgromadził zasób spostrzeżeń pozwalający mu rozpoznać urodzonego przestępcę. Nie podzielał pojawiających się w jego czasach poglądów, zgodnie z którymi zbrodniarze powinni być wszyscy rachityczni albo garbaci, albo z zajęczą wargą, ze skrofułami lub jeszcze – według słynnego Vidocqa, wybitnego znawcy przestępców (był przecież kiedyś jednym z nich) – z krzywymi nogami. Zdaniem Simoniniego mieli oni jednak wiele cech właściwych rasom kolorowym, jak słabe owłosienie ciała, ograniczoną pojemność czaszki, czoło pochyłe, zatoki czołowe silnie rozwinięte, wyjątkowo wyraźnie zaznaczoną żuchwę i kości policzkowe, daleko do przodu wysuniętą dolną szczękę, skośne oczodoły, ciemniejszą barwę skóry, na głowie włosy gęste i kędzierzawe, wielkie uszy, nierówne zęby, a ponadto odznaczali się przytępieniem uczuć, przesadnym zamiłowaniem do alkoholu i przyjemności związanych z życiem płcio-wym, niewielką wrażliwością na ból, brakiem poczucia moral-ności, lenistwem, porywczością, nieostrożnością, ogromną próż-nością, upodobaniem do gier hazardowych, wiarą w przesądy.

Pomijając już osobników takich jak ten, który codziennie stawał za jego plecami, jakby żebrał o kęs z koszyka z prowian-tem. Twarz miał pociętą na wszystkie strony głębokimi sinymi bliznami, wargi obrzmiałe wskutek niszczącego działania wi-triolu, uszkodzone chrząstki nosowe, zamiast nozdrzy dwie bez-kształtne dziury, ramiona długie, ręce krótkie, grube i owłosione aż po palce… Z jego przyczyny Simonini musiał jednak zmienić swoją opinię o znamionach przestępców, albowiem Oreste – tak się ów człowiek nazywał – okazał się później łagodny jak bara-nek. Kiedy wreszcie dostał od Simoniniego coś do jedzenia, przywiązał się do niego i nie szczędził mu dowodów bezgranicz-nego oddania.

Jego historia nie była skomplikowana. Zadusił po prostu dziewczynę, która odtrąciła jego zaloty; teraz czekał na proces.

– Nie wiem, dlaczego była dla mnie taka niedobra – mó-wił. – Przecież poprosiłem ją, żeby została moją żoną. A ona w śmiech, jakbym był jakimś potworem. Przykro mi, że jej już nie ma, ale co miał w takiej sytuacji zrobić szanujący się mężczy-zna? Zresztą jeśli uda mi się uniknąć gilotyny, to w ciężkim więzieniu nie będzie tak źle. Słyszałem, że dają tam dużo jeść.

Pewnego dnia wskazał na innego i powiedział:

– Ten to prawdziwy złoczyńca. Próbował zabić cesarza.

W ten sposób Simonini zidentyfikował Gavialego i zawarł z nim znajomość.

– Zdobyliście Sycylię dzięki naszym poświęceniom – powie-dział Gaviali. I wyjaśnił: – Nie dzięki moim. Nic mi nie udowod-niono oprócz tego, że spotykałem się z Orsinim. Orsini i Pieri zostali zgilotynowani, Di Rudio jest w kolonii karnej w Kajen-nie, a ja, jak dobrze pójdzie, szybko stąd wyjdę.

Wszyscy znali historię Orsiniego, włoskiego patrioty, który udał się do Londynu, gdzie nabył sześć sporządzonych na zamó-

...W ten sposób Simonini zidentyfikował Gavialego i zawarł z nim znajomość... (s. 201)

wienie bomb, naładowanych rtęcią piorunującą. Czternastego stycznia 1858 roku wieczorem, kiedy Napoleon III jechał do teatru, Orsini i jego dwaj towarzysze obrzucili karetę cesarską trzema bombami, ale niezbyt udolnie. Zranili sto pięćdziesiąt siedem osób, z których osiem potem zmarło, lecz para cesarska pozostała nietknięta.

Przed wejściem na szafot Orsini napisał rozczulający list do cesarza, prosząc go, aby bronił jedności Włoch. Zdaniem wielu ten list wywarł pewien wpływ na późniejsze decyzje Napoleona III.

– Początkowo bomby miałem wykonać ja – opowiadał Gaviali – razem z grupą przyjaciół, którzy, nie chwaląc się, w sprawach materiałów wybuchowych są prawdziwymi czarodziejami, ale Orsini nam nie zaufał. Wiadomo, cudzoziemcy są zawsze mądrzejsi od nas, a jemu zawrócił w głowie jakiś Anglik, który z kolei upodobał sobie rtęć piorunującą. W Londynie można było ją kupić w aptece, służyła do wykonywania dagerotypów. Tutaj, we Francji, nasączano nią papierki tak zwanych chińskich cukierków: rozwijasz i bum! piękna eksplozja i kupa śmiechu. Rzecz jednak w tym, że bomba z materiałem wybuchowym jest mało skuteczna, jeśli nie eksploduje w styczności z celem. Bomba z czarnym prochem pęka i duże metalowe odłamki rażą w promieniu dziesięciu metrów, a bomba z rtęcią piorunującą kruszy się od razu i zabija tylko tego, kto znalazł się w miejscu, gdzie upadła. No to już lepsza kula z pistoletu; trafia, gdzie ma trafić.

– Można by przecież spróbować jeszcze raz – napomknął Simonini. I dodał: – Znam ludzi, którzy chętnie skorzystaliby z usług grupy dobrych pirotechników.

Narrator nie wie, dlaczego Simonini zarzucił ten haczyk. Miał już coś na myśli czy robił to z powołania? A może z przezorności, bo nigdy nie wiadomo… W każdym razie Gaviali zareagował pozytywnie.

– Porozmawiajmy o tym – powiedział. – Mówi pan, że prędko stąd wyjdzie. Ze mną też tak powinno być. Proszę pytać o mnie u Ojca Laurette'a na ulicy Huchette. Spotykam się tam prawie co wieczór z przyjaciółmi, żandarmi już w to miejsce nie zaglądają, bo po pierwsze, musieliby od razu zaaresztować wszystkich gości, a po drugie, żandarm tam wejdzie, ale nigdy nie ma pewności, czy wyjdzie.

– Niezły lokal – odrzekł, śmiejąc się, Simonini. – Przyjdę tam. Ale proszę mi powiedzieć... słyszałem, że jest tu w więzieniu niejaki Joly, który napisał coś złośliwego o cesarzu.

– To idealista – oświadczył Gaviali – a słowa nie zabijają. Ale dzielny człowiek, przedstawię go panu.

Joly nosił jeszcze czyste ubranie, najwidoczniej udawało mu się także ogolić. Siadywał samotnie w kącie sali z piecem pośrodku i kiedy pojawiali się uprzywilejowani z koszykami wiktuałów, wychodził stamtąd, aby nie cierpieć, przyglądając się tym szczęśliwcom. Musiał być mniej więcej rówieśnikiem Simoniniego, miał pałające oczy wizjonera, które przesłaniała jednak mgła smutku. Wyglądał na człowieka pełnego sprzeczności.

– Proszę usiąść ze mną – zaproponował mu Simonini – i przyjąć coś do jedzenia z tego koszyka. Dla mnie to nawet za dużo. Zrozumiałem od razu, że nie należy pan do tej hołoty.

Joly podziękował uśmiechem, przyjął chętnie kawałek mięsa z kromką chleba, lecz zachował powściągliwość.

Simonini dodał:

– Na szczęście siostra o mnie pamięta. Nie jest bogata, ale mnie nie zaniedbuje.

– Szczęściarz z pana – powiedział Joly. – Ja nie mam tu nikogo...

Lody zostały przełamane. Zaczęli rozmawiać o epopei garybaldyjskiej, której przebieg Francuzi śledzili z pasją. Simonini wspomniał o swoich kłopotach najpierw z władzami piemonckimi, a potem francuskimi i wyjaśnił, że ma trafić pod sąd za spisek przeciwko rządowi. Joly oświadczył, że znalazł się w więzieniu nawet nie wskutek podejrzenia o udział w spisku, ale po prostu dlatego, że padł ofiarą plotek.

– Upatrywanie w sobie niezbędnego elementu porządku wszechświata jest dla nas, ludzi oczytanych, tym, czym dla analfabetów jest przesąd. Nie zmienia się świata za pomocą idei. Ludzie, którzy mają ich niewiele, rzadziej błądzą. Postępują tak jak wszyscy, nikomu nie przeszkadzają, dobrze im się powodzi, bogacą się, uzyskują rentowne posady, odznaczenia, są deputowanymi, znanymi literatami, akademikami, dziennikarzami. Czy można nazwać głupcem tego, kto należycie dba o swoje interesy? Głupcem jestem ja, który chciałem walczyć z wiatrakami.

Przy trzecim obiedzie Joly nie doszedł jeszcze do sedna sprawy, więc Simonini ponaglił go trochę pytaniem, jakie to niebezpieczne dzieło napisał. Wtedy Joly rozwiódł się szeroko nad swoim dialogiem w piekle, a streszczając książkę, unosił się coraz większym gniewem, mierziły go podłości, które tam wytknął; komentował je i analizował jeszcze dokładniej, niż uczynił to w samym pamflecie.

– Proszę tylko pomyśleć! Wykorzystał powszechne prawo wyborcze, żeby ustanowić despotyzm! Ten nędznik dokonał autorytarnego zamachu stanu, apelując do ciemnego ludu! To dla nas ostrzeżenie: taka będzie jutro demokracja.

Właśnie – zauważył w duchu Simonini – ten Napoleon jest człowiekiem naszych czasów. Zrozumiał, jak okiełznać naród, który siedemdziesiąt lat wcześniej podniecił się myślą o tym, że można uciąć głowę królowi. Niech sobie Lagrange sądzi, że Joly'ego ktoś inspirował, ale jest jasne, że on ograniczył się do przeanalizowania wszystkim znanych faktów, przewidując na ich podstawie posunięcia dyktatora. Chciałbym tylko ustalić, kto rzeczywiście posłużył mu za wzór.

Simonini napomknął więc ogólnikowo o Sue i liście ojca Rodina. Joly natychmiast się uśmiechnął, prawie zarumienił i powiedział, że owszem, wpadł na pomysł przedstawienia niecnych zamiarów Napoleona, zapoznawszy się ze sposobem, w jaki odmalował je Sue; tyle że wydało mu się wskazane wywieść jezuicką inspirację od klasycznego makiawelizmu.

– Kiedy przeczytałem te stronice Sue, pomyślałem, że mam klucz do napisania książki, która wstrząśnie całym krajem. Byłem szalony. Książki się konfiskuje, pali i jest tak, jakby nigdy nie powstały. Nie wziąłem też pod uwagę, że Sue powiedział mniej ode mnie, a musiał udać się na wygnanie.

Simonini poczuł się, jakby coś mu zabrano. Wprawdzie on również odpisał swoje przemówienie jezuity od Sue, ale nikt o tym nie wiedział, on zaś zamierzał użyć swego schematu spisku do jeszcze innych celów. A teraz się okazuje, że Joly ten schemat sobie przywłaszczył i w pewnym sensie przekazał do publicznej wiadomości.

Potem się uspokoił. Książka została skonfiskowana, Joly posiedzi kilka lat w więzieniu, a on ma jeden z niewielu będących jeszcze w obiegu egzemplarzy. Gdyby nawet skopiował tekst słowo w słowo, przypisując spisek na przykład Cavourowi albo rządowi pruskiemu, nikt nie zdałby sobie z tego sprawy, a Lagrange co najwyżej by uznał, że w nowym dokumencie jest coś zasługującego na wiarę. Tajne służby wszystkich krajów wierzą bowiem jedynie w to, o czym już gdzieś słyszały; wiadomości całkiem nieznane uważają za niewiarygodne. A więc spokojnie: jest w komfortowej sytuacji, bo z treścią książki Joly'ego zapoznał się tylko on, nikt inny. Nikt inny z wyjątkiem owego Lacroix – jedynego, który miał odwagę przeczytać *Dialog* w całości. Wystarczy więc wyeliminować Lacroix i sprawa załatwiona…

Tymczasem nadeszła pora opuścić więzienie Sainte-Pélagie. Z Jolym pożegnał się serdecznie, po bratersku. Francuz wzruszył się i powiedział:

– Może zechciałby pan wyświadczyć mi przysługę. Mam przyjaciela, nazywa się Guédon, chyba nie wie nawet, gdzie teraz jestem, ale pewno mógłby przysłać mi od czasu do czasu koszyk z czymś nadającym się do jedzenia. Od tych wstrętnych zup dostaję zgagi i biegunki.

Dodał, że Guédona można znaleźć w księgarni panny Beuque na ulicy Beaune, tam gdzie zbierają się zwolennicy Fouriera. Simonini wiedział tylko, że *fouriéristes* byli swego rodzaju socja-

listami dążącymi do ogólnej reformy ludzkości, ale nie mówili o rewolucji, więc gardzili nimi zarówno komuniści, jak
i konserwatyści. Wyglądało jednak na to, że księgarnia panny
Beuque stała się miejscem spotkań wszystkich zwalczających
cesarstwo republikanów, którzy gromadzili się tam bez obaw,
ponieważ policja uważała, że *fouriéristes* nawet muchy nie
skrzywdzą.

Natychmiast po wyjściu z więzienia Simonini pobiegł do
Lagrange'a, żeby przedstawić mu swój raport. Nie leżało w jego
interesie szkodzić Joly'emu, w gruncie rzeczy tego Don Kichota
było mu prawie żal. Oświadczył więc:

– Panie Lagrange, nasz podmiot jest po prostu człowiekiem
naiwnym, który marzył o zdobyciu sławy i źle na tym wyszedł.
Odniosłem wrażenie, że nawet by nie pomyślał o napisaniu
owego pamfletu, gdyby nie nakłonił go do tego ktoś z waszego
środowiska. Przykro mi to panu mówić, ale jego źródłem jest
właśnie ten Lacroix, który, jak pan powiedział, przeczytał książkę, żeby ją panu streścić, a który prawdopodobnie zapoznał się
z nią, że się tak wyrażę, zanim została napisana. Może nawet
sam zadbał o wydrukowanie jej w Brukseli. Proszę mnie nie
pytać dlaczego.

– Na polecenie którejś z obcych służb specjalnych, może
pruskiej, żeby siać we Francji zamęt. Nie dziwi mnie to.

– Pruski agent w urzędzie takim jak pański? Trudno mi uwierzyć.

– Stieber, szef pruskiego wywiadu, zamierza objąć siatką
szpiegowską cały obszar Francji. Otrzymał na ten cel dziewięć
milionów talarów. Mówi się, że wysłał do naszego kraju pięć
tysięcy pruskich chłopów i dziewięć tysięcy służby domowej,
żeby mieć agentów w kawiarniach, restauracjach, w znaczących
rodzinach, wszędzie. To nieprawda. Wśród szpiegów jest bardzo
niewielu Prusaków, a nawet Alzatczyków, bo rozpoznałoby się
ich po akcencie. Ogromna większość to prawdziwi Francuzi,
szpiegujący dla pieniędzy.

– I nie udaje się wam wykryć i aresztować tych zdrajców?

– Nie opłaca się nam, bo wtedy Prusacy aresztowaliby naszych agentów. Szpiegów nie unieszkodliwia się, pozbawiając ich życia, ale przekazując im fałszywe informacje. Dlatego potrzebujemy takich, którzy prowadzą podwójną grę. Ale o tym, co mi pan mówi na temat Lacroix, zupełnie nie wiedziałem. Mój Boże, na jakim to świecie żyjemy, nikomu nie można już ufać... Trzeba pozbyć się go od razu.

– Jeżeli jednak zostanie oddany pod sąd, ani on, ani Joly do niczego się nie przyznają.

– Człowiek, który dla nas pracował, nie powinien nigdy stanąć na sali sądowej. To zasada ogólna, która... proszę mi wybaczyć... obowiązuje i obowiązywać będzie także w stosunku do pana. Lacroix padnie ofiarą wypadku. Wdowa otrzyma odpowiednią rentę.

Simonini nie powiedział nic o Guédonie ani o księgarni na ulicy Beaune. Chciał się zorientować, jakie mógłby uzyskać korzyści, gdyby zaczął tam chodzić. Zresztą po krótkim skądinąd pobycie w więzieniu czuł się wyczerpany.

Pojechał niezwłocznie do restauracji Laperouse na nabrzeże Grands-Augustins i poszedł nie, jak kiedyś, na parter, gdzie podają ostrygi i antrykoty, lecz na pierwsze piętro, do jednego z owych *cabinets particuliers* – oddzielnych pokoi, gdzie zamawia się brzanę w sosie hollandaise, ryż z rondla à la Toulouse, *aspics de filets de laperaux en chaud-froid* – gorąco-zimne filety z młodego królika w galaretce, *truffes au champagne* – trufle na szampanie, pudding morelowy à la venitienne, *corbeille de fruits frais* – koszyk świeżych owoców, *compotes de pêches et d'ananas* – kompoty brzoskwiniowo-ananasowe.

Do diabła ze wszystkim więźniami – idealistami i mordercami – i z zupami, którymi ich karmią! Więzienia są i po to, aby porządni ludzie, nie narażając się na ryzyko, mogli pójść do restauracji.

W tym miejscu wspomnienia Simoniniego, jak w takich przypadkach bywa, zaczynają się gmatwać, jego dziennik zawiera oderwane od siebie fragmenty. Narrator musi uciec się do wpisów księdza Dalla Piccola, który współpracuje już z Simoninim pełną parą i w doskonałej harmonii...

Krótko mówiąc, Simonini zdawał sobie sprawę, że aby zyskać prawdziwe uznanie w oczach cesarskich tajnych służb, musi dostarczyć Lagrange'owi coś więcej. Co zaś sprawia, że informator policji staje się całkowicie wiarygodny? Wykrycie spisku. Musiał więc zorganizować spisek, aby móc go wykryć.

Pomysł podsunął mu Gaviali. W więzieniu Sainte-Pélagie Simonini dowiedział się, kiedy wyjdzie on na wolność. Pamiętał, że będzie mógł go odnaleźć w szynku Ojca Laurette'a na ulicy Huchette.

Przy końcu tej ulicy wchodziło się do domu o drzwiach wąskich jak szczelina – nie szerszych zresztą od uliczki Chat qui Pêche, odchodzącej od Huchette i tak ciasnej, że trudno było pojąć, po co w ogóle istnieje, skoro wejść w nią dawało się tylko bokiem. Najpierw schody, potem korytarze ze ścianami, po których ściekały krople tłuszczu, i drzwi tak niskie, że nie wiadomo było, jak się dostać do rozdzielonych nimi pokojów. Na drugim piętrze drzwi nieco wyższe, prowadzące do obszernego pomieszczenia, które powstało zapewne z połączenia co najmniej trzech starych mieszkanek. To właśnie był salon, sala lub szynk Ojca Laurette'a, który zapewne zmarł wiele lat wcześniej, bo nikt nic o nim nie wiedział.

Przy stojących wszędzie stołach tłoczyli się klienci z fajkami w zębach, zajęci grą w karty. Dziewczyny o twarzach pokrytych przedwczesnymi zmarszczkami i bladej cerze, wyglądające jak lalki dla ubogich dzieci, szukały gorliwie gości, którzy nie opróżnili jeszcze swoich kieliszków, aby błagać ich o kropelkę alkoholu.

Simonini pojawił się w tym lokalu pewnego wieczoru, kiedy panowało tam wielkie poruszenie. W dzielnicy ktoś dźgnął kogoś nożem i wydawało się, że zapach krwi wszystkich podnieca. Jakiś opętaniec zranił nagle szewskim gnypem jedną z dziewczyn, przewrócił na podłogę interweniującą właścicielkę i grzmocił na oślep tych, którzy usiłowali go powstrzymać. Poradził sobie z nim dopiero kelner, roztrzaskując mu na karku karafkę. Potem wszyscy wrócili do swoich zajęć, jakby w ogóle nic się nie stało.

Simonini zastał tam Gavialego siedzącego przy stole z kompanami, którzy wydawali się podzielać jego królobójcze zamysły; prawie wszyscy byli włoskimi uchodźcami politycznymi i prawie wszyscy znali się doskonale na materiałach wybuchowych lub się nimi pasjonowali. Kiedy towarzystwo zdrowo już sobie popiło, zaczynała się dyskusja o błędach słynnych zamachowców z przeszłości. Machina piekielna, za pomocą której Cadoudal próbował zamordować Napoleona, kiedy ten był jeszcze pierwszym konsulem, zawierała saletrę i odłamki żelaza; mogła się okazać skuteczna w wąskich uliczkach starego Paryża, ale obecnie byłaby całkiem bezużyteczna (zresztą i wówczas na nic się nie przydała). Szykując się do zamachu na Ludwika Filipa, Fieschi skonstruował broń o osiemnastu lufach strzelających jednocześnie; zabił osiemnaście osób, ale nie króla.

– Rzeczą najważniejszą – mówił Gaviali – jest skład materiału wybuchowego. Weźcie chloran potasu: próbowano mieszać go z siarką i węglem, żeby uzyskać proch strzelniczy, no i z jakim wynikiem? Fabryczka, którą w tym celu zbudowano, wyleciała w powietrze. Próbowano potem zastosować go przynajmniej do wyrobu zapałek, ale okazało się, że główkę zapałki z chloranu i siarki trzeba przed użyciem umoczyć w kwasie siarkowym. Też mi wygoda! Dopiero Niemcy ponad trzydzieści lat temu wynaleźli zapałki fosforowe, zapalające się przez potarcie.

– O kwasie pikrynowym szkoda w ogóle gadać – powiedział ktoś inny. – Zauważono, że wybucha podgrzewany w kontakcie z chloranem potasu, i zaczęto produkować rozmaite rodzaje prochu, jeden bardziej wybuchowy od drugiego. Zginęło kilku eksperymentatorów i na tym koniec. Lepsza byłaby nitroceluloza...

– Oczywiście.

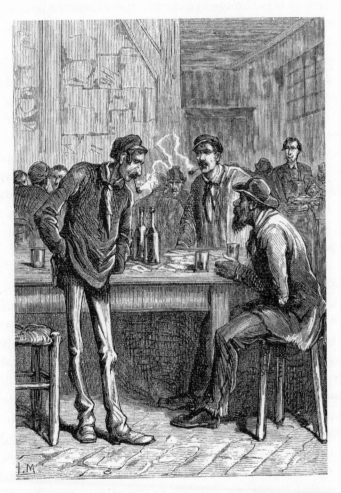

...przy stole z kompanami, którzy wydawali się podzielać jego królobójcze zamysły; prawie wszyscy byli włoskimi uchodźcami politycznymi i prawie wszyscy znali się doskonale na materiałach wybuchowych... (s. 210)

– Dobrze byłoby posłuchać dawnych alchemików. Odkryli, że mieszanka kwasu azotowego i oleju terpentynowego po pewnym czasie zapala się samorzutnie. A sto lat temu ustalono, że po zmieszaniu kwasu azotowego z kwasem siarkowym, który wchłania wodę, zapłon następuje prawie zawsze.

– Ja potraktowałbym poważniej ksylidynę. Wiąże się kwas azotowy ze skrobią albo z włóknami drewna...

– Ty chyba dopiero co przeczytałeś powieść tego Verne'a, w której używa się ksylidyny, żeby wystrzelić pojazd powietrzny na Księżyc. Dzisiaj mówi się raczej o nitrobenzenie i nitronaftalinie. Niektórzy też poddają papier i karton działaniu kwasu azotowego, żeby otrzymać nitroamidynę podobną do ksylidyny.

– To są wszystko produkty niestałe. Obecnie traktuje się bardziej serio bawełnę strzelniczą. Przy tej samej wadze jej siła wybuchu przewyższa sześciokrotnie siłę wybuchu czarnego prochu.

– Ale jej wydajność jest zmienna.

Rozprawiali tak całymi godzinami, w rezultacie podkreślając zawsze zalety dobrego, porządnego czarnego prochu. Simoniniemu wydawało się, że powrócił do rozmów z Ninuzzem na Sycylii.

Postawiwszy kilka butelek wina, zdołał bez trudu podsycić nienawiść tej kompanii do Napoleona III, który prawdopodobnie przeciwstawi się bliskiemu już zajęciu Rzymu przez króla Włoch. Sprawa zjednoczenia Włoch wymagała śmierci dyktatora. Simonini sądził jednak, że tym pijakom na zjednoczeniu Włoch tak bardzo nie zależy, że liczą się dla nich przede wszystkim wybuchy pięknych bomb. Zresztą takich właśnie zapaleńców potrzebował.

– Zamach Orsiniego – tłumaczył im – nie udał się nie dlatego, że zawiódł Orsini, ale dlatego, że źle skonstruowano bomby. Otóż my mamy ludzi nieobawiających się gilotyny i gotowych rzucać bomby we właściwej chwili, ale nie wiemy jeszcze dokładnie, jakiego materiału wybuchowego użyć. Po rozmowach z moim przyjacielem Gavialim jestem przekonany, że wasza grupa mogłaby nam pomóc.

– Kogo właściwie ma pan na myśli, mówiąc „my"? – spytał jeden z patriotów.

Simonini udał najpierw, że się waha, a potem uraczył ich efektownym opowiadaniem, które zyskało mu już zaufanie studentów w Turynie. Otóż reprezentował Wysoką Wentę, był jednym z zastępców tajemniczego Nubiusa i nie mógł dodać nic więcej, zgodnie bowiem z zasadami organizacji karbonariuszy każdy jej członek zna tylko swojego bezpośredniego zwierzchnika. Dla organizacji trudność polegała na tym, że nowych, stuprocentowo skutecznych bomb nie można skonstruować z dnia na dzień, trzeba długo eksperymentować, przeprowadzać badania niemal tak, jak robili to alchemicy, łączyć właściwe substancje, dokonywać prób w szczerym polu. On był w stanie zapewnić spokojny lokal tutaj, na ulicy Huchette, oraz pieniądze na wszystkie wydatki. Kiedy bomby będą już gotowe, zamachu dokona kto inny, ale w lokalu trzeba będzie złożyć ulotki, które powiadomią o śmierci cesarza i wyjaśnią cel zamachowców. Po zabójstwie Napoleona grupa powinna je rozprowadzić w różnych częściach miasta i podrzucić w portierniach redakcji ważniejszych gazet.

— Nie sądzę, żeby wam w tym przeszkadzano, bo w wysokich sferach jest ktoś, kto z zamachu będzie zadowolony. Nasz człowiek w prefekturze policji nazywa się Lacroix. Nie mam jednak pewności, czy można mu w pełni zaufać, więc nie próbujcie nawiązywać z nim kontaktu. Gdyby się dowiedział, kim jesteście, byłby zdolny was wydać po to tylko, żeby uzyskać awans. Wiecie dobrze, jacy są ci podwójni agenci...

Propozycja spotkała się z entuzjastycznym przyjęciem, Gavialemu błyszczały oczy. Simonini wręczył mu klucze od lokalu i znaczną sumę na pierwsze zakupy. Kilka dni później poszedł odwiedzić spiskowców i stwierdził, że poczynili w eksperymentowaniu duże postępy. Przyniósł ze sobą kilkaset ulotek wydrukowanych przez usłużnego drukarza, zostawił znowu pewną sumę na wydatki, zawołał: „Niech żyją zjednoczone Włochy! Rzym albo śmierć!", po czym wyszedł.

Było już późno. Idąc opustoszałą o tej porze ulicą Saint-Séverin, odniósł wrażenie, że słyszy za sobą kroki; kiedy się zatrzymywał, ich odgłos cichł. Ruszył szybciej, ale kroki słychać było coraz bliżej; nie mógł już wątpić, że ktoś nie tyle go śledzi, ile goni. I rzeczywiście, ciężko dyszący człowiek pojawił się nagle za jego plecami, schwycił go gwałtownie i wepchnął w ślepy zaułek Salembrière (jeszcze węższy niż ulica Chat qui Pêche), przed którego wylotem właśnie się znaleźli; musiał chyba dobrze znać okolicę, bo umiał wybrać odpowiednią chwilę i miejsce. Przyciśnięty do muru Simonini widział tylko lśniące ostrze noża, dotykające prawie jego nosa. Nie mógł dostrzec twarzy napastnika, lecz zrozumiał wszystko od razu, gdy ten zasyczał w sycylijskim dialekcie:

– Sześć lat cię szukałem, mój dobry ojcze, ale w końcu dopadłem!

To był głos majstra Ninuzzo, który w przekonaniu Simoniniego został ukatrupiony dziesięciocalowym puginałem w prochowni pod Bagherią.

– Żyję, bo pomogli mi dobrzy ludzie, co przechodzili tamtędy, kiedy ty już uciekłeś. Przez trzy miesiące walczyłem ze śmiercią, mam teraz bliznę w poprzek całego brzucha... Ale zaledwie wstałem z łóżka, zacząłem szukać. Kto widział takiego to a takiego zakonnika... No i widział go ktoś w Palermo, jak rozmawiał z notariuszem Musumecim, i wydało się temu komuś, że zakonnik był bardzo podobny do pewnego piemonckiego garybaldczyka, przyjaciela pułkownika Nievo... Powiedziano mi, że ten Nievo zaginął na morzu, jakby jego statek rozpłynął się w powietrzu, a ja nie miałem wątpliwości, jak i dlaczego się rozpłynął ani kto to sprawił. Nieva łatwo było skojarzyć z armią piemoncką, pojechałem więc do Turynu i tam, w tym mroźnym mieście, przez cały rok wypytywałem ludzi. Dowiedziałem się, że ten garybaldczyk nazywał się Simonini, że miał kancelarię notarialną, ale ją sprzedał, a kupującemu napomknął, że jedzie do Paryża. Bez grosza przy duszy – nie pytaj, jak mi się udało – dotarłem do Paryża, nie miałem tylko pojęcia, że to takie wielkie miasto. Dużo musiałem się nachodzić, zanim trafiłem na twój ślad. Żeby żyć, krążyłem po takich ulicach jak ta i przykładałem nóż do gardła dobrze ubranym panom, którzy zmylili drogę. Jeden na dzień mi wystarczał. Ciągle krążyłem w tych stronach, bo domyślałem się, że nie bywasz w dobrych domach, tylko w różnych spelunkach, *tapissi franchi* – jak tutaj mówią. Jeśli chciałeś, żeby cię łatwo nie rozpoznano, powinieneś był zapuścić piękną czarną brodę...

Od tamtego dnia Simonini miał już stale występować w przebraniu brodatego mieszczanina. Wtedy jednak, w owej wyjątkowo przykrej sytuacji, musiał przyznać, że zbyt mało zrobił dla zatarcia swoich śladów.

– No ale – kończył swój wywód Ninuzzo – nie muszę tu opowiadać całej swojej historii. Wystarczy, że rozetnę ci brzuch tak jak ty mnie, tyle że dokładniej. Tutaj w nocy nikt nie przechodzi, jak koło prochowni pod Bagherią.

Pokazał się rąbek księżyca. Simonini zobaczył spłaszczony nos Ninuzza i jego pałające nienawiścią oczy.

Nie opuściła go wszakże przytomność umysłu.

– Mistrzu Ninuzzo – powiedział – nie wiecie, że zrobiłem to, co zrobiłem, bo musiałem słuchać rozkazów pochodzących z bardzo wysoka, od władzy tak świętej, że przyszło mi działać nawet wbrew własnym uczuciom. Wykonuję te rozkazy w dalszym ciągu i dlatego jestem tutaj, przygotowując nowe akcje w obronie tronu i ołtarza.

Mówiąc, oddychał z trudem. Mimo przerażenia zauważył jednak, że ostrze oddala się nieznacznie od jego twarzy.

– Wy poświęciliście życie waszemu królowi – ciągnął – i powinniście zrozumieć, że są misje... święte... pozwólcie mi tak powiedzieć... usprawiedliwiające popełnienie czynu, który w innym wypadku byłby nikczemny. Zrozumieliście mnie?

Ninuzzo jeszcze nie rozumiał, ale było po nim widać, że zemsta przestała już być jedynym jego celem.

– Zbyt dużo głodowałem w ostatnich latach, a widok twojego trupa mnie nie nasyci. Mam dosyć życia w ciemności. Odkąd zacząłem cię tu śledzić, widziałem, że chodzisz też do restauracji dla bogaczy. Powiedzmy tak: daruję ci życie za wypłacaną co miesiąc sumkę, która pozwoli mi jeść i spać tak jak ty albo jeszcze lepiej.

– Mistrzu Ninuzzo, obiecuję wam coś więcej niż tylko comiesięczną wypłatę. Przygotowuję zamach na cesarza francuskiego, a pamiętacie, że wasz król stracił tron, bo Napoleon po cichu pomagał Garibaldiemu. Jako że znacie się doskonale na prochu, przedstawię wam grupę dzielnych ludzi, którzy zebrali się na ulicy Huchette, żeby skonstruować machinę piekielną, zasługującą w pełni na to miano. Jeśli się do nich przyłączycie, nie tylko weźmiecie udział w przedsięwzięciu, które przejdzie do historii, i dowiedziecie swojej niezwykłej pirotechnicznej zręczności, ale dostaniecie też wynagrodzenie, które uczyni was bogatym do końca życia, bo ten zamach popierają bardzo wysoko postawione osoby.

Wystarczyło wspomnieć o prochu, aby z Ninuzza wyparowała cała złość, którą w sobie nagromadził od tamtej nocy pod Bagherią. Simonini zrozumiał, że ma już Sycylijczyka w garści, kiedy ten spytał:

– Więc co miałbym zrobić?

– To proste. Za dwa dni udacie się pod ten adres, zapukacie, wejdziecie do magazynu i powiecie, że przysyła was Lacroix. Moi przyjaciele będą już uprzedzeni. Żeby was rozpoznano, musicie mieć czerwony goździk w butonierce marynarki. Około siódmej przyjdę z pieniędzmi.

– Dobrze – powiedział Ninuzzo – ale jeśli to jakaś sztuczka, to pamiętaj, że wiem już, gdzie mieszkasz.

Nazajutrz rano Simonini wrócił do Gavialego i przypomniał, że trzeba się pośpieszyć. Wszyscy mają zebrać się w magazynie następnego dnia o szóstej po południu. Przyjdzie tam najpierw jego wysłannik, sycylijski pirotechnik, który sprawdzi fachowość wykonanej pracy, potem on sam, wreszcie pan Lacroix we własnej osobie w charakterze gwaranta.

Następnie zgłosił się do Lagrange'a i oświadczył, że wiadomo mu o spisku mającym na celu zamordowanie cesarza. Wie, że spiskowcy zbiorą się jutro o szóstej na ulicy Huchette, aby przekazać materiały wybuchowe swoim mocodawcom.

– Jeszcze jedno – dodał. – Powiedział mi pan kiedyś, że na dziesięciu członków tajnego stowarzyszenia trzech to nasi szpiedzy, sześciu to głupcy, a jeden to człowiek niebezpieczny. Teraz szpiega znajdzie pan tam jednego, to znaczy mnie, głupców ośmiu, a człowiek naprawdę niebezpieczny będzie miał goździk w butonierce. Jest on niebezpieczny też i dla mnie, więc chciałbym, żeby powstało trochę zamieszania i żeby tego osobnika nie aresztowano, ale zastrzelono na miejscu. Niech mi pan wierzy, w ten sposób unikniemy zbytniego hałasu. Gdyby on zaczął rozmawiać nawet tylko z którymś z was, byłby duży kłopot.

– Wierzę panu, panie Simonini – odpowiedział Lagrange. – Wyeliminujemy tego człowieka.

Ninuzzo przyszedł o szóstej na ulicę Huchette z pięknym goździkiem w butonierce, Gaviali i inni pokazali mu z dumą swoje bomby. Pół godziny później pojawił się Simonini, oznajmiając, że zaraz przybędzie Lacroix. O szóstej czterdzieści pięć wpadli stróże porządku publicznego. Simonini z okrzykiem „Zdrada!" wyciągnął pistolet i wycelował w żandarmów, ale strzelił w powietrze, oni zaś odpowiedzieli ogniem i trafili Ninuzza w pierś, ranili też śmiertelnie innego spiskowca, ponieważ robota miała być czysta. Ninuzzo wił się jeszcze po podłodze, miotając sycylijskie przekleństwa, więc Simonini udał znowu, że celuje w żandarmów, i dobił go strzałem z pistoletu.

Ludzie Lagrange'a zaskoczyli Gavialego i innych na gorącym uczynku, to jest z na wpół gotowymi już bombami i z paczką ulotek wyjaśniających, dlaczego były konstruowane. Podczas ostrych przesłuchań Gaviali i towarzysze wymienili nazwisko tajemniczego Lacroix, który (jak uważali) ich zdradził. Jeszcze jeden powód, aby Lagrange zadbał o jego zniknięcie. Z policyjnych protokołów wynikało, że Lacroix wziął udział w akcji przeciwko spiskowcom i został zastrzelony przez jednego z tych nędzników. Pośmiertnie przyznano mu zaszczytne wyróżnienie.

Co się tyczy spiskowców, uznano, że nie warto wszczynać głośnego procesu. Lagrange wyjaśnił Simoniniemu, że od dłuższego czasu krążyły ustawicznie pogłoski o zamachu na cesarza, które chyba nie powstawały żywiołowo, tylko raczej były umyślnie szerzone przez republikańskich agentów, usiłujących w ten sposób zachęcić zapaleńców do współzawodnictwa. Nie należało więc dodatkowo rozgłaszać, że zamachy na życie Napoleona III weszły w modę. Spiskowców zesłano zatem po prostu do kolonii karnej w Kajennie, gdzie prędzej czy później umrą na malarię.

Uratowanie życia cesarzowi przynosi duży zysk. Za robotę dotyczącą Joly'ego Simonini otrzymał dziesięć tysięcy franków, za wykrycie spisku – trzydzieści tysięcy. Po odliczeniu kosztów wynajęcia lokalu i zakupu materiałów pirotechnicznych – w wysokości pięciu tysięcy franków – zostało mu na czysto trzydzieści pięć tysięcy, to jest więcej niż dziesiąta część kapitału równego trzystu tysiącom, który pragnął zgromadzić.

Los Ninuzza powitał z zadowoleniem, żałował trochę Gavialego, w gruncie rzeczy poczciwiny, który mu zaufał. Kto jednak chce być spiskowcem, musi pogodzić się z ryzykiem, a ponadto nikomu nie ufać.

Szkoda mu też było tego Lacroix, który nie wyrządził mu przecież żadnej krzywdy; ale wdowa otrzyma wysoką rentę.

12

NOC W PRADZE

4 kwietnia 1897

Musiałem teraz poznać tego Guédona, o którym mówił mi Joly. Księgarnią na ulicy Beaune kierowała pomarszczona stara panna, zawsze w ogromnej spódnicy z czarnej wełny i czepku w stylu Czerwonego Kapturka, zakrywającym jej połowę twarzy – na szczęście.

Lubię niedowiarków, a Guédon okazał się sceptykiem, który obserwuje z ironią otaczającą go rzeczywistość. Od razu zareagował pozytywnie na apel Joly'ego, obiecując przysyłać mu jedzenie i trochę pieniędzy. Potem skomentował ironicznie postępek obdarowywanego przyjaciela. Po co pisać książkę i narażać się na więzienie, skoro ci, którzy książki czytają, są i tak z natury republikanami, a zwolennicy dyktatora to niepiśmienni chłopi, którym przyznano prawo wyborcze z bożej łaski?

Wyznawcy Fouriera? Zacni ludzie, ale czy można brać na serio proroka głoszącego, że w odrodzonym świecie oceany wypełni lemoniada, w Warszawie wyrosną pomarańcze, ludzie będą mieli ogony, a kazirodztwo i homoseksualizm zostaną uznane za najbardziej naturalne skłonności człowieka?

– Więc dlaczego się pan z nimi zadaje? – spytałem.

– Bo są jedynymi uczciwymi ludźmi – odpowiedział – którzy przeciwstawiają się jeszcze dyktaturze tego nikczemnego Bonapartego. Widzi pan tę piękną damę? To Juliette Lamessine, jedna z najbardziej wpływowych kobiet z salonu hrabiny d'Agoult; za pieniądze męża stara się uruchomić własny salon na ulicy Rivoli.

Jest uroczą, inteligentną, utalentowaną pisarką; zaproszenie do niej będzie się liczyć.

Guédon wskazał mi także inną osobistość: wysokiego, przystojnego, fascynującego mężczyznę.

– To Toussenel, słynny autor *Ducha zwierząt**, socjalista, nieposkromiony republikanin, zakochany do szaleństwa w madame Juliette, która w ogóle nie raczy na niego spojrzeć. Najtrzeźwiejszy umysł w tym towarzystwie.

Toussenel mówił mi o kapitalizmie, który zatruwa nowoczesne społeczeństwo.

– A kim są kapitaliści? To Żydzi, królowie naszych czasów. W ubiegłym stuleciu rewolucja ucięła głowę Kapetowi, rewolucja naszego wieku będzie musiała ją uciąć Mojżeszowi. Napiszę na ten temat książkę. Kim są Żydzi? To ci wszyscy, którzy wysysają krew z bezbronnych, z ludu. A więc protestanci, masoni i oczywiście ci wstrętni Judejczycy.

– Ale protestanci nie są Żydami – ośmieliłem się wtrącić.

– Żydzi i protestanci to jedno. Protestanci, tacy jak angielscy metodyści, niemieccy pietyści, Szwajcarzy i Holendrzy, uczą się odczytywać wolę Boga z żydowskiej księgi, którą jest Biblia. To historia kazirodztw, rzezi i okrutnych wojen; zwycięża się tam tylko zdradą i oszustwem, królowie każą mordować mężów, żeby zawładnąć ich żonami, a kobiety uchodzące za święte kładą się w łożach nieprzyjacielskich wodzów, żeby potem ucinać im głowy. Cromwell uciął głowę królowi, cytując Biblię. Biblii naczytał się Malthus, który odmawia prawa do życia dzieciom ubogich. Żydzi to rasa rozpamiętująca bez przerwy swoją niewolę i mimo oznak gniewu bożego zawsze gotowa hołdować złotemu cielcowi. Walka z Żydami powinna być głównym celem każdego socjalisty zasługującego na to miano. Nie mówię o komunistach, bo założycielem ich ruchu jest Żyd, chodzi mi o ujawnienie spisku finansjery. Dlaczego w paryskiej restaura-

---

* *L'Esprit des bêtes*, 1847.

cji jabłko jest sto razy droższe niż w Normandii? Istnieją narody drapieżców żywiące się mięsem innych, narody kupców, jak niegdyś Fenicjanie i Kartagińczycy, a dzisiaj Anglicy i Żydzi.

– Więc dla pana Anglik i Żyd to to samo?

– Prawie. Kto został w Anglii premierem? Lord Beaconsfield, który pod szlacheckim tytułem kryje swoje prawdziwe nazwisko Disraeli. I ten Disraeli, Żyd sefardyjski nawrócony na chrześcijaństwo, miał czelność napisać, że Żydzi szykują się do objęcia władzy nad światem. Nie powiedział tego oczywiście w parlamencie, tylko napisał to w swoich powieściach.

Przyniósł mi nazajutrz książkę tego Disraelego, w której popodkreślał całe ustępy: „Czy słyszeliście o jakimkolwiek niepozbawionym znaczenia ruchu w Europie, w którym nie uczestniczyliby i nie odgrywali istotnej roli Żydzi?... Pierwsi jezuici byli Żydami! Kto kieruje ową tajemniczą dyplomacją rosyjską, przed którą drży cała Europa Zachodnia? Żydzi! A pod czyim kierownictwem szykuje się w Niemczech rewolucja? Żydów – patrz Karol Marks i jego komuniści. Kto w Niemczech posiadł zupełny prawie monopol na katedry uniwersyteckie?"

– Proszę zauważyć, że Disraeli to nie szpicel oskarżający swój lud. Wręcz przeciwnie, chce on podkreślić jego cnoty. Pisze bezwstydnie, że hrabia Kankrin, rosyjski minister finansów, jest synem litewskiego Żyda, podobnie jak hiszpański minister Mendizábal – synem konwertyty z Aragonii. W Paryżu synem francuskiego Żyda jest marszałek cesarstwa Soult, Żydem był też marszałek Massena, po hebrajsku Manasze...

Nie byłem pewien, czy Toussenel ma rację, lecz jego filipiki świadczyły o poglądach najbardziej rewolucyjnych kręgów i to podsunęło mi kilka myśli... Nie wiadomo dokładnie, komu dałoby się sprzedać dokumenty przeciw jezuitom; może masonom, ale nie miałem jeszcze kontaktów z tym środowiskiem. Dokumenty przeciw masonom mogłyby zapewne zainteresować jezuitów, ale nie byłem jeszcze w stanie ich sporządzić. Przeciw Napoleonowi? Z pewnością nie kupiłby ich rząd; republikanie niewątpliwie byliby gotowi je nabyć, lecz po książkach Sue i Joly'ego co jeszcze mógłbym powiedzieć? Przeciw republikanom? W tym wypadku rząd miał już chyba wszystko, czego potrzebował. A gdybym zaproponował Lagrange'owi informacje o *fouriéristes*, ten by mnie wyśmiał, bo Bóg wie ilu jego informatorów było już w księgarni na ulicy Beaune.

Kto więc pozostawał? No przecież Żydzi! W gruncie rzeczy sądziłem, że byli obsesją tylko mojego dziadka, lecz po wysłuchaniu Toussenela uświadomiłem sobie, że istnieje rynek antyżydowski, który przyciąga z jednej strony najrozmaitszych wnuków księdza Barruela (a jest ich wielu), z drugiej zaś – rewolucjonistów, republikanów, socjalistów. Żydzi byli wrogami ołtarza, lecz także wrogami plebsu, z którego wysysali krew, oraz – w zależności od opinii danego rządu – wrogami tronu. Należało stanowczo zająć się Żydami.

Zdawałem sobie sprawę, że zadanie nie jest łatwe. Na użytek określonych kół duchownych dałoby się może wykorzystać jeszcze wywody Barruela o Żydach – wspólnikach masonów i templariuszy, wywołujących wielką rewolucję francuską, ale socjaliści tacy jak Toussenel nie byliby tym w ogóle zainteresowani; trzeba by im powiedzieć coś konkretniejszego o powiązaniach między Żydami, akumulacją kapitału i spiskiem brytyjskim.

Żałowałem już, że nie chciałem nigdy poznać żadnego Żyda. Uświadomiłem sobie, że mam wielkie luki w wiedzy o tym obrzydliwym dla mnie ludzie, do którego oprócz wstrętu zaczynałem żywić także głęboką urazę.

Dręczyły mnie takie myśli, kiedy niespodziewanie przyszedł mi z pomocą Lagrange. Wspominałem już, że zawsze wyznaczał mi spotkania w najbardziej nieprawdopodobnych miejscach; teraz przyszła kolej na cmentarz Père-Lachaise. W zasadzie miał rację; wyglądało się tam na szukających grobu ukochanego krewniaka albo na romantycznych odkrywców przeszłości. My dwaj krążyliśmy w skupieniu wokół grobu Abelarda i Heloizy, gdzie schodzą się artyści, filozofowie i zakochani, widma wśród widm.

– Panie Simonini, chciałbym przedstawić pana pułkownikowi Dimitri, tylko pod takim imieniem jest on znany w naszym środowisku. Pracuje w Trzecim Departamencie cesarskiej kancelarii rosyjskiej. Oczywiście jeśli pojechałby pan do Petersburga i spytał o ten Trzeci Departament, wszyscy byliby niezmiernie zdziwieni, ponieważ oficjalnie on nie istnieje. To agenci, którzy śledzą tworzące się organizacje rewolucyjne; tam u nich sprawa wygląda znacznie poważniej niż u nas. Muszą strzec się spadkobierców dekabrystów, różnych anarchistów, teraz także radzić sobie z niezadowoleniem tak zwanych wyzwolonych chłopów. Car Aleksander kilka lat temu zniósł pańszczyznę, ale dziś około dwudziestu milionów wyzwolonych chłopów musi płacić swoim dawnym panom za użytkowanie gruntów, nie starcza im na życie, zalewają miasta w poszukiwaniu pracy...

– Czego oczekuje ode mnie ten pułkownik Dimitri?

– Gromadzi dokumentację... jak by tu powiedzieć... dokumentację kompromitującą, związaną z kwestią żydowską. W Rosji Żydów jest o wiele więcej niż u nas, na wsi są zagrożeniem dla rosyjskich chłopów, bo umieją czytać, pisać, a przede wszystkim liczyć. Nie wspomnę już o miastach, gdzie wielu wstępuje do wywrotowych ugrupowań. Moi rosyjscy koledzy mają podwójny problem: z jednej strony muszą strzec się Żydów, kiedy stają się oni rzeczywiście niebezpieczni, z drugiej – ukierunkowywać przeciwko nim niezadowolenie mas chłopskich. Zresztą Dimitri wszystko panu wytłumaczy. Nas te sprawy nie dotyczą. Nasz rząd utrzymuje dobre stosunki z żydowską finansjerą we Francji i nie zamierza zrażać do siebie tego środowiska. Chcielibyśmy tylko wyświadczyć Rosjanom przysługę. W naszym zawodzie ręka rękę myje, więc wypożyczamy uprzejmie pułkownikowi Dimitri pana Simoniniego, który oficjalnie w ogóle nie jest z nami związany. A, byłbym zapomniał: zanim pojawi się Dimitri, radziłbym panu zasięgnąć dokładnych informacji o Alliance Israélite Universelle założonym tu, w Paryżu, jakieś sześć lat temu. To lekarze, dziennikarze, prawnicy, przedsiębiorcy... Śmietanka paryskiego żydostwa, wszyscy o orientacji, powiedzmy, liberalnej, a w każdym razie bardziej republikańskiej niż zbliżonej do bonapartyzmu. Stowarzyszenie stawia sobie pozornie za cel pomagać w imię praw człowieka wszystkim prześladowanym bez względu na ich wyznanie i narodowość. Dotychczas nie ma przeciwko niemu żadnych dowodów, sami wzorowi obywatele, ale trudno wprowadzić tam naszych informatorów, bo Żydzi znają się i rozpoznają między sobą jak psy, wąchając sobie tyłki. Ja jednak skontaktowałbym pana z kimś, komu udało się pozyskać zaufanie członków Alliance. To niejaki Jakob Brafmann, Żyd nawrócony na prawosławie, który został potem profesorem hebrajskiego w seminarium teologicznym w Mińsku. Przyjechał do Paryża na krótko z polecenia właśnie pułkownika Dimitri i jego Trzeciego Departamentu. Łatwo mu było dostać się do Alliance Israélite, bo kilku członków znało go jeszcze jako współwyznawcę. Potrafi panu coś o tym stowarzyszeniu opowiedzieć.

– Panie Lagrange, proszę mi wybaczyć. Jeśli ten Brafmann jest informatorem pułkownika Dimitri, wszystko to, co mi powie, będzie już pułkownikowi znane, nie ma więc sensu, żebym mu to powtarzał.

– Niech pan nie będzie naiwny. Ma sens, ma. Jeżeli przekaże pan pułkownikowi te same wiadomości, które on otrzymał już od Brafmanna, to wyda mu się pan kimś, kto ma informacje pewne, potwierdzające to, co on już wie.

Brafmann. Mając w pamięci opowieści dziadka, sądziłem, że spotkam indywiduum o profilu sępa, mięsistych wargach, z których dolna będzie wysunięta do przodu jak u Murzyna, oczach zapadłych i wodnistych, powiekach bardziej zmrużonych niż u innych ras, włosach falujących lub kędzierzawych, odstających uszach... Tymczasem ujrzałem pana wyglądającego na zakonnika, z piękną szpakowatą brodą i gęstymi, krzaczastymi brwiami zakończonymi swego rodzaju mefistofelesowskim kosmykiem, jaki widziałem już u Rosjan i Polaków.

...ujrzałem pana wyglądającego na zakonnika, z piękną szpakowatą brodą i gęstymi, krzaczastymi brwiami zakończonymi swego rodzaju mefistofelesowskim kosmykiem, jaki widziałem już u Rosjan i Polaków... (s. 224)

Najwidoczniej dzięki nawróceniu zmienia się nie tylko dusza, ale i twarz.

Cechowało go wyraźne zamiłowanie do dobrej kuchni, chociaż przejawiał łakomstwo prowincjusza, który chce wszystkiego skosztować i nie umie poprawnie ułożyć swojego menu. Poszliśmy na obiad do restauracji Rocher de Cancale na ulicy Montorgueil, gdzie podawano kiedyś najlepsze ostrygi w Paryżu. Zamknięto ją jakieś dwadzieścia lat wcześniej, po czym znowu otwarto; za nowego właściciela nieco podupadła, ale ostrygi były jeszcze wystarczająco dobre dla rosyjskiego Żyda. Brafmann ograniczył się do spożycia kilku tuzinów odmiany *belon*, a potem zamówił *bisque* z rakami.

– Aby przetrwać czterdzieści wieków, naród tak bardzo żywotny musiał tworzyć własny rząd w każdym kraju, w którym się osiedlał, państwo w państwie; było tak zawsze i wszędzie, także za tysiącletniej diaspory. Otóż ja natrafiłem na dokumenty świadczące o istnieniu tego państwa i tego prawa, zwanego kahałem.

– Co to jest?

– Instytucja sięga czasów Mojżesza, po diasporze nie działała już otwarcie, tylko kryła się w cieniu synagog. Odnalazłem dokumenty kahału w Mińsku od tysiąc siedemset dziewięćdziesiątego czwartego do tysiąc osiemset trzydziestego roku. Wszystko na piśmie, zarejestrowano najbłahsze nawet czynności.

Rozwinął kilka cyrografów pokrytych niezrozumiałymi dla mnie znakami.

– Kahał rządzi każdą gminą żydowską, która jest też podporządkowana niezależnemu sądowi bejt din. To są dokumenty kahału mińskiego, ale oczywiście nie różnią się od dokumentów jakiegokolwiek innego kahału. Napisano w nich, że członkowie gminy muszą podporządkować się wyłącznie swojemu wewnętrznemu trybunałowi, a nie sądom goszczącego ich państwa; jak obchodzi się święta; jak szlachtuje się zwierzęta dla specjalnej kuchni żydowskiej, a chrześcijanom sprzedaje się części nieczyste i zepsute; że każdy Żyd może kupić od kahału chrześcijanina, którego będzie wyzyskiwał poprzez lichwiarskie pożyczki, dopóki nie zawładnie całym jego mieniem, i że żaden inny Żyd do tego chrześcijanina nie ma prawa... Bezlitosna postawa wobec klas niższych, wyzysk biednych przez bogatych nie są według kahału występne, lecz należą do cnót synów Izraela. Zdaniem niektórych Żydzi są ubodzy, zwłaszcza w Rosji. To prawda, bardzo wielu Żydów pada tam ofiarą tajemnych sił kierowanych przez żydowskich bogaczy. Ja nie walczę z Żydami, sam urodziłem się Żydem; walczę z żydowską ideologią, którą chce się zastąpić chrystianizm... Ja kocham Żydów, klnę się na Jezusa, którego oni zamordowali...

Brafmann nabrał tchu i zamówił *aspic de filets mignons de perdreaux* – filety z kuropatwy w galarecie. Powrócił jednak natychmiast do swoich arkuszy, które przekładał z błyszczącymi oczami.

– Wszystko autentyczne, widzi pan? Świadczy o tym wiek papieru, jednolity charakter pisma notariusza, który dokumenty zredagował, podpisy takie same pod różnymi datami.

Przetłumaczył już tę dokumentację na francuski i na niemiecki. Lagrange powiedział mu, że umiem sporządzać dokumenty autentyczne, Brafmann prosił mnie więc o wykonanie ich francuskiej wersji, która mogłaby uchodzić za powstałą w tym samym czasie co oryginały. Zależało mu na posiadaniu tych dokumentów także w innych językach, gdyż chciał dowieść rosyjskim tajnym służbom, że wzory kahału wzięto na serio w różnych krajach Europy i że doceniła je w szczególności paryska Alliance Israélite.

Spytałem, czy owe dokumenty, powstałe w zagubionej gminie żydowskiej w Europie Wschodniej, mogą być dowodem na istnienie światowego Kahału. Brafmann odpowiedział, żebym o to się nie martwił, że dokumenty mają być tylko załącznikami świadczącymi, iż on sam wszystkiego nie wymyślił, a jego książ-

227

ka będzie i tak dostatecznie przekonująca – zdemaskuje prawdziwy Kahał, tę ośmiornicę, która swoimi mackami ogarnia cały
cywilizowany świat.

Rysy jego twarzy twardniały, nadając mu prawie wygląd sępa,
uważany za charakterystyczny dla Żyda, bo też Żydem mimo
wszystko nadal był.

– Podstawowe uczucia, ożywiające talmudycznego ducha, to
niepohamowana żądza władzy nad światem, nienasycona chci-
wość powodowana chęcią posiadania wszystkich bogactw niebę-
dących własnością Żydów, uraza do chrześcijan i do Jezusa
Chrystusa. Dopóki Izrael nie nawróci się na wiarę Chrystuso-
wą, wszystkie goszczące ten lud kraje chrześcijańskie będą dla
niego jeziorem, w którym, jak napisano w Talmudzie, każdemu
Żydowi wolno swobodnie łowić.

Wyczerpany swoim oskarżycielskim zapałem zamówił *escalopes de poularde au velouté* – sznycle z pulardy w sosie aksamit-
nym, ale to danie mu nie smakowało, więc zamienił je na *filets de
poularde piqués aux truffes* – filety z pulardy szpikowane truflami. Potem wyciągnął z kieszonki kamizelki srebrny zegarek
i powiedział:

– Niestety, zrobiło się późno. Francuska kuchnia jest wyśmie-
nita, ale obsługa powolna. Mam ważne spotkanie i muszę już
iść. Zawiadomi mnie pan, kapitanie Simonini, czy znalazł pan
właściwe rodzaje papieru i atramentu.

Na odchodnym Brafmann skosztował jeszcze sufletu wanilio-
wego. Sądziłem, że Żyd – nawrócony wprawdzie, ale zawsze –
zje na mój rachunek. Stało się jednak inaczej: to Brafmann
pańskim gestem zapłacił za naszą przekąskę, jak nonszalancko
się wyraził. Rosyjskie służby specjalne wynagradzały go zapewne
po królewsku.

Wróciłem do domu niezbyt przekonany. Dokument sporządzony pięćdziesiąt lat temu w Mińsku, ze wskazaniami tak
drobiazgowymi, jak kogo zapraszać, a kogo w ogóle nie zapra-

szać na określone święta, nie jest żadnym dowodem na to, że podobnymi regułami kierują się wielcy bankierzy w Paryżu czy Berlinie. Poza tym nigdy, przenigdy nie należy posługiwać się dokumentami autentycznymi, czy to w całości, czy w części! Jeżeli gdzieś istnieją, ktoś zawsze będzie mógł je odnaleźć i dowieść, że czegoś nie przytoczono dokładnie... Przekonujący dokument musi być sporządzony *ex novo*. W miarę możności nie należy też pokazywać go w oryginale, lecz tylko mówić o nim na podstawie pogłosek. Nie sposób wtedy sięgnąć do żadnego istniejącego źródła, podobnie jak w przypadku Trzech Króli: wspomniał o nich jedynie Mateusz w dwóch wersetach, nie wymienił imion, nie powiedział, ilu ich było ani czy byli królami, więc właściwie wszystko, co ich dotyczy, to tradycyjne przekazy. A przecież dla ludzi są tak samo prawdziwi jak Józef i Maria; wiem też, że ich doczesne szczątki gdzieś się czci. Odkrycia muszą być niezwykłe, wstrząsające, romansowe. Tylko wtedy stają się wiarygodne i budzą oburzenie. A co może obchodzić hodowcę winogron w Szampanii, że Żydzi na ślubie swojej córki wymagają od współwyznawców przestrzegania pewnych zwyczajów? Czy z tego wynika, że chcą się dobrać do jego pieniędzy?

Uświadomiłem sobie wówczas, że przekonujący dokument już mam, a raczej mam jego przekonującą oprawę – lepszą od tej, którą się szczyci *Faust* Gounoda, od kilku lat budzący zachwyt paryżan – i powinienem jedynie znaleźć odpowiednią treść. Myślałem oczywiście o zgromadzeniu wolnomularzy na Górze Gromów, o planie Józefa Balsamo i o nocy jezuitów na cmentarzu w Pradze.

Skąd miał się zrodzić żydowski plan zawładnięcia światem? Ależ z żądzy złota, jak zasugerował mi Toussenel. Motyw zawładnięcia światem wywoła niepokój monarchów i rządów, motyw żądzy złota zadowoli socjalistów, anarchistów i rewolucjonistów, motyw walki ze zdrowymi zasadami chrześcijańskiego świata zaniepokoi papieża, biskupów i proboszczów. Potrzeba też szczypty tego bonapartystowskiego cynizmu, który tak trafnie opisał Joly, oraz jezuickiej hipokryzji, której zarówno Joly, jak i ja nauczyliśmy się od Sue.

Wybrałem się znowu do biblioteki, tym razem w Paryżu, gdzie można znaleźć znacznie więcej niż w Turynie, i natknąłem się na nieznane mi dotąd ilustracje ukazujące cmentarz w Pradze. Istniał od średniowiecza; ponieważ nie wolno było grzebać zmarłych poza wyznaczonym obszarem, groby umieszczano warstwami jedne nad drugimi, tak że leży tam teraz do stu tysięcy nieboszczyków. Osłoniętych listowiem czarnego bzu nagrobków jest tyle, że prawie się dotykają; nie upiększają ich żadne podobizny, ponieważ Żydowini nie znoszą wizerunków. Zafascynowani może niezwykłością miejsca rytownicy przesadzili, odtwarzając na ilustracjach to kamienne wrzosowisko z powyginanymi na wszystkie strony krzewinkami, to rozdziawione usta starej, bezzębnej czarownicy. Natrafiłem na kilka rycin bardziej oryginalnych, przedstawiających cmentarz w świetle księżyca, i od razu zrozumiałem, jak dalece pomocna może być dla mnie atmosfera sabatu czarownic, którą oddawały. Pośród nagrobków podobnych do płyt posadzki, sterczących w górę i powyginanych przez trzęsienie ziemi, pokazałbym spiskujących rabinów. Zgarbieni, w długich płaszczach, w kapturach, ze szpakowatymi koźlimi brodami, wygięci jak nagrobki, o które się opierają, tworzą w nocy las skurczonych widm, skupionych wokół grobowca rabina Löwa, który w XVII wieku stworzył Golema, potwora mającego dokonywać zemsty na zlecenie każdego Żyda.

To lepsze od Dumasa, lepsze od jezuitów.

Oczywiście treść mojego dokumentu musiałaby się wydać zapisem ustnej relacji świadka tego zebrania w straszliwą noc, świadka zobowiązanego do zachowania incognito – w przeciwnym wypadku grozi mu śmierć. Przed zapowiedzianą ceremonią wszedł on na cmentarz przebrany za rabina i ukrył się w pobliżu stosu kamieni, którym jest obecnie grobowiec rabina Löwa. Dokładnie o północy – bluźnierstwo, dzwony chrześcijańskiego kościoła oznajmiają z oddali początek żydowskiego zgromadzenia – nadchodzi dwunastu osobników w ciemnych płaszczach, a dobywający się jakby z głębi grobu głos pozdrawia ich jako dwunastu Rosche-Bathe-Abboth, wodzów dwunastu plemion Izraela. Oni odpowiadają: „Pozdrawiamy cię, synu potępieńca".

Oto scena. Podobnie jak na Górze Gromów głos tego, który ich wezwał, pyta: „Minęło sto lat od naszego ostatniego spotkania. Skąd przybywacie i kogo reprezentujecie?" Odpowiadają po kolei: rabin Juda z Amsterdamu, rabin Beniamin z Toledo, rabin Lewi z Wormacji, rabin Manasze z Pesztu, rabin Gad z Krakowa, rabin Symeon z Rzymu, rabin Sebulon z Lizbony, rabin Ruben z Paryża, rabin Dan z Konstantynopola, rabin Aser z Londynu, rabin Isascher z Berlina, rabin Naftali z Pragi. Wtedy głos trzynastego uczestnika spotkania zleca każdemu z nich wyliczyć bogactwa reprezentowanych przez siebie gmin i sumuje skarby Rotszyldów oraz innych żydowskich bankierów tryumfujących w świecie. Z rachunku wynika, że na każdego z zamieszkujących Europę trzech milionów pięciuset tysięcy Żydów wypada po sześćset franków, co daje łącznie dwa miliardy franków. Nie wystarcza to jeszcze – komentuje trzynasty głos – aby zniszczyć dwieście sześćdziesiąt pięć milionów chrześcijan, ale zacząć już można.

Musiałem zastanowić się nad tym, co jeszcze powiedzą, lecz miałem już gotowe zakończenie. Trzynasty głos wzywa rabina Löwa, nad grobowcem unosi się błękitne światło, coraz jaśniejsze, oślepiające; każdy z dwunastu obecnych rzuca na mogiłę kamień, światło stopniowo gaśnie. Dwanaście postaci kieruje się w różne strony i znika, wchłania je – tak to się mówi – mrok. Cmentarz spowija znowu widmowa, blada melancholia.

A zatem Dumas, Sue, Joly, Toussenel. Brakowało mi jeszcze – chociaż znałem doskonale doktrynę księdza Barruela, mojego przewodnika duchowego w całym tym przedsięwzięciu – punktu widzenia żarliwego katolika. Właśnie w tych dniach Lagrange zaczął mnie ponaglać do nawiązania kontaktu z Alliance Israélite, wspominając przy okazji o Gougenocie des Mousseaux. Wiedziałem coś o nim, był to katolicki dziennikarz legitymista, zajmujący się dotychczas magią, obrządkami szatańskimi, tajnymi stowarzyszeniami i masonerią.

– O ile nam wiadomo – mówił Lagrange – ukończy niebawem książkę o żydostwie i o judaizacji narodów chrześcijańskich, rozumie pan. Spotkanie z nim mogłoby się panu przydać, zyskałby pan więcej materiałów potrzebnych naszym rosyjskim przyjaciołom. Nam również by się przydało, bo chcemy się dowiedzieć jakichś szczegółów o tym, co przygotowuje; nie życzymy sobie popsucia dobrych stosunków między naszym rządem, Kościołem i żydowską finansjerą. Mógłby pan nawiązać z nim znajomość, podając się za znawcę tematyki żydowskiej, który podziwia jego publikacje. Mam kogoś, kto mógłby mu pana przedstawić. To niejaki ksiądz Dalla Piccola, wyświadczył nam już wiele przysług.

– Ale ja nie znam hebrajskiego – odparłem.

– A kto panu powiedział, że zna go Gougenot? Żeby kogoś nienawidzić, nie potrzeba wcale mówić jego językiem.

Obecnie przypomniałem sobie (nagle) moje pierwsze spotkanie z księdzem Dalla Piccola. Widzę go, jakby teraz stał przede mną. A patrząc na niego, pojmuję, że nie może być moim drugim ja, sobowtórem czy czymś podobnym. Wygląda przecież na co najmniej sześćdziesiąt lat, jest prawie garbaty i ma wystające zęby. Ksiądz Quasimodo, powiedziałem sobie, gdy go wtedy zobaczyłem. Na dodatek mówił z niemieckim akcentem. Pamiętam, że Dalla Piccola szepnął mi, iż należałoby mieć na oku nie tylko Żydów, ale i masonów, bo w gruncie rzeczy to ta sama szajka. Ja uważałem, że nie wolno otwierać kilku frontów naraz, więc nie podjąłem wątku. Z aluzji księdza zrozumiałem jednak, że informacje o kręgach masońskich interesują jezuitów, ponieważ Kościół przygotowuje niezwykle ostry atak na masońską zarazę.

– W każdym razie – powiedział Dalla Piccola – gdyby miał pan kiedyś zbliżyć się do tych środowisk, proszę mnie zawiadomić. Jestem członkiem jednej z paryskich lóż i mam wśród masonów wielu dobrych znajomych.

– Ksiądz członkiem loży? – zapytałem.

Dalla Piccola uśmiechnął się.

– Gdyby pan wiedział, ilu księży jest masonami...

Wystarałem się tymczasem o rozmowę z kawalerem orderów Gougenotem des Mousseaux. Był to siedemdziesięciolatek o niezbyt już sprawnym umyśle, święcie przekonany o słuszności swoich poglądów (nie miał ich dużo) i zainteresowany wyłącznie dowodami istnienia diabła oraz magami, czarownikami, spirytystami, mesmerystami, Żydami, księżmi bałwochwalcami, a nawet „elektrykami" wierzącymi w swego rodzaju pryncypium witalne.

Zalał mnie rzeką słów, zaczynając od czasów najdawniejszych. Słuchałem zrezygnowany jego wywodów o Mojżeszu, faryzeuszach, Wielkim Sanhedrynie i Talmudzie. Na szczęście Gougenot poczęstował mnie jednocześnie doskonałym koniakiem, a butelkę zostawił w roztargnieniu na stojącym przed nim stoliku. Dzięki koniakowi udawało mi się wytrzymać.

Gougenot ujawnił mi, że procent uprawiających nierząd kobiet jest wyższy u Żydów niż u chrześcijan (przecież wiadomo o tym z Ewangelii – mówiłem sobie – bo Jezus na każdym kroku spotyka grzesznice), po czym dowodził, że w talmudycznej moralności nie istnieje bliźni, nie wspomina się w ogóle o naszych obowiązkach względem niego, to zaś tłumaczy i w pewnym sensie usprawiedliwia bezwzględność, z jaką Żydzi rujnują rodziny, hańbią dziewczęta, wyrzucają na bruk wdowy i starców, wyssawszy z nich ostatnią kroplę krwi. Wśród Żydów jest więcej niż wśród chrześcijan nie tylko prostytutek, ale i przestępców.

- Czy pan wie, że na dwanaście przypadków kradzieży rozpatrywanych przez sąd w Lipsku w jedenastu sprawcami byli Żydzi?! – krzyczał Gougenot i dodawał ze złośliwym uśmiechem: – I rzeczywiście na Golgocie było dwóch złoczyńców obok jednego sprawiedliwego. Przestępstwa popełniane przez Żydów – ciągnął – należą w ogóle do najbardziej perwersyjnych: oszustwo, fałszerstwo, lichwa, zamierzone bankructwo, łapówkarstwo, szachrajstwo w handlu i wiele innych.

Po prawie godzinnej, przeładowanej szczegółami przemowie o lichwie podjął tematykę bardziej drastyczną: dzieciobójstwo i ludożerstwo. Omówił potem – jakby przeciwstawiając tym mrocznym praktykom postępowanie dokładnie przemyślane i całkowicie jawne – ogólnie znane przewinienia żydowskiej finansjery i niedołęstwo, z jakim rząd francuski usiłuje im zapobiegać i je karać.

Najbardziej interesujące, ale nienadające się do wykorzystania wypowiedzi Gougenota dotyczyły wyższości intelektualnej Żydów nad chrześcijanami. Sam wydawał się Żydem, kiedy głosił ją na podstawie deklaracji Disraelego, o których wiedziałem od Toussenela – jak widać, *fouriéristes* i katolickich monarchistów łączyły jednak wspólne poglądy na żydostwo – i negował powszechnie przyjętą opinię o Judejczykach rachitycznych i chorowitych. Prawdą jest, mówił, że nie ćwiczyli oni nigdy ciała i nie uprawiali wojennego rzemiosła (a wystarczy pomyśleć o wadze przypisywanej zawodom sportowym przez Greków), odznaczają się więc kruchą, słabą budową. Są jednak długowieczni, nieprawdopodobnie wręcz płodni, między innymi wskutek cechującego ich przemożnego popędu płciowego, a także uodpornieni na wiele chorób dręczących resztę ludzkości. Tym bardziej są niebezpieczni w swoim dążeniu do zawładnięcia światem.

- Proszę mi wytłumaczyć – mówił Gougenot – dlaczego Żydów oszczędzały zawsze epidemie cholery, choć zamieszkiwali najbardziej niezdrowe dzielnice miast. Pisząc o zarazie z tysiąc trzysta czterdziestego szóstego roku, ówczesny historyk oświadcza, że nie dotknęła ona Żydów w żadnym kraju. Frascator podaje, że tylko Żydzi ocaleli po epidemii tyfusu w tysiąc pięćset piątym roku. Według Degnera jedynie oni przeżyli epidemię czerwonki w Nijmegen w tysiąc siedemset trzydziestym szóstym roku. Wawruch dowodzi, że u żydowskiej ludności w Niemczech nie występuje soliter. I co pan na to? Jak to możliwe, skoro chodzi o najbrudniejszy naród na świecie, dopuszczający zawieranie małżeństw wyłącznie wśród krewnych? Mamy tu zaprzeczenie wszelkich praw przyrody. Czy to dzięki ich sposobowi odżywiania się, którego zasad nie znamy, a może za sprawą obrzezania? Jaka to tajemnica czyni ich silniejszymi od nas, choć wydają się słabsi? Wroga tak podstępnego i potężnego trzeba niszczyć za pomocą wszelkich dostępnych środków, zapewniam pana. Czy zdaje pan sobie sprawę, że kiedy Żydzi wkraczali do Ziemi Obiecanej, było wśród nich jedynie sześćset tysięcy mężczyzn, więc licząc po cztery osoby na jednego dorosłego mężczyznę, otrzymujemy łącznie dwa miliony czterysta tysięcy ludzi. Ale za czasów Salomona było ich już milion trzysta tysięcy wojowników, a zatem ponad pięć milionów dusz, czyli więcej niż dwa razy tyle. A dzisiaj? Trudno powiedzieć, bo są rozproszeni na wszystkich kontynentach, ale według najbardziej ostrożnych obliczeń jest ich dziesięć milionów. I mnożą się, mnożą...

Wydawał się całkowicie wyczerpany swoim gniewnym uniesieniem; chciałem nawet zaproponować mu kieliszek jego własnego koniaku. Odzyskał jednak siły i w rezultacie, kiedy doszedł do mesjanizmu i do kabały (był więc także gotów streszczać swoje książki o magii i satanizmie), znalazłem się w stanie błogiego oszołomienia. Cudem zdołałem wstać, podziękować i wypowiedzieć słowa pożegnania.

Za dużo tego dobrego – powiedziałem sobie. Gdybym miał umieścić wszystkie te wiadomości w dokumencie przeznaczo-

...Wydawał się całkowicie wyczerpany swoim gniewnym uniesieniem; chciałem nawet zaproponować mu kieliszek jego własnego koniaku... (s. 235)

nym dla ludzi pokroju Lagrange'a, służby specjalne zapewne wtrąciłyby mnie do lochu, do podziemi zamku If, miejsca godnego entuzjasty Dumasa. Może jednak zlekceważyłem nieco Gougenota, bo teraz, kiedy piszę te słowa, przypominam sobie, że jego książka *Żyd, judaizm i judaizacja narodów chrześcijańskich**, opublikowana w 1869 roku – prawie sześćset stron bardzo drobnego druku – została pobłogosławiona przez Piusa IX i cieszyła się wielką poczytnością. Ale już wtedy odnosiłem wrażenie, że nieustannie ukazują się cienkie i grube książki wymierzone w Żydów, co skłaniało mnie do dokonywania wyboru.

Na moim praskim cmentarzu rabini musieli mówić o czymś łatwo zrozumiałym, trafiającym do przekonania czytelnikom z ludu i w jakiś sposób nowym – nie o rytualnym dzieciobójstwie, o którym opowiadano już od stuleci, a wierzono w nie tak, jak wierzy się w czarownice; wystarczało zresztą nie pozwolić dzieciom wałęsać się w pobliżu getta.

Wróciłem więc do swojego raportu o okropnościach tej strasznej nocy.

Przemówił najpierw głos trzynasty:

– Nasi ojcowie nakazali wybrańcom Izraela zbierać się raz na sto lat wokół grobu świętego rabina Symeona Ben-Jehudy. Osiemnaście wieków temu obiecaną nam przez Abrahama potęgę zrabował krzyż. Lud Izraela, zdeptany, upokorzony przez wrogów, nieustannie zagrożony śmiercią i gwałtem, mimo wszystko przetrwał. Rozproszył się po całym świecie, co oznacza, że cały świat musi do niego należeć. Do nas od czasów Arona należy złoty cielec.

– Tak jest – rzekł wtedy rabin Isascher. – Kiedy będziemy jedynymi właścicielami całego złota na ziemi, prawdziwa moc znajdzie się w naszych rękach.

– Już po raz dziesiąty – ciągnął głos trzynasty – po tysiącu lat okrutnej, nieprzerwanej walki z naszymi wrogami zbierają się

---

* *Le juif, le judaïsme et la judaïsation des peuples chrétiens.*

wokół grobu rabina Symeona Ben-Jehudy wybrańcy ze wszystkich plemion Izraela. Jednak nigdy w poprzednich wiekach nie udało się naszym przodkom zgromadzić w swoich rękach tyle złota, a zatem zyskać takiej potęgi. W Paryżu, Londynie, Wiedniu, Amsterdamie, Hamburgu, Rzymie i Neapolu, u wszystkich Rotszyldów, Izraelici są panami finansów... Przemów, rabinie Rubenie, znasz sytuację w Paryżu.

– Wszyscy cesarze, królowie i udzielni książęta – zabrał głos Ruben – są u nas zadłużeni po uszy, bo potrzebują pieniędzy na utrzymanie swoich armii i na zachowanie coraz bardziej chwiejnych tronów. Powinniśmy więc chętniej udzielać im pożyczek, żeby na koniec podporządkować sobie – jako zastaw za oddane rządom do dyspozycji kapitały – ich koleje żelazne, kopalnie, lasy, wielkie fabryki i manufaktury, wszelkie nieruchomości oraz zarządzanie poborem podatków.

– Nie zapominajmy o rolnictwie, które pozostanie zawsze ogromnym bogactwem każdego kraju – włączył się rabin Symeon z Rzymu. – Wielka własność ziemska jest z pozoru nadal nietykalna, lecz jeśli uda się nam nakłonić rządy do rozczłonkowania tych majątków, łatwiej będzie je wykupić.

Odezwał się rabin Juda z Amsterdamu:

– Ale wielu naszych izraelskich braci nawraca się, przyjmuje chrzest chrześcijański...

– Nie szkodzi – odpowiedział głos trzynasty. – Przechrzty mogą się nam bardzo przydać. Mimo ochrzczenia ciała ich umysły i dusze pozostają wierne Izraelowi. Za sto lat synowie Izraela już nie będą chcieli stawać się chrześcijanami, to właśnie wielu chrześcijan zechce nawrócić się na naszą świętą wiarę. Ale Izrael odepchnie ich wtedy z pogardą.

– Pamiętajmy jednak przede wszystkim – wtrącił rabin Lewi – że naszym najniebezpieczniejszym wrogiem jest Kościół chrześcijański. Trzeba rozpowszechniać wśród jego wyznawców wolnomyślicielstwo i sceptycyzm, trzeba poniżać kapłanów tej religii.

– Rozpowszechniajmy ideę postępu zakładającą równość wszystkich wyznań – rzekł rabin Manasze. – Walczmy o wykreślenie z programów szkolnych lekcji religii chrześcijańskiej. Przebiegli i pilnie uczący się Izraelici obejmą bez trudu katedry i stanowiska profesorskie w chrześcijańskich szkołach. Wtedy wychowanie religijne mogłoby się odbywać tylko w rodzinach, a ponieważ większości rodzin brak na to czasu, duch wiary stopniowo osłabnie.

Przyszła kolej na rabina Dana z Konstantynopola.

– Nie wolno nam nigdy wypuszczać z rąk zwłaszcza handlu i spekulacji. Powinniśmy opanować handel alkoholem, masłem, chlebem i winem, bo w ten sposób staniemy się absolutnymi władcami wsi i w ogóle całej gospodarki rolnej.

A Naftali z Pragi dodał:

– Opanujmy sądownictwo i adwokaturę. I dlaczego Izraelici nie mieliby być ministrami oświaty, skoro tak często byli ministrami finansów?

Zabrał wreszcie głos rabin Beniamin z Toledo.

– Nie wolno nam pominąć żadnego liczącego się w społeczeństwie zawodu. Filozofia, medycyna, prawo, muzyka, ekonomia, słowem wszystkie gałęzie wiedzy, literatury i sztuki – oto rozległe pole, na którym winien rozkwitnąć nasz geniusz. Przede wszystkim zaś medycyna! Lekarzowi znane są najgłębsze tajemnice rodzin, ma w swoich rękach życie i zdrowie chrześcijan. Powinniśmy też popierać mieszane, izraelicko-chrześcijańskie małżeństwa. Odrobina nieczystej krwi zmieszana z krwią naszego wybranego przez Boga plemienia nie może jej zepsuć, a nasi synowie i córki wejdą do chrześcijańskich rodzin zajmujących ważne miejsce w społeczeństwie.

– Zamykamy nasze zebranie – powiedział głos trzynasty. – Złoto to pierwsza potęga na tym świecie, drugą jest prasa. Nasi ludzie powinni kierować wszystkimi dziennikami we wszystkich krajach. Jako absolutni władcy prasy będziemy mogli kształtować opinię publiczną w sprawach honoru, cnoty, uczciwości i przypuścić pierwszy atak na instytucję rodziny. Udawajmy gorliwie zainteresowanie aktualnymi kwestiami społecznymi, trzeba podporządkować sobie proletariat, wprowadzić naszych agitatorów do ruchów społecznych. Tym sposobem będziemy mogli podburzać proletariuszy, pchać robotników na barykady, wywoływać rewolucje, a każdy przewrót zbliży nas do naszego jedynego celu – do zapanowania nad światem zgodnie z obietnicą Abrahama, naszego praojca. Wtedy nasza potęga wzrośnie, jak wzrasta gigantyczne drzewo, na którego gałęziach wiszą owoce o nazwach: bogactwo, rozkosz, szczęście, władza. Będzie to nagroda za nędzę i upokorzenia, które przez tyle wieków musiał znosić lud Izraela.

Jeśli dobrze sobie przypominam, tak właśnie kończył się raport z praskiego cmentarza.

Po dokonaniu tej rekonstrukcji czuję się wyczerpany – może i dlatego, że pisząc bez wytchnienia przez wiele godzin, tęgo popijałem, aby dodać sobie fizycznej siły i duchowej podniety. Od wczoraj nie mam jednak apetytu, jedzenie przyprawia mnie o mdłości. Wymiotuję, budząc się ze snu. Jestem chyba przepracowany, a może ściska mi gardło żerająca mnie nienawiść. Teraz, kiedy po latach wracam do stron poświęconych cmentarzowi w Pradze, pojmuję, że ta moja przekonująca rekonstrukcja żydowskiego sprzysiężenia to owoc wstrętu, który w czasach mojego dzieciństwa i mojej młodości był czymś (jak to wyrazić?) nierealnym, wydumanym, echem katechizmu wbitego mi do głowy przez dziadka, a obecnie stał się czymś z krwi i kości. Pojmuję, że dopiero odkąd udało mi się odtworzyć tę noc sabatu czarownic, moja odraza, moja nienawiść do żydowskiej perfidii zamieniły się z abstrakcji w niepohamowaną, głęboką pasję. Tak, na Boga, trzeba było naprawdę być tej nocy na praskim cmentarzu albo przynajmniej przeczytać moją relację o tym wydarzeniu, aby zrozumieć, że nie wolno dłużej pozwalać tej przeklętej rasie zatruwać naszego życia!

Dopiero po przeczytaniu raz i drugi swojego dokumentu zrozumiałem w pełni, że mam do wykonania misję. Musiałem bezwzględnie sprzedać komuś ten raport. Kiedy sowicie mi za niego zapłacą, uwierzą w jego słowa i przyczynią się do potwierdzenia ich autentyczności.

Lepiej jednak, abym dziś wieczorem przestał już pisać. Nienawiść (albo samo jej wspomnienie) wstrząsa mym umysłem. Drżą mi ręce. Muszę teraz spać, spać, spać...

13

DALLA PICCOLA TWIERDZI,
ŻE NIE JEST DALLA PICCOLĄ

5 kwietnia 1897

Dzisiaj rano obudziłem się w swoim łóżku i włożyłem ubranie, nie zapominając o odrobinie niezbędnego dla mojej osobowości makijażu. Przystąpiłem potem do lektury pańskiego dziennika, gdzie utrzymuje pan, że poznał pewnego księdza Dalla Piccola, i przedstawia go jako z pewnością starszego ode mnie, a na dodatek garbatego. Poszedłem przejrzeć się w lustrze w pańskim pokoju – w moim nie ma lustra, bo u duchownego nie powinno go być – i chociaż nie zamierzam się chwalić, nie mogłem nie stwierdzić, że mam regularne rysy, nie jestem bynajmniej zezowaty i nie mam wystających zębów. Ponadto moja wymowa francuska jest doskonała, co najwyżej zabarwiona nieco włoską intonacją.

Kim jest więc noszący moje nazwisko ksiądz, z którym pan się spotkał? No i kim właściwie jestem ja?

14

5 kwietnia 1897, późnym rankiem

Obudziłem się późno i przeczytałem w swoim dzienniku krótki wpis. Ranny z księdza ptaszek. Mój Boże, księże wielebny, za kilka dni (lub którejś nocy) poznasz niewątpliwie także i te moje słowa. Kim naprawdę jesteś? Teraz właśnie sobie przypominam, że zabiłem cię jeszcze przed wojną! Czy mogę rozmawiać z widmem? Zabiłem księdza? Dlaczego jestem tego pewien? Postarajmy się odtworzyć te wydarzenia. Ale najpierw chciałbym coś zjeść. To dziwne, wczoraj nie mogłem myśleć o jedzeniu bez wstrętu, a dziś pożarłbym wszystko, co wpadłoby mi w ręce. Gdybym mógł swobodnie wychodzić z domu, poszedłbym do lekarza.

Po zredagowaniu raportu o konwentyklu na praskim cmentarzu byłem gotowy na spotkanie z pułkownikiem Dimitri. Pomny zachwytów Brafmanna nad francuską kuchnią, także następnego swojego rozmówcę zaprosiłem do Rocher de Cancale, ale nie wydawał się zainteresowany jedzeniem i ledwie popróbował dań, które zamówiłem. Miał lekko skośne oczy o małych, kłujących źrenicach, przywodzące mi na myśl oczy kuny, chociaż kun nie miałem i nigdy żadnej nie widziałem (nienawidzę kun tak samo jak Żydów). Odniosłem wrażenie, że Dimitri wyróżnia się osobliwą umiejętnością wprawiania swoich interlokutorów w zakłopotanie.

Przeczytał uważnie mój raport i powiedział:

– Bardzo interesujące. Ile?

Z takimi osobami przyjemnie jednak rozmawiać. Wymieniłem bez namysłu sumę chyba nieco wygórowaną – pięćdziesiąt tysięcy franków – tłumacząc, że wiele kosztowali mnie informatorzy.

– To za dużo – oświadczył Dimitri – albo raczej za dużo dla mnie. Spróbujemy podzielić koszty. Jesteśmy w dobrych stosunkach z tajnymi służbami pruskimi, one też mają problemy z Żydami. Zapłacę panu dwadzieścia pięć tysięcy franków w złocie i upoważnię do przekazania kopii tego dokumentu Prusakom, którzy dadzą panu tyle samo. Ja ich zawiadomię. Oczywiście zechcą dokumentu oryginalnego, jak ten, który wręczy pan mnie, ale wiem od swojego przyjaciela Lagrange'a, że jest pan zdolny mnożyć oryginały. Skontaktuje się z panem człowiek o nazwisku Stieber.

Nie dodał nic więcej. Grzecznie odmówił koniaku, ukłonił się dość sztywno – bardziej na sposób niemiecki niż rosyjski – pochylając głowę niemal pod kątem prostym do wyprężonego korpusu, i odszedł. Rachunek zapłaciłem ja.

Poprosiłem Lagrange'a o spotkanie. Słyszałem już od niego o tym Stieberze, sławnym szefie pruskiego wywiadu. Specjalizował się on w zbieraniu informacji za granicą, lecz umiał także przenikać do sekt i ruchów zagrażających porządkowi w państwie. Dziesięć lat wcześniej oddał cenne usługi, gromadząc dane o tym Marksie, który niepokoił zarówno Niemców, jak i Anglików. Podobno sam Stieber lub jego agent Krause, pracujący pod fałszywym nazwiskiem Fleury, zdołał, udając lekarza, dostać się do londyńskiego mieszkania Marksa i wykraść listę z nazwiskami wszystkich członków Ligi Komunistów. Piękny chwyt, który umożliwił aresztowanie wielu niebezpiecznych osobników – zakończył Lagrange. Zbędna ostrożność – zauważyłem – bo skoro ci komuniści dali się tak nabrać, muszą być głupcami, którzy daleko nie zajdą. Lagrange odpowiedział jednak, że nigdy nie wiadomo. Zawsze lepiej jest zapobiegać przestępstwom i karać, zanim do nich dojdzie.

– Dobry agent wywiadu jest zgubiony, jeśli musi interweniować w sprawie, do której już doszło. W naszym zawodzie musi-

...Poprosiłem Lagrange'a o spotkanie... (s. 246)

my wyprzedzać zdarzenia. Wydajemy sporo pieniędzy na organizowanie zamieszek na bulwarach. To nietrudne, wystarczy kilka tuzinów byłych więźniów i paru policjantów w cywilu. Śpiewając *Marsyliankę*, plądrują trzy restauracje i dwa burdele, podpalają dwa kioski; potem zjawiają się nasi mundurowi i po udawanej bójce aresztują wszystkich.

– Jaki z tego pożytek?

– Pożytek jest taki, że zacni mieszczanie są stale zaniepokojeni i dochodzą do przekonania, że trzeba rządzić silną ręką. Gdyby przyszło nam tłumić rozruchy prawdziwe, zorganizowane przez Bóg wie kogo, tak łatwo byśmy sobie nie poradzili. Ale wróćmy do Stiebera. Odkąd został szefem pruskiej tajnej policji, krąży po wsiach Europy Wschodniej przebrany za kuglarza i notuje wszystko, tworząc sieć informatorów wzdłuż drogi, którą armia pruska pomaszeruje kiedyś z Berlina do Pragi. Z myślą o wojnie, która prędzej czy później z pewnością wybuchnie, zaczął już także podobną robotę we Francji.

– Może więc nie powinienem z tym indywiduum w ogóle się zadawać?

– Nie, trzeba mieć go na oku. Lepiej zatem, żeby pracowali dla niego nasi agenci. Zresztą ma pan mu przekazać historię dotyczącą Żydów, która nas nie interesuje. Współpracując z nim, nie zaszkodzi pan naszemu rządowi.

W tydzień później otrzymałem liścik podpisany przez tego Stiebera. Pytał, czy nie byłaby dla mnie zbyt kłopotliwa podróż do Monachium, gdzie spotkałbym się z jego zaufanym człowiekiem, niejakim Goedschem, któremu wręczyłbym raport. Podróż oczywiście była dla mnie kłopotliwa, ale bardzo mi zależało na drugiej połowie wynagrodzenia.

Spytałem Lagrange'a, czy zna tego Goedsche. Powiedział mi, że to były urzędnik pocztowy, który w rzeczywistości pracował dla tajnej policji pruskiej jako prowokator. Po rozruchach 1848 roku sporządził fałszywe listy, dowodzące, że przywódca demokratów chciał jakoby zamordować króla. Okazało się jednak, że w Berlinie są godni sędziowie, stwierdzili bowiem fałszywość tych listów. Doszło do skandalu, którego ofiarą padł Goedsche, tracąc posadę na poczcie. I nie tylko, bo w konsekwencji tej afery stał się mniej wiarygodny w środowisku służb specjalnych, gdzie przebacza się fałszowanie dokumentów, ale nie przebacza się niezręcznemu fałszerzowi schwytanemu na gorącym uczynku. Poradził sobie jednak, pisząc powieścidła historyczne, które publikował pod nazwiskiem sir John Retcliffe, i współpracując nadal z „Kreuzzeitung", propagandową gazetą antysemicką. Tajne służby korzystały z jego usług wyłącznie w celu rozpowszechniania prawdziwych lub fałszywych informacji o Żydach.

Oto człowiek, jakiego potrzebuję – powiedziałem sobie, ale Lagrange tłumaczył mi, że jeśli właśnie jemu powierzono tę sprawę, to ten mój raport chyba Prusaków mało interesuje; kazali przejrzeć go byle komu, żeby czuć się w porządku, a mnie potem odprawią z niczym.

– Nieprawda, Niemcom zależy na moim raporcie, obiecali mi za niego znaczną sumę.

– Kto ją panu obiecał? – spytał Lagrange. Kiedy mu powiedziałem, że Dimitri, uśmiechnął się. – A więc Rosjanin, panie Simonini, wszystko jasne. Co kosztuje Rosjanina obietnica w imieniu Niemców? Ale niech pan jedzie do Monachium, my też chcemy wiedzieć, co Niemcy robią. Proszę tylko pamiętać, że Goedsche to zdradliwa kanalia, inaczej nie pracowałby w tym zawodzie.

Lagrange nie był w stosunku do mnie zbyt uprzejmy. Być może do kategorii łajdaków zaliczał i tych, którzy w hierarchii służb specjalnych zajmowali wysokie miejsca, a więc i siebie samego. Ja w każdym razie nie obrażam się – pod warunkiem, że dobrze mi płacą.

Pisałem już chyba w tym dzienniku o swoich wrażeniach z wielkiej piwiarni monachijskiej, gdzie Bawarczycy tłoczą się i trącają łokciami przy długich stołach, pożerając ociekającą tłuszczem kiełbasę i popijając piwo z kufli wielkich jak kadzie; mężczyźni i kobiety, te ostatnie bardziej rozbawione, hałaśliwe i wulgarne. To naprawdę niższa rasa. Po bardzo męczącej podróży z wielkim trudem udało mi się wytrzymać dwa dni na teutońskiej ziemi. Właśnie w piwiarni wyznaczył mi spotkanie Goedsche. Muszę przyznać, że mój niemiecki szpieg doskonale do tego środowiska pasował. Mimo ostentacyjnej elegancji miał lisi wygląd człowieka żyjącego z ubocznych dochodów.

Swoją kiepską francuszczyzną zaczął od razu mnie wypytywać o źródła. Lawirowałem i starając się zmienić temat, wspomniałem o swojej garybaldyjskiej przeszłości. Był przyjemnie zaskoczony, ponieważ – jak powiedział – pisze właśnie powieść o wydarzeniach 1860 roku we Włoszech. Prawie już ją skończył, miała nosić tytuł *Biarritz* i obejmować kilka tomów, akcja toczyła się nie tylko we Włoszech, ale i na Syberii, w Warszawie, w samym Biarritz i tak dalej. Mówił dużo i nie bez satysfakcji zapewniał, że ta będąca na ukończeniu książka to „Kaplica Sykstyńska powieści historycznej". Nie rozumiałem dobrze związku opisywanych wydarzeń, zasadniczym tematem było chyba nieustanne zagrożenie ze strony trzech złowieszczych sił przebiegle oplatających świat, czyli masonów, katolików – zwłaszcza jezuitów – oraz Żydów, którzy wślizgują się także między masonów i katolików, aby podstępnie szkodzić czystej rasie teutońskich protestantów.

Rozwodził się nad machinacjami masonów spod znaku Mazziniego we Włoszech, potem przenosił akcję do Warszawy, gdzie masoni spiskowali przeciwko Rosji wraz z nihilistami, przeklętym plemieniem z gatunku tych, które regularnie pojawiają się w krajach słowiańskich. Masoni i nihiliści, jedni i drudzy w większości Żydzi, przyjęli sposób rekrutacji podobny do sposobu wypróbowanego już przez iluminatów bawarskich i karbonariuszy z Wysokiej Wenty: każdy członek rekrutuje dziewięciu innych, którzy nie mogą znać się między sobą. Po tym wtręcie znowu Włochy. Piemontczycy maszerują na Królestwo Obojga Sycylii, wszędzie zamęt, ranni, zdrajcy, gwałcone szlachcianki, karkołomne eskapady, odważne irlandzkie legitymistki w płaszczach z kapturem i ze szpadą w ręku, zwitki z tajnymi wiadomościami ukryte pod końskim ogonem, podły karbonariusz, książę Caracciolo, gwałci niewinne dziewczę (irlandzką legitymistkę), pierścienie z oksydowanego, zielonego złota, niosące sekretne przesłanie, ze splecionymi wężami i czerwonym koralem pośrodku, próba porwania syna Napoleona III, dramatyczna bitwa pod Castelfidardo z przelaną krwią niemieckich żołnierzy w służbie papieskiej, inwektywa przeciwko *welsche Feigheit* – Goedsche powiedział to po niemiecku chyba dlatego, żeby mnie nie urazić, ale ja uczyłem się trochę tego języka i zrozumiałem, że chodziło mu o typowe dla rasy łacińskiej tchórzostwo. W tym miejscu akcja gmatwała się coraz bardziej, a nie doszliśmy jeszcze do końca pierwszego tomu.

Goedsche opowiadał z przejęciem, świńskie oczka mu błyszczały, parskał śliną, śmiał się sam do siebie z własnych pomysłów, które uznał za szczególnie udane. Usłyszałby chętnie z pierwszej ręki plotki o Cialdinim, Lamarmorze i innych generałach piemonckich, a także, rzecz jasna, o garybaldczykach. Ponieważ jednak w jego środowisku za wiadomości się płaci, nie uważałem za stosowne informować go gratis o interesujących dlań wydarzeniach we Włoszech. Zresztą o tym, co wiedziałem, lepiej było milczeć.

Pomyślałem sobie, że ten człowiek pomylił drogę. Nie należy przedstawiać niebezpieczeństwa o tysiącu twarzy. Niebezpieczeństwo powinno mieć jedno oblicze, bo inaczej uwaga czytelnika się rozprasza. Jeśli chcesz oskarżać Żydów, pisz o Żydach, a zostaw w spokoju Irlandczyków, neapolitańskie książęta, piemonckich generałów, polskich patriotów i rosyjskich nihilistów. Za dużo tego dobrego. Jak można być tak chaotycznym? Zwłaszcza że, pomijając powieść, obsesją Goedschego wydawali się wyłącznie Żydzi, co mnie odpowiadało, bo przyjechałem przecież po to, aby przekazać mu cenny dokument.

Powiedział mi wreszcie, że pisze tę powieść nie dla pieniędzy lub w nadziei na doczesną sławę, lecz po to, aby uwolnić naród niemiecki z żydowskiej pułapki.

– Trzeba powrócić do Lutra, który powiedział, że Żydzi są źli, jadowici i szatańscy do szpiku kości, że od wieków byli naszą plagą i zarazą i pozostali tacy w jego czasach; że są – cytuję jego słowa – gadami podstępnymi, pełnymi trucizny, złośliwymi, mściwymi, morderczymi, zrodzonymi z Szatana, kłują i szkodzą skrycie, nie mogąc inaczej. Jedynym na nich lekarstwem jest *schärfe Barmherzigkeit* – Goedsche nie umiał tego przetłumaczyć, lecz ja zrozumiałem, że choć dosłowny przekład brzmi „ostre miłosierdzie", w rzeczywistości Luter miał na myśli brak miłosierdzia.

Należało spalić synagogi, a to, co spłonąć nie chciało, przysypać ziemią tak, aby nie było widać jednego nawet kamienia, zburzyć domostwa Żydów i zagnać ich do stajen jak Cyganów, zabrać im wszystkie teksty talmudyczne zawierające same kłamstwa, przekleństwa i bluźnierstwa, zabronić im uprawiania lichwy, skonfiskować całe ich złoto, gotówkę i klejnoty, młodym mężczyznom dać do ręki siekierę i łopatę, a młodym kobietom – kądziel i wrzeciono. *Arbeit macht frei* – skomentował Goedsche z szyderczym uśmiechem – tylko praca czyni wolnym. Ostatecznym rozwiązaniem byłoby dla Lutra wypędzić Żydów z Niemiec jak wściekłe psy.

– Lutra nie posłuchano, przynajmniej do dzisiaj – powiedział na zakończenie Goedsche. – Rzecz w tym, że chociaż od starożytności ludy pozaeuropejskie uchodziły za szpetne… weźmy Murzynów, których nadal uważa się słusznie za zwierzęta… nie opracowano dotąd kryterium pozwalającego rozpoznać bezbłędnie rasy wyższe. Natomiast dzisiaj wiemy już, że w rozwoju ludzkości najwyższy stopień osiągnęła rasa biała i że najdoskonalszym wzorem rasy białej jest rasa germańska. Obecność Żydów oznacza stałe zagrożenie skrzyżowaniami rasowymi. Weźmy grecki posąg: co za czyste rysy, wytworne kształty! Nie bez powodu to piękno utożsamiano z cnotą; kto był piękny, był też waleczny, jak wielcy bohaterowie naszych teutońskich mitów. Proszę sobie teraz wyobrazić tych apollów zdeformowanych semickimi rysami, z brązowawą skórą, ponurym spojrzeniem, nosem drapieżnika, skurczonym ciałem. U Homera są to cechy charakterystyczne

Tersytesa, uosobienia tchórzostwa. Chrześcijańska legenda, przesiąknięta jeszcze żydowskim duchem (u jej zarania stoi przecież Paweł, Żyd z Azji Mniejszej, dzisiaj powiedzielibyśmy: Turek), uczy nas, że wszystkie rasy pochodzą od Adama. Nie, oddalając się od zwierzęcia z prawieków, ludzie poszli różnymi drogami. Musimy wrócić do miejsca, w którym drogi się rozeszły, a więc do prawdziwych, narodowych korzeni naszego ludu; precz z bredniami francuskiego oświecenia o kosmopolityzmie, równości i powszechnym braterstwie! Oto duch nowych czasów. Używany obecnie w Europie termin „narodowe *Risorgimento*" oznacza odwołanie się do czystości pierwotnej rasy. Tyle że ten termin i związane z nim dążenia odnoszą się wyłącznie do rasy germańskiej. Trudno się nie śmiać, słysząc, że we Włoszech powrót do antycznego piękna reprezentuje ten wasz krzywonogi Garibaldi, krótkonogi król czy karzełek Cavour. Ale przecież także starożytni Rzymianie należeli do rasy semickiej.

– Rzymianie?

– Nie czytał pan Wergiliusza? Pochodzili od Trojańczyka, a zatem od wschodniego Azjaty. Ta migracja semicka zniszczyła ducha pierwotnych mieszkańców Italii. Proszę tylko pomyśleć o losie Celtów: po romanizacji stali się Francuzami, więc należą do rasy łacińskiej. Jedynie Germanie zdołali zachować nieskazitelną czystość i zgnieść potęgę Rzymu. O wyższości rasy aryjskiej i niższości rasy żydowskiej, a w konsekwencji także łacińskiej, świadczy wreszcie doskonałość osiągnięta w różnych dziedzinach sztuki. Ani Włochy, ani Francja nie wydały Bacha, Mozarta, Beethovena, Wagnera.

Goedsche nie wyglądał mi bynajmniej na sławiony przezeń typ aryjskiego bohatera. Wręcz przeciwnie, gdybym miał powiedzieć prawdę (ale dlaczego miałoby się zawsze mówić prawdę?), swoją fizjonomią przypominał mi raczej żarłocznego, zmysłowego Żyda. Musiałem mu jednak wierzyć, skoro wierzyły mu służby specjalne, które powinny mi wypłacić resztę honorarium, dwadzieścia pięć tysięcy franków.

253

Mimo to pozwoliłem sobie na drobną złośliwość i zapytałem, czy on sam czuje się dobrym przedstawicielem wyższej, apolińskiej rasy. Spojrzał na mnie krzywo i odparł, że przynależność rasowa ma przede wszystkim charakter duchowy, dopiero potem fizyczny. Żyd pozostaje Żydem nawet wtedy, gdy wskutek kaprysu natury – zdarzają się przecież dzieci z sześcioma palcami i kobiety znające tabliczkę mnożenia – urodził się z jasnymi włosami i niebieskimi oczami. Aryjczyk zaś, nawet czarnowłosy, jest Aryjczykiem, jeżeli żyje w nim duch jego ludu.

Po moim pytaniu trochę jednak ochłonął. Wrócił do siebie, wytarł pot z czoła wielką chustką w czerwoną kratę i poprosił mnie o dokument, który był powodem naszego spotkania. Wręczyłem mu go w przekonaniu, że po tym wszystkim, co powiedział, powinien się nim zachwycić. Jeśli jego rząd zamierzał rozprawić się z Żydami według wskazań Lutra, moja historia o cmentarzu praskim nadawała się doskonale do zaalarmowania całych Prus o groźbie żydowskiego spisku. On jednak przeczytał tekst powoli, popijając piwo. Marszczył chwilami czoło, mrużył oczy tak silnie, że zdawał się zamieniać w Mongoła. Wreszcie oświadczył:

– Nie wiem, czy te wiadomości mogą nas naprawdę zainteresować. Są właściwie powtórzeniem tego, co o żydowskich knowaniach zawsze wiedzieliśmy. Zrelacjonowane są z pewnością przekonująco. Gdyby to było wymyślone, byłoby wymyślone dobrze.

– Ależ, panie Goedsche, nie przyjechałem tutaj, żeby sprzedawać panu jakiś wymysł!

– Wcale pana o to nie podejrzewam, ale mam także zobowiązania wobec ludzi, którzy mi płacą. Trzeba jeszcze sprawdzić autentyczność tego dokumentu. Muszę pokazać te papiery panu Stieberowi i jego współpracownikom. Proszę mi je zostawić. Może pan wrócić do Paryża, za kilka tygodni nadejdzie odpowiedź.

– Ale pułkownik Dimitri powiedział mi, że sprawa załatwiona…

– Nie jest załatwiona. Jeszcze nie. Powiedziałem panu: proszę mi zostawić dokument.

– Panie Goedsche, będę z panem szczery. Ma pan teraz przed sobą dokument oryginalny. Oryginalny, zrozumiał pan? O jego wadze przesądzają bez wątpienia wiadomości, jakie zawiera, ale w jeszcze większej mierze fakt, że te informacje figurują w oryginalnym raporcie, zredagowanym w Pradze po wydarzeniu, o którym tam mowa. Nie mogę pozwolić, żeby dokument trafił w obce ręce. W każdym razie nie mogę na to pozwolić, dopóki nie otrzymam obiecanego mi wynagrodzenia.

– Jest pan zbyt podejrzliwy. No dobrze, proszę zamówić jeszcze jedno albo dwa piwa i dać mi godzinę na przepisanie tego tekstu. Sam pan powiedział, że wartość wiadomości, jakie zawiera, jest w gruncie rzeczy niewielka, i gdybym chciał pana oszukać, wystarczyłoby, bym je zapamiętał, bo zapewniam pana, że pamiętam prawie słowo w słowo to, co przeczytałem. Chcę jednak przedstawić tekst panu Stieberowi. Proszę więc pozwolić, żebym go przepisał. Oryginał, który pan przyniósł, opuści ten lokal wraz z panem.

Nie mogłem odmówić. Upokorzyłem swoje podniebienie kilkoma wstrętnymi teutońskimi kiełbaskami i wypiłem dużo piwa; muszę przyznać, że niemieckie piwo może czasem okazać się równie dobre jak francuskie. Poczekałem, aż Goedsche uważnie wszystko przepisze.

Pożegnaliśmy się chłodno. Goedsche dał mi do zrozumienia, że każdy płaci za siebie, i obliczył nawet, że wypiłem kilka piw więcej od niego. Obiecał mi wiadomość za parę tygodni i poszedł. Pieniłem się ze złości. Po długiej podróży na własny koszt niczego nie osiągnąłem, nie zobaczyłem ani jednego talara z wynagrodzenia ustalonego już z Dimitrim.

Głupiec ze mnie – powiedziałem sobie. Dimitri wiedział, że Stieber nic nie zapłaci, i po prostu wydębił ode mnie tekst za pół ceny. Miał rację Lagrange, nie trzeba było ufać Rosjaninowi. Może jednak zażądałem zbyt dużo i powinienem być zadowolony, że zainkasowałem połowę.

Byłem już przekonany, że Niemcy nigdy się nie odezwą, i rzeczywiście upłynęło kilka miesięcy, a odpowiedź nie nadchodziła. Lagrange, któremu zwierzyłem się ze swojego zmartwienia, skomentował z pobłażliwym uśmiechem:

– Takie jest ryzyko naszego zawodu. Nie mamy do czynienia ze świętymi.

Nie podobało mi się to wszystko. Moja opowieść o praskim cmentarzu była zbyt piękna, aby zmarnować się gdzieś na Syberii. Mógłbym sprzedać ją jezuitom. W gruncie rzeczy pierwsze poważne oskarżenia Żydów i pierwsze wzmianki o ich międzynarodowym spisku pochodziły od jezuity Barruela, a list mojego dziadka nie uszedł chyba uwagi innych osobistości zakonu.

Dostęp do jezuitów mogłem uzyskać jedynie dzięki księdzu Dalla Piccola. Skontaktował mnie z nim kiedyś Lagrange, więc do Lagrange'a się zwróciłem. Obiecał zawiadomić księdza, że go szukam, i w istocie Dalla Piccola zjawił się niebawem w moim sklepie. Przedstawiłem mu swój towar, jak mówią kupcy, i odniosłem wrażenie, że jest nim zainteresowany.

– Oczywiście muszę zbadać pański dokument – powiedział – a potem porozmawiać o nim z kimś z zakonu, bo nie są to ludzie, którzy kupują kota w worku. Mam nadzieję, że mi pan zaufa i na kilka dni powierzy ten papier. Przez cały czas będzie w moich rękach.

Nie mogłem nie zaufać zacnemu duchownemu.

Po tygodniu Dalla Piccola wrócił do mojego sklepu. Zaprosiłem go na górę do gabinetu, zaproponowałem coś do picia, ale on nie wyglądał na zadowolonego.

– Panie Simonini – powiedział – wziął mnie pan niewątpliwie za głupca. Przez pana ojcowie z Towarzystwa Jezusowego omal nie uznali mnie za fałszerza, co mogło zniweczyć dobre stosunki, które z nimi nawiązałem, a których utrwalenie kosztowało mnie długie lata pracy.

– Ojcze wielebny, nie wiem, o czym ksiądz mówi...

...*Panie Simonini – powiedział – wziął mnie pan niewątpliwie za głupca...* (s. 256)

– Niech pan ze mnie nie kpi. Dał mi pan ten dokument, podobno tajny. – Rzucił na stół mój raport z cmentarza praskiego. – Już miałem zażądać za niego bardzo dużej sumy, a tu jezuici patrzą na mnie jak na bałwana i informują grzecznie, że mój nadzwyczaj tajny tekst ukazał się wcześniej drukiem jako fragment tej oto powieści: *Biarritz* pióra niejakiego Johna Retcliffe'a. – Rzucił mi na stół także książkę. – Identyczny, słowo w słowo. Najwyraźniej zna pan niemiecki i przeczytał pan tę świeżo wydaną książkę. Znalazł pan w niej historię o tym zgromadzeniu na cmentarzu w Pradze, spodobała się panu i nie oparł się pan pokusie sprzedania fikcji jako rzeczywistości. Z bezczelnością fałszerza liczył pan na to, że po tej stronie Renu nikt nie czyta po niemiecku...

– Chwileczkę, chyba już zrozumiałem...

– Nie ma tu wiele do zrozumienia. Mógłbym cisnąć te papierzyska do śmieci i posłać pana do diabła, ale jestem drażliwy i mściwy. Uprzedzam pana, że powiem pańskim przyjaciołom ze służb specjalnych, co z pana za typek i ile są warte pańskie informacje. A dlaczego pana uprzedzam? Nie z lojalności, bo wobec takich jak pan lojalność w ogóle nie obowiązuje. Uprzedzam dlatego, że jeśli te służby zdecydują, że zasłużył pan na cios nożem w plecy, będzie pan wiedział, kto im taką myśl podsunął. Nie ma sensu mordować kogoś z zemsty, jeśli mordowany nie wie, że to właśnie ty go mordujesz, prawda?

Wszystko było jasne. Ten łotr Goedsche (Lagrange powiedział mi, że publikuje on pod pseudonimem Retcliffe) wcale nie przekazał mojego dokumentu Stieberowi. Stwierdził, że temat jako zgodny z jego antyżydowską obsesją pasuje doskonale do będącej na ukończeniu książki, i przywłaszczył sobie historię prawdziwą (przynajmniej za taką powinien był ją uważać), by wpleść ją do własnej narracji. Lagrange ostrzegał mnie przecież, że ten szubrawiec wyróżnił się już w dziedzinie fałszowania dokumentów. Przez naiwność dałem się wciągnąć w pułapkę fałszerzowi! Szalałem z wściekłości.

Oprócz wściekłości ogarnął mnie jednak i strach. Mówiąc o ciosach nożem w plecy, Dalla Piccola wyrażał się być może metaforycznie. Lagrange jednak powiedział mi bez ogródek, że kiedy w świecie tajnych służb ktoś staje się zawadą, musi zniknąć. Weźmy więc współpracownika, który publicznie się skompromitował, bo usiłował sprzedać powieściowe odpadki jako poufne informacje, a ponadto o mało nie ośmieszył służb przed Towarzystwem Jezusowym; komu taki jest jeszcze potrzebny? Nożem go i do Sekwany, niech sobie płynie.

Taką przyszłość obiecywał mi ksiądz Dalla Piccola. Na próżno bym się starał wyjaśnić mu sprawę. Nie było powodów, dla których miałby mi uwierzyć, ponieważ nie wiedział, że dałem dokument Goedschemu, zanim ten łajdak skończył pisać swoją książkę, wiedział natomiast, że dałem go jemu, Dalla Piccoli, już po ukazaniu się książki.

Znalazłem się w sytuacji bez wyjścia.

A jednak wyjście było – Dalla Piccola musiał milczeć.

Zrobiłem to prawie instynktownie. Na biurku stał bardzo ciężki lichtarz z kutego żelaza; schwyciłem go i popchnąłem Dalla Piccolę pod ścianę. Wytrzeszczył oczy i szepnął:

– Nie zechce pan mnie zabić…

– Przykro mi, ale tak – odpowiedziałem.

Rzeczywiście było mi przykro, lecz w tych okolicznościach nie mogłem postąpić inaczej. Wymierzyłem cios. Ksiądz upadł od razu, spomiędzy wystających zębów pociekła krew. Popatrzyłem na trupa, nie czując żadnej winy. Sam tego chciał.

Teraz trzeba było tylko się pozbyć kłopotliwych zwłok.

Kiedy kupowałem sklep i mieszkanie na piętrze, właściciel pokazał mi klapę w podłodze piwnicy.

– Jest pod nią kilka schodków, ale początkowo zabraknie panu odwagi, żeby tam zejść, bo wyda się panu, że zemdleje od smrodu. Może jednak kiedyś będzie trzeba. Jako cudzoziemiec nie zna pan chyba tej sprawy. Kiedyś nieczystości wyrzucało się na ulicę; było nawet prawo zobowiązujące do wołania: „Uwaga, woda!", zanim wylało się odchody przez okno, ale ludziom nie chciało się wołać, więc opróżniali nocniki jak popadnie, także na głowy przechodniów. Potem porobiono na ulicach rynsztoki, wreszcie powstały kryte ścieki. Teraz baron Haussmann zbudował w Paryżu porządną sieć kanałów, ale płyną nią przede wszystkim wody, ekskrementy zaś podróżują osobno... jeśli rura pod pańskim ustępem się nie zatka... w stronę szamba, które opróżnia się w nocy, a zawartość przewozi daleko do punktów zlewnych. Dyskutuje się jednak nad definitywnym przyjęciem systemu *tout-à-l'égout*, w którym do wielkich kanałów trafiają nie tylko wody odpływowe, ale i wszystkie inne nieczystości. Właśnie dlatego ponad dziesięć lat temu wydano dekret zobowiązujący właścicieli do łączenia domów z siecią kanalizacyjną podziemnymi ściekami o szerokości co najmniej metra i trzydziestu centymetrów. Taki to ściek znajdzie pan tam pod spodem, tyle że oczywiście węższy i niższy, niż wymaga prawo. Przepisów tego prawa przestrzega się na wielkich bulwarach, nie w ślepych zaułkach, które nic nikogo nie obchodzą. Nikt też nigdy nie przyjdzie sprawdzić, czy rzeczywiście znosi tam pan nieczystości zgodnie z przepisami. Kiedy sprzykrzy się panu targanie na dół tego obrzydlistwa, będzie pan po prostu zrzucał śmieci ze schodków, mając nadzieję, że w deszczowe dni dostanie się tam trochę wody, która je spłucze. Ten dostęp do kanałów mógłby zresztą okazać się użyteczny. Żyjemy w czasach, w których co dziesięć, dwadzieścia lat wybuchają w Paryżu rewolucje lub rozruchy, więc podziemnej drogi ucieczki mieć nie zawadzi. Jak każdy paryżanin przeczytał pan już zapewne ogłoszoną niedawno powieść *Nędznicy*; bohater ucieka w niej kanałami z rannym przyjacielem na plecach. A zatem rozumie pan, co chcę powiedzieć.

Jako pilny czytelnik powieści w odcinkach dobrze znałem opowiedzianą przez Wiktora Hugo historię. Doświadczenia jej bohatera nie chciałem powtórzyć także i dlatego, że naprawdę nie wiem, jak mu się udało tak długo iść pod ziemią. Może w innych częściach Paryża kanały mają wysokie sklepienia i są szerokie, ale kanał pod zaułkiem Maubert musiał powstać przed wiekami. Już samo ściągnięcie ciała Dalla Piccoli z piętra do sklepu, a stamtąd do piwnicy nie było łatwe; na szczęście ten karzełek był zgarbiony i chudy, więc jakoś sobie poradziłem. Ze schodków pod klapą musiałem jednak go stoczyć. Potem zszedłem sam i schylony powlokłem zwłoki nieco dalej, aby nie gniły mi pod samym mieszkaniem. Jedną ręką ciągnąłem je za nogę, w drugiej, uniesionej, trzymałem lampę; brakowało mi, niestety, trzeciej i nie mogłem zatkać sobie nosa.

Po raz pierwszy musiałem ukryć ciało swojej ofiary, bo w przypadku Nieva i Ninuzza sprawa rozwiązała się sama, bez mojego udziału (o Ninuzza powinienem był jednak zatroszczyć się już na Sycylii). Uświadomiłem sobie teraz, że jeśli chodzi o zabójstwo, najtrudniej jest ukryć zwłoki, i zapewne dlatego księża odradzają zabijanie, z wyjątkiem oczywiście mordowania w bitwie, kiedy to trupy pozostawia się sępom.

Pociągnąłem swojego nieboszczyka z dziesięć metrów. Nie należy do przyjemności wleczenie za sobą księdza w odchodach nie tylko własnych, ale i nie wiadomo czyich, z czasów dawniej-szych, a jeszcze mniej przyjemnie jest opowiadać o tym swojej ofierze... Boże mój, co też ja piszę?! Rozgniotłem wiele ekskre-mentów, nim dojrzałem wreszcie w oddali snop światła – znak, że na skrzyżowaniu zaułka Maubert i ulicy Sauton jest studzien-ka z wylotem na zewnątrz.

Początkowo zamierzałem zawlec ciało aż do jakiegoś dużego kolektora, aby zdać je na litość silnego strumienia wody, lecz potem powiedziałem sobie, że woda zaniosłaby trupa Bóg wie dokąd, nawet do Sekwany, i ktoś mógłby kochane zwłoki zidentyfikować. Była to słuszna refleksja, ponieważ teraz, kiedy piszę te słowa, wiem, że na wielkich wysypiskach pod Clichy znaleziono w ciągu ostatniego półrocza cztery tysiące psów, pięć cielaków, dwadzieścia baranów, siedem kóz i siedem wieprzy, osiemdziesiąt kurczaków, sześćdziesiąt dziewięć kotów, dziewięćset pięćdziesiąt królików, jedną małpę i jednego węża boa. Statystyka nie wspomina o księżach. Swoim wkładem mogłem ją uczynić jeszcze bardziej niezwykłą, postanowiłem jednak zostawić nieboszczyka na miejscu, żywiąc niepozbawioną podstaw nadzieję, że się nie ruszy. Między ścianą a ściekiem właściwym – kanał był z pewnością o wiele starszy od barona Haussmanna – biegł dość wąski chodnik, na którym złożyłem zwłoki. Liczyłem na to, że pod wpływem miazmatów i wilgoci szybko ulegną rozkładowi i zostaną z nich tylko niedające się zidentyfikować kości. Biorąc pod uwagę charakter zaułka, sądziłem, że nikt o niego nie dba i nikt nigdy do kanału nie zejdzie. Zresztą nawet gdyby znaleziono tam ludzkie szczątki, należałoby jeszcze zbadać, skąd się wzięły, bo przecież mógł je przynieść każdy, schodząc przez studzienkę na ulicy Sauton.

Wróciłem do swojego gabinetu i otworzyłem powieść Goedschego w miejscu, gdzie Dalla Piccola włożył zakładkę. Moja niemczyzna mocno już zardzewiała, nie wychwytywałem odcieni znaczeniowych, ale rozumiałem sens. Tak, to było bez żadnej wątpliwości moje przemówienie rabina na praskim cmentarzu. Obdarzony zmysłem teatralnym Goedsche opisał tylko nieco obszerniej cmentarz nocą, a na początku wprowadził tam bankiera nazwiskiem Rosenberg w towarzystwie przybyłego z Polski pejsatego rabina w spiczastym kapeluszu; przy wejściu musieli szepnąć stróżowi kabalistyczne hasło złożone z siedmiu sylab.

Potem zjawiał się ten, który w wersji oryginalnej był moim informatorem. Jego przewodnik – niejaki Lasali – obiecywał mu, że będzie świadkiem zgromadzenia organizowanego raz na sto lat. Obaj występowali w przebraniu, ze sztucznymi brodami i w kapeluszach z szerokim rondem. Dalej akcja toczyła się mniej więcej tak samo jak u mnie, z finałem włącznie: niebieskawe światło nad grobowcem, znikające w mroku sylwetki rabinów.

Ten łajdak wykorzystał mój zwięzły raport i nie zawahał się okrasić go melodramatycznymi scenami. Był zdolny do wszystkiego, aby zarobić kilka talarów. Nie ma już dla ludzi żadnej świętości.

Tego właśnie chcą Żydzi.

Idę spać. Odstąpiłem od swoich przyzwyczajeń umiarkowanego smakosza i piłem nie wino, lecz koniak, i to bez umiaru (a teraz bezmiernie kręci mi się w głowie – czy nie za dużo powtórzeń?). Ponieważ wygląda na to, że z głębokiego snu bez snów budzę się jako ksiądz Dalla Piccola, zobaczymy teraz, czy obudzę się jako nieboszczyk, którego zgonu byłem bezsprzecznie sprawcą i świadkiem.

15

DALLA PICCOLA OŻYŁ

6 kwietnia 1897, o świcie

Kapitanie Simonini, nie wiem, czy to podczas pańskiego snu (nieumiarkowanego, a może bezmiernego?) obudziłem się wczesnym świtem i przeczytałem pańskie strony.

Po zapoznaniu się z nimi powiedziałem sobie, że chyba z jakiejś tajemniczej przyczyny pan skłamał (historia pańskiego życia, którą tak szczerze pan opowiada, pozwala zresztą przypuszczać, że czasem pan kłamie). Jeśli jest ktoś, kto powinien wiedzieć z całą pewnością, że mnie pan nie zabił, jestem nim ja. Chciałem jednak sprawdzić; zdjąłem swoje duchowne szaty i prawie nagi zszedłem do piwnicy, podniosłem klapę, ale na brzegu tego cuchnącego przejścia, które pan tak dobrze opisał, zamroczył mnie smród. Zastanowiłem się, co chcę sprawdzić. Czy leży tam jeszcze stosik kości trupa, którego zostawił pan – jak utrzymuje – dwadzieścia pięć lat temu? I miałbym schodzić do tej kloaki, by stwierdzić, że nie są to moje kości? O tym, za pańskim pozwoleniem, już wiem. Wierzę więc, że zabił pan jakiegoś księdza Dalla Piccola.

Kim zatem jestem ja? Nie Dalla Piccolą, którego pan zabił i który zresztą nie był do mnie podobny. Jak to się jednak dzieje, że istnieją dwaj księża Dalla Piccola?

Prawda jest taka, że może oszalałem. Nie ośmielam się wyjść z domu. A jednak będę musiał wyjść, żeby coś kupić. W swoim stroju duchownym nie mogę iść do knajpy. Nie mam pięknej kuchni jak pan, chociaż – wyznam panu prawdę – jestem nie mniej od pana łakomy.

Ogarnia mnie nieprzeparte pragnienie popełnienia samobójstwa, lecz wiem, że to diabelska pokusa.

Po co zresztą miałbym się zabijać, skoro pan już mnie zabił? To byłaby strata czasu.

7 kwietnia

Miły księże, teraz już dosyć. Nie pamiętam, co robiłem wczoraj. Notatkę księdza znalazłem dziś rano. Proszę przestać mnie dręczyć. Ksiądz też sobie nie przypomina? Proszę więc robić jak ja: najpierw wpatrywać się długo we własny pępek, a potem zacząć pisać, pozwalając, żeby myślała za księdza jego ręka. Dlaczego ja muszę pamiętać wszystko, a ksiądz tylko te kilka spraw, o których chciałem zapomnieć?

W tej chwili nachodzą mnie inne wspomnienia. Zaraz po zabójstwie Dalla Piccoli (tego, którego ksiądz znalazłby tam w dole) otrzymałem liścik od Lagrange'a, który tym razem chciał spotkać się ze mną na placu Fürstenberga o północy, kiedy to miejsce ma widmowy dość wygląd. Miałem nieczyste sumienie, jak mawiają ludzie bogobojni, bo właśnie uśmierciłem człowieka i obawiałem się (nieracjonalnie), że Lagrange już o tym wie. Oczywiście chodziło mu o coś zupełnie innego.

– Kapitanie Simonini – oświadczył – chcielibyśmy, żeby miał pan na oku pewną osobliwą postać, duchownego... jak by tu powiedzieć... satanistę.

– Mam go szukać w piekle?

– Żarty na bok. Chodzi o niejakiego księdza Boullana, który wiele lat temu poznał Adèle Chevalier, konwerskę w klasztorze Saint-Thomas-de-Villeneuve w Soissons. Została podobno uzdrowiona ze ślepoty, uchodziła za mistyczkę i wygłaszała proroctwa. Do klasztoru napływali tłumnie wierni, jej przełożone były w kłopocie, biskup wydalił ją ze Soissons. No i nie wiadomo, jak to się stało, ale nasza Adèle wybrała sobie na przewodnika duchowego właśnie Boullana; najwidoczniej ciągnie swój do swego. Postanawiają razem założyć stowarzyszenie zadośćuczynienia, czyli takie, którego członkowie, aby wynagrodzić zniewagi wyrządzane Panu Bogu przez grzeszników, wielbią Go nie tylko modlitwą, lecz także różnymi formami pokuty cielesnej.

– Całkiem nieźle, powiedziałbym.

– Zaczynają więc głosić, że aby wyzwolić się od grzechu, trzeba grzeszyć, że ludzkość została upodlona podwójnym cudzołóstwem Adama z Lilit i Ewy z Samaelem... proszę mnie nie pytać, co to za osoby, bo ja od proboszcza słyszałem tylko o Adamie i Ewie... i że, jednym słowem, należy robić rzeczy nie bardzo wiadomo jakie, ale wydaje się, że ksiądz, wymieniona wyżej panienka i wielu wiernych odbywało spotkania... jak by tu powiedzieć... dość ożywione, podczas których wszyscy spółkowali ze wszystkimi. Na dodatek krążyły słuchy, że zacny ksiądz pozbywa się dyskretnie owoców swojego nieślubnego związku z Adèle. Cała ta historia, powie pan, powinna interesować nie nas, lecz prefekturę policji; rzecz jednak w tym, że w grupie wiernych Boullana znalazły się panie z dobrych rodzin, żony wysokich urzędników, nawet żona pewnego ministra, a ksiądz wyłudził od tych pobożnych dam sporo pieniędzy. Sprawa nabrała więc wagi państwowej i musieliśmy się nią zająć. Boullan i panna stanęli przed sądem, skazano oboje na trzy lata więzienia za oszustwo i obrazę moralności. Wyszli na wolność pod koniec tysiąc osiemset sześćdziesiątego czwartego roku. Straciliśmy potem tego księdza z oczu i sądziliśmy, że się ustatkował. Dowiadujemy się jednak, że Święte Oficjum uniewinniło go definitywnie po wielu aktach skruchy i że wrócił ostatnio do Paryża. Teraz znowu głosi swoje tezy o zadośćuczynieniu za grzechy innych poprzez grzechy własne; gdyby wszyscy zaczęli tak myśleć, sprawa z religijnej stałaby się polityczną, rozumie mnie pan. Zaniepokoił się zresztą także Kościół: arcybiskup

Paryża niedawno nałożył na Boullana interdykt, zakazując mu prowadzenia obrzędów religijnych; chyba był na to najwyższy czas. W odpowiedzi ksiądz związał się z innym podobnym do niego osobnikiem podejrzanym o herezję, niejakim Vintrasem. W tej niewielkiej teczce ma pan wszystko, co trzeba wiedzieć o Boullanie, a raczej to, co my o nim wiemy. Pańską rzeczą jest mieć go na oku i informować nas o jego działalności.

– Jak się do niego zbliżę, skoro nie jestem pobożną damą szukającą spowiednika gotowego ją gwałcić?

– Czy ja wiem... może przebierając się za duchownego. O ile mi wiadomo, umiał pan się przebrać nawet za generała garybald-czyków czy coś w tym rodzaju.

To sobie właśnie przed chwilą przypomniałem. Ale ksiądz, drogi ojcze Dalla Piccola, nie ma z tym nic wspólnego.

16

BOULLAN

8 kwietnia

Kapitanie Simonini, dziś w nocy, po przeczytaniu pańskich pełnych irytacji uwag, postanowiłem pójść za pańską radą i zacząć pisać – wpatrywanie się w pępek uznałem za zbędne – pisać prawie jak automat, zezwalając ciału, aby za pośrednictwem ręki przypominało sobie to, co zapomniała dusza. Ten pański doktor Froïde wcale nie był głupi.

Boullan... Widzę go teraz, jak spaceruje ze mną przed probostwem w okolicy Paryża, może w Sèvres? Pamiętam, że mówi mi:
– Wynagradzanie grzechów popełnianych przeciwko Panu Bogu oznacza także branie ich na siebie. Grzeszenie może być mistycznym trudem, grzeszyć trzeba możliwie jak najwięcej, aby wyczerpać zasób zła, którego Szatan domaga się od ludzkości, i wyzwolić od niego naszych braci słabszych, niezdolnych egzorcyzmować złych sił, które nas zniewalają. Czy widział pan ten *papier tue-mouches*, wynaleziony niedawno w Niemczech? Używają go cukiernicy: nasycają melasą pasek papieru i wieszają nad tortami na wystawie. Melasa przyciąga muchy, te zaś przyklejają się do lepkiej warstwy i zdychają z głodu albo toną w jakimś kanale, do którego wrzucono oblepiony nimi pasek. Otóż wierny naprawiający grzechy winien być jak ten lep na muchy, brać na siebie wszelką hańbę, aby potem stać się oczyszczającym tyglem.
Widzę go w kościele, gdzie przed ołtarzem ma „oczyścić" pobożną grzesznicę. Opętana wije się na posadzce, wykrzykując

obrzydliwe przekleństwa i imiona demonów: Abigor, Abrakas, Adramelek, Haborym, Melchom, Stolas, Zaebos...

Boullan ma na sobie szaty liturgiczne fioletowego koloru z czerwoną komżą, pochyla się nad biedaczką i wymawia chyba formułę egzorcyzmu, ale (jeśli dobrze usłyszałem) na odwrót:

– *Crux sacra non sit mihi lux, sed draco sit mihi dux, veni Satana, veni!* Krzyżu święty, nie bądź mi światłem, lecz ty, smoku, bądź mi przewodnikiem, przybądź, Szatanie, przybądź!

Pochyla się jeszcze bardziej i pluje jej trzykrotnie w usta, potem podciąga szatę, oddaje mocz do kielicha mszalnego i przytyka go nieszczęsnej kobiecie do ust. Następnie wyjmuje z miski (gołymi rękami!) substancję będącą najwyraźniej kałem, obnaża opętanej pierś i smaruje ją tą masą.

Kobieta porusza się na posadzce, dyszy ciężko, jęczy. Jej jęki powoli cichną, zapada w hipnotyczny jakby sen.

Boullan idzie do zakrystii, płucze sobie ręce. Wychodzi ze mną przed kościół, wzdychając jak ktoś, kto spełnił trudny obowiązek:

– *Consummatum est.* Dokonało się – mówi.

Przypominam sobie, że przyszedłem do niego na zlecenie pewnej osoby pragnącej zachować anonimowość; chciała ona dokonać obrządku, do którego potrzebne były konsekrowane hostie.

Boullan uśmiechnął się złośliwie.

– Czarna msza? Przecież jeżeli uczestniczy w niej kapłan, on sam poświęca hostie i nawet gdyby był ekskomunikowany, poświęcenie byłoby ważne.

Sprecyzowałem:

– Nie sądzę, żeby osoba, o której mówię, zamierzała przy pomocy kapłana odprawiać czarną mszę. Wiadomo księdzu, że w niektórych lożach masońskich przebija się puginałem hostię, by przypieczętować przysięgę.

– Rozumiem. Słyszałem o jednym takim, ma sklepik ze starzyzną w okolicach placu Maubert, zajmował się też handlem hostiami. Mógłby ksiądz spróbować u niego.

Czy to z tego powodu my dwaj się poznaliśmy?

...Wiadomo księdzu, że w niektórych lożach masońskich przebija się puginałem hostię, by przypieczętować przysięgę... (s. 270)

17

DNI KOMUNY

9 kwietnia 1897

Zabiłem Dalla Piccolę we wrześniu 1869 roku. W październiku Lagrange swoim liścikiem wezwał mnie tym razem na brzeg Sekwany.

Pamięć czasem stroi sobie z nas żarty. Zapominam może o sprawach podstawowej wagi, lecz pamiętam doskonale, jakiej tamtego wieczoru doświadczyłem emocji, kiedy zatrzymałem się w pobliżu Pont Royal, uderzony nagłym blaskiem. Stałem przed placem budowy nowego gmachu „Journal Officiel de l'Empire Français"*, który w celu przyśpieszenia robót oświetlano wieczorami elektrycznością. Wśród lasu belek i rusztowań jaśniejące jak słońce źródło owego blasku skupiało promienie na grupie murarzy. Żadnymi słowami nie da się wyrazić magicznego efektu tego gwiezdnego światła, błyszczącego w otaczających je ciemnościach.

Elektryczność... W tamtych latach głupcy uważali, że żyją już w przyszłości. W Egipcie otwarto kanał łączący Morze Śródziemne z Morzem Czerwonym, więc aby dotrzeć do Azji, nie trzeba już było opływać Afryki (ucierpiało na tym wiele porządnych towarzystw żeglugowych); urządzono wystawę powszechną – patrząc na jej architekturę, wyczuwało się, że to, co Haussmann zrobił, by zrujnować Paryż, to dopiero początek; Amerykanie kończyli budowę linii kolejowej przecinającej

---

* „Dziennik Oficjalny Cesarstwa Francuskiego".

ich kontynent ze wschodu na zachód, a ponieważ wyzwolili właśnie niewolników, ta czarna horda miała zalać cały kraj i uczynić z niego bagno mieszańców gorszych od Żydów. Podczas amerykańskiej wojny Północy z Południem pojawiły się okręty podwodne, więc marynarze już nie tonęli, tylko umierali uduszeni pod wodą; piękne cygara naszych ojców miały wkrótce zostać zastąpione przez cienkie, nabijane tytoniem rurki, które spalają się w ciągu minuty, nie dając palaczowi żadnej przyjemności; nasi żołnierze już od dawna żywili się zepsutym mięsem z metalowych puszek. W Ameryce wynaleziono podobno hermetycznie zamkniętą kabinę przenoszącą ludzi na wyższe piętra budynków za pomocą jakiegoś poruszanego wodą tłoka, no i co się stało: w sobotę wieczorem tłoki się popsuły, ludzie na dwie noce zostali zablokowani w takim pudle bez dopływu powietrza, bez jedzenia i picia – i w poniedziałek byli martwi, co do jednego.

Wszyscy cieszyli się, że życie jest coraz łatwiejsze, pracowano nad aparatami umożliwiającymi rozmowy na odległość i nad maszynami do pisania mechanicznego, bez użycia pióra. Czy będą jeszcze nadające się do fałszowania oryginały?

Ludzie wpadali w zachwyt przed wystawami perfumerii, gdzie stały różne cuda: płyny wzmacniające skórę, preparaty z chininy regenerujące włosy, krem Pompadour na soku bananowym, mleczko kakaowe, puder ryżowy na fiołkach parmeńskich. Wszystkie te wynalazki miały czynić jeszcze bardziej atrakcyjnymi kobiety rozwiązłe, a były dostępne także dla szwaczek gotowych zamienić się w utrzymanki, bo w wielu szwalniach stosowano już maszyny, które same szyły.

Jedynym naprawdę interesującym wynalazkiem nowych czasów było porcelanowe urządzenie do załatwiania się na siedząco.

Nawet ja jednak nie zdawałem sobie sprawy, że to pozorne ożywienie zwiastuje koniec cesarstwa. Na wystawie powszechnej Alfred Krupp zademonstrował armatę niespotykanych dotychczas rozmiarów: waga pięćdziesiąt ton, sto funtów prochu na pocisk. Cesarzowi zaimponowała tak bardzo, że odznaczył Kruppa Legią Honorową, ale kiedy ten nadesłał mu listę produkowanej w swoich zakładach broni, którą gotów był sprzedać każdemu europejskiemu państwu, francuskie dowództwo wojskowe, mające swoich ulubionych dostawców, sprzeciwiło się i zakupu nie dokonano. Natomiast król pruski oczywiście armatę nabył.

Napoleon nie miał już tyle rozumu co dawniej. Dokuczały mu kamienie nerkowe, nie jadł i nie spał, nie mówiąc już o jeździe konnej. Wierzył konserwatystom i żonie, przekonanym, że armia francuska wciąż jest najlepsza na świecie, choć w rzeczywistości (wyszło to na jaw dopiero później) składała się co najwyżej ze stu tysięcy żołnierzy, Prusaków zaś było czterysta tysięcy. Stieber wysyłał do Berlina raporty o *chassepots*, które Francuzi nadal uważali za najnowszy model karabinu, a które właściwie nadawały się już do muzeum. Ponadto – stwierdzał z zadowoleniem Stieber – Francuzi nie mieli wywiadu, który mógłby się równać z pruskim.

Przejdźmy jednak do rzeczy. Spotkałem Lagrange'a w wyznaczonym miejscu.

– Kapitanie Simonini – powiedział bez jakichkolwiek powitań – co panu wiadomo o księdzu Dalla Piccola?

– Nic. Czemu pan pyta?

– Zniknął właśnie w chwili, kiedy wykonywał dla nas pewną robótkę. Moim zdaniem ostatnią osobą, która go widziała, jest pan. Prosił mnie pan, żebym z nim porozmawiał, i wysłałem go do pana. A potem?

– Potem wręczyłem mu przekazany już Rosjanom raport, nalegając, żeby pokazał go pewnym duchownym.

– Panie Simonini, miesiąc temu otrzymałem od księdza bilecik takiej mniej więcej treści: muszę jak najszybciej się z panem zobaczyć, opowiem panu coś ciekawego o waszym Simoninim. Z tonu tej notatki wynikało, że nie zamierzał o panu powiedzieć niczego pochlebnego. A zatem: co zaszło między panem a księdzem?

– Nie wiem, co chciał panu powiedzieć. Może uznał za nadużycie z mojej strony to, że zaproponowałem mu dokument, który, jak sądził, sporządziłem dla pana. Najwidoczniej nie miał pojęcia o naszej umowie. Mnie nie powiedział nic. Nie zobaczyłem go już więcej i nawet się zastanawiałem, jak przyjęto moją ofertę.

Lagrange wpatrywał się we mnie przez chwilę, po czym powiedział:

– Porozmawiamy o tym jeszcze.

I odszedł.

Właściwie nie było już o czym rozmawiać. Lagrange będzie mnie teraz pilnował i jeśli poweźmie jakieś poważne podejrzenie, ów cios nożem w plecy mnie nie ominie, chociaż księdzu raz na zawsze zamknąłem usta.

Przedsięwziąłem pewne środki ostrożności. Zwróciłem się do rusznikarza z ulicy Lappe i zapytałem o laskę z ukrytym ostrzem. Miał takie, ale bardzo kiepskiej jakości. Przypomniałem sobie potem wystawę sprzedawcy lasek w moim ulubionym pasażu Jouffroy i znalazłem tam prawdziwy cud, hebanową laskę o rączce z kości słoniowej, w kształcie węża, nadzwyczaj elegancką i solidną. Rączka nie przydałaby się chyba jako oparcie, na przykład dla kogoś z bolącą nogą, ponieważ wskutek lekkiego tylko wygięcia była bardziej pionowa niż pozioma. Pasowała jednak doskonale, kiedy laska zamieniała się w szpadę.

Laska z ukrytym ostrzem jest wspaniałą bronią nawet wobec napastnika z pistoletem. Udajesz przerażonego, cofasz się i wyciągasz przed siebie laskę, najlepiej w drżącej ręce. On wybucha śmiechem i chwyta za czubek, aby ci ją wyrwać. Robiąc to, pomaga ci obnażyć klingę, spiczastą i nadzwyczaj ostrą. Osłupiały nie rozumie, za co chwycił, a ty błyskawicznie zadajesz cios, prawie bez wysiłku tniesz go ukośnie w twarz od skroni po policzek, przecinasz nozdrza i nawet jeśli nie wydłubiesz mu oka, to tryskająca z czoła krew go oślepi. Liczy się zresztą przede wszystkim zaskoczenie. Przeciwnik jest już unieszkodliwiony.

Jeśli to byle kto, powiedzmy jakiś złodziejaszek, bierzesz swoją laskę i odchodzisz, zostawiając go oszpeconego na całe życie. Jeśli jednak przeciwnik jest bardziej niebezpieczny, to po pierwszym ciosie, idąc jakby za ruchem własnego ramienia, tniesz poziomo i od razu przecinasz mu gardło – nie będzie musiał martwić się o bliznę.

Pomijam już satysfakcję z godnego, wzbudzającego zaufanie wyglądu, który się przybiera, spacerując z taką laską. Kosztuje ona sporo, ale jest warta swojej ceny i w pewnych wypadkach nie należy żałować pieniędzy.

Wracając kiedyś do domu, przed wejściem do sklepiku ujrzałem Lagrange'a.

Pomachałem lekko laską, lecz zaraz pomyślałem sobie, że służby specjalne nie zleciłyby osobistości takiej jak on zamordowania osobistości takiej jak ja, i postanowiłem go wysłuchać.

– Piękna rzecz – powiedział.

– Co takiego?

– Ta laska z ukrytym ostrzem. Takie rączki mają tylko laski z ukrytym ostrzem. Obawia się pan kogoś?

– Może pan mi powie, czy powinienem, panie Lagrange.

– Obawia się pan nas, wiem, bo panu wiadomo, że stał się dla nas podejrzany. Proszę mi teraz pozwolić, że się streszczę. Zbliża się wojna francusko-pruska, w Paryżu pełno jest agentów naszego przyjaciela Stiebera.

– Zna ich pan?

– Nie wszystkich i dlatego wciągamy do gry pana. Zaoferował pan Stieberowi swój raport o Żydach, uważa on więc pana za osobę... jak by tu powiedzieć... sprzedajną. Otóż przyjechał do Paryża jego człowiek, ten Goedsche, którego już pan chyba spotkał. Sądzimy, że pana odszuka. Zostanie pan pruskim szpiegiem w Paryżu.

– Przeciwko własnemu krajowi?

– Tylko bez hipokryzji, to przecież nie jest nawet pański kraj. Ale jeśli pan się waha, zapewniam, że zrobi pan to właśnie dla Francji. Będzie pan przekazywał Prusakom fałszywe informacje, których my panu dostarczymy.

– Nie wydaje mi się to trudne...

– Wręcz przeciwnie, zadanie jest niezwykle niebezpieczne. Jeśli zostanie pan zdemaskowany w Paryżu, będziemy musieli udać, że w ogóle pana nie znamy, czeka więc pana rozstrzelanie. Jeśli pańską podwójną grę wykryją Prusacy, także pana zabiją, choć w mniej legalny sposób. Można zatem powiedzieć, że w tej sytuacji prawdopodobieństwo, iż pana ukatrupią, wynosi pięćdziesiąt na sto.

– A jeśli się nie zgodzę?

– Wtedy dziewięćdziesiąt dziewięć na sto.

– Dlaczego nie sto na sto?

– Ze względu na pańską laskę z ukrytym ostrzem. Proszę jednak zbytnio na nią nie liczyć.

– Wiedziałem, że w służbach mam szczerych przyjaciół. Dziękuję panu za uprzejmość. Dobrze, postanowiłem zgodzić się dobrowolnie, z miłości do ojczyzny.

– Kapitanie Simonini, jest pan bohaterem. Proszę czekać na rozkazy.

Tydzień później pojawił się w moim sklepie Goedsche, bardziej spocony niż wtedy, gdy go poznałem. Z wielkim trudem oparłem się pokusie, by go nie udusić.

– Wie pan chyba, że uważam pana za plagiatora i fałszerza – powiedziałem.

– Jestem nim w nie większym stopniu od pana – odparł Niemiec z fałszywym uśmiechem. – Sądzi pan, że nie odkryłem w końcu, iż pisząc swoją historię o cmentarzu w Pradze, inspirował się pan tekstem tego Joly'ego, który skończył w więzieniu? Dotarłbym do niego i bez pana, skrócił mi pan tylko drogę.

– Czy zdaje pan sobie sprawę, panie Goedsche, że jest pan cudzoziemcem rozwijającym podejrzaną działalność na terytorium Francji i że gdybym zawiadomił o tym znanych mi ludzi, pańskie życie nie byłoby warte nawet centyma?

– A pan czy zdaje sobie sprawę, że tyle samo byłoby warte pańskie życie, gdybym ja po aresztowaniu powiedział o panu? Zawrzyjmy więc pokój. Staram się teraz sprzedać ten rozdział swojej książki jako prawdziwą relację nabywcom godnym zaufania. Podzielimy się zyskiem, ponieważ obecnie musimy współpracować.

Kilka dni przed wybuchem wojny Goedsche zaprowadził mnie na dach kamienicy w sąsiedztwie katedry Notre Dame, gdzie pewien staruszek miał gołębniki.

– Stąd można łatwo wysyłać gołębie, bo koło katedry są ich setki i nikt nie zwraca na nie uwagi. Za każdym razem, kiedy uzyska pan użyteczną informację, napisze karteczkę, a stary wyśle ptaka. Ponadto co rano zajrzy pan do niego i zapyta, czy nie nadeszły dla pana instrukcje. To proste, prawda?

– Ale jakie informacje was interesują?

– Nie wiemy jeszcze, co może nas zainteresować w Paryżu. Na razie kontrolujemy strefę frontu. Jednak wcześniej czy później, jeżeli będziemy zwyciężać, zainteresuje nas Paryż. Potrzebne nam będą wiadomości o ruchach wojsk, obecności lub nieobecności rodziny cesarskiej, nastrojach ludności, jednym słowem – o wszystkim i o niczym. Powinien pan wykazać się bystrością. Moglibyśmy też potrzebować map. Spyta pan, jak przyczepić mapę do szyi gołębia. Proszę za mną piętro niżej.

Piętro niżej znajdowało się laboratorium fotograficzne z jakimś osobnikiem w środku oraz salka, gdzie przed pobieloną ścianą stał rzutnik taki jak te, które na jarmarkach nazywają latarniami magicznymi, a które pokazują obrazy na murach albo na wielkich prześcieradłach.

– Ten pan weźmie pańską wiadomość niezależnie od rozmiarów i od liczby kartek, sfotografuje ją i zmniejszy na powleczonym kolodium arkusiku, który przeniesie gołąb. W miejscu przeznaczenia obraz zostanie powiększony na ścianie za pomocą rzutnika. Tak samo będzie tutaj, jeżeli otrzyma pan wiadomość zbyt długą. Ale w Paryżu Prusak nie czuje się już bezpiecznie, dziś wieczorem wyjeżdżam. Będziemy się kontaktować, przesyłając sobie liściki na skrzydłach gołębi, zupełnie jak dwoje zakochanych.

Na samą myśl ogarniał mnie wstręt, lecz przecież podjąłem zobowiązanie. Niech to diabli, wszystko dlatego, że zabiłem jakiegoś księdza! A co powiedzieć o tych generałach, którzy zabijają tysiące ludzi?

No i wybuchła wojna. Lagrange dostarczał mi od czasu do czasu jakąś wiadomość, którą miałem przekazać nieprzyjacielowi, ale zgodnie z tym, co powiedział Goedsche, Paryż nie interesował zbytnio Prusaków. Na razie chcieli tylko wiedzieć, ile wojska ma Francja w Alzacji, w Saint-Privat, w Beaumont, w Sedanie.

Przed oblężeniem żyło się w Paryżu jeszcze niefrasobliwie. Zarządzono wprawdzie zamknięcie wszystkich sal widowiskowych, co miało stanowić gest wobec walczących żołnierzy oraz umożliwić wysłanie na front nawet dyżurnych strażaków, ale już niewiele ponad miesiąc później pozwolono Comédie-Française dawać przedstawienia na rzecz rodzin poległych, tyle że w sposób oszczędny, bez ogrzewania, ze świecami zamiast lamp gazowych. Potem wznowiły okazjonalnie działalność teatry Ambigu, Porte Saint-Martin, Châtelet i Athénée.

Trudne czasy nadeszły we wrześniu wraz z tragedią Sedanu. Napoleon więźniem wroga, upadek cesarstwa, w całej Francji wrzenie prawie (na razie) rewolucyjne. Proklamowano republikę, lecz samym obozem republikańskim – jak mi się wydawało – rządziły dwie dusze: jedna chciała wykorzystać klęskę dla wywołania rewolucji społecznej, druga wolała pokój z Prusakami od reform, które zdaniem wielu doprowadziłyby do ustanowienia prawdziwie komunistycznego ustroju.

...*W miejscu przeznaczenia obraz zostanie powiększony na ścianie...* (s. 280)

W połowie września Prusacy stanęli u bram Paryża, zajęli forty, które miały go bronić, i zaczęli bombardować miasto. Nastąpiło pięć niezwykle ciężkich miesięcy oblężenia, kiedy to najgroźniejszym wrogiem stał się głód.

Mało rozumiałem z politycznych intryg i przemierzających miasto pochodów, a jeszcze mniej mnie one obchodziły; uważałem, że w takich chwilach lepiej nie wałęsać się zbyt często po ulicach. Bardzo interesowało mnie natomiast wyżywienie i codziennie wypytywałem sklepikarzy z mojej dzielnicy, czego należy oczekiwać. Początkowo, chodząc po parkach publicznych takich jak Ogród Luksemburski, odnosiłem wrażenie, że w mieście jest pełno bydła, ponieważ spędzono tam masę rogacizny. Jednak już w październiku mówiono, że zostało z tego nie więcej niż dwadzieścia pięć tysięcy wołów i sto tysięcy baranów, a więc prawie nic, biorąc pod uwagę potrzeby metropolii.

I rzeczywiście w niektórych domach zaczęto powoli smażyć złote rybki, rozpowszechniała się konsumpcja koniny kosztem wszystkich niestrzeżonych przez wojsko koni, korzec kartofli kosztował trzydzieści franków, a w sklepie Boissiera żądano dwadzieścia pięć za puszkę soczewicy. Po królikach nie zostało ani śladu, rzeźnicy zaś bez skrupułów wystawiali na sprzedaż najpierw dobrze utuczone koty, a potem psy. Zaszlachtowano wszystkie egzotyczne zwierzęta z ogrodu zoologicznego. W noc wigilijną klienci z grubo wypchanym portfelem mogli rozkoszować się w restauracji Voisin wspaniałym menu: bulion na mięsie słonia, pieczeń z wielbłąda po angielsku, duszone mięso kangura w sosie pomidorowym, kotlety z niedźwiedzia w sosie pieprzowym, potrawka z antylopy z truflami oraz kot przybrany młodymi myszkami. Na dachach nie było już widać wróbli, z kanałów znikały myszy i szczury.

Zgoda na wielbłąda, smakuje nieźle, ale na szczury – nie. Nawet podczas oblężenia można znaleźć przemytników i spekulantów. Pamiętam doskonałą (i okropnie drogą) kolację nie w żadnej z wielkich restauracji, ale w knajpie prawie na peryfe-

...W połowie września Prusacy stanęli u bram Paryża, zajęli forty, które miały go bronić, i zaczęli bombardować miasto... (s. 282)

riach, gdzie w towarzystwie kilku uprzywilejowanych (nie wszyscy pochodzili z najlepszego paryskiego towarzystwa, ale w takich krytycznych sytuacjach zapomina się o różnicach klasowych) delektowałem się bażantem i niezwykłej świeżości pasztetem z gęsich wątróbek.

W styczniu podpisano zawieszenie broni z Niemcami, lecz ci jeszcze w marcu okupowali symbolicznie stolicę; przyznam, że nawet ja czułem się nieco upokorzony, widząc ich defilujących w swoich pikielhaubach po Polach Elizejskich. Zajęli potem pozycję na północny wschód od miasta, pozostawiając we władzy rządu francuskiego strefę południowo-zachodnią, to znaczy forty Ivry, Montrouge, Vanves, Issy i inne, wśród nich potężny fort Mont-Valérien, z którego (jak dowiedli Prusacy) można było z łatwością bombardować zachodnią część stolicy.

Kiedy Prusacy się wycofali, w Paryżu zainstalował się rząd francuski pod przewodem Thiersa. Wymykająca się już spod kontroli Gwardia Narodowa skonfiskowała i ukryła na Montmartrze zakupione ze składek ludności armaty. Thiers wysłał po nie generała Lecomte'a, który na początku kazał strzelać do gwardzistów i do tłumu, lecz później jego żołnierze przyłączyli się do buntowników i uwięzili własnego dowódcę. Jednocześnie ktoś rozpoznał nie wiem gdzie innego generała, Thomasa, którego pamiętano jako stosującego represje w 1848 roku. Na dodatek był po cywilnemu, może po prostu uciekał, ale wszyscy od razu orzekli, że szpieguje buntowników. Zaprowadzono go tam, gdzie znajdował się Lecomte, i obydwu rozstrzelano.

Thiers przeniósł się z rządem do Wersalu, a w Paryżu w końcu marca proklamowano Komunę. Teraz to rząd francuski (z Wersalu) oblegał Paryż i bombardował go z fortu Mont-Valérien, Prusacy zaś tylko się przyglądali i nawet nie robili większych trudności tym, którzy chcieli przekroczyć ich linie. W konsekwencji Paryż podczas drugiego oblężenia był lepiej zaopatrzony niż podczas pierwszego; głodzili go rodacy, a zaopatrywali pośrednio w żywność wrogowie. Porównując Niemców z żołnierzami Thiersa, ludzie zaczęli szeptać, że ci szwabi nie byli w końcu tacy źli.

Kiedy podano do wiadomości, że rząd francuski przenosi się do Wersalu, Goedsche poinformował mnie liścikiem, że Prusaków nie interesują już wydarzenia w Paryżu, w związku z czym gołębniki i laboratorium fotograficzne zostaną zlikwidowane. Tego samego dnia odwiedził mnie Lagrange; wydawało się, że odgadł, co mi napisał Goedsche.

– Drogi panie Simonini – powiedział – powinien pan teraz robić dla nas to, co robił pan dla Prusaków, to znaczy informować. Kazałem już aresztować tych dwóch nędzników, którzy z panem współpracowali. Gołębie poleciały, dokąd przyzwyczajone były latać, ale wyposażenie laboratorium nam się przyda. Do przekazywania pilnych wiadomości wojennych mamy linię komunikacyjną między fortem Issy a pewną należącą do nas mansardą również w pobliżu Notre Dame. Stamtąd będzie pan wysyłał nam informacje.

– „Wysyłał nam", to znaczy komu? Był pan, zdaje się, człowiekiem cesarskiej policji i powinien był zniknąć razem ze swoim cesarzem. A teraz odnoszę wrażenie, że mówi pan jako wysłannik rządu Thiersa...

– Kapitanie Simonini, ja jestem z tych, którzy pozostają nawet wtedy, gdy odchodzą rządy. Teraz pracuję dla swojego rządu w Wersalu, bo gdybym został tutaj, mógłbym skończyć jak Lecomte i Thomas. Ci szaleńcy rozstrzeliwują bez namysłu, ale odpłacimy im pięknym za nadobne. Kiedy będziemy chcieli dowiedzieć się czegoś konkretnego, otrzyma pan szczegółowe rozkazy.

Czegoś konkretnego... Łatwo mu mówić, a tu w każdym punkcie miasta dzieją się najrozmaitsze rzeczy: oddziały Gwardii Narodowej z kwiatami w lufach karabinów i czerwonymi sztandarami defilują w dzielnicach, gdzie porządni mieszczanie nie wychodzą z domów, czekając na powrót prawowitego rządu; nie sposób zrozumieć ani z gazet, ani z plotek na rynku, czego chcą poszczególni przedstawiciele ludu wybrani do władz Komuny – są wśród nich robotnicy, lekarze, dziennikarze, umiarkowani republikanie i zacięci socjaliści, nawet prawdziwi jakobini marzący o powrocie Komuny, i to nie tej umiarkowanej z osiemdziesiątego dziewiątego roku, lecz straszliwej z dziewięćdziesiątego trzeciego. Ale na ulicach panuje bezsprzecznie wesołość. Gdyby nie widok mundurów, można by pomyśleć, że to wielkie święto ludowe. Żołnierze zajęci są grą, którą w Turynie nazywaliśmy *sussi*, a która tutaj zwie się *au bouchon**, oficerowie zaś przechadzają się między nimi i pysznią przed panienkami jak pawie.

Przypomniałem sobie dziś rano, że wśród swoich rupieci mam duże pudło z wycinkami z ówczesnych gazet; teraz pomagają mi one rekonstruować to, czego moja pamięć już nie ogarnia. Gazety – „Le Rappel”, „Le Réveil du Peuple”, „La Marseillaise”, „Le Bonnet Rouge”, „Paris Libre”, „Le Moniteur du Peuple” i inne – reprezentowały różne orientacje polityczne. Nie wiem, kto je czytał – może tylko ci, którzy do nich pisali. Kupowałem je wszystkie, aby sprawdzić, czy nie zawierają wzmianek o wydarzeniach i opinii, które mogłyby zainteresować Lagrange'a.

Zrozumiałem w pełni, jak wielki panuje chaos, kiedy pewnego dnia w chaotycznym tłumie podczas nie mniej chaotycznej manifestacji spotkałem Maurice'a Joly'ego. Nie rozpoznał mnie od razu z powodu mojej brody, potem przypomniał sobie, że byłem karbonariuszem albo kimś w tym rodzaju, i uznał, że jestem zwolennikiem Komuny. Byłem dla niego miłym i szczodrym towarzyszem niedoli, więc wziął mnie pod

---

* Gra polegająca na rzucaniu kamykami do drobnych monet, które umieszcza się na położonym na ziemi kamieniu lub korku; monety, które spadną, stają się własnością rzucającego.

ramię, zaprowadził do siebie (bardzo skromne mieszkanie na quai Voltaire) i przy kieliszku likieru Grand Marnier zaczął mi się zwierzać.

– Panie Simonini – powiedział – po Sedanie brałem udział w pierwszych akcjach republikańskich, manifestowałem na rzecz wojny, ale potem zrozumiałem, że ci opętańcy za wiele chcą. Komuna Wielkiej Rewolucji uratowała Francję przed inwazją, ale w historii są cuda, które się nie powtarzają. Rewolucji nie można zadekretować, ona rodzi się w trzewiach ludu. Nasz kraj, od dwudziestu lat zżerany przez gangrenę moralną, nie odrodzi się w dwa dni. Francja umie tylko kastrować swoich najlepszych synów. Przecierpiałem dwa lata w więzieniu, bo wystąpiłem przeciwko Bonapartemu; kiedy wyszedłem na wolność i chciałem opublikować nowe książki, nie udało mi się znaleźć wydawcy. Powie pan: to były jeszcze czasy cesarstwa. Ale po upadku cesarstwa obecny rząd republikański postawił mnie przed sądem za uczestnictwo w pokojowej manifestacji przed Hôtel de Ville pod koniec października. No dobrze, zostałem uniewinniony, bo nie dało się mnie oskarżyć o żadne gwałty, ale to taka nagroda spotyka ludzi, którzy walczyli z cesarstwem i przeciwstawiali się haniebnemu zawieszeniu broni?! Teraz wydaje się, że cały Paryż zachwyca ta komunistyczna utopia, lecz nie wyobraża pan sobie, ilu mieszkańców usiłuje opuścić miasto, żeby nie iść do wojska. Ma być podobno wprowadzona obowiązkowa służba wojskowa dla wszystkich mężczyzn od osiemnastego do czterdziestego roku życia, ale żeby pan wiedział, ile bezczelnej młodzieży krąży po ulicach tam, gdzie nie ośmiela się pokazać nawet Gwardia Narodowa! Niewielu jest takich, którzy dla sprawy rewolucji daliby się zabić. Smutne to wszystko.

Joly wydał mi się nieuleczalnym idealistą, zawsze niezadowolonym z aktualnego stanu rzeczy, chociaż muszę przyznać, że naprawdę nic mu się nie udawało. Zaniepokoiły mnie jego wzmianki o obowiązkowej służbie wojskowej, więc zadbałem o przyprószenie siwizną brody i włosów. Wyglądałem teraz na statecznego sześćdziesięciolatka.

W odróżnieniu od Joly'ego spotykałem na ulicach i placach targowych osoby, którym wiele nowych praw jednak odpowiadało. Aprobowano na przykład anulowanie czynszów podwyższonych przez właścicieli domów podczas oblężenia, zwrot ludziom pracy narzędzi zastawionych w lombardach w tym samym okresie, przyznanie rent żonom i dzieciom członków Gwardii Narodowej, którzy stracili życie na służbie, odroczenie płatności weksli. Same wspaniałomyślne rozporządzenia, które zubożały wspólną kasę i przynosiły korzyść pospólstwu.

Tymczasem pospólstwo przyklaskiwało zakazowi używania gilotyny, ale (wystarczyło posłuchać rozmów na placu Maubert i w okolicznych piwiarniach) sprzeciwiało się prawu znoszącemu prostytucję, ponieważ dla wielu mieszkańców dzielnicy oznaczało to utratę pracy. Wszystkie paryskie dziwki wyemigrowały do Wersalu i nie wiadomo, gdzie zaspokajali swoje żądze dzielni gwardziści.

Wrogość mieszczaństwa potęgowały ustawy wymierzone w duchowieństwo, jak oddzielenie Kościoła od państwa i konfiskata dóbr kościelnych; krążyły też pogłoski o planowanych aresztowaniach księży i zakonników.

W połowie kwietnia straż przednia armii wersalskiej wkroczyła do strefy północno-zachodniej, w okolice Neuilly, i rozstrzelała wszystkich skonfederowanych, których udało się schwytać. Z Mont-Valérien bombardowano Łuk Tryumfalny. Kilka dni później byłem świadkiem najbardziej nieprawdopodobnego epizodu tego oblężenia – defilady masonów. Nie wyobrażałem ich sobie jako komunardów, lecz oto defilują ze swoimi sztandarami, w swoich fartuchach, domagając się od rządu wersalskiego rozejmu, aby ewakuować rannych ze zbombardowanych wsi. Doszli aż do Łuku Tryumfalnego, gdzie nie padały wtedy kule armatnie, ponieważ – rzecz jasna – większość współbraci znajdowała się poza murami miasta, u boku legitymistów. Krótko mówiąc, chociaż kruk krukowi oka nie wykole, a masoni wersalscy uzyskali od rządu jednodniowy rozejm, do definitywnego porozumienia nie doszło i masoni paryscy stanęli po stronie Komuny.

Pamiętam zresztą mało z tego, co w dniach Komuny działo się na powierzchni, bo przemierzałem wtedy Paryż pod ziemią. Lagrange zawiadomił mnie, czym dowództwo wojskowe było zainteresowane. Wiadomo, że pod Paryżem rozpościera się sieć kanalizacyjna, bo o tym chętnie piszą autorzy powieści. Ale pod tą siecią, aż po granice miasta i dalej jeszcze, ciągnie się plątanina wapiennych i kredowych korytarzy, jaskiń i starodawnych katakumb. Część jest dobrze znana, o reszcie wie się bardzo mało. Wojskowym było wiadomo, że są tunele łączące forty wokół miasta z jego centrum. Gdy Prusacy zbliżali się do Paryża, pospiesznie zablokowano wiele wlotów, aby nieprzyjaciel nie mógł zgotować jakiejś niemiłej niespodzianki. Prusacy jednak, nawet gdyby mogli, nie zapuściliby się nigdy w ten labirynt podziemnych przejść, gdyż obawiali się, że trafiwszy na zaminowany teren, już stamtąd nie wyjdą.

W rzeczywistości o jaskiniach i katakumbach wiedzieli coś tylko nieliczni, głównie złoczyńcy, którym umożliwiały one przemyt towarów za plecami pobierających opłaty miejskie strażników oraz ukrywanie się przed policją. Moje zadanie polegało na podpytaniu możliwie największej liczby tych przestępców w taki sposób, aby zyskać orientację w owym labiryncie.

Przypominam sobie, że potwierdzając otrzymanie rozkazu, nie oparłem się pokusie i nadałem przez gołębia: „Ale czy wojsko nie ma szczegółowych map?" Lagrange odpowiedział: „Niech pan nie zadaje głupich pytań. Na początku wojny nasz sztab generalny był tak pewny zwycięstwa, że rozdał tylko mapy Niemiec, nie Francji".

W czasach gdy brakowało dobrego jedzenia i picia, nietrudno było odnaleźć starych znajomych w jakimś *tapis-franc* i zaprosić ich do porządniejszego lokalu, gdzie podawano kurczaki i wysokogatunkowe wino. Oni zaś nie tylko mówili, lecz także towarzyszyli mi jako przewodnicy w ciekawych podziemnych spacerach. Trzeba tylko mieć dobre latarki, a żeby wiedzieć, gdzie skręca się w lewo lub w prawo, wystarczy zapamiętać szereg rozmaitych znaków umieszczonych wzdłuż trasy, jak rysunek gilotyny, stara tabliczka, szkic węglem przedstawiający diabełka, imię wypisane może przez kogoś, kto nigdy stamtąd nie wyszedł. Śmiało można też przechodzić przez zbiorowiska ludzkich kości, bo idąc we właściwym kierunku za rzędem czaszek, trafia się na schodki wiodące do piwnicy jakiegoś domu, skąd znowu „widać gwiazdy"*.

W latach następnych niektóre z tych miejsc można było zwiedzać; wtedy te i inne znali wyłącznie moi informatorzy.

Krótko mówiąc, między końcem marca a końcem maja zyskałem pewną orientację i wysyłałem Lagrange'owi szkice tras, które dałoby się wykorzystać. Zrozumiałem potem, że moje wiadomości są bardzo mało przydatne, ponieważ wojska rządowe nie potrzebowały podziemnych przejść, wkraczały do Paryża i bez nich. Rząd wersalski miał już do dyspozycji pięć korpusów dobrze wyszkolonych i oddanych żołnierzy z jedną tylko, jak się szybko okazało, myślą w głowie: nie brać jeńców, każdego wziętego do niewoli rozstrzelać. Wydano nawet rozkaz – sam byłem świadkiem jego wykonywania – aby grupy jeńców liczące więcej niż dziesięć osób stawiać nie przed plutonem egzekucyjnym, lecz przed karabinem maszynowym. Do regularnego wojska dołączyli *brassardiers*, czyli przestępcy i inni dranie noszący na rękawie trójkolorową opaskę, jeszcze bardziej brutalni od żołnierzy.

W niedzielę dwudziestego pierwszego maja o drugiej po południu osiem tysięcy osób słuchało w świątecznym nastroju

---

* Dante, *Boska Komedia*, przeł. Edward Porębowicz, *Piekło*, XXXIV, 139.

koncertu w parku Tuileries. Dochód z biletów przeznaczony był dla wdów i sierot po członkach Gwardii Narodowej i nikt jeszcze nie wiedział, że liczba potrzebujących wsparcia nieszczęśników wkrótce przerażająco wzrośnie. Zanim bowiem koncert się skończył (jego uczestnicy mieli dowiedzieć się o sprawie później), wojska rządowe o wpół do piątej wkroczyły do Paryża przez bramę Saint-Cloud i zaczęły rozstrzeliwać wszystkich schwytanych gwardzistów. Opowiadano potem, że o siódmej wieczorem co najmniej dwadzieścia tysięcy wersalczyków było już w mieście, a przywódcy Komuny zajmowali się nie wiadomo czym. Z tego wynika, że aby dokonywać rewolucji, trzeba mieć dobre wyszkolenie wojskowe. Jednak ci, którzy je mają, nie są rewolucjonistami, stoją po stronie władzy. Dlatego też nie widzę powodu (mam na myśli powód rozsądny) dokonywania rewolucji.

W poniedziałek rano wersalczycy ustawili armaty pod Łukiem Tryumfalnym, a komunardom ktoś rozkazał zrezygnować ze skoordynowanej obrony i zabarykadować się we własnych dzielnicach. Jeśli to prawda, to dowództwo skonfederowanych raz jeszcze zabłysnęło głupotą.

Barykady wznoszono wszędzie. Budowała je ludność, z pozoru pełna entuzjazmu, nawet w dzielnicach Komunie wrogich, takich jak Opéra czy Faubourg Saint-Germain, gdzie gwardziści wyciągali z domów nadzwyczaj eleganckie panie i namawiali je do wynoszenia na zewnątrz najcenniejszych mebli. Przez ulice przeciągało się liny, aby zaznaczyć miejsce planowanej barykady, potem ludzie znosili tam powyrywane z bruku kamienie, a także worki z piaskiem. Z okien gwardziści wyrzucali krzesła, komody, ławki i materace, czasem za zgodą mieszkańców, czasem w obecności ludzi zalanych łzami, skulonych w ostatnim pokoju pustego już mieszkania.

Jakiś oficer pokazał mi swoich podkomendnych przy pracy i powiedział:

– Weźcie się do roboty i wy, obywatelu. Także za waszą wolność idziemy na śmierć!

Udałem, że i ja coś robię. Poszedłem po leżący w głębi ulicy stołek i zniknąłem za rogiem.

Paryżanie od co najmniej stu lat lubią wznosić barykady. Rozpadają się one potem po pierwszym strzale armatnim, ale paryżanom to chyba wcale nie przeszkadza. Barykady wznoszą, aby poczuć się bohaterami, lecz chciałbym widzieć, ilu z tych, którzy je budują, pozostanie na nich aż do końca. Większość zrobi tak jak ja, bronić ich będą tylko ci najgłupsi, którzy zostaną rozstrzelani na miejscu.

Tylko patrząc z aerostatu, można byłoby pojąć, co się dzieje w Paryżu. Według niektórych pogłosek zajęto École Militaire, gdzie znajdowały się armaty Gwardii Narodowej, według innych walki toczyły się na placu Clichy, według jeszcze innych Niemcy pozwolili oddziałom rządowym nacierać z północy. We wtorek wersalczycy zdobyli Montmartre. Czterdziestu mężczyzn, trzy kobiety i czworo dzieci zaprowadzono tam, gdzie komunardzi rozstrzelali Lecomte'a i Thomasa, kazano im uklęknąć i także ich rozstrzelano.

W środę widziałem wiele budynków publicznych w płomieniach, płonął pałac Tuileries. Jedni mówili, że podpalili je komunardzi, aby powstrzymać posuwające się wojska rządowe, i utrzymywali, jakoby robiły to krążące po mieście fanatyczne jakobinki, *pétroleuses* – nafciarki, które z wiaderkiem nafty w ręku podkładały ogień. Inni zaklinali się, że przyczyną pożarów były pociski z armat rządowych, inni jeszcze obwiniali o pożary starych bonapartystów, którzy mieli korzystać z okazji i niszczyć kompromitujące ich materiały archiwalne. W pierwszej chwili powiedziałem sobie, że gdybym był Lagrange'em, tak właśnie bym postąpił, ale potem pomyślałem, że dobry agent służb specjalnych informacje ukrywa, nie niszczy ich nigdy, bo zawsze mogą się przydać do jakiegoś szantażu.

Kierowany poczuciem obowiązku udałem się po raz ostatni – z duszą na ramieniu, bo mogłem przecież trafić w sam środek jakiejś potyczki – na miejsce, skąd wysyłałem gołębie. Znalazłem tam wiadomość od Lagrange'a. Pisał, że nie musimy dłużej porozumiewać się w ten sposób, i podawał mi adres w pobliżu zajętego już Luwru oraz hasło umożliwiające przekroczenie strzeżonej przez wojska rządowe linii.

Usłyszałem też wtedy, że wersalczycy dotarli na Montparnasse, i przypomniałem sobie, że pokazywano mi tam piwnicę pewnego sprzedawcy win, skąd wchodziło się do podziemnego korytarza wiodącego wzdłuż ulicy Assas do ulicy du Cherche-Midi; wyjście znajdowało się w opuszczonym składzie na skrzyżowaniu Croix-Rouge, którego jeszcze bronił silny oddział komunardów. Jako że dotychczas moje podziemne badania na nic się nie przydały, a musiałem przecież zarobić na obiecane wynagrodzenie, postanowiłem pójść z tym do Lagrange'a.

Z Île de la Cité nie było trudno dotrzeć w okolice Luwru, ale za kościołem Saint-Germain-l'Auxerrois zobaczyłem scenę, która – przyznaję – wywarła na mnie niejakie wrażenie. Przechodzili tamtędy mężczyzna i kobieta z dzieckiem, nie wyglądali z pewnością na uciekających obrońców zdobytej barykady. Ale pojawiła się grupa pijanych *brassardiers*, którzy świętowali najwidoczniej zajęcie Luwru. Spróbowali wyrwać mężczyznę z ramion obejmującej go, płaczącej żony, a wobec jej oporu popchnęli całą trójkę pod ścianę i podziurawili kulami.

Szedłem, wypatrując żołnierzy regularnej armii, którym mogłem podać hasło. Zaprowadzono mnie wreszcie do pokoju, gdzie kilka osób wbijało w wielki plan miasta szpilki z kolorowymi łebkami. Nie było tam Lagrange'a, więc spytałem o niego. Zbliżył się wtedy do mnie pan w średnim wieku o przesadnie zwyczajnej twarzy (chcę powiedzieć, że gdybym miał go opisać, nie mógłbym wymienić żadnej cechy charakterystycznej). Pozdrowił mnie uprzejmie, bez podawania ręki.

– Pan jest zapewne kapitanem Simoninim. Nazywam się Hébuterne; odtąd to wszystko, co robił pan z panem Lagrange'em, będzie pan robił ze mną. Wie pan, także w służbie

...Zbliżył się wtedy do mnie pan w średnim wieku o przesadnie zwyczajnej twarzy (...).
– Pan jest zapewne kapitanem Simoninim. Nazywam się Hébuterne... (s. 293)

państwowej następuje odnowa, zwłaszcza gdy kończy się wojna. Pan Lagrange zasłużył na zaszczytną emeryturę, teraz może łowi ryby gdzieś z dala od tego zamieszania. Nie była to właściwa chwila na zadawanie pytań. Powiedziałem mu o przejściu z ulicy Assas do skrzyżowania Croix--Rouge. Oświadczył, że akcja na Croix-Rouge będzie bardzo użyteczna, bo, jak mu wiadomo, komunardzi gromadzą tam znaczne siły, spodziewając się natarcia wojsk rządowych z południa. Kazał mi zatem iść do sklepu z winem, którego adres mu podałem, i czekać tam na oddziałek *brassardiers*.

Zamierzałem pójść na Montparnasse bez pośpiechu, aby dać czas posłańcowi Hébuterne'a na dotarcie do celu. Jeszcze na prawym brzegu Sekwany zobaczyłem na chodniku równo ułożone ciała około dwudziestu rozstrzelanych. Musieli umrzeć całkiem niedawno; pochodzili z różnych warstw społecznych, byli też w różnym wieku. Młody człowiek o wyglądzie proletariusza leżał z otwartymi lekko ustami obok dojrzałego mieszczanina o kędzierzawych włosach i starannie przystrzyżonych wąsach, z rękami skrzyżowanymi na niepogniecionym prawie surducie; dalej ktoś wyglądający na artystę, potem człowiek, którego twarz trudno było rozpoznać, z czarną dziurą w miejscu lewego oka i głową obwiązaną ręcznikiem, jakby jakiś litościwy lub bezlitosny miłośnik porządku chciał tę roztrzaskaną kulami głowę złożyć. Była też kobieta, chyba wielkiej urody.

Leżeli tam w słońcu kończącego się maja, a nad nimi latały pierwsze wiosenne muchy zwabione tą ucztą. Wzięto ich bodaj na chybił trafił i rozstrzelano po prostu dla przykładu, a potem ułożono na chodniku, aby oczyścić jezdnię dla oddziału wojsk rządowych z armatą. W ich twarzach uderzył mnie – piszę o tym z zakłopotaniem – wyraz beztroski; wydawało się, że we śnie pogodzili się z losem, który ich złączył.

Kiedy doszedłem już do końca szeregu, zwróciłem uwagę na ostatnie ciało, znajdujące się nieco dalej od innych, jakby położono je tam później. Twarz była częściowo pokryta zakrzepłą krwią, lecz bez trudu rozpoznałem Lagrange'a. W tajnych służbach rozpoczęła się odnowa.

Nie mam wrażliwej duszy kobieciątka, potrafiłem nawet zawlec trupa księdza do podziemnych kanałów, lecz ten widok mną wstrząsnął. Nie przez litość, ale dlatego, że pomyślałem od razu, iż to samo mogłoby przydarzyć się mnie. Wystarczyłoby, bym spotkał na Montparnasse kogoś, kto mnie znał jako człowieka Lagrange'a, przy czym – zabawne, prawda? – mógłby to być zarówno wersalczyk, jak i komunard. I jeden, i drugi mógłby się odnieść do mnie podejrzliwie, a „odnieść się podejrzliwie" oznaczało wówczas – rozstrzelać.

Założywszy, że tam, gdzie budynki nadal stały w płomieniach, nie było już komunardów, a wojska rządowe jeszcze się nie zjawiły, zaryzykowałem przejście na drugi brzeg Sekwany, aby potem ulicą du Bac podążyć do skrzyżowania Croix-Rouge. Tam mogłem natychmiast wejść do opuszczonego składu, a resztę trasy pokonać pod ziemią.

Obawiałem się, że na Croix-Rouge gotujący się do obrony komunardzi uniemożliwią mi dotarcie do celu, lecz do tego nie doszło. Grupy uzbrojonych ludzi czekały przed domami na rozkazy, przekazywano sobie z ust do ust sprzeczne informacje, nikt nie wiedział, skąd nadejdą wersalczycy; małe barykady przenoszono z jednego wylotu ulicy na drugi zależnie od otrzymywanych wiadomości. Pojawił się dość liczny oddział Gwardii Narodowej; mieszkańcy dzielnicy usiłowali przekonać gwardzistów, że bohaterska walka nie ma już sensu, że wersalczycy to przecież także patrioci, a na dodatek republikanie, że Thiers obiecał amnestię dla wszystkich komunardów, którzy się poddadzą...

Brama kamienicy, do której się kierowałem, była na wpół otwarta. Wszedłem i dokładnie ją za sobą zamknąłem. Przemknąłem do składu, stamtąd do piwnicy i dalej pod ziemią aż na Montparnasse, gdzie zastałem około trzydziestu *brassardiers*. Wróciłem z nimi tą samą drogą do składu; weszli potem do kilku mieszkań na wyższych piętrach, gotowi zastraszyć mieszkańców, lecz spotkali tam ludzi dobrze ubranych, którzy przyjęli ich z ulgą i wskazali im okna wychodzące na skrzyżowanie. W tej właśnie chwili od ulicy du Dragon nadjechał konno oficer i zarządził alarm bojowy. Najwidoczniej przygotowywano się do odparcia ataku od strony ulicy Sèvres lub du Cherche-Midi. Na ich styku komunardzi zaczęli wyrywać kostki z bruku, aby wznieść nową barykadę.

Brassardiers usadowili się przy oknach zajętych mieszkań, a ja uznałem, że nie ma co pozostawać w miejscu, do którego prędzej czy później dolecą kule komunardów. Zszedłem zatem na dół, gdy na skrzyżowaniu wrzała jeszcze praca. Oceniłem, jaki będzie tor lotu pocisków wystrzelonych z okien, i przyczaiłem się na rogu ulicy du Vieux Colombier, aby w razie niebezpieczeństwa wymknąć się cichaczem.

Budujący barykadę komunardzi odłożyli broń na bok; pierwsze strzały z okien zaskoczyły ich zupełnie. Potem ochłonęli, lecz nie pojmowali jeszcze, co się dzieje, i zaczęli słać pociski przed siebie, w kierunku wylotów ulic Grenelle i du Four, a ja musiałem cofnąć się w obawie, że ostrzelają także ulicę du Vieux Colombier. Wreszcie ktoś sobie uświadomił, że nieprzyjaciel mierzy do nich z góry, i rozpoczęła się wymiana ognia między skrzyżowaniem a oknami domów, tyle że wersalczycy widzieli dobrze, do kogo strzelają, i rzadko chybiali, a dla komunardów nie było jeszcze jasne, w które okna mają celować. Jednym słowem, prawdziwa rzeź; na skrzyżowaniu krzyczano już, że to zdrada. Zawsze tak jest – jeśli ci się nie powiedzie, szukasz kogoś, aby oskarżając go, usprawiedliwić własne niedołęstwo. Jaka tam zdrada – mówiłem sobie – po prostu nie umiecie się bić, też mi rewolucja...

Komuś udało się w końcu ustalić, którą kamienicę zajęli wersalczycy; resztki komunardów próbowały teraz wyważyć bramę. Zapewne *brassardiers* zdążyli już zejść do podziemi, a komunardzi weszli do pustej kamienicy, ale ja nie czekałem na rozwój wydarzeń. Dowiedziałem się później, że znaczne siły rządowe rzeczywiście nadciągnęły od ulicy du Cherche-Midi, więc ostatnich obrońców Croix-Rouge bez wątpienia rozgromiono.

Dotarłem do swojego zaułka bocznymi uliczkami, unikając okolic, skąd dochodziły odgłosy strzelaniny. Na ścianach domów Komitet Ocalenia Publicznego porozklejał ledwie co plakaty, które wzywały obywateli na ostatni bój (*Aux barricades! L'ennemi est dans nos murs. Pas d'hésitations!* – Na barykady! Nieprzyjaciel jest w mieście. Nie wahajcie się!).

W piwiarni na ulicy Sauton usłyszałem najświeższe wiadomości. Na ulicy Saint-Jacques rozstrzelano siedmiuset komunardów, wyleciała w powietrze prochownia w pobliżu Ogrodu Luksemburskiego, a komunardzi, żeby się zemścić, wyciągnęli z więzienia La Roquette kilku zakładników, z arcybiskupem Paryża włącznie, i postawili ich pod ścianą. Rozstrzelanie arcybiskupa oznaczało, że komunardzi posunęli się do ostatnich granic. Teraz już nie było odwrotu, rzeź musiała trwać.

Kiedy o tym wszystkim mi opowiadano, do lokalu weszła grupka kobiet, powitana przez klientelę okrzykami radości. Oto *femmes* wracające do swojej *brasserie*! Wojska rządowe sprowadziły z Wersalu wypędzone przez Komunę prostytutki, które na dowód, że jest znowu tak jak przedtem, zaczęły teraz krążyć po Paryżu.

Nie mogłem już dłużej siedzieć z tą hołotą. Unicestwiono jedyną dobrą rzecz, jakiej dokonała Komuna.

W następnych dniach Komuna zgasła po ostatnim starciu na cmentarzu Père-Lachaise. Jak słyszałem, wzięto wtedy stu czterdziestu siedmiu jeńców, których rozstrzelano na miejscu.

I tak nauczyli się nie wtykać nosa w nie swoje sprawy.

18

PROTOKOŁY

Z dziennika, 10 i 11 kwietnia 1897

Wraz z końcem wojny Simonini wrócił do swoich normalnych zajęć. Na szczęście zginęło tylu ludzi, że kwestie spadkowe były na porządku dziennym. Mnóstwo młodych padło na barykadach lub przed barykadami, zanim jeszcze zdążyło pomyśleć o testamencie, więc Simonini miał pracy w bród, a zatem i wspaniałe dochody. Piękną rzeczą jest pokój, jeśli poprzedza go oczyszczająca krwawa ofiara.

W swoim dzienniku Simonini pomija milczeniem codzienne sprawy notarialne z lat następnych. Wspomina tylko, że nie opuszczało go pragnienie wznowienia kontaktów, które umożliwiłyby mu sprzedaż dokumentu o cmentarzu w Pradze. Nie wiedział, co się dzieje z Goedschem, lecz zdawał sobie sprawę, że musi działać szybciej od niego. Także i dlatego, że przez cały okres Komuny Żydzi w zadziwiający sposób jakby zniknęli. Jako zatwardziali konspiratorzy może kierowali potajemnie Komuną; albo wręcz przeciwnie, jako zawodowi kapitaliści ukrywali się w Wersalu, planując powojenne interesy. Stali jednak za masonami, masoni w Paryżu popierali Komunę, komunardzi rozstrzelali arcybiskupa, więc Żydzi musieli mieć z tym coś wspólnego. Zabijają przecież dzieci, co dla nich znaczy ukatrupić arcybiskupa!

Kiedy tak sobie rozmyślał, pewnego dnia w 1876 roku usłyszał z dołu dzwonek. W drzwiach stał starszy człowiek w stroju duchownym. W pierwszej chwili Simonini wziął go za znanego mu księdza satanistę handlującego poświęconymi hostiami. Przyjrzawszy się jednak swojemu gościowi bliżej, rozpoznał –

pod siwą już prawie, lecz nadal falującą pięknie czupryną – ojca Bergamaschiego, którego stracił z oczu niemal trzydzieści lat wcześniej.

Jezuicie trochę trudniej było uwierzyć, że ma przed sobą małego Simonina, tego chłopca, którego niegdyś znał. Zmyliła go przede wszystkim broda, która z nastaniem pokoju zrobiła się znowu czarna lub raczej lekko szpakowata, jak przystoi czterdziestolatkowi. Potem twarz mu się rozjaśniła i powiedział z uśmiechem:

– Ależ tak, ty jesteś Simonino, jesteś nim, mój chłopcze! Czemu nie zapraszasz mnie do środka?

Uśmiechał się – nie ośmielamy się utrzymywać, że jak tygrys, ale musimy przynajmniej powiedzieć, że jak kot.

Simonini zaprosił go na górę i spytał:

– Jak mnie ojciec odnalazł?

– Mój chłopcze – odparł Bergamaschi – nie wiesz, że my, jezuici, jesteśmy sprytniejsi od diabła? Piemontczycy wypędzili nas wprawdzie z Turynu, ale ja nadal utrzymywałem dobre stosunki z wieloma środowiskami i dowiedziałem się, po pierwsze, że pracowałeś u notariusza i fałszowałeś testamenty, no trudno, ale też, po drugie, że sporządziłeś dla tajnych służb piemonckich raport, w którym występuję jako doradca Napoleona III i na cmentarzu w Pradze spiskuję przeciwko Francji i Królestwu Sardynii. Piękny pomysł, nie ma co! Potem jednak uświadomiłem sobie, że przepisałeś wszystko od tego antyklerykała Sue. Szukałem cię; powiedziano mi, że byłeś na Sycylii z Garibaldim, a później wyjechałeś z Włoch. Życzliwy Towarzystwu Jezusowemu generał Negri di Saint Front skierował mnie do Paryża, gdzie moi współbracia mieli dobrych znajomych w tajnych służbach cesarstwa. Dowiedziałem się w ten sposób, że nawiązałeś kontakt z Rosjanami i że ten twój raport o nas na praskim cmentarzu stał się raportem o Żydach. Ponieważ dowiedziałem się także, że szpiegowałeś niejakiego Joly'ego, uzyskałem w drodze wyjątku egzemplarz jego książki przechowywany w biurze niejakiego Lacroix, który zginął bohatersko w starciu z fabryku-

jącymi bomby karbonariuszami, i przekonałem się, że Joly przepisywał od Sue, a ty – od Joly'ego. Wreszcie współbracia niemieccy zasygnalizowali mi, że niejaki Goedsche napisał o ceremonii na praskim cmentarzu, podczas której Żydzi mówią mniej
więcej to samo, o czym ty pisałeś w raporcie przekazanym Rosjanom. Ja jednak wiedziałem, że pierwsza wersja, w której wystę-
powaliśmy my, jezuici, była twoja i że stworzyłeś ją na wiele lat
przed ukazaniem się powieścidła Goedschego.

– Wreszcie ktoś oddaje mi sprawiedliwość!

– Pozwól mi skończyć. Później była wojna, oblężenie i czasy
Komuny. W Paryżu dla duchownego takiego jak ja zrobiło się
niebezpiecznie. Teraz postanowiłem tu wrócić i cię odszukać, bo
kilka lat temu ta sama historia o Żydach na praskim cmentarzu
ukazała się w czasopiśmie publikowanym w Petersburgu. Przed-
stawiono ją tam jako fragment powieści opartej na faktach,
musi więc pochodzić od Goedschego. A w tym roku ten sam
mniej więcej tekst ukazał się w broszurze wydanej w Moskwie.
Krótko mówiąc, na północy albo – jeśli wolisz – na wschodzie
organizuje się rządową akcję przeciwko Żydom, którzy stają się
prawdziwym zagrożeniem. Zagrożeniem są jednak także dla
nas, bo dzięki swojemu Alliance Israélite kryją się za masonami.
Jego Świątobliwość postanowił już wydać walną bitwę wszystkim tym wrogom Kościoła. No i przydasz się nam ty, mój Simonino, a winien mi jesteś przeprosiny za figiel, który spłatałeś,
sporządzając raport dla Piemontczyków. Oczerniłeś Towarzystwo Jezusowe, teraz musisz coś dla niego zrobić.

Do licha! Ci jezuici są sprawniejsi od Hébuterne'a, Lagrange'a
i Saint Fronta; zawsze wiedzą wszystko o wszystkich, nie potrzebują tajnych służb, bo sami są tajną służbą. Mają współbraci na
całym świecie, czytają każdy tekst napisany w jakimkolwiek
języku, który zrodził się po upadku wieży Babel.

Po upadku Komuny wszyscy Francuzi, z antyklerykałami
włącznie, stali się bardzo pobożni. Była nawet mowa o tym, aby
wznieść na Montmartrze sanktuarium i odpokutować publicznie

za tę wywołaną przez bezbożników tragedię. W owym klimacie restauracji należało się okazać restauracji zwolennikiem.

– Dobrze, ojcze – rzekł Simonini – proszę mi powiedzieć, czego ojciec ode mnie sobie życzy.

– Pójdziemy dalej w obranym przez ciebie kierunku. Ponieważ przemówienie rabina sprzedaje na własny rachunek ten Goedsche, trzeba z jednej strony opracować jego obszerniejszą i bardziej efektowną wersję, z drugiej zaś sprawić, żeby Goedsche nie mógł dłużej rozpowszechniać swojej.

– A jak ja sobie z tym fałszerzem poradzę?

– Poproszę swoich niemieckich współbraci, żeby mieli go na oku i ewentualnie unieszkodliwili. Z tego, co o nim wiemy, wynika, że można go łatwo zaszantażować. Ty teraz musisz wziąć się do roboty i na podstawie mowy rabina przygotować dokument inny, bardziej szczegółowy i bardziej powiązany z bieżącymi wydarzeniami politycznymi. Przejrzyj sobie jeszcze pamflet Joly'ego. Trzeba podkreślić, że tak powiem, żydowski makiawelizm i dowieść, że celem Żydów jest rozkład państwa.

Bergamaschi dodał, że aby uwiarygodnić przemówienie rabina, warto byłoby sięgnąć do rozważań księdza Barruela, a zwłaszcza do listu napisanego doń przez dziadka Simoniniego. Może zachowała się jego kopia, która mogłaby z powodzeniem uchodzić za wysłany do Barruela oryginał?

Kopię Simonini odnalazł na dnie szafy w szkatułce z dawnych czasów i ustalił z ojcem Bergamaschim cenę za tak wartościowy dokument. Jezuici byli skąpi, lecz musiał z nimi współpracować. I tak w lipcu 1878 roku ukazał się numer „Contemporain" zawierający wspomnienia ojca Grivela, powiernika Barruela, wiele wiadomości znanych Simoniniemu z innego źródła oraz list dziadka.

– Cmentarz praski zostawimy na później – powiedział ojciec Bergamaschi. Jeśli wszystkie sensacyjne informacje poda się jednocześnie, ludzie będą pod wrażeniem, ale szybko o nich zapomną. Trzeba udostępniać je stopniowo, a wtedy każda nowa wiadomość przypomni poprzednią.

...Bergamaschi dodał, że aby uwiarygodnić przemówienie rabina, warto byłoby sięgnąć do rozważań księdza Barruela, a zwłaszcza do listu napisanego doń przez dziadka Simoniniego... (s. 302)

W dzienniku Simonini otwarcie wyraża satysfakcję ze spożytkowania po latach listu dziadka. Wydaje się przekonany, że postąpił cnotliwie i że w ten sposób wykonał powierzoną mu niegdyś misję.

Wziął się ochoczo do pracy, żeby rozbudować przemówienie rabina. Przeczytał ponownie Joly'ego i stwierdził, że wpływ, jaki na tego polemistę wywarł Sue, jest mniejszy, niż początkowo sądził. Joly przypisał bowiem swojemu Machiavellemu-Napoleonowi różne podłości, które doskonale można by przypisać Żydom.

Gromadząc materiały, Simonini zdawał sobie sprawę, że jest ich zbyt wiele, że są zbyt obszerne. Dobre przemówienie rabina, które mogłoby wywrzeć wrażenie na katolikach, winno uwzględniać w szerokim zakresie żydowskie plany zepsucia obyczajów, zaczerpnąć od Gougenota des Mousseaux myśl o fizycznej wyższości Żydów albo od Brafmanna – ich reguły dotyczące wyzysku chrześcijan poprzez lichwę. Republikanie nie pozostaliby obojętni wobec wzmianek o coraz ściślejszym kontrolowaniu prasy, zawsze zaś nieufnych wobec banków (w oczach opinii publicznej uchodzących za wyłączną domenę Żydów) przedsiębiorców i drobnych ciułaczy z pewnością żywo zaniepokoiłyby uwagi o zamiarach międzynarodowego żydostwa w dziedzinie gospodarki.

I tak w umyśle Simoniniego powoli utorowała sobie drogę opinia, która – choć on tego nie wiedział – była bardzo żydowska i kabalistyczna. Nie powinien ograniczać się do przygotowania jednej tylko sceny na praskim cmentarzu i jednego tylko przemówienia rabina. Przemówienia mają być różne: jedno dla proboszcza, drugie dla socjalisty, trzecie dla Rosjan, czwarte dla Francuzów. Nie powinien też ustalać z góry tekstu wszystkich wystąpień. Powinien pisać na oddzielnych kartkach, tak by po ułożeniu ich na rozmaite sposoby powstawały odmienne przemówienia, które potem będzie mógł sprzedawać różnym nabywcom w zależności od ich potrzeb; każdemu takie przemówienie, jakie do niego pasuje. Jednym słowem, na wzór dobrego notariusza miał protokołować jakby różne zeznania, świadectwa i wypowiedzi na użytek adwokatów broniących klientów w różnych sprawach. Zaczął też nazywać te swoje notatki Protokołami i bynajmniej nie pokazywał wszystkiego ojcu Bergamaschiemu, któremu wręczał jedynie teksty o charakterze wyraźnie religijnym.

To krótkie sprawozdanie ze swojej działalności w owych latach Simonini kończy wyrażającym zaskoczenie zapiskiem. Niespodzianie pod koniec 1878 roku z wielką ulgą dowiedział się o śmierci zarówno Goedschego, który prawdopodobnie pękł od nadmiaru żłopanego codziennie piwa, jak i nieszczęsnego Joly'ego, który – zrozpaczony jak zazwyczaj – strzelił sobie w głowę. Pokój jego duszy, nie był złym człowiekiem.

Chyba ze wzruszenia pamiętnikarz solidnie sobie popił. Kiedy wspomina o Jolym, litery się plączą, a potem tekst się urywa. To znak, że autor zapadł w sen.

Jednak następnego dnia, obudziwszy się prawie pod wieczór, Simonini znalazł w swoim dzienniku wpis księdza Dalla Piccola, który rano dostał się w jakiś sposób do gabinetu, przeczytał to, co jego alter ego napisał, i dołączył śpiesznie swój moralizatorski komentarz.

Co dodał? Dodał, że śmierć zarówno Goedschego, jak i Joly'ego nie powinna była zaskoczyć naszego kapitana, który albo umyślnie starał się o sprawie zapomnieć, albo dobrze jej sobie nie przypominał.

Po ogłoszeniu pisma dziadka w „Contemporain" Simonini otrzymał od Goedschego list po francusku, pod względem gramatycznym wątpliwy, lecz o bardzo jasnej wymowie. „Drogi kapitanie – przeczytał – wyobrażam sobie, że tekst opublikowany w «Contemporain» to tylko zapowiedź następnego, dłuższego, który zamierza Pan ogłosić. Dobrze zaś wiemy, że ten dokument jest po części moją własnością, że mógłbym nawet dowieść (z *Biarritz* w ręku), iż jestem autorem całości, natomiast Pan nie ma żadnego dowodu, nie mógłby Pan nawet nikogo przekonać, że współpracował ze mną, stawiając przecinki. Dlatego też nakazuję Panu wstrzymać publikację i umówić się ze mną na spotkanie, najlepiej w obecności notariusza (ale nie takiego jak Pan), aby ustalić własność raportu z cmentarza w Pradze. Jeśli Pan odmówi, zawiadomię opinię publiczną o Pańskim oszustwie. Potem udam się niezwłocznie do pana Joly'ego, który nie wie jeszcze, że ograbił go Pan z jego utworu literackiego. Jeśli pamięta Pan, że Joly jest z zawodu adwokatem, zdaje Pan sobie sprawę, że to także sprawi Panu znaczny kłopot".

Zaniepokojony Simonini skontaktował się od razu z ojcem Bergamaschim.

– Ty zajmij się Jolym – usłyszał od niego – my zajmiemy się Goedschem.

Simonini jeszcze się wahał, nie wiedząc, jak ma się zająć Jolym, gdy otrzymał od ojca Bergmaschiego liścik, zawiadamiający, że biedny pan Goedsche zmarł spokojnie we własnym łóżku i że należy modlić się za jego duszę, chociaż był przeklętym protestantem.

Teraz Simonini wiedział już, co znaczy „zająć się Jolym". Nie lubił wprawdzie robić pewnych rzeczy i był przecież dłużnikiem tego człowieka, ale stanowczo nie mógł ryzykować zniweczenia współpracy z Bergamaschim z powodu jakichś skrupułów moralnych. Przekonaliśmy się już, że Simonini zamierzał teraz wykorzystać w szerokim zakresie tekst Joly'ego, nie chciał zatem narażać się na płaczliwe protesty ze strony autora.

Poszedł zatem znowu na ulicę Lappe i zakupił pistolet dostatecznie mały, aby zmieścił się w kieszeni, o niewielkim zasięgu, ale robiący też niewiele huku. Pamiętał adres Joly'ego, jak również to, że jego małe mieszkanie wyłożone było ładnymi dywanami, na ścianach zaś wisiały dekoracyjne tkaniny, co mogło stłumić różne hałasy. W każdym razie lepiej było działać rano, gdy z dołu dochodził turkot powozów i omnibusów nadjeżdżających od Pont Royal i ulicy du Bac lub kursujących tam i z powrotem po bulwarze nad Sekwaną.

Zadzwonił do drzwi niespodziewającego się odwiedzin adwokata, który mimo to natychmiast zaproponował mu kawę, aby potem rozwodzić się nad swoimi najnowszymi nieszczęściami. Dla większości zakłamanych gazet (mówiąc o zakłamaniu, miał na myśli zarówno ich czytelników, jak i redaktorów) on, który przecież był przeciwny gwałtom i wybrykom rewolucjonistów, pozostawał komunardem. Uznał, że musi przeciwstawić się ambicjom politycznym tego Grévy'ego, kandydata na prezydenta republiki, i na własny koszt kazał wydrukować i rozwiesić oskarżycielskie plakaty. Ogłoszono go wtedy – jego właśnie! – bonapartystą spiskującym przeciwko republice, Gambetta mówił z pogardą o „sprzedajnych piórach ludzi z kryminalną przeszłością", Edmond About nazwał go fałszerzem. Jednym słowem, napadła na niego połowa francuskiej prasy. Jego manifest opublikowano tylko w „Le Figaro", wszystkie inne redakcje odrzuciły pismo, które we własnej obronie wysłał do gazet.

Grévy zrezygnował z kandydowania, zatem Joly w gruncie rzeczy wygrał swoją batalię. Należał jednak do tych, którzy nigdy nie są zadowoleni i chcą, aby sprawiedliwości stało się zadość w stu procentach. Wyzwał na pojedynek dwóch ze swoich oskarżycieli, a dziesięciu dziennikom wytoczył proces za odmowę druku, zniesławienie i publiczne zniewagi.

– Sam podjąłem się własnej obrony i zapewniam pana, panie Simonini, że wymieniłem wszystkie skandale przemilczane przez prasę oraz te, o których pisała. I wie pan, co powiedziałem tym wszystkim łajdakom?... Mówię także o sędziach... Panowie, ja nie bałem się cesarstwa za czasów, kiedy wy milczeliście, a teraz kpię sobie z was, którzy naśladujecie wszystko, co w cesarstwie było najgorsze! Kiedy zaś próbowano odebrać mi głos, powiedziałem: Panowie, cesarstwo postawiło mnie przed sądem za sianie nienawiści, lekceważenie rządu i zniewagę cesarza, ale sędziowie Cezara pozwolili mi mówić. Teraz wzywam sędziów republiki, aby przyznali mi tę samą wolność, z której korzystałem za cesarstwa!

– No i jak to się skończyło?

– Wygrałem, nałożono karę na wszystkie gazety oprócz dwóch.

– Co więc jeszcze pana martwi?

– Wszystko. To, że adwokat strony przeciwnej pochwalił wprawdzie moją twórczość, ale powiedział, iż przez wynikający z mego charakteru brak opanowania zniszczyłem własną przyszłość, a porażki towarzyszą mi krok w krok jako kara za pychę. To, że przez ataki na różne osoby nie zostałem ani deputowanym, ani ministrem. To, że może byłbym lepszym literatem niż politykiem; ale to nieprawda, bo wszystko, co napisałem, popadło w zapomnienie. Od zakończenia procesów nie wpuszcza się mnie do żadnego ważniejszego salonu. Wygrałem wiele bitew, ale jestem przegrany. Nadchodzi chwila, kiedy człowiekowi pęka coś w środku, powodując utratę energii i woli. Mówi się, że trzeba żyć, ale życie to problem, który z czasem prowadzi do samobójstwa.

Simonini pomyślał wtedy, że to, co zaraz zrobi, będzie najsłuszniejsze w świecie. Oszczędzi temu nieszczęśnikowi gestu rozpaczliwego i właściwie upokarzającego, bo oznaczającego jego ostateczne niepowodzenie. Spełni dobry uczynek i pozbędzie się niebezpiecznego świadka.

Poprosił go, aby przejrzał szybko pewien dokument, bo chce poznać jego opinię. Włożył mu do ręki bardzo gruby plik. Same stare gazety, ale by się zorientować, że tak jest, potrzeba było dobrych kilkunastu sekund. Joly usiadł w fotelu, zebrał wymykające mu się z rąk papiery.

Ledwie rozpoczął lekturę, oniemiał. Tymczasem Simonini stanął za fotelem, przytknął lufę pistoletu do głowy adwokata i wystrzelił.

Joly osunął się na stół. Z otworu w skroni sączył się strumyk krwi, ramiona obwisły. Simonini bez trudu włożył mu do ręki pistolet. Działo się to szczęśliwie sześć lub siedem lat przed wynalezieniem cudownego proszku, umożliwiającego zdjęcie z broni niepowtarzalnych odcisków palców osoby, która się nią posłużyła. W czasach gdy Simonini policzył się z Jolym, obowią-

...Nadchodzi chwila, kiedy człowiekowi pęka coś w środku, powodując utratę energii i woli. Mówi się, że trzeba żyć, ale życie to problem, który z czasem prowadzi do samobójstwa... (s. 308)

zywały jeszcze teorie niejakiego Bertillona, oparte na pomiarach szkieletu i różnych kości podejrzanego. Nikomu nie przyszłoby na myśl, że Joly nie popełnił samobójstwa. Simonini zabrał paczkę gazet, umył dwie filiżanki po kawie i opuścił mieszkanie, w którym panował porządek. Później się dowiedział, że po dwóch dniach dozorca domu, zaniepokojony faktem, że lokator w ogóle się nie pokazuje, zawiadomił komisariat dzielnicy Saint-Thomas-d'Aquin. Wyważono drzwi i znaleziono trupa. Z krótkiej notatki w gazecie wynikało, że pistolet upadł na podłogę; Simonini najwidoczniej nie wcisnął go ofierze dość mocno do ręki, ale nie miało to już znaczenia. Niezwykle pomyślnym zbiegiem okoliczności na stole leżały listy zaadresowane do matki, do siostry, do brata... W żadnym z nich nie było konkretnej wzmianki o samobójstwie, lecz wszystkie cechował głęboki, szlachetny pesymizm. Wydawało się, że zostały napisane umyślnie. Kto wie, może ten biedak rzeczywiście zamierzał pozbawić się życia; jeśli tak, to Simonini niepotrzebnie się trudził.

Nie po raz pierwszy Dalla Piccola wyjawiał swojemu współlokatorowi sprawy, o których dowiedział się być może na spowiedzi i o których tamten nie chciał pamiętać. Niezadowolony Simonini zareagował kilkoma wyrażającymi poirytowanie zdaniami, dopisanymi pod uwagami księdza.

Dokument, na który zerka wasz Narrator, jest bez wątpienia pełen niespodzianek; może warto by na jego podstawie napisać kiedyś powieść.

19

OSMAN-BEJ

11 kwietnia 1897, wieczorem

Drogi księże, męczę się, wysilam, aby zrekonstruować swoją przeszłość, a ksiądz nieustannie mi przerywa jak pedantyczny nauczyciel zwracający co chwila uwagę na błędy ortograficzne. Rozprasza mnie ksiądz i wprowadza w zakłopotanie. No dobrze, mogłem nawet zabić tego Joly'ego, ale chodziło mi o osiągnięcie celu usprawiedliwiającego te środki, które musiałem stosować. Proszę wzorować się na politycznej roztropności i zimnej krwi ojca Bergamaschiego. Niechże ksiądz zapanuje nad swoim chorobliwym natręctwem...

Nie obawiając się już szantażu ze strony Joly'ego i Goedschego, mogłem teraz pracować nad swoimi Protokołami Praskimi (tak je przynajmniej określałem). Musiałem wymyślić coś nowego, bo moja stara scena na praskim cmentarzu już się zbanalizowała, nabrała całkiem powieściowego charakteru. W kilka lat po ogłoszeniu listu mojego dziadka wydrukowano w „Contemporain" przemówienie rabina jako prawdziwy raport angielskiego dyplomaty, sir Johna Readcliffa. Goedsche wydał swoją powieść pod pseudonimem sir John Retcliffe, było więc jasne, skąd ten tekst pochodzi. Potem przestałem już liczyć, ile razy wykorzystali tę scenę różni autorzy. Teraz, kiedy piszę, przypominam sobie chyba, że niejaki Bournand opublikował ostatnio książkę *Żydzi, nasi współcześni*, gdzie znowu jest przemówienie rabina, z tym że on sam nazywa się John Readclif. Boże mój, jak można żyć na tym świecie pełnym fałszerzy?!

311

Szukałem zatem nowych wiadomości do zaprotokołowania, sięgając także do dzieł drukowanych. Uważałem bowiem, że moi potencjalni czytelnicy – z wykluczeniem nieszczęśliwego przypadku księdza Dalla Piccola – nie są ludźmi spędzającymi długie godziny w bibliotekach.

Ojciec Bergamaschi powiedział mi kiedyś:

– Ukazała się po rosyjsku książka niejakiego Lutostanskiego o Talmudzie i Żydach. Wystaram się o nią i poproszę współbraci, żeby ją przetłumaczyli. Ale ty powinieneś kogoś poznać. Czy słyszałeś już o Osman-beju?

– To Turek?

– Chyba Serb, ale pisze po niemiecku. Jego książeczkę o podboju świata przez Żydów przełożono już na szereg języków*, lecz sądzę, że potrzebuje więcej informacji, bo z antysemityzmu żyje. Słyszałem, że dostał czterysta rubli od rosyjskiej policji, aby mógł jechać do Paryża i zająć się bliżej Alliance Israélite Universelle. Jeśli dobrze sobie przypominam, o tym stowarzyszeniu opowiadał ci trochę twój przyjaciel Brafmann.

– Tak, ale bardzo niewiele.

– No to zmyślaj, daj coś temu bejowi, a on da coś tobie.

– Jak go znaleźć?

– On sam cię znajdzie.

Nie pracowałem już prawie dla Hébuterne'a, lecz czasem go widywałem. Spotkaliśmy się przed głównym wejściem do katedry Notre Dame i spytałem o Osman-beja. Okazało się, że znany jest policji połowy świata.

– Być może jest pochodzenia żydowskiego, podobnie jak Brafmann i inni zażarci wrogowie własnej rasy. Jego dzieje są długie. Występował pod nazwiskiem Millinger lub Millingen, potem Kibridli-Zade, już dość dawno temu podawał się za Albań-

---

* Wydanie polskie: *Zawojowanie świata przez Żydów wykazane na podstawie historii i teraźniejszości przez Osmana Beja*, przeł. Leon Ukraiński, nakładem tłumacza, Lwów 1876.

czyka. Wydalono go z wielu krajów za podejrzane machinacje, przeważnie oszustwa. W innych krajach spędził po kilka miesięcy w więzieniu. Zajął się Żydami, bo zrozumiał, że może na tym zarobić. W Mediolanie, nie wiem już z jakiej okazji, odwołał publicznie wszystko, co o Żydach rozpowiadał, potem w Szwajcarii dał do druku nowe antysemickie pamflety, z którymi pojechał do Egiptu, żeby je tam sprzedawać jako domokrążca. Prawdziwy sukces odniósł w Rosji, gdzie najpierw napisał kilka opowiadań o zabijaniu dzieci chrześcijańskich. Teraz interesuje się Alliance Israélite i dlatego chcielibyśmy trzymać go z dala od Francji. Mówiłem już panu wielokrotnie, że nie chcemy polemiki z tym środowiskiem, nie opłaca się nam, przynajmniej na razie.

– Ale on ma przyjechać do Paryża, może już tu jest.

– Widzę, że jest pan lepiej poinformowany ode mnie. No więc jeśli chce pan mieć go na oku, będziemy panu jak zwykle zobowiązani.

Miałem więc teraz dwa dobre powody, aby spotkać się z tym Osman-bejem: z jednej strony sprzedać mu o Żydach to, co da się sprzedać, z drugiej – informować Hébuterne'a o jego ruchach. Rzeczywiście odezwał się po tygodniu, wsuwając mi pod drzwi sklepu kartkę z adresem pensjonatu w dzielnicy Marais.

Wyobrażałem go sobie jako obżartucha i chciałem zaprosić do Grand Véfour na ragoût z kurczaka à la Marengo i *mayonnaises de volaille* – krojony drób w majonezie. Porozumieliśmy się listownie, lecz nie przyjął zaproszenia. Wyznaczył mi spotkanie wieczorem na placu Maubert, róg ulicy Maître--Albert. Zobaczę tam nadjeżdżającą dorożkę, mam podejść i dać się rozpoznać.

Kiedy pojazd zatrzymał się na rogu, wychyliła się z niego twarz, jakiej nie chciałbym ujrzeć nocą na jednej z ulic swojej dzielnicy: włosy długie, potargane, nos zakrzywiony, wzrok dziki, cera ziemista, chudość linoskoczka, denerwujący tik w lewym oku.

– Dobry wieczór, kapitanie Simonini – powiedział od razu ów osobnik i dodał: – W Paryżu nawet ściany mają uszy, jak to się mówi. Spokojnie porozmawiać można jedynie krążąc po mieście. Woźnica nie może nas usłyszeć, a nawet gdyby mógł, to jest głuchy jak pień.

Nasza pierwsza rozmowa odbyła się więc, gdy nad miastem zapadał mrok, a z całunu mgły, który rozpościerał się powoli i sięgał już niemal bruku, kapała lekka mżawka. Dorożkarzowi zlecono chyba jeździć po najbardziej opustoszałych i najsłabiej oświetlonych dzielnicach. Spokojnie porozmawiać mogliśmy także na bulwarze des Capucines, lecz najwidoczniej Osman- -bej lubił teatralność.

– Paryż wydaje się opustoszały, proszę spojrzeć na prze- chodniów – mówił z uśmiechem, który rozjaśniał jego twarz tak, jak świeca może rozjaśnić czaszkę (ten człowiek o znisz- czonej twarzy miał przepiękne zęby). – Poruszają się jak widma. Może o świcie wrócą w pośpiechu do swoich grobów. Sprzykrzyło mi się to.

– Doceniam pański styl, przypomina mi najlepsze powieści Ponsona du Terrail, ale czy nie moglibyśmy porozmawiać o sprawach bardziej konkretnych? Na przykład czy znany jest panu niejaki Hipolit Lutostanski?

– To oszust i szpicel. Był katolickim księdzem, ale przestał nim być, bo dopuszczał się czynów nieczystych, jak to się mówi, z chłopcami. Już samo to bardzo źle o nim świadczy, bo, na Boga, wiadomo, zmysłom trudno się oprzeć, ale kapłan musi zachować przyzwoitość. Stał się wtedy mnichem prawosław- nym. Znam na tyle świętą Ruś, aby wiedzieć, że w tych odleg- łych od świata klasztorach starców i nowicjuszy łączą wzajem- ne uczucia… jak by to rzec… braterskie. Ale nie jestem intry- gantem i nie zajmuję się cudzymi sprawami. Wiem tylko, że pana Lutostanski wziął od rosyjskiego rządu górę pieniędzy za opowiadanie o ludzkich ofiarach u Żydów; to dobrze znana historia o rytualnym zabójstwie chrześcijańskich dzieci. Tak jakby on sam dzieci lepiej traktował. Mówią wreszcie, że skon- taktował się z pewnymi środowiskami żydowskimi, proponując,

że za określoną sumę odwoła wszystko, co opublikował. Żydzi
z pewnością nie dadzą mu ani centyma. Nie, to postać całkowicie niewiarygodna.

Po chwili dodał jeszcze:

– Ach, byłbym zapomniał. Jest syfilitykiem.

Słyszałem, że wielcy pisarze przedstawiają zawsze w swoich
postaciach samych siebie.

Osman-bej wysłuchał cierpliwie tego, co usiłowałem mu
opowiedzieć, uśmiechnął się wyrozumiale przy moim malowni-
czym opisie cmentarza praskiego, po czym mi przerwał:

– Kapitanie Simonini, to wygląda mi właśnie na literaturę
taką samą jak ta, której ja według pana hołduję. Tymczasem
szukam tylko konkretnych dowodów związku Alliance Israélite
z masonerią oraz – jeżeli zamiast grzebać się w przeszłości,
można przewidywać przyszłość – powiązań francuskich Żydów
z Prusakami. Alliance jest potęgą zarzucającą na świat złotą sieć,
aby posiąść wszystko i wszystkich; tego właśnie należy dowieść
i to napiętnować. Siły podobne Alliance istniały od wieków,
także przed powstaniem cesarstwa rzymskiego. Dlatego skutecznie działają, skoro mają za sobą trzy tysiąclecia istnienia. Proszę
tylko pomyśleć, jak zawładnęły Francją poprzez Żyda Thiersa.

– Thiers był Żydem?

– A kto nim nie jest? Oni są wokół nas, za naszymi plecami,
kontrolują nasze oszczędności, dowodzą naszymi armiami,
wywierają wpływ na Kościół i na rządy. Przekupiłem jednego
z urzędników Alliance (wszyscy Francuzi są przekupni) i dostałem kopie listów wysłanych do poszczególnych komitetów
żydowskich w krajach sąsiadujących z Rosją. Komitety działają
wzdłuż całej granicy; policja pilnuje głównych dróg, a ich
wysłannicy prześlizgują się po polach, brną przez moczary,
przepływają rzeki i strumienie. To pajęcza sieć. Zawiadomiłem
o tym spisku cara i ocaliłem świętą Ruś. Ja sam, sam jeden.
Kocham pokój, pragnę świata rządzonego łagodnie, w którym
nikt nie rozumiałby już znaczenia słowa gwałt. Gdyby ze świa-

ta zniknęli wszyscy Żydzi, którzy swoimi kapitałami finansują handlarzy bronią, czekałoby nas sto lat szczęśliwości.

– A zatem?

– A zatem trzeba będzie kiedyś popróbować jedynego rozwiązania racjonalnego, czyli ostatecznego: eksterminacji wszystkich Żydów. Także i dzieci? Tak, także i dzieci. Wiem, może to się wydać pomysłem godnym Heroda, ale gdy ma się do czynienia z chwastami, nie wystarczy ściąć, trzeba wykorzenić. Jeśli nie chcesz mieć komarów, zabijaj larwy. Alliance Israélite stanowi cel przejściowy. Zresztą je także będzie można zniszczyć dopiero wraz ze zniszczeniem całej tej rasy.

Pod koniec naszej przejażdżki po opustoszałym Paryżu Osman-bej wystąpił z propozycją.

– Panie kapitanie, zaoferował mi pan bardzo niewiele. Nie może pan żądać, żebym udzielił panu istotnych informacji o Alliance, o którym niedługo wszystko będę wiedział. Proponuję panu jednak umowę. Ja mogę zajmować się Żydami z Alliance, ale nie masonami. Przybywam z mistycznej i prawosławnej Rosji, nie znam dobrze tutejszego środowiska ludzi interesu ani środowiska intelektualnego. Do masonerii nie mam dostępu, masoni zadają się z ludźmi takimi jak pan, z zegarkiem w kieszonce kamizelki. Nie powinno sprawić panu trudności dostanie się do ich kręgu. Słyszałem, że szczyci się pan udziałem w jednej z wypraw Garibaldiego, masona nad masonami. Więc tak: pan mi opowie o masonach, a ja panu o Alliance.

– Umowa jedynie słowna?

– Dżentelmeni nie potrzebują umów spisywać.

20

ROSJANIE?

12 kwietnia 1897, dziewiąta rano

Drogi księże, jesteśmy stanowczo dwiema różnymi osobami. Mam na to dowód. Dziś rano koło ósmej obudziłem się (w swoim łóżku) i jeszcze w nocnej koszuli poszedłem do gabinetu. Dostrzegłem wtedy ciemną sylwetkę wyślizgującą się na schody. Zauważyłem od razu, że ktoś szperał w moich papierach. Chwyciłem więc laskę z ukrytym ostrzem, która na szczęście znajdowała się w zasięgu ręki, i zszedłem do sklepu. Dostrzegłem znowu ten przywodzący na myśl złowieszczego kruka czarny cień, który wymykał się na ulicę. Pobiegłem za nim, ale – może przez przypadek, a może dlatego, że nieproszony gość się zabezpieczył – potknąłem się o stołek, który stał tam, gdzie stać nie powinien. Z wyciągniętym ostrzem laski, utykając, wybiegłem w zaułek. Ani po prawej, ani po lewej stronie nie zobaczyłem już, niestety, nikogo. Mój gość uciekł. Był nim jednak ksiądz, mógłbym przysiąc. Potwierdza to fakt, że kiedy poszedłem do mieszkania księdza, łóżko było puste.

12 kwietnia, w południe

Kapitanie Simonini,
zaraz po obudzeniu (w swoim łóżku) odpowiadam na pański wpis. Przysięgam, że nie mogłem być u pana dziś rano, ponieważ spałem. Zaledwie jednak wstałem koło jedenastej, przeraził mnie

317

widok mężczyzny – z pewnością pana – uciekającego korytarzem z przebraniami. Jeszcze w koszuli nocnej pobiegłem za panem do pańskiego mieszkania i zobaczyłem, że schodzi pan jak duch do swojego obrzydliwego sklepiku i znika w drzwiach. Ja też potknąłem się o stołek, a kiedy wyszedłem w zaułek Maubert, nikogo już nie ujrzałem. Był to jednak pan, mógłbym przysiąc. Proszę mi powiedzieć, że mam rację, bardzo pana proszę...

12 kwietnia, wczesnym popołudniem

Drogi księże,
co się ze mną dzieje? Najwidoczniej jestem chory, wydaje mi się, że od czasu do czasu tracę przytomność, a potem ją odzyskuję i w moim dzienniku znajduję wpis księdza. Czy bylibyśmy tą samą osobą? Proszę zastanowić się chwilę w imię zdrowego rozsądku, nie powiem już „w imię logiki": gdyby nasze dwa spotkania zdarzyły się o tej samej porze, uzasadnione byłoby przypuszczenie, że po jednej stronie byłem ja, a po drugiej ksiądz. Jednak do tego, co nam się przytrafiło, doszło o różnych porach. Nie ulega wątpliwości, że kiedy wchodzę do domu i widzę kogoś uciekającego, tym kimś nie mogę być ja sam, ale twierdzenie, że był to niechybnie ksiądz, opiera się na bardzo słabo uzasadnionym przekonaniu, że tego ranka w domu byliśmy tylko my dwaj.

Jeżeli byliśmy tam tylko my dwaj, powstaje paradoks. Ksiądz przyszedł jakoby o ósmej rano szperać w moich papierach, a ja księdza goniłem. Potem ja poszedłem jakoby o jedenastej grzebać w rzeczach księdza, a gonił mnie ksiądz. Dlaczego jednak każdy z nas obu pamięta godzinę i chwilę, kiedy ktoś wkradł się do jego mieszkania, a nie pamięta godziny i chwili, kiedy sam wkradł się do mieszkania tego drugiego?

Mogliśmy oczywiście zapomnieć – albo zapomnieliśmy umyślnie – lub też przemilczeliśmy to z jakiegoś powodu. Ja jednak jestem absolutnie pewny, że nie przemilczałem niczego.

Co więcej, przypuszczenie, że dwie osoby jednocześnie i obopólnie postanowiły przed sobą nawzajem coś ukryć, wydaje mi się, szczerze mówiąc, nieco romansowe; nawet Montépin[*] czegoś takiego by nie wymyślił.

Bardziej prawdopodobna jest hipoteza, że były trzy osoby. Zagadkowy pan Mystère wkrada się do mnie wczesnym rankiem, a ja myślę, że to ksiądz. O jedenastej ten sam pan wkrada się do księdza, a ksiądz myśli, że to ja. Czy wydaje się to księdzu nieprawdopodobne? Przecież od szpiegów aż się roi.

To jednak nie świadczy, że jesteśmy dwiema różnymi osobami. Ta sama osoba może pamiętać jako Simonini odwiedziny Mystère'a o ósmej, potem je zapomnieć i jako Dalla Piccola zapamiętać odwiedziny Mystère'a o jedenastej.

Ta hipoteza nie rozwiązuje więc bynajmniej problemu naszej tożsamości. Komplikuje tylko życie nam obu (lub temu jednemu, którym obaj jesteśmy), wprowadzając między nas kogoś trzeciego, kto wchodzi do naszych mieszkań i wychodzi stamtąd, kiedy mu się spodoba.

Gdyby zaś nie było nas trzech, lecz czterech? Mystère numer jeden wkrada się o ósmej do mnie, a Mystère numer dwa o jedenastej do księdza. Czy łączy coś Mystère'a numer jeden z Mystère'em numer dwa?

A wreszcie: czy jest ksiądz pewny, że ten, kto gonił Mystère'a księdza, to był właśnie ksiądz, a nie ja? Proszę przyznać, że to piękne pytanie.

W każdym razie ostrzegam: mam laskę z ukrytym ostrzem. Gdy tylko zobaczę znowu w swoim mieszkaniu jakąś postać, od razu, bez zastanowienia, zadam cios. Ta postać nie może być mną, nie zabiję zatem siebie samego. Mógłbym natomiast zabić Mystère'a numer jeden lub numer dwa, ale mógłbym również zabić księdza. Proszę więc uważać.

---

[*] Xavier Henri Aymon, hrabia de Montépin (1823–1902), pisarz francuski, autor powieści w odcinkach.

12 kwietnia, wieczorem

Zaniepokoiły mnie pańskie słowa, które przeczytałem, zbudziwszy się z czegoś na kształt długiego sennego odrętwienia. I jakby we śnie wyłoniła się z mojej pamięci postać podchmielonego nieco doktora Bataille'a (kto to taki?), który wręcza mi w Auteuil mały pistolet i mówi: „Boję się, zbyt daleko się posunęliśmy, masoni chcą naszej śmierci, lepiej nie chodzić bez broni". Przestraszyłem się nie tyle na widok pistoletu, ile słysząc tę groźbę, ponieważ wiedziałem (dlaczego?), że z masonami mogłem mieć do czynienia. Następnego dnia schowałem pistolet do szuflady, tutaj, w mieszkaniu przy ulicy Maître-Albert.

Dziś po południu pan mnie przestraszył i kiedy poszedłem otworzyć tę szufladę, odniosłem dziwne wrażenie, że otwieram ją po raz drugi. Potem otrząsnąłem się: precz ze snami! Około szóstej wieczorem zagłębiłem się ostrożnie w korytarz z przebraniami, zmierzając w stronę pańskiego mieszkania. Ujrzałem zbliżającą się do mnie ciemną sylwetkę. Człowiek posuwał się pochylony, ze świeczką w ręku. Mógł to być pan, ale – Boże mój! – straciłem głowę. Strzeliłem, padł u moich stóp i leżał bez ruchu.

Był martwy. Tylko jeden strzał prosto w serce. Strzelałem po raz pierwszy i – mam nadzieję – ostatni w życiu. To straszne.

Przeszukałem mu kieszenie. Miał w nich jedynie listy po rosyjsku. Przyjrzałem się jego twarzy; natychmiast zauważyłem wystające kości policzkowe i lekko skośne oczy Kałmuka oraz włosy jasne, prawie białe. Z pewnością Słowianin. Czego ode mnie chciał?

Nie mogłem trzymać zwłok w domu. Zaniosłem je na dół do pańskiej piwnicy, podniosłem klapę nad schodkami wiodącymi do ścieków i tym razem starczyło mi odwagi, by zejść. Z wielkim wysiłkiem zwlokłem trupa i dusząc się od wyziewów, zaniosłem go tam, gdzie spodziewałem się tylko znaleźć kości tego drugiego Dalla Piccoli. Czekały mnie jednak dwie niespodzianki. Po pierwsze, miazmaty i podziemna pleśń sprawiły jakimś cudem chemii – królowej nauk w naszych czasach – że przez dziesiątki lat zacho-

...Był martwy. Tylko jeden strzał prosto w serce... (s. 320)

wało się to, co powinno być moimi śmiertelnymi szczątkami. Miały one kształt szkieletu, ale z kawałkami substancji przypominającej skórę; w zmumifikowanej postaci rozpoznawało się więc jeszcze człowieka. Po drugie, obok rzekomego Dalla Piccoli znalazłem dwa inne ciała: mężczyzny w sutannie i półnagiej kobiety, oba w rozkładzie; wydało mi się jednak, że rozpoznaję kogoś, kogo dobrze znałem. Kim były te dwa trupy, które wywołały w moim sercu burzę, a w umyśle niewysłowione obrazy? Nie wiem i nie chcę wiedzieć. Nasze historie, moja i pańska, są jednak o wiele bardziej skomplikowane, niż można byłoby sądzić.

Proszę mi teraz nie opowiadać, że także panu przydarzyło się coś w tym rodzaju. Nie zniósłbym dłużej takiej gry krzyżujących się zbiegów okoliczności.

12 kwietnia, w nocy

Drogi księże, ja nie zabijam ludzi, lub przynajmniej nie zabijam bez powodu. Zszedłem do kanału, aby sprawdzić. Nie zaglądałem tam od lat. Dobry Boże, trupy są rzeczywiście cztery. Jednego złożyłem tam sto lat temu, jednego ksiądz zaniósł dzisiaj wieczorem, ale dwa pozostałe?

Kto chodzi do mojego ścieku i sieje tam zwłoki?

Rosjanie? Czego chcą Rosjanie ode mnie – od księdza – od nas?

Oh, quelle histoire! Ach, co za historia!

21

TAXIL

Z dziennika, 13 kwietnia 1897

Simonini zachodzi w głowę, kto mógł wejść do jego mieszkania – i do mieszkania Dalla Piccoli. Przypomina sobie teraz, że na początku lat osiemdziesiątych zaczął uczęszczać do salonu Juliette Adam (poznał ją w księgarni na ulicy Beaune jako panią Lamessine) i że spotkał tam Julianę Dimitrijewną Glinkę, za której pośrednictwem nawiązał kontakt z Raczkowskim. Jeśli do niego (lub do Dalla Piccoli) ktoś się zakradł, zrobił to niewątpliwie na polecenie jednej z tych dwóch osób; Simonini przypomina sobie niewyraźnie, że współzawodniczyły ze sobą w polowaniu na ten sam skarb. Od tamtych czasów upłynęło jednak około piętnastu lat, w ciągu których wiele się zdarzyło. Od kiedy Rosjanie byli na jego tropie?

A może byli to masoni? Musiał zrobić coś, co ich rozgniewało; mogli szukać w jego mieszkaniu dokumentów z kompromitującymi danymi na ich temat. W tamtych latach starał się zbliżyć do masonerii zarówno po to, by usatysfakcjonować Osman-beja, jak i ze względu na ojca Bergamaschiego, który nieustannie go ponaglał, ponieważ w Rzymie przygotowywano ostry atak na masonów (i na stojących za nimi Żydów), więc potrzebne były świeże informacje. Tych zaś brakowało do tego stopnia, że jezuickie czasopismo „Civiltà Cattolica" musiało opublikować list dziadka Simoniniego do Barruela, chociaż trzy lata wcześniej ukazał się już w „Contemporain".

Simonini rekonstruuje w pamięci. Zastanawiał się wtedy, czy nie byłoby dobrze, gdyby sam wstąpił do loży. Musiałby podporządkować się jakiejś zwierzchności, uczestniczyć w zebraniach, wyświadczać przysługi współbraciom. To wszystko ograniczyłoby jego swobodę działania, ponadto nie można było wykluczyć, że loża przed przyjęciem go w swoje szeregi zechce się poinformować o jego życiu obecnym i przeszłym, na co nie powinien pozwolić. Lepiej było chyba szantażować jakiegoś masona i mieć w nim informatora. Jako notariusz, który sporządził tyle fałszywych testamentów, opiewających, dzięki Bogu, na znaczne sumy, niewątpliwie miał kiedyś do czynienia z jakimś masońskim dostojnikiem.

Zresztą nawet nie musiał się uciekać do konkretnego szantażu. Już kilka lat wcześniej doszedł do wniosku, że na awansie ze szpicla na szpiega międzynarodowego niewątpliwie nieco zarobił, ale nie dosyć, aby zaspokoić swoje ambicje. Zawód szpiega zmuszał go do egzystencji prawie w podziemiu, on zaś z wiekiem czuł coraz większą potrzebę życia towarzyskiego w dostatku i poważaniu. Uznał więc za swoje prawdziwe powołanie nie być szpiegiem, lecz w oczach ogółu uchodzić za szpiega – szpiega czynnego na różnych frontach, który nie wiadomo dla kogo zbiera dane i dysponuje Bóg wie jakimi informacjami.

Uchodzenie za szpiega przynosiło Simoniniemu duży zysk, bo wszyscy usiłowali wydobyć z niego bezcenne w ich oczach tajemnice i byli gotowi sowicie płacić za każdy powierzony im sekret. Ponieważ jednak nie chcieli się demaskować, płacili mu jako notariuszowi. Bez namysłu regulowali wygórowane rachunki za całkiem błahe świadczenia notarialne, chociaż nie otrzymywali w zamian żadnej poufnej wiadomości. Sądzili jednak, że w ten sposób go kupują, i czekali cierpliwie na swoją kolej.

Narrator uważa, że Simonini wyprzedzał czas. W gruncie rzeczy wraz z upowszechnianiem wolnej prasy i nowych systemów informacji od telegrafu po radio, które wkrótce zostanie wynalezione, wiadomości poufne stawały się coraz rzadsze, co mogło doprowadzić do kryzysu w zawodzie tajnego agenta. Lepiej nie znać żadnego sekretu i dawać do zrozumienia, że sekrety się zna. To tak, jakby żyło się z dochodów z kapitału lub patentu. Leżysz brzuchem do góry, ludzie przechwalają się bezpodstawnie, że powierzyłeś im wstrząsające tajemnice, a ty zgarniasz pieniądze bez żadnego wysiłku.

Należało znaleźć kogoś, kto choć bezpośrednio nie byłby szantażowany, mógłby obawiać się szantażu. Od razu przyszło mu do głowy nazwisko Taxil. Przypominał sobie, że poznał go, bo sporządzał dla niego pewne listy (od kogo? do kogo?), a on opowiedział mu nie bez dumy o swoim przystąpieniu do loży Le Temple des Amis de l'Honneur Français – Świątynia Przyjaciół Francuskiego Honoru. Czy Taxil był właściwym człowiekiem? Żeby uniknąć fałszywego kroku, Simonini zwrócił się do Hébuterne'a, który w odróżnieniu od Lagrange'a nigdy nie zmieniał miejsca spotkań: zawsze w głębi środkowej nawy katedry Notre Dame.

Simonini spytał go, co tajne służby wiedzą o Taxilu.

Hébuterne wybuchnął śmiechem.

– Zwykle to my żądamy informacji od pana, nie na odwrót, jednak tym razem panu pomogę. Nazwisko coś mi mówi, ale to sprawa nie dla służb, tylko dla żandarmerii. Dowie się pan za kilka dni.

Raport żandarmerii, który nadszedł w końcu tygodnia, był z pewnością interesujący. Marie Joseph Gabriel Antoine Jogand--Pagès, zwany Léo Taxil, urodził się w Marsylii w 1854 roku, uczęszczał do szkół jezuickich, a następnie – można było się tego spodziewać – w wieku około osiemnastu lat zaczął pisać do prasy antyklerykalnej. W Marsylii zadawał się z nierządnicami, między innymi z prostytutką skazaną potem na dwanaście lat ciężkich robót za zabicie właścicielki domu, w którym mieszkała, oraz z inną, którą później aresztowano za próbę zamordowania kochanka. Może policja rozmyślnie przypisywała mu znajomości całkiem przypadkowe, co powinno jednak dziwić, ponieważ Taxil pracował także dla aparatu sprawiedliwości, informując o środowiskach republikańskich, w których się obracał. Niewykluczone jednak, że policjanci się go wstydzili, bo oskarżono go raz nawet o reklamowanie tak zwanych cukierków z haremu, będących w rzeczywistości afrodyzjakami. W 1873 roku Taxil rozesłał do marsylskich gazet listy ze sfałszowanymi podpisami rybaków, ostrzegające, że na redzie pojawiły się rekiny, co wywołało wielkie poruszenie w mieście. Skazany później za artykuły przeciwko religii, uciekł do Genewy. Tam puścił w obieg wiadomość o istnieniu ruin rzymskiego miasta na dnie Jeziora Lemańskiego, co przyciągnęło tłumy turystów. Wydalony ze Szwajcarii za rozpowszechnianie fałszywych i tendencyjnych informacji, zamieszkał najpierw w Montpellier, a potem w Paryżu, gdzie przy ulicy des Écoles założył Librairie Anticléricale (Księgarnię Antyklerykalną). Niedawno wstąpił do loży masońskiej, lecz po krótkim czasie usunięto go z niej jako niegodnego. Obecnie nie zarabiał już chyba na działalności antyklerykalnej tyle co dawniej, gdyż był obciążony długami.

Teraz Simonini zaczął przypominać sobie wszystko o Taxilu. To autor szeregu książek nie tylko antyklerykalnych, ale i antyreligijnych, jak *Życie Jezusa* ilustrowane nieprzyzwoitymi obrazkami (na przykład o stosunkach Marii z gołębicą Ducha Świętego). Napisał też utrzymaną w mrocznych barwach powieść *Syn jezuity*, świadczącą o jego łajdactwie. Zadedykował ją Giuseppe Garibaldiemu („kocham go jak własnego ojca"), do czego nie można mieć zastrzeżeń, ale na karcie tytułowej zapowiedział też wstęp pióra Garibaldiego. Ów wstęp, zatytułowany *Myśli antyklerykalne*, miał postać wściekłej inwektywy („kiedy staje przede mną ksiądz, a zwłaszcza jezuita – kwintesencja księdza, ohyda jego natury uderza mnie tak silnie, że wstrząsają mną dreszcze i zbiera mi się na wymioty"), lecz brakowało w nim jakiejkolwiek wzmianki o dziele, do którego jakoby się odnosił. Było więc jasne, że tekst Garibaldiego wziął Taxil Bóg wie skąd i przedstawił go jako napisany umyślnie dla jego książki.

Wobec człowieka takiego pokroju Simonini nie chciał się skompromitować. Postanowił wystąpić jako notariusz Fournier. Włożył

LES NOCES DE CANA

ésus, qui avait le gosier altéré comme les autres, éprouva alors le besoin de faire jouer les ficelles de sa toute-puissance. (Chap. XIX.)

...Życie Jezusa *ilustrowane nieprzyzwoitymi obrazkami (na przykład o stosunkach Marii z gołębicą Ducha Święte-go)... (s. 326)* piękną perukę niepewnego, zbliżonego do kasztanowego koloru, uczesaną starannie z przedziałkiem na boku. Dodał dwa baczki tej samej barwy, nadające pociągły kształt jego twarzy, pobladłej za sprawą odpowiedniego kremu. Przećwiczył przed lustrem głupawy uśmiech, który uwidaczniał dwa złote siekacze – wynik mistrzowskiego zabiegu dentystycznego, pozwalający mu przykrywać własne zęby. Te złote koronki zniekształcały też lekko jego wymowę, miał więc zmieniony głos.

Wysłał Taxilowi na ulicę des Écoles *petit bleu*, liścik pocztą pneumatyczną, z zaproszeniem na następny dzień do Café Riche. W takim miejscu mógł się zaprezentować jak najlepiej, gdyż zaglądało tam wiele znakomitych osobistości. Spożywając smażoną solę lub bekasa à la Riche, skłonny do przechwałek parweniusz z pewnością zacznie mówić.

Léo Taxil miał pucułowatą twarz o tłustej cerze, ozdobioną imponującymi wąsami, szerokie czoło i wielką łysinę, z której ustawicznie ocierał pot. Ubrany był z przesadną nieco elegancją, mówił głośno, z nieznośnym akcentem marsylskim.

Z początku nie rozumiał, dlaczego ten notariusz Fournier chce z nim rozmawiać. Powoli jednak zaczął sobie pochlebiać, że to obserwator ludzkiej natury, jeden z tych, których w owych czasach powieściopisarze nazywali filozofami, zaciekawiony jego antyklerykalną działalnością i osobliwymi dokonaniami. Podniecił się więc, opowiadając z pełnymi ustami o swoich młodzieńczych wyczynach.

– Kiedy rozpowszechniłem historię o rekinach, na kilka tygodni opustoszały wszystkie kąpieliska od Catalan aż po plażę Prado. Mer oświadczył, że rekiny przypłynęły niewątpliwie z Korsyki za jakimś statkiem, z którego wyrzucono do morza zepsute resztki wędzonego mięsa, a Urząd Miejski zażądał kompanii wojska uzbrojonej w szybkostrzelne *chassepots*, która miałaby wyruszyć w morze na holowniku, i rzeczywiście przysłano stu żołnierzy pod dowództwem generała Espiventa! A sprawa Jeziora Lemańskiego? Zjechali się korespondenci ze wszystkich zakątków Europy! Zaczęto mówić, że zatopione miasto powstało w czasach opisanych w *De bello gallico*, kiedy jezioro było tak wąskie, że nie mieszało swoich wód z wodami przepływającego przez nie Rodanu. Miejscowi przewoźnicy wzbogacili się, transportując turystów łodziami na środek jeziora; wylewano do wody olej, żeby lepiej widzieć... Pewien słynny polski archeolog wysłał do kraju artykuł, w którym zapewniał, że dostrzegł na dnie jeziora skrzyżowanie ulic i konny pomnik! Ludzi cechuje przede wszystkim to, że gotowi są we wszystko uwierzyć. No bo czyż Kościół przetrwałby prawie dwa tysiące lat, gdyby nie powszechna łatwowierność?

Simonini poprosił o informacje na temat Le Temple des Amis de l'Honneur Français.

– Czy trudno jest wstąpić do loży? – spytał.

– Wystarczy być w dobrej sytuacji finansowej i chcieć płacić słone składki. Trzeba też przestrzegać przepisów o wzajemnej pomocy wśród braci. O moralności mówi się bardzo dużo, ale jeszcze w zeszłym roku mówcą Wielkiego Kolegium Rytów był właściciel burdelu na Chaussée d'Antin, a jeden z Trzydziestu Trzech najbardziej wpływowych w Paryżu to szpieg, a raczej szef biura szpiegów... co za różnica... nazwiskiem Hébuterne.

– Jak odbywa się przyjęcie do loży?

– Jest rytuał! I to jaki! Nie wiem, czy masoni rzeczywiście wierzą w tego Wielkiego Budowniczego Wszechświata, o którym bez przerwy mówią, ale swoją liturgię traktują z pewnością poważnie. Nie uwierzy pan, co musiałem zrobić, żeby przyjęto mnie na czeladnika!

Tutaj Taxil rozpoczął serię opowieści, od których włos jeżył się na głowie.

Simonini nie był pewny, czy ten zawołany łgarz nie opowiada mu jakichś bajek. Spytał go więc, czy nie uważa, że wyjawił rzeczy, o których adept powinien bezwarunkowo milczeć, i że przedstawił cały rytuał w dość groteskowy sposób.

Taxil oświadczył mu wtedy z dezynwolturą:

– No wie pan, ja wobec nich nie mam żadnych zobowiązań. Ci durnie mnie wykluczyli.

Wyglądało na to, że miał do czynienia z nowym dziennikiem w Montpellier, „Le Midi Républicain", który w pierwszym numerze ogłosił pełne zachęty, wyrażające solidarność pisma z podpisami różnych ważnych osobistości, jak Wiktor Hugo i Louis Blanc. Potem nagle wszyscy ci rzekomi autorzy wysłali do innych gazet o masońskiej inspiracji listy, zaprzeczając, jakoby takiego poparcia udzielili, i stwierdzając z oburzeniem, że bezprawnie posłużono się ich nazwiskami. W konsekwencji wytoczono w loży Taxilowi kilka procesów, w których bronił się on następująco: po pierwsze, przedstawiał oryginały opublikowanych listów, po drugie, tłumaczył zachowanie Wiktora Hugo starczym otępieniem, podważając w ten sposób swój pierwszy argument podłą zniewagą człowieka, który był chlubą ojczyzny i masonerii.

Właśnie wtedy Fournier przypomniał sobie, kiedy jako Simonini sfabrykował oba listy – Wiktora Hugo i Louisa Blanca. Taxil najwyraźniej zapomniał o tym epizodzie; był tak bardzo przyzwyczajony kłamać nawet samemu sobie, że o owych listach mówił ze wzrokiem jaśniejącym dobrą wiarą, jak gdyby były one prawdziwe. Jeśli zaś przypominał sobie niejasno notariusza Simoniniego, nie kojarzył go bynajmniej z notariuszem Fournierem.

Ważne było to, że Taxil żywił głęboką nienawiść do swoich eksbraci z loży.

Simonini pojął natychmiast, że pobudzając wenę narratorską Taxila, zgromadzi wiele pikantnych informacji dla Osman-beja. W jego niezwykle płodnym umyśle zrodził się jednak inny jeszcze projekt: najpierw ogólne odczucie, potem kiełkująca intuicja, wreszcie plan gotowy prawie we wszystkich szczegółach.

Po pierwszym spotkaniu, podczas którego Taxil dowiódł, że lubi dobrze zjeść, fałszywy notariusz zaprosił go do Père Lathuile, popularnej restauracyjki przy rogatce Clichy, gdzie podawano sławnego *poulet sauté* – kawałki kurczaka z patelni, z ziołami i jarzynami, i jeszcze sławniejsze flaki à la Caen, nie mówiąc już o doskonałych winach. Między jednym a drugim mlaśnięciem zapytał go, czy za stosownym wynagrodzeniem nie napisałby dla jakiegoś wydawcy pamiętników byłego masona. Usłyszawszy o wynagrodzeniu, Taxil okazał się tym pomysłem bardzo zainteresowany. Simonini wyznaczył mu kolejne spotkanie, a sam udał się do razu do ojca Bergamaschiego.

– Ojcze, proszę mnie posłuchać – powiedział. – Mamy tu zatwardziałego antyklerykała, któremu antyklerykalne książki nie przynoszą już tyle dochodu co kiedyś. Mamy również znawcę środowiska masońskiego, który jest na masonów cięty. Wystarczyłoby, żeby nawrócił się na katolicyzm, wyparł swoich antyreligijnych publikacji i zaczął wyjawiać tajemnice masonerii, a wy, jezuici, zyskalibyście zawziętego propagandystę.

– Ale człowiek nie nawraca się z dnia na dzień dlatego tylko, że ty tego chcesz.

– Moim zdaniem Taxilowi chodzi wyłącznie o pieniądze. Wystarczy pobudzić jego zamiłowanie do rozpowszechniania fałszywych wiadomości, do niespodziewanej zmiany poglądów i dać mu do zrozumienia, że jego nazwisko mogłoby trafić na pierwsze strony gazet. Jak się nazywał ten Grek, który żeby być na ustach wszystkich, podpalił świątynię Diany w Efezie?

– Herostrates. No tak, no tak – powiedział w zamyśleniu Bergamaschi. I dodał: – Niezbadane są ścieżki Pana...

– Ile możemy mu zaoferować za publiczne nawrócenie?

– Szczere nawrócenia powinny oczywiście być darmowe, *ad maiorem Dei gloriam*, lecz nie bądźmy zbyt wybredni. Nie proponuj mu jednak więcej niż pięćdziesiąt tysięcy franków. Powie, że to niewiele, ale ty zwróć mu uwagę, że z jednej strony ratuje swoją bezcenną duszę, a z drugiej, jako autor antymasońskich pamfletów, skorzysta z naszej sieci dystrybucji, co oznacza setki tysięcy egzemplarzy.

Niepewny, czy sprawę da się sfinalizować, Simonini na wszelki wypadek poszedł do Hébuterne'a i powiedział mu, że jezuici spiskują, zamierzając namówić Taxila, by wystąpił przeciwko masonerii.

- Jeśli to prawda – odrzekł Hébuterne – tym razem zgodziłbym się z jezuitami. Panie Simonini, mówię do pana jako jeden
z najważniejszych dostojników Wielkiego Wschodu, jedynej
prawdziwej masonerii laickiej, republikańskiej i antyklerykalnej
wprawdzie, ale nie przeciwnej religii, uznającej bowiem istnienie Wielkiego Budowniczego Wszechświata, a każdemu wolno
widzieć w nim zarówno Boga chrześcijan, jak i bezosobową siłę
kosmiczną. Myśl, że dopuściliśmy do naszego środowiska tego
łobuza Taxila, wciąż przysparza nam zgryzoty, mimo że już
został z naszych szeregów wydalony. Nie zmartwilibyśmy się
również, gdyby jakiś apostata zaczął opowiadać o masonerii
rzeczy tak straszliwe, że nikt by mu nie uwierzył. Spodziewamy
się ofensywy ze strony Watykanu i sądzimy, że papież nie zachowa się jak dżentelmen. Świat masoński zanieczyszczają różno-
rodne wyznania. Niejaki Ragon już wiele lat temu wyliczył
siedemdziesiąt pięć różnych masonerii, pięćdziesiąt dwa ryty,
trzydzieści cztery zakony, w tym dwadzieścia sześć mieszanych,
oraz tysiąc czterysta stopni rytualnych. Mógłbym panu mówić
o wolnomularstwie templariuszowskim i szkockim, o rycie Here-
doma, o rycie Swedenborga, o rycie Memfis i Misraim ustano-
wionym przez tego drania i oszusta Cagliostra, o wyższych
nieznanych Weishaupta, satanistach, lucyferianach i pallady-
stach czy jak tam jeszcze się nazywają, mnie samemu nie mieści
się to już w głowie. Bardzo złą prasę robią nam zwłaszcza różne
obrządki satanistyczne, do czego przyczynili się także bracia
skądinąd godni szacunku, kierowani może względami estetycz-
nymi, nie zdając sobie sprawy, ile wyrządzają nam szkody. Prou-
dhon, który masonem był wprawdzie krótko, czterdzieści lat
temu ułożył modlitwę do Lucyfera: „Przybądź, Szatanie, przybądź, Ty oczerniany przez księży i królów, zezwól, abym Cię objął
i przytulił do łona". A Włoch Rapisardi napisał *Lucyfera*, właściwie adaptację znanego mitu o Prometeuszu; Rapisardi nie jest
nawet masonem, ale mason Garibaldi wychwalał go pod niebio-
sa, no i teraz wszyscy wierzą święcie, że masoni wielbią Lucyfera. Pius IX na każdym kroku dopatrywał się w wolnomularstwie

diabła, a już dość dawno temu włoski poeta Carducci – trochę republikanin, trochę monarchista, wielki fanfaron i niestety wielki mason – ułożył hymn do Szatana, przypisując mu nawet wynalezienie kolei żelaznej. Wprawdzie oświadczył potem, że jego Szatan to metafora, lecz w rezultacie kult Szatana znowu wydał się wszystkim ulubioną rozrywką masonów. Jednym słowem, nasze środowisko by się nie zmartwiło, gdyby osoba już od dawna skompromitowana, publicznie wydalona z masonerii, znana ogólnie jako chorągiewka na dachu, zaczęła pisać oczerniające nas gwałtownie pamflety. Byłby to sposób na stępienie watykańskiego miecza, bo Watykan znalazłby się wtedy po stronie specjalisty od pornografii. Oskarżcie kogoś o zabójstwo, uwierzą wam; oskarżcie go o to, że pożera dzieci na obiad i na kolację jak Gilles de Rais, a nikt nie weźmie was na serio. Sprowadźcie wrogów masonerii do poziomu autorów powieści w odcinkach, a zrobicie z nich pospolitych kolporterów nieprawdopodobnych plotek. A zatem potrzebujemy ludzi obrzucających nas błotem.

Widać stąd, że Hébuterne był umysłem wyższego rzędu, górował przebiegłością nawet nad swoim poprzednikiem Lagrange'em. Nie umiał powiedzieć od razu, ile Wielki Wschód mógł w to przedsięwzięcie zainwestować, lecz odezwał się już po kilku dniach.

– Sto tysięcy franków. Ale muszą to być naprawdę śmieci.

Simonini miał zatem sto pięćdziesiąt tysięcy franków na zakup śmieci. Jeśli zaproponuje znajdującemu się w finansowych tarapatach Taxilowi siedemdziesiąt pięć tysięcy i na dodatek obieca mu wysoki nakład, ten zgodzi się bez wahania. Wtedy siedemdziesiąt pięć tysięcy zostanie dla niego. Pięćdziesiąt procent za pośrednictwo, całkiem nieźle.

W czyim imieniu miał złożyć propozycję Taxilowi? W imieniu Watykanu? Notariusz Fournier nie wyglądał na pełnomocnika papieża. Mógł co najwyżej zapowiedzieć mu odwiedziny kogoś

takiego jak ojciec Bergamaschi. W gruncie rzeczy księży stwo-
rzono z myślą o tym, aby ludzie się nawracali i wyznawali im
swoją mętną przeszłość.

Ale à propos mętnej przeszłości, czy Simonini powinien ufać
ojcu Bergamaschiemu? Nie należało oddawać Taxila w ręce
jezuitów. Zdarzali się już pisarze ateiści, którzy sprzedawali po
sto egzemplarzy swoich książek, a potem, kiedy uklękli u stóp
ołtarza i zaczęli opowiadać o swoich przeżyciach jako ludzie
nawróceni, dochodzili do dwóch lub trzech tysięcy egzemplarzy.
W gruncie rzeczy, jeśli dobrze policzyć, antyklerykałowie rekru-
towali się przeważnie spośród republikanów z miast, natomiast
obrońcy wiary, marzący o starych, dobrych czasach króla i proboszcza, zaludniali prowincję, a były ich – nawet wyłączając
analfabetów (ale im czytałby ksiądz) – całe tłumy, niczym
diabłów. Gdyby udało się nie wmieszać w to ojca Bergamaschiego, można by zaproponować Taxilowi współpracę przy jego
nowych pamfletach i podpisać z nim umowę, zgodnie z którą
współpracownik otrzymałby dziesięć lub dwadzieścia procent
dochodu z przyszłych dzieł głównego autora.

W 1884 roku Taxil po raz ostatni zranił uczucia dobrych katolików, publikując *Miłostki Piusa IX*, które zniesławiały nieżyjącego
już papieża. W tym samym roku Leon XIII ogłosił encyklikę
Humanum genus – „potępienie filozoficznego i moralnego relaty-
wizmu masonerii", a w encyklice *Quod apostolici muneris* „spio-
runował" monstrualne błędy socjalistów i komunistów. Teraz
wziął na cel masonerię wraz z całokształtem jej doktryn, aby
ujawnić, w jaki to tajemny sposób podporządkowuje ona sobie
swoich członków, którzy stają się gotowi do popełnienia wszelkich przestępstw. Albowiem „owo ciągłe udawanie i ukrywanie
się, owo ścisłe uzależnianie ludzi, niczym nędznych niewolników,
od woli innych w celu osiągnięcia niejasnych dla nich celów,
posługiwanie się nimi jako ślepym narzędziem we wszelkich,
występnych także przedsięwzięciach, wkładanie im w prawicę
broni, aby zadawali śmierć, bezkarnie popełniając zbrodnię – to

gwałty przeciwne naturze, budzące niewysłowione obrzydzenie". Nie mówiąc już oczywiście o naturalizmie i relatywizmie wolnomularskich doktryn, według których o wszystkim rozstrzyga ludzki rozum. A rezultaty tych poczynań? Papież pozbawiony władzy doczesnej, plany unicestwienia Kościoła, małżeństwo prostą umową cywilną w urzędzie, wychowanie młodzieży już nie w rękach duchowieństwa, lecz nauczycieli świeckich, głoszenie, że „wszyscy ludzie mają te same prawa i są sobie całkowicie równi, że ludzie są z natury wolni, że nikt nie ma prawa rozkazywać innym, że tyranią jest podporządkowanie ludzi innej władzy niż ta, która od nich samych pochodzi". Dla wolnomularzy zatem „wszelkie prawa i obowiązki obywatelskie pochodzą od ludu, to jest od państwa", państwo zaś nie może nie być ateistyczne.

Naturalnie „po wykreśleniu bojaźni Bożej i poszanowania praw Boskich, podeptaniu władzy królewskiej, wyzwoleniu i uprawomocnieniu żądzy buntów, zaprzestaniu powściągania namiętności ludu, ustanowieniu bezkarności i wyrzeczeniu się wszelkiego umiaru musi nastąpić rewolucja i powszechny przewrót.... co jest powziętym z góry i jawnie głoszonym celem licznych stowarzyszeń komunistycznych i socjalistycznych; ich zamierzeniom sekta wolnomularska nie jest zatem obca".

Pora doprowadzić jak najszybciej do „wybuchu"– do nawrócenia Taxila.

W tym miejscu dziennik Simoniniego się gmatwa. Wydaje się, że nasz autor zapomniał już, jak doszło do konwersji Taxila i kto tego dokonał. W jego pamięci powstaje jakby luka, po której przypomina sobie tylko, że Taxil w ciągu kilku lat stał się katolickim heroldem walki z masonerią. Po ogłoszeniu *urbi et orbi* swojego powrotu na łono Kościoła marsylczyk opublikował najpierw *Braci trzy kropki* (trzy kropki oznaczały trzydziesty trzeci stopień masońskiego wtajemniczenia) i *Tajemnice wolnomularstwa* (z dramatycznymi ilustracjami, które przedstawiały wzywanie Szatana i budzące grozę obrządki), zaraz potem

...marsylczyk opublikował najpierw *Braci trzy kropki (trzy kropki oznaczały trzydziesty trzeci stopień masońskiego wtajemniczenia)* i *Tajemnice wolnomularstwa (z dramatycznymi ilustracjami, które przedstawiały wzywanie Szatana i budzące grozę obrządki)... (s. 335)*

Siostry masonki o lożach kobiecych (nieznanych przedtem), w rok później zaś *Wolnomularstwo zdemaskowane* i wreszcie *Francję masońską*.

Już opis inicjacji w jednej z tych pierwszych książek wystarczał, aby przyprawić czytelnika o dreszcz. Otrzymawszy wezwanie, Taxil stawił się w siedzibie loży o ósmej wieczorem; przyjął go tam brat odźwierny. O wpół do dziewiątej zamknięto go w Gabinecie Przemyśleń, klitce o pomalowanych na czarno ścianach, ozdobionych rysunkami czaszek nad skrzyżowanymi piszczelami i napisami w rodzaju: „Jeśli sprowadza cię tu próżna ciekawość, odejdź!" Niespodziewanie płomyk gazowy gasł, jedna ze ścian znikała, zsuwając się w dół po ukrytych w murze szynach, i profan widział przed sobą podziemie oświetlone lampkami nagrobnymi. Świeżo obcięta ludzka głowa leżała na przykrytym zakrwawioną chustą pniu. Taxil cofał się przerażony, a głos, który wydawał się wydobywać ze ściany, wołał: „Drżyj, profanie! Widzisz głowę brata krzywoprzysięzcy, który zdradził nasze tajemnice!"

Oczywiście była to sztuczka – komentował Taxil. Głowa musiała należeć do kogoś ukrytego w wydrążonym pniu, a w lampach znajdowały się pakuły nasączone spirytusem kamforowym, który tli się zmieszany z grubą solą kuchenną; taka mieszanka, zwana przez jarmarcznych prestidigitatorów piekielną sałatą, po zapaleniu wydziela zielonkawe światło, które nadaje uciętej rzekomo głowie trupią barwę. W związku z innymi inicjacjami Taxil słyszał o ścianach z matowych luster, na których, gdy gasł płomyk gazu, za pomocą latarni magicznej pokazywano miotające się widma i zamaskowane postaci, otaczające zakutego w kajdany więźnia i zadające mu ciosy sztyletem. Takimi to niegodnymi środkami loża starała się zniewolić kandydatów o wrażliwym usposobieniu.

Potem tak zwany Brat Straszliwy przygotowywał profana: zdejmował mu kapelusz, surdut i prawy but, zakasywał nad kolano prawą nogawkę, obnażał ramię i pierś po stronie serca, zawiązywał oczy, obracał go parokrotnie w koło, prowadził w górę i w dół po różnych schodach, wreszcie szedł z nim do Sali Zagubionych Kroków. Otwierały się drzwi; Brat Doświadczony, posługując się sporządzonym z wielkich skrzypiących sprężyn mechanizmem, symulował brzęk ogromnych łańcuchów. Kandydat wchodził do Sali, gdzie Doświadczony dotykał jego nagiej piersi ostrzem szpady, a Czcigodny pytał: „Profanie, co czujesz na swojej piersi? Co masz na oczach?" Kandydat miał odpowiedzieć: „Gruba opaska zasłania mi oczy, a na piersi czuję ostrze broni". Wtedy Czcigodny: „Panie, to żelazo, zawsze gotowe ukarać krzywoprzysięzcę, symbolizuje wyrzuty sumienia; pękłoby od nich twoje serce, gdybyś na swoje nieszczęście zdradził stowarzyszenie, do którego chcesz wstąpić. Zasłaniająca twoje oczy opaska jest symbolem ślepoty człowieka rządzonego namiętnościami, pogrążonego w niewiedzy i przesądzie".

Następnie ktoś chwytał kandydata i znowu wielokrotnie obracał go w koło, a kiedy zaczynało mu się kręcić w głowie, kierował go przed wielki parawan z kilku warstw mocnego papieru, przypominający nieco obręcze, przez które skaczą konie w cyrku. Rozkazywano wprowadzić kandydata do jaskini; nieszczęśnik, pchnięty z całej siły na parawan, przebijał papier własnym ciałem i padał na położony po przeciwnej stronie materac.

Były także niekończące się schody, w rzeczywistości coś w rodzaju podnośnika kubełkowego. Wchodzący na nie z zawiązanymi oczami miał przed sobą nieustannie nowy stopień, ale schody obracały się ciągle w dół, więc pozostawał on przez cały czas na tym samym poziomie.

Symulowano nawet puszczanie kandydatowi krwi i piętnowanie go rozpalonym żelazem. W pierwszym wypadku Brat Chirurg chwytał jego ramię, kłuł je dość silnie czubkiem wykałaczki, a inny brat lał na nie cieniutki strumyczek letniej wody, aby ofiara sądziła, że krwawi. Przy próbie rozpalonego żelaza jeden z Doświadczonych tarł suchą ściereczką jakieś miejsce na ciele kandydata i kładł na nim kawałek lodu lub rozgrzaną podstawkę zgaszonej właśnie świecy albo małego kieliszka,

...Rozkazywano wprowadzić kandydata do jaskini; nieszczęś-
nik, pchnięty z całej siły na parawan, przebijał papier włas-
nym ciałem i padał na położony po przeciwnej stronie mate-
rac... (s. 338)

w którym spalono kartkę papieru. Na koniec Czcigodny wtajem-
niczał kandydata w sekretne znaki i specjalne hasła, za pomocą
których bracia rozpoznają się między sobą.

Otóż te wszystkie publikacje Taxila Simonini przypominał
sobie jako czytelnik, nie jako inspirator. Niemniej jednak pamiętał, że zanim któraś z nowych książek Taxila została ogłoszona
drukiem, przedstawiał jej treść Osman-bejowi jako nadzwyczaj-
ne rewelacje (musiał więc znać ją przedtem). Wprawdzie podczas następnego spotkania Osman-bej zwracał mu uwagę, że
wszystko to, co ostatnio od niego usłyszał, wydrukowano potem
w kolejnej książce Taxila, lecz Simonini wykręcał się bez trudu,
mówiąc, iż nie jest temu winien, że Taxil, który istotnie był jego
informatorem, po powierzeniu mu masońskich tajemnic chciał
jeszcze na nich zarobić, wydając książkę. Może należałoby mu
płacić, aby nie publikował tych swoich wieści – mówił Simonini,
spoglądając znacząco na Osman-beja. Ten jednak odpowiadał,
że płacić gadule, aby go uciszyć, to wyrzucać pieniądze przez
okno. Dlaczego Taxil miałby przemilczeć sekrety, które dopiero
co ujawnił? Osman-bej, nie ufając, jakże słusznie, Simoniniemu,
nie dawał mu w zamian żadnej z informacji, jakie zdobył na
temat Alliance Israélite.

Simonini przestał go zatem informować. Problemem jest
jednak to – mówił sobie teraz, pisząc dziennik – dlaczego pamiętam, że przekazywałem Osman-bejowi wiadomości uzyskane
od Taxila, a nie pamiętam nic ze swoich kontaktów z samym
Taxilem?

Co za pytanie! Gdyby pamiętał wszystko, nie pisałby przecież
dziennika, w którym chciał zrekonstruować własną pamięć.

Po sformułowaniu tego rozsądnego komentarza Simonini
poszedł spać. Obudził się w przekonaniu, że jest ranek dnia
następnego; był zlany potem jak po nocy koszmarów sennych
i dolegliwości żołądkowych. Siadając za biurkiem, uświadomił
sobie jednak, że obudził się nie dnia następnego, tylko dwa dni

później. Kiedy on przesypiał nie jedną, lecz dwie burzliwe noce, nieodzowny ksiądz Dalla Piccola, któremu nie wystarczało wrzucanie trupów do podziemnego ścieku Simoniniego, pojawił się znowu, aby opowiedzieć o sprawach, których ten ostatni najwidoczniej nie znał.

22

DIABEŁ W XIX WIEKU

14 kwietnia 1897

Drogi kapitanie Simonini,
no i znowu to samo. Zamęt w pańskiej głowie, a w mojej budzą
się żywe wspomnienia. Wydaje mi się więc dzisiaj, że odwiedziłem najpierw pana
Hébuterne'a, a potem ojca Bergamaschiego. Poszedłem do nich
w pańskim imieniu po pieniądze, które dam (lub powinienem dać)
Léo Taxilowi. Następnie – już w imieniu notariusza Fourniera –
idę na spotkanie z Taxilem.

– Panie – mówię mu – nie zamierzam korzystać ze swojego
ubioru, aby nakłaniać pana do uwierzenia w Jezusa Chrystusa,
z którego pan szydzi; pójdzie pan do piekła, co mnie jest całkiem
obojętne. Nie przyszedłem tutaj, aby obiecywać panu światłość
wiekuistą, lecz po to, aby powiedzieć, że seria publikacji dema-
skujących zbrodnie masonerii znalazłaby krąg odbiorców o trady-
cyjnych zasadach i poglądach – krąg, który nazwę bez wahania
bardzo obszernym. Prawdopodobnie nie wyobraża pan sobie
nawet, ile korzyści może przynieść książce wsparcie ze strony
wszystkich klasztorów, wszystkich parafii, wszystkich arcybi-
skupstw nie tylko samej Francji, lecz z czasem także całego świata. Żeby dowieść, że jestem tu nie po to, by pana nawracać, lecz
po to, by przysporzyć panu pieniędzy, powiem od razu, jakie są
moje skromne wymagania. Powinien pan tylko podpisać dokument stwierdzający, że zapewnia pan mnie (to znaczy
bractwu zakonnemu, które reprezentuję) dwadzieścia procent
swoich przyszłych dochodów z praw autorskich. Przedstawię

wtedy pana komuś, kto tajemnice masońskie zna jeszcze lepiej od pana.

Wyobrażam sobie, kapitanie Simonini, że ustaliliśmy, iż owe dwadzieścia procent zysków Taxila podzielimy między siebie. Przedstawiłem mu potem następną ofertę, spisując na straty związaną z nią sumę.

– Mam też dla pana siedemdziesiąt pięć tysięcy franków; proszę nie pytać od kogo, może mój ubiór coś panu podpowie. Te siedemdziesiąt pięć tysięcy franków otrzyma pan na słowo jeszcze przed rozpoczęciem pisania, ale pod warunkiem, że jutro ogłosi pan publicznie swoje nawrócenie. Z owych siedemdziesięciu pięciu tysięcy franków – powtarzam: siedemdziesięciu pięciu tysięcy – niczego panu nie potrącimy, ponieważ dla mnie i dla moich mocodawców pieniądze to diabelskie łajno. Oto siedemdziesiąt pięć tysięcy, proszę przeliczyć.

Mam tę scenę przed oczami, jakbym patrzył na dagerotyp.

Od razu odniosłem wrażenie, że Taxila nęciła nie tylko ta suma i obietnica przyszłych dochodów z praw autorskich (choć na widok leżących na stole siedemdziesięciu pięciu tysięcy franków zabłysły mu oczy), lecz także myśl o mistrzowskim piruecie, jakiego dokona, stając się z zagorzałego antyklerykała żarliwym katolikiem. Delektował się już zdumieniem innych i wiadomościami o sobie w gazetach. To o wiele lepsze od rzymskiego miasta, które wymyślił na dnie Jeziora Lemańskiego.

Śmiał się radośnie i planował już przyszłe książki wraz z ilustracjami.

– Ach – powiedział – mam już przed oczami cały traktat o sekretach masonerii, bardziej romansowy od prawdziwego romansu. Na okładce skrzydlaty Bafomet i ucięta głowa przypominająca o satanicznych obrządkach templariuszy... Do diabła... zechce mi ksiądz wybaczyć... będzie sensacja w prasie. A ponadto wbrew temu, co pisałem w swoich nędznych książczynach, na najwyższe uznanie zasługuje człowiek wierzący, katolik będący w dobrych stosunkach z proboszczem. Mam na myśli także swoją rodzinę i sąsiadów, którzy często spoglądają na mnie, jakbym to ja osobiście ukrzyżował Pana Naszego Jezusa Chrystusa. Ale kto mógłby mi pomóc przy pisaniu?

– Zapoznam pana z prawdziwą wyrocznią, z istotą, która w stanie hipnozy opowiada niesamowite rzeczy o rytuałach palladystycznych.

***

Wyrocznią miała być Diana Vaughan. Musiałem chyba wszystko o niej wiedzieć. Przypominam sobie, że pewnego ranka pojechałem do Vincennes, jakbym zawsze znał adres kliniki doktora Du Maurier. To niewielki budynek z przyjemnym małym ogrodem, gdzie przesiaduje kilku spokojnych z pozoru pacjentów, ciesząc się słońcem i apatycznie ignorując się nawzajem.

Przedstawiłem się doktorowi, zaznaczając, że znam go z pańskich opowieści. Wspomniałem ogólnikowo o stowarzyszeniu pobożnych dam, które zajmują się młodymi kobietami cierpiącymi na zaburzenia umysłowe. Odniosłem wrażenie, że ciężar spadł mu z serca.

– Muszę księdza uprzedzić – powiedział – że Diana znajduje się dzisiaj w fazie, którą nazwałem normalną. Kapitan Simonini zapewne poinformował księdza o całej sprawie; na wszelki wypadek wyjaśniam, że w tej fazie Diana jest perwersyjna i uważa się za adeptkę tajemniczej sekty wolnomularskiej. Mogłaby się wzburzyć, przedstawię jej zatem księdza jako brata masona... Mam nadzieję, że nie urażę tym duchownego...

Zaprowadził mnie do nader prosto umeblowanego pokoju: szafa, łóżko i obity białym płótnem fotel, w którym siedziała kobieta o delikatnych, regularnych rysach. Jej miękkie, jasne z odcieniem miedzi włosy upięte były na czubku głowy w węzeł. Spoglądała dumnie, a jej drobne, wyraźnie zarysowane usta wykrzywił natychmiast szyderczy grymas.

– Czyżby doktor Du Maurier zamierzał pchnąć mnie w matczyne objęcia Kościoła? – spytała.

– Nie, Diano – powiedział lekarz. – Mimo ubioru jest to brat wolnomularz.

– Jakiej obediencji? – zapytała od razu Diana.

Wymówiłem się dość zręcznie.

– Nie wolno mi powiedzieć – szepnąłem ostrożnie. – Pani chyba wie dlaczego...

Reakcja była właściwa.

– Rozumiem – powiedziała Diana. – Przysyła pana Wielki Mistrz z Charlestonu. Cieszę się, że będzie pan mógł mu przekazać moją wersję wydarzeń. Zebranie odbyło się przy ulicy Croix Nivert w siedzibie loży Les Coeurs Unis Indivisibles, Serca Niepodzielnie Złączone, zna ją pan zapewne. Miałam zostać wtajemniczona jako Mistrzyni Templariuszka. Zgłosiłam się, jak mogłam najpokorniej, żeby wielbić jedynego boga dobrego – Lucyfera, i brzydzić się bogiem złym – Adonai, bogiem ojcem katolików. Zapewniam pana, że pełna żarliwej wiary podeszłam do ołtarza Bafometa, gdzie oczekiwała Sofia Safo, która zaczęła mnie egzaminować z wiedzy palladystycznej. Nadal z pokorą, odpowiedziałam na pytanie, co jest obowiązkiem Mistrzyni Templariuszki: gardzić Jezusem, przeklinać Adonai, wielbić Lucyfera. Czyż nie tego właśnie życzył sobie Wielki Mistrz? – spytała, chwytając moje ręce.

– Niewątpliwie tak – odpowiedziałem ostrożnie.

– Odmówiłam potem rytualną modlitwę: Przybądź, o, przybądź, wielki Lucyferze, wielki i oczerniany przez księży i królów! Drżałam ze wzruszenia, gdy całe zgromadzenie, unosząc puginały, wołało: *Nekam Adonai, nekam!* W tej jednak chwili – wstępowałam właśnie na stopnie ołtarza – Sofia Safo podała mi patenę z hostią. Takie pateny widziałam przedtem tylko na wystawach sklepów z dewocjonaliami i nie mogłam pojąć, czemu w loży może służyć ów obrzydliwy przedmiot związany z rzymskokatolickim kultem. Wielka Mistrzyni wytłumaczyła mi, że ponieważ Jezus zdradził prawdziwego boga, zawarł na górze Tabor zbrodniczy pakt z Adonai i zakłócił naturalny porządek rzeczy, zamieniając chleb we własne ciało, mamy obowiązek przebić puginałem bluźnierczą hostię, za pomocą której księża powtarzają codziennie zdradziecki czyn Jezusa. Proszę mi powiedzieć, panie, czy Wielki Mistrz chce, żeby taki gest należał do rytuału inicjacji?

– Nie mnie o tym sądzić. Lepiej by było, gdyby się dowiedział, jak pani postąpiła.

– Oczywiście odmówiłam. Przebicie puginałem hostii oznacza wiarę, że jest ona naprawdę ciałem Chrystusa, palladysta zaś winien to kłamstwo odrzucać. Przebicie puginałem hostii to czynność odnosząca się do obrządku katolickiego!

– Myślę, że ma pani rację – powiedziałem. – Przekażę pani usprawiedliwienie Wielkiemu Mistrzowi.

– Dziękuję, bracie – odrzekła Diana i ucałowała moje ręce. Potem jakby od niechcenia rozpięła górne guziki bluzki, ukazując śnieżnobiałe ramiona i spoglądając na mnie zachęcająco. Nagle jednak, jakby w konwulsjach, osunęła się na fotel.

Doktor Du Maurier zawołał pielęgniarkę. Wspólnymi siłami przenieśli pacjentkę na łóżko.

– Kiedy występuje podobny kryzys, przechodzi ona zazwyczaj z jednego stanu w drugi – wyjaśnił lekarz. – Nie straciła jeszcze przytomności, sztywnieją jej tylko szczęki i język. Wystarczy lekki ucisk na jajniki...

Po kilku chwilach dolna szczęka opadła i przesunęła się w lewo, otwarte usta wykrzywiły się, ukazując w głębi wygięty w półokrąg język, którego koniuszka nie można było dostrzec, jakby chora zdołała go połknąć. Potem język się wyprostował, wydłużył nagle i na moment wysunął z ust. Krył się w nich i wysuwał znowu wielokrotnie, z dużą szybkością, jak język węża, zanim wraz ze szczęką przybrał wreszcie swój naturalny wygląd, a chora wypowiedziała kilka słów:

– Język... ociera mi podniebienie... w uchu mam pająka...

Po krótkiej przerwie szczęka i język chorej zesztywniały ponownie. Lekarz zaradził temu, uciskając jak poprzednio jajniki, lecz wkrótce pacjentka zaczęła oddychać z trudem, z jej ust padały krótkie, urywane zdania, wzrok zawisł w próżni, źrenice znieruchomiały, całe ciało stało się sztywne; ramiona kurczyły się w ruchu okrężnym, nadgarstki dotykały się wierzchem, kończyny dolne się wydłużyły...

– Stopy końskoszpotawe – skomentował Du Maurier – faza

padaczkowata. Rzecz normalna. Zobaczy pan, że nastąpi po niej faza klaunowska...

Twarz chorej stopniowo nabiegała krwią, usta co chwila otwierały się i zamykały, ciekły z nich wielkie bańki białej piany. Pacjentka wyła teraz i jęczała „uch! uch!", mięśnie jej twarzy drgały spazmatycznie, powieki podnosiły się i opadały. Ciało wygięło się w łuk jak u akrobaty; podporą były jedynie kark i stopy.

Ten przerażający popis cyrkowy pozbawionej stawów kukły, która utraciła też jakby swoją wagę, trwał ledwie kilka sekund. Chora osunęła się potem na łóżko i zaczęła przybierać pozy określone przez doktora Du Maurier mianem „namiętnych": najpierw wydawała się prawie groźna, jakby chciała odeprzeć jakiegoś napastnika, później prawie zalotna, jakby puszczała do kogoś oko. Po chwili stała się lubieżną uwodzicielką, prostytutką zachęcającą klienta bezwstydnymi ruchami języka, potem znowu błagającą o miłość zakochaną, ze łzą w oku, z wyciągniętymi ramionami i splecionymi rękami, z ustami spragnionymi pocałunków. Na koniec podniosła oczy tak wysoko, że widać było tylko białka, i popadła w trans erotyczny.

– O mój dobry panie – mówiła przerywanym głosem – o mój ukochany wężu, święty gadzie... jestem twoją Kleopatrą... tu, moją piersią... wykarmię cię... och, miłości moja, wejdź we mnie głęboko...

– Diana widzi świętego węża, który w nią wnika, inne widzą Przenajświętsze Serce, które się z nimi jednoczy. Dla histeryczki obraz symbolu fallicznego lub władczego mężczyzny i obraz człowieka, który w dzieciństwie ją zgwałcił, to czasem prawie to samo – tłumaczył mi Du Maurier. – Widział ksiądz może ryciny Berniniego przedstawiające świętą Teresę; nie różni się ona wcale od tej nieszczęsnej kobiety. Mistyczka to histeryczka, która zetknęła się ze spowiednikiem, nie z lekarzem.

Tymczasem Diana przybrała pozę ukrzyżowanej i wstąpiła w nową fazę: miotając się gwałtownie w łóżku, zaczynała niejasno komuś grozić i zapowiadać wyjawienie przerażających tajemnic.

...Ciało wygięło się w łuk jak u akrobaty; podporą były jedynie kark i stopy... (s. 348)

– Dajmy jej odpocząć – powiedział Du Maurier. – Po przebudzeniu będzie już w fazie wtórnej, będzie żałować, że opowiadała księdzu okropności, które pozostaną w jej pamięci. Proszę wyjaśnić pobożnym damom, że podobnymi kryzysami nie powinny się zbytnio przejmować. Wystarczy ją unieruchomić i wepchnąć do ust chusteczkę, żeby nie przygryzła sobie języka. Dobrze byłoby też dać jej do wypicia kilka kropel płynu, w który księdza zaopatrzę.

Potem dodał:

– Rzecz w tym, że trzeba to stworzenie trzymać w odosobnieniu. Tutaj Diana nie może dłużej zostać; to nie więzienie, lecz klinika, pacjenci krążą po niej swobodnie. Jest też wskazane, nawet niezbędne z medycznego punktu widzenia, aby rozmawiali ze sobą, aby odnosili wrażenie, że żyją normalnie, w pogodnym nastroju. Moi chorzy nie są wariatami, są ludźmi z zaburzeniami nerwów. Kryzysy Diany mogą wywierać niekorzystny wpływ na innych, jej wyznania w fazie „złej", prawdziwe czy też fałszywe, niepokoją wszystkich. Mam nadzieję, że pobożne damy będą w stanie ją izolować.

Z tego spotkania wyciągnąłem wniosek, że doktor z pewnością chciał się Diany pozbyć i że życzył sobie, aby traktowano ją właściwie jak więźniarkę, której nie wolno kontaktować się z innymi. Musiał też bardzo się obawiać, że ktoś mógłby w jej opowiadania uwierzyć, i dlatego zabezpieczał się, oświadczając od razu, że chodzi o bredzenia obłąkanej.

***

Kilka dni temu wynająłem dom w Auteuil. Nic nadzwyczajnego, ale dość przytulny. Wchodzi się do typowego mieszczańskiego saloniku: kanapa mahoniowego koloru obita starym aksamitem z Utrechtu, zasłony z czerwonego adamaszku, na kominku zegar wahadłowy z kolumienkami, po bokach kwiaty w wazonach pod szklanymi kloszami, konsola oparta o stojące lustro, lśniąca posadzka z płytek. Obok sypialnia, którą przeznaczyłem dla

Diany: ściany wytapetowane perłowoszarą marmurkowatą tkaniną, podłoga pokryta grubym dywanem w wielkie czerwone rozety, kotary przy łóżku i w oknach z tej samej tkaniny poprzecinanej szerokimi pasmami koloru fioletowego, urozmaicającymi jej monotonię. Nad łóżkiem chromolitografia przedstawiająca zakochaną parę pasterską, na konsoli wahadłowy zegar intarsjowany sztucznymi diamencikami, po obu jego stronach dwa pucułowate amorki podtrzymujące kandelabr w kształcie pęku lilii.

Na górnym piętrze jeszcze dwie sypialnie. Jedną przeznaczyłem dla na wpół głuchej staruchy, która lubi sobie wypić, a ma tę zaletę, że nie pochodzi z okolicy i jest gotowa na wszystko, byleby coś zarobić. Nie pamiętam już, kto mi ją polecił, lecz wydała mi się jakby stworzona do zajmowania się Dianą podczas nieobecności innych osób i do uspokajania jej w razie potrzeby podczas dręczących ją ataków.

Teraz, gdy piszę te słowa, uświadamiam sobie, że nie odzywałem się do staruchy chyba już od miesiąca. Pewnie zostawiłem jej dość pieniędzy na życie, ale ile, na jak długo? Powinienem pędzić do Auteuil, lecz stwierdzam, że zapomniałem adresu. W Auteuil, ale gdzie? Mam chodzić po całym terenie od domu do domu, pukać do drzwi i pytać, czy nie mieszka tam palladystyczna histeryczka o podwójnej osobowości?

***

W kwietniu Taxil ogłosił publicznie swoje nawrócenie, a już w listopadzie ukazała się jego pierwsza książka z gorącymi rewelacjami o masonerii, *Bracia trzy kropki*. W tym okresie zaprowadziłem go do Diany. Nie ukrywałem przed nim jej podwójnej natury i wyjaśniłem, że Diana jest nam potrzebna nie jako bojaźliwa panienka, lecz jako zatwardziała adeptka rytu palladystycznego.

W ostatnich miesiącach poznałem tę dziewczynę dokładnie i nauczyłem się kontrolować zachodzące w niej zmiany, łagodząc stany kryzysowe dostarczonym mi przez doktora Du Maurier płynem. Zrozumiałem jednak, że oczekiwanie na nieprzewidywalne kryzysy jest zbyt denerwujące i że trzeba sprawić, aby Diana przechodziła z jednego stanu w drugi na wydane sobie polecenie; w gruncie rzeczy tak właśnie postępuje doktor Charcot ze swoimi histeryczkami.

Nie miałem magnetycznej władzy Charcota, poszedłem więc do biblioteki, aby zapoznać się z kilkoma najbardziej tradycyjnymi traktatami, jak *O przyczynie snu przytomnego* księdza Farii*. Po przeczytaniu tej książki i kilku innych postępowałem następująco: siedząc przed Dianą, ściskałem jej kolana swoimi, ujmowałem dwoma placami jej kciuki i uporczywie wpatrywałem się jej w oczy; po upływie co najmniej pięciu minut unosiłem ręce, kładłem je na jej barkach, wiodłem nimi wzdłuż ramion aż po czubki palców pięć lub sześć razy tam i z powrotem, kładłem je na jej głowie, wodziłem nimi w odległości pięciu–sześciu centymetrów przed jej twarzą i niżej, aż po wklęsłość brzucha, potem wzdłuż żeber, wreszcie najpierw do kolan, później aż do stóp.

Diana „dobra" była wstydliwa i podobny proceder uznawała za nieprzyzwoity. Na początku próbowała krzyczeć, jakbym (niech mi Pan Bóg wybaczy) dokonywał zamachu na jej dziewictwo, lecz w rezultacie moich zabiegów uspokajała się prawie natychmiast i zapadała w kilkuminutowy sen, z którego budziła się już w stanie pierwotnym. Nieco trudniej było wprowadzić ją w stan wtórny, ponieważ dotykana przeze mnie Diana „zła" znajdowała w tym przyjemność i usiłowała przedłużyć moje manipulacje, przeciągając się zmysłowo i wydając przytłumione jęki. Na szczęście nie mogła opierać się długo działaniu hipnozy i zasypiała. W przeciwnym wypadku miałbym kłopot: przedłużający się kontakt tego rodzaju wywoływał we mnie wzburzenie, nie wiedziałbym też, jak pohamować jej obrzydliwą lubieżność.

***

* *De la cause du sommeil lucide*, 1819.

Uważam, że każdy osobnik rodzaju męskiego mógłby uznać Dianę za istotę wyjątkowo urodziwą – chociaż trudno sądzić o tym mnie, którego szaty duchowne i powołanie trzymały zawsze z dala od nędzy życia płciowego. Taxil natomiast z pewnością był człowiekiem, który tego ostatniego nie unika.

Przekazując swoją pacjentkę, doktor Du Maurier wręczył mi kuferek, który Diana miała ze sobą przy przyjęciu do kliniki; był pełen dość eleganckich sukien, co świadczyło, że pochodziła z zamożnej kiedyś rodziny. W dniu, w którym Taxil zgodnie z moją zapowiedzią miał złożyć jej wizytę, dała oczywisty dowód kokieterii, ponieważ wystroiła się z wielką starannością. Mimo że w obu swoich stanach wydawała się nieobecna, stale przywiązywała dużą wagę do tych drobnych damskich spraw.

Taxila oczarowała natychmiast („Piękna kobieta" – szepnął mi i mlasnął językiem). Próbując później naśladować moje zabiegi hipnotyczne, chętnie przedłużał dotyk, nie rezygnował nawet wtedy, gdy pacjentka najwyraźniej już spała. Musiałem więc interweniować za pomocą ostrożnych uwag w rodzaju: „Sądzę, że już wystarczy".

Podejrzewam, że gdybym zostawił go sam na sam z Dianą w jej stanie pierwotnym, pozwoliłby sobie na większą nieprzyzwoitość, a ona nie stawiałaby oporu. Dbałem więc, abyśmy spotykali się zawsze we trójkę, a niekiedy nawet we czwórkę. Doszedłem bowiem do wniosku, że dla pobudzenia pamięci i energii Diany satanistki, czcicielki Lucyfera (i dla rozbudzenia jej satanistycznych nastojów) warto skontaktować ją także z księdzem Boullanem.

***

Boullan. Obłożony interdyktem przez arcybiskupa Paryża, udał się do Lyonu i przystąpił do wspólnoty Karmelu założonej przez Vintrasa – wizjonera celebrującego msze w długiej białej szacie z wymalowanym na odwrót czerwonym krzyżem i w diademie z hinduskim symbolem fallicznym na głowie. Podczas modłów Vintras lewitował, wprawiając w zachwyt swoich zwolenników; kiedy wykonywał obrządki liturgiczne, z hostii kapała krew. Krążyły jednak wieści o praktykach homoseksualnych, o wyświęcaniu kapłanek miłości, o odkupieniu poprzez swobodne igraszki zmysłów – a więc o wszystkim, co Boullana niewątpliwie nęciło. I tak po śmierci Vintrasa ogłosił się on jego następcą.

Przyjeżdżał do Paryża przynajmniej raz w miesiącu. Nadzwyczaj chętnie zgodził się zająć – z demonologicznego punktu widzenia – istotą taką jak Diana (aby jak najskuteczniej ją egzorcyzmować – wyjaśnił, ale ja już wiedziałem, jak odprawia on egzorcyzmy). Miał ponad sześćdziesiąt lat, lecz był jeszcze pełen wigoru, a jego wzroku nie dało się nie nazwać magnetycznym.

Boullan słuchał opowieści Diany – Taxil skrzętnie je zapisywał – wydawało się jednak, że ma inne cele; od czasu do czasu szeptał jej do ucha zachęty lub rady, które do nas zupełnie nie docierały. Mimo to jego obecność okazała się bardzo przydatna, ponieważ do wolnomularskich tajemnic, które powinniśmy wyjawić, należało z pewnością przebijanie puginałem konsekrowanych hostii oraz celebrowanie różnych form czarnych mszy, a w tej dziedzinie był on prawdziwym autorytetem. Taxil robił notatki o rozmaitych satanistycznych rytuałach i w swoich kolejnych publikacjach rozwodził się coraz szerzej nad owymi obrządkami, które jego masoni odprawiali w każdej sytuacji.

***

Taxil ogłosił kilka książek o masonerii, jedną po drugiej, i jego dość skromny zasób wiadomości na ten temat zaczął się wyczerpywać. Świeże pomysły brał odtąd wyłącznie od Diany „złej", wynurzającej się z szeroko otwartymi oczami ze stanu hipnozy. Opowiadała sceny, w których może sama brała udział, o których słyszała może w Ameryce lub które po prostu sama sobie wymyślała. Słuchaliśmy jej z zapartym tchem i muszę przyznać, że chociaż jestem człowiekiem doświadczonym (przynajmniej tak sądzę),

...Podczas modłów Vintras lewitował, wprawiając w zachwyt swoich zwolenników... (s. 354)

byłem tymi historiami zgorszony. Na przykład pewnego dnia zaczęła mówić o inicjacji swojej nieprzyjaciółki Sophie Walder, zwanej też Sofią Safo. Nie było dla nas jasne, czy uświadamia sobie kazirodczą wymowę całej sceny, lecz bezsprzecznie nie przedstawiała jej z dezaprobatą, wręcz przeciwnie – z podnieceniem osoby uprzywilejowanej, która miała szczęście jej się przyglądać.

– To jej własny ojciec – opowiadała powoli – uśpił ją, przesunął obok jej warg rozpalone żelazo... Musiał mieć pewność, że ciało jest zabezpieczone przed wszelkimi zakusami z zewnątrz. Miała na szyi klejnot w kształcie zwiniętego węża... Ojciec zdejmuje go, otwiera koszyk, wyciąga żywego węża i kładzie jej na brzuchu... Wąż jest przepiękny, gdy pełza, wydaje się tańczyć... pełźnie ku szyi Sofii, zwija się, aby zastąpić klejnot... Pełźnie wyżej, wyciąga drgający język ku jej wargom, całuje ją, sycząc. Jest tak wspaniale... oślizgły. Sofia budzi się z pianą na ustach, podnosi się i staje sztywno jak posąg. Ojciec rozpina jej gorset, obnaża piersi! Różdżką jakby pisze na jej piersi jakieś pytanie, w skórę wcinają się czerwone litery... Wąż, który wydawał się spać, budzi się z sykiem i na obnażonej piersi Sofii ogonem wypisuje odpowiedź.

– Diano, skąd ty o tym wszystkim wiesz? – spytałem.

– Dowiedziałam się w Ameryce... Mój ojciec wtajemniczył mnie w ryt palladystyczny. Potem przyjechałam do Paryża, może chciano się mnie pozbyć... W Paryżu spotkałam Sofię Safo, która zawsze była moim wrogiem. Kiedy odmówiłam robienia tego, czego ona chciała, oddała mnie w ręce doktora Du Maurier. Powiedziała mu, że jestem wariatką.

***

Wróciłem do doktora Du Maurier, aby zbadać przeszłość Diany.

– Panie doktorze, proszę mnie zrozumieć, nasze stowarzyszenie nie może pomagać tej dziewczynie, nie wiedząc, skąd pochodzi ani kim są jej rodzice.

Du Maurier patrzy na mnie jak na ścianę.

– Ja nic nie wiem, już księdzu powiedziałem. Powierzyła mi ją krewna, która potem zmarła. Adres krewnej? Wyda się to dziwne, ale już go nie mam. Rok temu w moim gabinecie był pożar, wiele dokumentów spłonęło. O przeszłości Diany nic mi nie wiadomo.

– Ale przybyła z Ameryki?

– Chyba tak, choć mówi po francusku bez najmniejszego akcentu. Proszę powiedzieć pobożnym damom ze stowarzyszenia, że nie warto się głowić, ponieważ dziewczyna zostanie już taka, jaka jest, nigdy nie wróci do normalnego życia. Trzeba obchodzić się z nią łagodnie i pozwolić jej spokojnie umrzeć, bo zapewniam księdza, że w tak zaawansowanym stadium histerii długo nie pożyje. Prędzej czy później wystąpi ostre zapalenie macicy, a wtedy wiedza medyczna okaże się już bezsilna.

Jestem przekonany, że kłamie. Może on także jest masonem palladystą (to krańcowo różne od Wielkiego Wschodu) i zgodził się zamurować żywcem przeciwniczkę swojej sekty. No, tak tylko sobie fantazjuję; w każdym razie dalsze rozmowy z Du Maurierem byłyby stratą czasu.

Wypytuję natomiast Dianę w obu jej stanach, pierwotnym i wtórnym. Wydaje się, że niczego nie pamięta. Na szyi nosi złoty łańcuszek z medalionem, opatrzonym wizerunkiem kobiety bardzo do niej podobnej. Zauważyłem, że medalion można otworzyć, i długo ją prosiłem, aby mi pokazała, co w nim jest. Odmówiła emfatycznie, przestraszona i nieugięcie zdeterminowana.

– Dostałam go od mamusi – powtarzała.

***

Minęło już ze cztery lata, odkąd Taxil rozpoczął swoją kampanię przeciwko masonerii. Reakcja w świecie katolickim przekroczyła nasze oczekiwania. W 1887 roku kardynał Rampolla wezwał Taxila na audiencję prywatną u papieża Leona XIII.

Oznaczało to oficjalną aprobatę prowadzonej przezeń akcji oraz początek ogromnego sukcesu wydawniczego, a także finansowego.

Otrzymałem w tym czasie liścik zwięzły, lecz nader wymowny: „Przewielebny księże, odnoszę wrażenie, że sprawy zaszły dla nas za daleko. Czy zechciałby ksiądz w jakiś sposób temu zaradzić? Hébuterne".

Cofnąć się niepodobna. Chodzi przecież o imponujące dochody z praw autorskich, a przede wszystkim o całokształt wpływów i sojuszy, które zapewniliśmy sobie w świecie katolickim. Taxil stał się już bohaterem walki z satanizmem i z tego zaszczytu nie zechce z pewnością zrezygnować.

Jednocześnie otrzymuję krótkie wiadomości od ojca Bergamaschiego: „Wydaje mi się, że wszystko dobrze idzie. Ale co z Żydami?"

No właśnie, życzeniem ojca Bergamaschiego było, aby Taxil dostarczał kompromitujących rewelacji nie tylko o masonach, lecz także o Żydach – tymczasem i Diana, i Taxil milczeli na ich temat. Co się tyczy Diany, zupełnie mnie to nie dziwiło; w Ameryce, skąd pochodziła, było chyba mniej Żydów niż u nas, więc dla niej problem nie istniał. Żydów jednak nie brakowało w masonerii, o czym przypomniałem Taxilowi.

– A co ja o nich wiem? – odpowiedział. – Nigdy nie miałem do czynienia z żydowskimi masonami albo nie wiedziałem, że to Żydzi. W lożach nie spotkałem żadnego rabina.

– Nie chodzą tam przecież w stroju rabina. Wiadomo mi od pewnego bardzo dobrze poinformowanego jezuity, że nie jakiś pierwszy lepszy proboszcz, ale sam arcybiskup Meurin dowiedzie w mającej wkrótce się ukazać książce, iż wszystkie ryty masońskie wywodzą się z kabały, a żydowska kabała wiedzie masonów do demonolatrii.

– Niech sobie arcybiskup Meurin pisze, co chce, my mamy dość tematów.

Ta jego powściągliwość długo mnie zastanawiała (czyżby był Żydem?). Odkryłem wreszcie, że swoimi różnorodnymi wyczynami dziennikarskimi i wydawniczymi Taxil doigrał się wielu procesów o zniesławienie lub obrazę moralności i musiał płacić bardzo wysokie grzywny. Zadłużył się w rezultacie u kilku żydowskich lichwiarzy i nie zdołał ich jeszcze spłacić (także dlatego, że beztrosko wydawał znaczne sumy, które przynosiła mu jego nowa działalność, skierowana przeciwko masonerii). Obawiał się więc, że jeśli zaatakuje Żydów, owi wierzyciele, którzy dotychczas siedzieli cicho, wsadzą go do więzienia za długi.

Czy szło jednak tylko o pieniądze? Taxil był draniem, ale draniem niepozbawionym pewnych uczuć; cechowało go na przykład silne przywiązanie do rodziny. Z jakiegoś powodu współczuł też nieco Żydom, ofiarom licznych prześladowań. Mówił, że papieże opiekowali się żyjącymi w gettach Żydami, chociaż byli oni poddanymi drugiej kategorii.

W tych latach woda sodowa uderzyła mu do głowy. Uważając się już za herolda katolickiej myśli legitymistycznej, wrogiej masonerii, postanowił zająć się polityką. Trudno mi było śledzić jego machinacje; w każdym razie zgłosił swoją kandydaturę do którejś z rad miejskich Paryża, po czym zaczął rywalizować i polemizować z wpływowym dziennikarzem Drumontem, którego głosu nader chętnie słuchało duchowieństwo, a który był zaangażowany w ostrą kampanię przeciwko Żydom i masonom. Drumont insynuował – przy czym „insynuować" jest tu chyba określeniem zbyt łagodnym – że Taxil to krętacz.

W 1889 roku Taxil napisał pamflet na Drumonta i nie wiedząc, jak go zaatakować (obaj wszak byli przeciwnikami masonerii), nazwał jego obsesyjny antysemityzm przejawem zaburzeń umysłowych. Pozwolił też sobie na wyrazy ubolewania w związku z pogromami w Rosji.

Drumont jako rasowy polemista odpowiedział innym pamfletem, naigrawając się z tego pana, który głosi się obrońcą Kościoła, obejmuje gratulujących mu biskupów i kardynałów, a zaledwie kilka lat wcześniej pisał rzeczy wulgarne i wstrętne o papieżu, księżach, zakonnikach, nie pomijając Jezusa Chrystusa i Najświętszej Panny. Na tym jednak nie koniec.

Zdarzało mi się nieraz odwiedzać Taxila w jego domu, gdzie dawniej na parterze mieściła się Księgarnia Antyklerykalna. Często przeszkadzała nam wtedy jego żona, która przychodziła i szeptała mu coś do ucha. Zrozumiałem potem, że wielu zatwardziałych antyklerykałów zaglądało dalej pod ten adres, pytając o antykatolickie publikacje arcykatolickiego obecnie Taxila. Miał on jeszcze na składzie zbyt wiele egzemplarzy, aby mógł je bez żalu zniszczyć. Korzystał więc nadal z tego doskonałego źródła dochodów – oczywiście z wielką ostrożnością, zawsze poprzez żonę, samemu nigdy się nie pokazując. Ja nigdy nie żywiłem złudzeń co do szczerości jego nawrócenia, kierował się on bowiem w życiu jedyną zasadą filozoficzną: pieniądz *non olet*.

Dostrzegł to jednak również Drumont i atakował marsylczyka nie tylko jako powiązanego w jakiejś mierze z Żydami, lecz także jako niepoprawnego antyklerykała. To wystarczyło, aby zasiać wątpliwość wśród najbardziej sumiennych czytelników naszego autora.

Niezbędny okazał się kontratak.

– Panie Taxil – powiedziałem mu – nie muszę wiedzieć, dlaczego nie chce pan wystąpić osobiście przeciwko Żydom, ale można chyba poszukać kogoś innego, kto by się nimi zajął?

– Tak, ale żebym ja bezpośrednio w tym nie uczestniczył – odparł Taxil i dodał: – Moje rewelacje już nie wystarczają, tak samo jak i bujdy opowiadane przez naszą Dianę. Stworzyliśmy publiczność, która żąda czegoś więcej, która może czyta mnie już nie po to, aby poznać knowania wrogów Krzyża, ale z czystego zainteresowania tekstem, jak w przypadku powieści o skomplikowanej intrydze, skłaniających czytelników, aby stanęli po stronie przestępcy.

***

Tak narodził się doktor Bataille.

Taxil odnalazł starego przyjaciela, lekarza okrętowego, który wiele podróżował po egzotycznych krajach, tu i tam wtykając nos do świątyń różnych na wpół tajnych zgromadzeń religijnych. Miał przede wszystkim nieograniczoną wiedzę na temat powieści przygodowych, takich jak książki Boussenarda lub fantazyjne relacje Jacolliota, na przykład *Spirytyzm w świecie* czy *Podróż do tajemniczego kraju*. Z pomysłem szukania nowych tematów w uniwersum fikcji w pełni się zgadzałem (z pańskiego dziennika wiedziałem, że i pan tak robił, sięgając do Dumasa i Sue). Ludzie pożerają przecież opowiadania o przygodach na lądzie i na morzu po prostu dla rozrywki, a potem z łatwością zapominają ich treść. Kiedy jakiś czas później coś, co przeczytali w powieści, podaje się im jako prawdziwe, wyczuwają tylko niejasno, że już o tym słyszeli, i tym chętniej w to wierzą.

Odnaleziony przez Taxila doktor nazywał się Charles Hacks. Napisał pracę dyplomową o cesarskim cięciu, opublikował też coś na temat marynarki handlowej, lecz nigdy jeszcze nie korzystał ze swoich uzdolnień literackich. Wyglądał na alkoholika w stadium krytycznym i był najwyraźniej bez grosza przy duszy. Z jego wywodów udało mi się tylko zrozumieć, że zamierzał opublikować fundamentalne dzieło przeciw religiom i chrześcijaństwu jako „histerii krzyża", ale po propozycji Taxila gotów był napisać tysiąc stron przeciwko czcicielom diabła, ku chwale i w obronie Kościoła.

Pamiętam, że w 1892 roku zaczęliśmy publikować dzieło ogromnych rozmiarów – łącznie dwieście czterdzieści zeszytów, które miały się ukazywać przez mniej więcej trzydzieści miesięcy – zatytułowane *Diabeł w XIX wieku*. Na okładce wielki, drwiąco uśmiechnięty Lucyfer ze skrzydłami nietoperza i smoczym ogonem oraz podtytuł: *Tajemnice spirytyzmu, masoneria lucyferiańska, kompleksowe wyjaśnienie palladyzmu, teurgii, goetii i całego nowoczesnego satanizmu, tajemny magnetyzm, lucyferiańskie media, kabała schyłku stulecia, magia różokrzyżowców, utajone opętania, zwiastuni Antychrysta*. Jako autor tego wszystkiego figurował tajemniczy doktor Bataille.

Zgodnie z założeniem dzieło nie zawierało niczego, co nie zostałoby już napisane gdzie indziej. Taxil i Bataille splądrowali

...*dzieło ogromnych rozmiarów* (...) *zatytułowane* Diabeł w XIX wieku. *Na okładce wielki, drwiąco uśmiechnięty Lucyfer ze skrzydłami nietoperza i smoczym ogonem...* (s. 361)

całą wcześniejszą literaturę i skonstruowali wielki kocioł, do którego wrzucili podziemne kulty, objawienia Szatana, mrożące krew w żyłach rytuały, obrządki liturgiczne templariuszy z nieodzownym Bafometem, i tak dalej. Także ilustracje brali z innych książek o wiedzy tajemnej, których autorzy postępowali zresztą podobnie. Niepublikowane wcześniej były tylko wizerunki wielkich mistrzów masonerii; odgrywały one poniekąd rolę rozlepianych na amerykańskich preriach listów gończych z portretami przestępców, których należy schwytać i żywych lub martwych przekazać wymiarowi sprawiedliwości.

***

Pracowaliśmy z zapałem. Hacks-Bataille, uraczywszy się obficie absyntem, opowiadał swoje wymysły Taxilowi, który spisywał je i upiększał. Kiedy indziej Bataille zajmował się szczegółami z zakresu medycyny, sporządzania trucizn, opisywał egzotyczne miasta i rytuały, które rzeczywiście widział, Taxil zaś ubarwiał najświeższe majaczenia Diany.

Bataille przedstawiał na przykład skałę Gibraltaru jako swego rodzaju gąbkę poprzecinaną podziemnymi korytarzami, usianą jamami i jaskiniami, gdzie odprawiają obrządki wszystkie najbardziej bezbożne sekty, albo opowiadał o wolnomularskich łotrostwach sekciarzy w Indiach, o objawieniach Asmodeusza, Taxil zaś kreślił portret Sofii Safo. Po lekturze *Słownika wiedzy tajemnej* Collina de Plancy* sugerował, jakoby Sofia miała zdradzić, że legii piekielnych jest sześć tysięcy sześćset sześćdziesiąt sześć, każda złożona z sześciu tysięcy sześciuset sześćdziesięciu sześciu demonów. Mocno już zalanemu Bataille'owi udawało się obliczyć, że diabłów i diablic jest razem czterdzieści cztery miliony czterysta trzydzieści pięć tysięcy pięćset pięćdziesiąt sześć. Sprawdziliśmy i musieliśmy ze zdumieniem stwierdzić, że ma rację. On

---

* Wydanie polskie (wybór): Polczek, Warszawa–Kraków 1993, w przekładzie Michała Karpowicza, z przedmową Piotra Kuncewicza.

walił ręką w stół i wrzeszczał: „Widzicie więc, że nie jestem pijany!" Potem w nagrodę pił dalej, aż wreszcie padał pod stół.

Silnych wrażeń dostarczyło nam wymyślenie toksykologicznego laboratorium masońskiego w Neapolu, gdzie przygotowuje się trucizny mające posłużyć przeciwko nieprzyjaciołom lóż. Arcydziełem doktora Bataille było to, co bez żadnego chemicznego uzasadnienia nazwał manną. W słoju pełnym żmij i jadowitych węży zamyka się ropuchę, karmi się ją wyłącznie trującymi grzybami, dosypuje się do słoja utartej naparstnicy i cykuty. Potem doprowadza się wszystkie te zwierzęta do śmierci głodowej, ich martwe ciała spryskuje się sproszkowanym kryształem i ostromleczem i wkłada do alembiku, w którym na małym ogniu odparowuje się zawarte w nich ciecze. Oddziela się wreszcie popiół z ciał od niepalnych prochów i otrzymuje w ten sposób nie jedną, lecz dwie różne trucizny o tym samym zabójczym działaniu.

– Jakbym już widział, ilu biskupów te strony zachwycą! – rechotał Taxil, drapiąc się w podbrzusze, co zwykł był robić w chwilach wielkiego zadowolenia. Wiedział, co mówi, ponieważ po ukazaniu się każdego kolejnego zeszytu *Diabła* dostawał od jakiegoś prałata list z podziękowaniami za śmiałe odkrycia, które otwierają oczy wiernym.

Chwilami odwoływał się do Diany. Tylko ona umiała wymyślić *arcula mystica* Wielkiego Mistrza z Charlestonu – skrzynkę, która na całym świecie istniała jedynie w siedmiu egzemplarzach. Pod pokrywką umieszczony był srebrny megafon podobny do czary głosowej rogu myśliwskiego, tyle że mniejszy; po lewej przewód ze srebrnych drutów umocowany z jednej strony do aparatu, z drugiej do wtyczki, którą wkładało się do ucha, aby usłyszeć głos osoby mówiącej z jednej z pozostałych sześciu skrzynek. Po prawej – na znak, że połączenie działa – ropucha z cynobru wypluwała z szeroko otwartego pyszczka płomyki, a siedem złotych posążków przedstawiało siedem podstawowych cnót palladystycznej skali, a zarazem siedmiu najwyższych przywódców masonerii. Wciskając piedestał odpowiedniego posążka, Wielki Mistrz łączył się ze swoim korespondentem w Berlinie lub Neapolu. Jeśli adresata nie było wtedy przy *Arcula*, czuł na twarzy gorący powiew i szeptał na przykład: „Będę gotów za godzinę", a na biurku Wielkiego Mistrza ropucha powtarzała głośno: „Za godzinę".

Początkowo zastanawialiśmy się, czy ta historia nie jest nieco groteskowa, także i dlatego, że już wiele lat wcześniej niejaki Meucci opatentował swój telektrofon albo telefon, jak obecnie się mówi. Jednak tymi bibelotami rozporządzali wówczas wyłącznie bogacze, nasi czytelnicy mogli w ogóle ich nie znać, a niezwykły wynalazek, taki jak owa *Arcula*, wskazywał bez wątpienia na diabelską inspirację.

Pracowaliśmy w domu u Taxila albo w Auteuil. Kilka razy odważyliśmy się zebrać w norze doktora Bataille'a, ale panujący tam smród, na który składały się różne czynniki (tani alkohol, nigdy nieprana bielizna, resztki posiłków z kilku tygodni), skłonił nas do rezygnacji z tych spotkań.

***

Jedno z pytań, na które chcieliśmy odpowiedzieć, brzmiało następująco: Jak scharakteryzować generała Pike'a, Wielkiego Mistrza Masonerii Powszechnej, który z Charlestonu rządził losami świata? Nie ma jednak nic bardziej nieznanego niż to, co zostało już opublikowane.

Zaledwie zaczęliśmy wydawać zeszyty *Diabła*, ukazał się od dawna oczekiwany tom jego ekscelencji Meurina, arcybiskupa Port-Louis (gdzie to, u diabła, jest?), *Wolnomularstwo synagogą Szatana*, a doktor Bataille, który znał trochę angielski, podczas swoich podróży trafił kiedyś na *Tajne stowarzyszenia*, książkę opublikowaną w Chicago w 1873 roku przez generała Johna Phelpsa, zaciętego wroga lóż wolnomularskich. Wystarczyło nam powtórzyć to, co napisano w tych książkach, aby powstał wizerunek owego Wielkiego Starca, najwyższego kapłana światowego palladyzmu, przypuszczalnego założyciela Ku-Klux-Klanu i uczestnika spisku, który doprowadził do zamordowania Lincolna. Postanowiliśmy, że Wielkiemu Mistrzowi Najwyższej Rady w Charlestonie przysługują następujące tytuły: Brat Generalny, Suwerenny Komandor, Mistrz Doświadczony Wielkiej Loży Symbolicznej, Mistrz Tajny, Mistrz Doskonały, Sekretarz Poufny, Namiestnik i Sędzia, Mistrz Wybrany Dziewięciu, Dostojny Wybraniec Piętnastu, Wyniosły Rycerz Wybrany, Wódz Dwunastu Plemion, Wielki Mistrz Budowniczy, Wielki Wybraniec Szkocki Świętego Sklepienia, Mason Doskonały i Najwyższy, Rycerz Wschodu lub Miecza, Książę Jerozolimy, Rycerz Wschodu i Zachodu, Suwerenny Książę Różanego Krzyża, Wielki Patriarcha, Czcigodny Mistrz Dożywotni wszystkich Lóż Symbolicznych, Rycerz Pruski Noachita, Wielki Mistrz Klucza, Książę Libanu i Tabernakulum, Rycerz Spiżowego Węża, Suwerenny Komandor Świątyni, Rycerz Słońca, Książę Adept, Wielki Szkot od Świętego Andrzeja ze Szkocji, Wielki Wybrany Rycerz Kadoszu, Wtajemniczony Doskonały, Wielki Inspektor Inkwizytor Komandor, Świetlisty i Wzniosły Książę Królewskiej Tajemnicy, Trzydziesty Trzeci, Najpotężniejszy i Potężny Suwerenny Komandor Generalny Wielki Mistrz Kustosza Świętego Palladium, Najwyższy Kapłan Wolnomularstwa Powszechnego.

Zacytowaliśmy też jego list potępiający ekscesy kilku braci masonów z Włoch i Hiszpanii, wprawdzie „kierowanych słuszną nienawiścią do Boga księży", lecz gloryfikujących jego wroga zwanego Szatanem – zrodzoną z księżej szarlatanerii istotę, której imienia nie powinno się w lożach nigdy wypowiadać. Potępienie dotyczyło wyczynów pewnej loży genueńskiej, która wystąpiła publicznie z flagą ozdobioną napisem „Chwała Szatanowi!". Po dokładniejszej lekturze okazało się jednak, że wymierzone było w satanizm jako przesąd chrześcijański, natomiast religię wolnomularską list zalecał utrzymywać ściśle w zgodności z doktryną lucyferiańską. To księża ze swoją wiarą w diabła stworzyli Szatana i satanistów, lucyferianie zaś byli zwolennikami magii świetlistej, magii templariuszy, swoich dawnych mistrzów. Magia czarna była magią wyznawców Adonai, niegodziwego Boga wielbionego przez chrześcijan, który zamienił obłudę w świętość, występek w cnotę, kłamstwo w prawdę, wiarę w niedorzeczności w wiedzę teologiczną, a którego wszystkie czyny świadczyły o okrucieństwie, perfidii, nienawiści do ludzi, barbarzyństwie, negacji nauki. Natomiast Lucyfer jest Bogiem dobrym, który przeciwstawia się Adonai tak, jak światło przeciwstawia się mrokowi.

Boullan starał się wyjaśnić nam różnice między odmiennymi kultami tego, kto dla nas był po prostu demonem.

– Są tacy, co uważają, że Lucyfer jest upadłym aniołem, który okazał już skruchę i w przyszłości mógłby zostać Mesjaszem. Istnieją sekty złożone wyłącznie z kobiet, widzących w Lucyferze postać płci żeńskiej, pozytywną, przeciwstawną nikczemnemu Bogu płci męskiej. Niektórzy dopatrują się w Lucyferze diabła przeklętego przez Boga, lecz zarazem utrzymują, że Chrystus nie uczynił dosyć dla ludzkości i dlatego wielbią Jego nieprzyjaciela; to oni są prawdziwymi satanistami, odprawiają czarne msze i tak dalej. Istnieją wielbiciele Szatana kierowani jedynie zamiłowaniem do czarnoksięskich praktyk, czarów i zaklęć oraz inni, dla których satanizm jest prawdziwą religią. Są wśród nich ludzie, których można by uznać za organizatorów stowarzyszeń kulturalnych, jak Joséphin Péladan lub jeszcze gorszy od niego Stanislas de Guaita, zajmujący się trucicielstwem. Są wreszcie palladyści. To ryt dla niewielu wtajemniczonych; należał do niego także karbonariusz Mazzini. Mówią, że Garibaldi podbił Sycylię dzięki palladystom, wrogom Boga i monarchii.

Spytałem Boullana, dlaczego oskarża o satanizm i czarną magię swoich przeciwników, Guaitę i Péladana, którzy – jak było mi wiadomo z paryskich plotek – oskarżają o satanizm właśnie jego.

– No cóż – odpowiedział – w tym uniwersum wiedzy tajemnej granice między Złem a Dobrem są bardzo niewyraźne. To, co dla jednego jest Dobrem, dla innych jest Złem.

– A jak działają zaklęcia?

– Mówią, że Wielki Mistrz z Charlestonu poróżnił się z niejakim Gorgasem z Baltimore, przywódcą dysydenckiego rytu szkockiego. Przekupił wtedy praczkę i wszedł w posiadanie jego chustki do nosa. Moczył ją w wodzie i dosypując do niej soli, za każdym razem szeptał: *Sagrapim melanchtebo rostromouk elias phitg*. Potem wysuszył tkaninę nad ogniem, do którego wrzucał gałęzie magnolii, a następnie przez trzy kolejne tygodnie w sobotę rano wzywał Molocha, wyciągając ramiona i trzymając w rękach rozpostartą chustkę, jakby chciał ofiarować ją demonowi. W trzecią sobotę pod wieczór spalił chustkę nad płonącym alkoholem, popiół wysypał na talerz z brązu i zostawił go tak na całą noc. Rano zmieszał popiół z woskiem i ulepił z tego lalkę, kukiełkę. Takie diabelskie wytwory nazywają się *dagyde*. Umieścił swoją *dagyde* pod kryształowym kloszem, gdzie za pomocą pompki pneumatycznej wytworzył absolutną próżnię. Od tej chwili przeciwnik zaczął odczuwać straszne bóle, których przyczyny nie można było ustalić.

– I umarł?

– To już szczegóły, może Wielki Mistrz nie zamierzał posunąć się tak daleko. Ważne jest to, że magia działa na odległość. Tego właśnie doświadczam na sobie z winy Guaity i jego wspólników.

Nie chciał dodać nic więcej. Zasłuchana Diana wpatrywała się w niego z uwielbieniem.

***

Wskutek moich nalegań Bataille dołączył w odpowiednim miejscu długi rozdział poświęcony obecności Żydów w sektach masońskich. Zaczął od okultystów osiemnastowiecznych i wyjawił istnienie pięciuset tysięcy masonów żydowskich, zrzeszonych potajemnie w lożach, które zamiast nazw mają numery i funkcjonują obok lóż oficjalnych.

Działaliśmy w odpowiednim czasie. Wydaje mi się, że właśnie w tych latach dziennikarze zaczęli używać pięknego słowa antysemityzm. Płynęliśmy z prądem; żywiołowa nieufność wobec Żydów zamieniała się w doktrynę na podobieństwo chrystianizmu i idealizmu.

W naszych roboczych zebraniach uczestniczyła Diana, która usłyszawszy o lożach żydowskich, powtórzyła kilkakrotnie: „Melchizedech, Melchizedech". Co sobie przypominała? Mówiła dalej:

– Trwa narada patriarchów, oznaka żydowskich masonów...
srebrny łańcuch na szyi, wisi na nim złota tabliczka... przedstawia
tablice praw... praw Mojżesza...

Pomysł był dobry. I oto nasi Żydzi zbierają się w świątyni
Melchizedecha, wymieniają znaki rozpoznawcze, hasła i pozdro-
wienia, składają przysięgi, które oczywiście musiały brzmieć
w przybliżeniu po hebrajsku, jak *Grazzin Gaizim, Javan Abbadon,
Bamachec Bamearach, Adonai Bego Galchol*. W lożach zajmują się, rzecz jasna, jedynie wygrażaniem Świętemu Kościołowi
Rzymskiemu i nieodzownemu Adonai.

I tak Taxil (kryty przez doktora Bataille'a) z jednej strony zado-
walał swoich duchownych zleceniodawców, a z drugiej starał się
nie irytować swoich żydowskich wierzycieli, mimo że mógł ich
już spłacić, bo przecież w ciągu pierwszych pięciu lat prawa
autorskie przyniosły mu na czysto łączny dochód w wysokości
trzystu tysięcy franków. Nawiasem mówiąc, z tej sumy sześćdziesiąt tysięcy dostało się mnie.

***

Około 1894 roku, jak mi się wydaje, prasa pisała niemal wyłącznie o pewnym oficerze, kapitanie Dreyfusie, który sprzedał pruskiej
ambasadzie informacje dotyczące armii. No i proszę, ten zdrajca
okazał się Żydem! Sprawą Dreyfusa zajął się natychmiast Drumont,
a ja uważałem, że i my powinniśmy wykorzystać zainteresowanie
tematem i wystąpić w zeszytach *Diabła* z jakimiś niesamowitymi
rewelacjami. Taxil był jednak zdania, że w historie związane ze
szpiegostwem wojskowym lepiej się nie mieszać.

Dopiero później zrozumiałem, co miał na myśli. Mówić
o obecności Żydów w masonerii to jedno, ale wciągać w te
wywody Dreyfusa to tyle, co insynuować (lub wyjawiać), że był
on nie tylko Żydem, lecz także masonem. Posunięcie takie byłoby
nieostrożne, ponieważ masoneria kwitła właśnie w szeregach
armii i należało do niej zapewne wielu wyższych oficerów, którzy
postawili Dreyfusa pod sąd.

***

Nie brakowało nam zresztą tematów. Zdobyliśmy już określoną publiczność i pod tym względem byliśmy mocniejsi od Drumonta. Mniej więcej w rok po ukazaniu się pierwszego zeszytu *Diabła* Taxil powiedział nam:

– W gruncie rzeczy wszystko, co w *Diable* się drukuje, jest dziełem doktora Bataille'a; dlaczego jemu jednemu ludzie mieliby wierzyć? Potrzebujemy nawróconej palladystki wyjawiającej najskrytsze tajniki sekty. A poza tym czy w dobrej powieści może brakować kobiety? Sofię Safo przedstawiliśmy w ciemnym świetle; nie wzbudziłaby sympatii katolickich czytelników, nawet gdyby miała się nawrócić. Potrzeba nam osoby, która od początku okaże się miła. Choć jeszcze jest satanistką, z jej oblicza można wyczytać zapowiedź rychłego nawrócenia. Ma to być palladystka naiwna, usidlona przez wolnomularską sektę, lecz stopniowo wyzwalająca się spod tego jarzma i wracająca na łono wiary swoich przodków.

– Diana – powiedziałem wtedy – jest poniekąd ucieleśnieniem nawróconej grzesznicy, ponieważ może być zarówno nawróconą, jak i grzesznicą właściwie na żądanie.

I oto w osiemdziesiątym dziewiątym zeszycie *Diabła* wkroczyła na scenę Diana.

Wprowadził ją Bataille, ale dla uwiarygodnienia swojej obecności od razu napisała do niego list, oświadczając, że nie jest zadowolona ze sposobu, w jaki ją zaprezentował, i krytykując swój wizerunek, który zgodnie z przyjętym zwyczajem opublikowano w *Diable*. Muszę przyznać, że wyglądała na nim dość po męsku; zamieściliśmy więc niezwłocznie inny portret Diany, bardziej kobiecy, wykonany – jak podaliśmy – przez rysownika, który odwiedził ją w jednym z paryskich hoteli.

Diana zadebiutowała czasopismem „Le Palladium Régéneré et Libre", przedstawionym jako organ palladystów secesjonistów, ośmielających się opisać w najdrobniejszych szczegółach kult Lucyfera i związane z jego obrządkami bluźnierstwa. Wstręt Diany do wyznawanego jeszcze palladyzmu był tak oczywisty,

...zamieściliśmy więc niezwłocznie inny portret Diany, bardziej kobiecy... (s. 370)

że niejaki kanonik Mustel w swoim „Revue Catholique" napisał o jej odstępstwie jako o zapowiedzi konwersji. Diana zareagowała, wysyłając kanonikowi dwa stufrankowe banknoty dla jego ubogich. Mustel zachęcał czytelników do modłów o nawrócenie Diany.

Przysięgam, że to nie my wynaleźliśmy Mustela ani go nie opłaciliśmy, chociaż wydawało się, że postępuje zgodnie z naszym scenariuszem. Jego czasopismu wtórowało inne, „La Semaine Religieuse", inspirowane przez jego ekscelencję Favę, biskupa Grenoble.

Bodajże w czerwcu 1895 roku Diana nawróciła się i po pół roku zaczęła wydawać – nadal w zeszytach – *Pamiętniki byłej palladystki*. Abonenci „Le Palladium Régéneré et Libre" (które oczywiście przestało się ukazywać) mogli przenieść abonament na *Pamiętniki* albo otrzymać zwrot wpłaconych pieniędzy. Zdaje mi się, że oprócz kilku fanatyków wszyscy czytelnicy zaakceptowali zmianę obozu. Diana nawrócona opowiadała przecież historie równie fantazyjne co Diana grzesznica, a tego właśnie potrzebowała publiczność. Podstawowa zasada Taxila brzmiała w istocie: wszystko jedno, czy pisze się o miłostkach Piusa IX z pokojówkami, czy o homoseksualnych praktykach jakiegoś masona satanisty. Ludzie potrzebują tego, co zakazane, i koniec.

To, co zakazane, obiecywała Diana: „Będę pisać, aby wyjawić wszystko, co działo się w Trójkątach i czemu ja w miarę swoich sił się przeciwstawiałam, czym zawsze gardziłam; będę też pisać o tym, co uważałam za dobre. Czytelnicy osądzą..."

Dzielna Diana. Stworzyliśmy mit. Ona tego nie wiedziała, żyła w ekstatycznym uniesieniu wywołanym narkotykami, którymi ją faszerowaliśmy, aby zapobiec jej szaleństwom, i poddawała się tylko naszym (mój Boże, nie, ich) pieszczotom.

***

Przeżywam teraz ponownie chwile wielkiego podniecenia. Anielska Diana nawrócona wzbudziła żarliwe uczucia proboszczów i biskupów, wzorowych matek, skruszonych grzeszników. „Le Pèlerin" donosił o niejakiej Louise, ciężko chorej, która odbyła pielgrzymkę do Lourdes pod patronatem Diany i została cudownie uleczona. „La Croix" – najważniejszy dziennik katolicki – pisał, co następuje: „Przeczytaliśmy właśnie korekty pierwszego rozdziału *Pamiętników byłej palladystki*, które zaczyna publikować Miss Vaughan, i ogarnęło nas niewymowne wzruszenie. Jakże cudowna okazuje się łaska boża w duszach tych, którzy jej się oddają…" Prałat Lazzareschi, delegat Stolicy Apostolskiej przy Komitecie Centralnym Unii Antywolnomularskiej, z okazji nawrócenia się Diany zarządził odprawienie dziękczynnego triduum w rzymskim kościele Sacro Cuore, a hymn do Joanny d'Arc przypisywany Dianie (w rzeczywistości była to aria z operetki ułożonej przez jednego ze znajomych Taxila dla jakiegoś muzułmańskiego sułtana czy kalifa) wykonywano na antymasońskich uroczystościach rzymskiego Komitetu i odśpiewano nawet w kilku bazylikach.

I znowu jakby w zgodzie z naszym scenariuszem zabrała głos ku chwale Diany pewna mistyczka, karmelitanka z Lisieux, uchodząca mimo młodego wieku za świętą. Owa siostra Teresa od Dzieciątka Jezus i Najświętszego Oblicza po przeczytaniu pamiętników Diany nawróconej wzruszyła się tak bardzo, że uczyniła z ich autorki postać utworu teatralnego *Tryumf pokory*, który napisała dla sióstr ze swojego zakonu i w którym umieściła również samą Joannę d'Arc, a swoje zdjęcie w jej stroju wysłała Dianie.

Pamiętniki Diany przetłumaczono na wiele języków. Kardynał wikariusz Parocchi pogratulował jej nawrócenia nazwanego „wspaniałym tryumfem Łaski". Sekretarz apostolski, prałat Vincenzo Sardi, napisał, że Opatrzność pozwoliła Dianie należeć do owej nikczemnej sekty po to właśnie, aby tym skuteczniej mogła ją ona potem zmiażdżyć. „Civiltà Cattolica" zapewniała, że Miss Diana Vaughan, „wezwana z mroków w boską jasność, służąc Kościołowi, wykorzystuje obecnie swoje doświadczenia w publikacjach, które nie mają sobie równych pod względem dokładności i użyteczności".

***

Boullana widywałem w Auteuil coraz częściej. W jakich stosunkach był on z Dianą? Przyjeżdżając niespodziewanie do Auteuil, zaskoczyłem ich kilkakrotnie: obejmowali się, Diana z wniebowziętą miną patrzyła w sufit. Może jednak znajdowała się w stanie wtórnym, wyspowiadała się właśnie i cieszyła oczyszczeniem z grzechów. Bardziej podejrzane wydawały mi się jej stosunki z Taxilem. Znowu pojawiwszy się kiedyś niespodziewanie, zaskoczyłem ich na kanapie: Diana w negliżu obejmowała Taxila, wyraźnie wycieńczonego. Bardzo dobrze – powiedziałem sobie – ktoś powinien przecież zaspokajać cielesne żądze Diany „złej", a ja nie chciałbym być tym kimś. Zbliżenie fizyczne nawet z kobietą normalną jest dla mnie wstrząsające, a co dopiero z wariatką!

Kiedy siedzę obok Diany „dobrej", kładzie mi ona w niewinnym geście głowę na ramieniu i płacząc, błaga o rozgrzeszenie. Ta ciepła twarz dotykająca mojego policzka, ten oddech, ten głos przesiąknięty skruchą wywołują we mnie lekki dreszcz. Odsuwam się więc szybko, zalecając Dianie, aby poszła uklęknąć przed jakimś świętym obrazem i tam prosiła o przebaczenie.

***

W kręgach palladystycznych (istniały one w rzeczywistości? potwierdzeniem wydawała się znaczna liczba anonimowych listów; przecież wystarczy o czymś mówić, aby powołać to do życia) formułowano niejasne groźby pod adresem zdrajczyni Diany. Zdarzyło się też coś, czego nie mogę sobie przypomnieć. Chciałbym powiedzieć: śmierć księdza Boullana. A jednak przypominam go sobie mgliście u boku Diany także w latach mniej odległych.

Zbyt wiele zażądałem od swojej pamięci. Muszę odpocząć.

23

DWANAŚCIE NALEŻYCIE WYKORZYSTANYCH LAT

Z dziennika, 15 i 16 kwietnia 1897

Powiedziałbym, że w tym miejscu strony pamiętnika Dalla Piccoli krzyżują się opętańczo ze stronami pamiętnika Simoniniego; mowa na nich niekiedy o tych samych faktach, ale rozpatrywanych z przeciwstawnych punktów widzenia. I nie tylko: strony pamiętnika Simoniniego stają się chaotyczne, jakby trudno mu było przypomnieć sobie jednocześnie różne wydarzenia, postaci i środowiska, z jakimi zetknął się w owych latach. Okres, który Simonini rekonstruuje (często nie respektując porządku chronologicznego, pisząc najpierw o tym, co według wszelkiego prawdopodobieństwa zdarzyło się później), powinien się rozpoczynać rzekomą konwersją Taxila i sięgać do 1896 lub 1897 roku. A więc co najmniej dwanaście lat zamkniętych w szeregu pośpiesznych zapisków, nieraz na pograniczu stenogramu, jakby autor obawiał się, że umknie mu to, co pojawiło się nagle w jego umyśle; obok obszerniejsze sprawozdania z rozmów, refleksje, opisy dramatycznych wydarzeń.

Dlatego też Narrator, pozbawiony owej zrównoważonej *vis narrandi*, której zabrakło chyba także pamiętnikarzowi, ograniczy się do podzielenia wspomnień na drobne rozdzialiki, jakby wypadki biegły jeden za drugim lub rozłącznie, chociaż prawdopodobnie wszystkie zachodziły jednocześnie, co na przykład znaczy, że po rozmowie z Raczkowskim Simonini tego samego popołudnia szedł na spotkanie z Gavialim. Trudna rada, jak to się mówi.

Salon pani Adam

Simonini przypomina sobie, że kiedy już skierował Taxila na drogę wiodącą ku nawróceniu (nie wie jednak, dlaczego Dalla Piccola później wytrącił mu go z rąk, jeśli tak można powiedzieć), postanowił nie tyle wstąpić do masonerii, ile zacząć obcować z masonami w środowiskach mniej lub bardziej republikańskich, gdzie musiało być ich pełno. Dzięki rekomendacji znajomych z księgarni na ulicy de Beaune, a zwłaszcza Toussenela, uzyskał wstęp do salonu Juliette Lamessine, teraz już pani Adam, żony deputowanego z ramienia lewicy republikańskiej, założyciela banku Crédit Foncier i tak dalej. A więc pieniądz, polityka i kultura wysokiego szczebla zdobiły rezydencję najpierw na bulwarze Poissonnière, potem na bulwarze Malesherbes, gdzie nie tylko sama pani domu była autorką o pewnej renomie (ogłosiła nawet biografię Garibaldiego), lecz gdzie bywali także mężowie stanu, jak Gambetta, Thiers i Clemenceau, czy pisarze, jak Prudhomme, Flaubert, Maupassant i Turgieniew. Simonini zobaczył tam Wiktora Hugo na kilka lat przed jego śmiercią, zamienionego już we własny pomnik, skamieniałego wskutek wieku, godności senatorskiej i powikłań po przekrwieniu mózgu.

Nie zwykł się obracać w podobnym środowisku. To zapewne w tych latach poznał u Magny'ego doktora Froïde'a (wspomina o tym w dzienniku pod datą dwudziesty piąty marca) i uśmiechnął się, kiedy ten mu powiedział, że w związku z zaproszeniem na kolację do Charcota musiał nabyć frak i piękny czarny krawat. Teraz także sam Simonini musiał kupić frak i krawat, a ponadto okazałą nową brodę u najlepszego (i najbardziej dyskretnego) wytwórcy peruk w Paryżu. Niemniej, chociaż ze swoich studiów w latach młodzieńczych wyniósł pewną kulturę, a w latach pobytu w Paryżu to i owo przeczytał, czuł się zakłopotany w wirze konwersacji skrzącej się dowcipem, dowodzącej orientacji w przeróżnych sprawach, świadczącej niekiedy o głębi umysłu dyskutantów, którym zawsze znane były najświeższe wiadomości. Przeważnie zatem milczał i wszystkiego pilnie słuchał, ograniczając się niekiedy do napomknień o odległych już w czasie bitwach Tysiąca na Sycylii, jako że we Francji Garibaldi zawsze stanowił wdzięczny temat.

Simonini był oszołomiony. Oczekiwał wypowiedzi nie tylko w duchu republikańskim – jak na owe czasy byłoby to niewiele – lecz także w duchu zdecydowanie rewolucyjnym, a okazało się, że Juliette Adam preferuje osobistości rosyjskie wyraźnie związane z caratem, nie znosi Anglików tak samo jak jej przyjaciel Toussenel i publikuje w swoim „Nouvelle Revue" teksty takiego autora jak Léon Daudet, który – w odróżnieniu od swego ojca Alphonse'a, uważanego za szczerego demokratę – słusznie uchodził za reakcjonistę; na chwałę pani Adam trzeba jednak dodać, że do jej salonu mieli wstęp obaj.

Nie było też jasne, skąd bierze się polemika wymierzona w Żydów, często ożywiająca prowadzone w tym salonie rozmowy. Z socjalistycznej nienawiści do żydowskiego kapitalizmu, której znamienitym wyrazicielem był Toussenel, czy z mistycznego antysemityzmu, który rozpowszechniała tam Juliana Glinka, ściśle związana z rosyjskimi kręgami okultystycznymi, znająca rytuały *candomblé* – została w nie wtajemniczona, kiedy przebywała w Brazylii z ojcem dyplomatą – i zaufana (jak szeptano) wielkiej wieszczki paryskiego okultyzmu tych czasów, Madame Blavatsky?

Juliette Adam nie ukrywała nieufności wobec Żydów. Pewnego wieczoru w jej salonie odczytano na głos kilka fragmentów prozy rosyjskiego pisarza Dostojewskiego. Wysłuchawszy ich, Simonini stwierdził, że autor musiał być dłużnikiem znanego mu Brafmanna i jego rewelacji o Wielkim Kahale.

– Dostojewski mówi nam, że Żydzi, którzy tyle razy utracili terytorium i niezależność polityczną, swoje prawa i nieomal nawet wiarę, a jednak zawsze przetrwali, jeszcze bardziej zwarci niż przedtem, tak bardzo żywotni, tak niezwykle silni i pełni energii, nie mogliby się utrzymać bez państwa ponad istniejącymi państwami, bez *status in statu*, które mieli zawsze i wszędzie, nawet w okresach największych prześladowań. Izolowali się, odsuwali od ludów, wśród których żyli, nie mieszali się z nimi, przestrzegając podstawowej zasady: „Nawet wtedy, gdy będziecie rozproszeni po całej powierzchni ziemi, nie traćcie ducha, wierzcie, że urzeczywistni się to wszystko, co zostało wam przyrzeczone. Żyjcie tymczasem, jednoczcie się, gardźcie innymi, wykorzystujcie ich i czekajcie, czekajcie..."

– Ten Dostojewski jest wielkim mistrzem retoryki – brzmiał komentarz Toussenela. – Widzicie, że na początku wyraża zrozumienie, sympatię, a nawet, powiedziałbym, szacunek dla Żydów. „Czyż ja także jestem może wrogiem Żydów? Czyż mógłbym być wrogiem tego nieszczęśliwego ludu? Wręcz przeciwnie, mówię i piszę, że wszystko, czego wymaga poczucie ludzkości i sprawiedliwości, wszystko, co dyktuje nam człowieczeństwo i chrześcijańskie prawo, wszystko to należy zrobić dla Żydów..." Po tak pięknym wstępie dowodzi jednak, że celem tego nieszczęśliwego ludu jest zniszczenie świata chrześcijan. Wspaniałe posunięcie, chociaż nie całkiem nowe, jeśli czytaliście *Manifest komunistyczny* Marksa. Rozpoczyna się nader efektownie: „Widmo krąży po Europie". Potem mamy rzut oka na dzieje walk społecznych od starożytnego Rzymu po dzień dzisiejszy; strony poświęcone burżuazji jako klasie rewolucyjnej zapierają dech w piersi. Marks ukazuje tę nową, nieokiełznaną siłę, która przemierza całą naszą planetę jak twórcze tchnienie Boga na początku Księgi Rodzaju. W zakończeniu zaś pochwalnego wywodu... jest godny podziwu, przysięgam... pojawiają się tajemne potęgi, które przywołał tryumf burżuazji. Kapitalizm z własnych trzewi rodzi swojego grabarza – proletariat, a proletariusze oświadczają kapitalistom bez ogródek: „Chcemy was teraz zniszczyć i przywłaszczyć sobie wszystko, co do was należy". To cudowne. Tak samo robi Dostojewski z Żydami: usprawiedliwia spisek, który pozwolił im przetrwać w dziejach, i demaskuje ich jako wroga, którego należy zwalczać. Dostojewski to prawdziwy socjalista.

– Nie jest socjalistą – zaoponowała z uśmiechem Juliana Glinka. – Jest wizjonerem i dlatego mówi prawdę. Widzicie, że potrafi odrzucić także obiekcję pozornie najbardziej racjonalną: istniejące przez wieki państwo w państwie było wynikiem prześladowań i zniknęłoby, gdyby Żydzi zyskali równouprawnienie z ludnością miejscową. Nieprawda! – ostrzega nas Dostojewski. Jeżeli nawet zrównano by Żydów z innymi obywatelami, nie wyrzekliby się oni nigdy zuchwałej myśli o mesjaszu, który kiedyś nadejdzie i mieczem zniewoli wszystkie narody. Dlatego Żydzi preferują jedno tylko zajęcie – handel złotem i klejnotami. W ten sposób po przybyciu mesjasza nie będą czuli się związani z krainą, która ich gościła, i bez trudu zabiorą ze sobą całe swoje mienie, kiedy – jak mówi poetycko Dostojewski – zabłyśnie promień jutrzenki, a naród wybrany wyruszy do swojego dawnego Domu z czynelami, bębenkiem, kobzą, srebrem i przedmiotami kultu.

– We Francji okazano im zbytnią pobłażliwość – podsumował Toussenel. – Teraz panują na giełdzie i rządzą kredytem. Dlatego socjalizm nie może nie być antysemicki… Nie przez przypadek Żydzi zatryumfowali we Francji wtedy właśnie, gdy zatryumfowały tam nowe zasady kapitalizmu rodem zza kanału La Manche.

– Zbytnio upraszcza pan sprawę, panie Toussenel – powiedziała Glinka. – Wśród rosyjskich poddanych, których zatruły rewolucyjne hasła tak chwalonego przez pana Marksa, jest wielu Żydów. Żydzi są wszędzie.

I zwróciła się w stronę okien salonu, jakby uzbrojeni w puginały Żydzi czyhali na rogu ulicy. Simoniniemu zaś, ponownie ogarniętemu strachem z lat dziecinnych, przyszedł na myśl wspinający się nocą po schodach Mordechaj.

Praca dla Ochrany

W Glince Simonini od razu dostrzegł potencjalną klientkę. Zaczął obok niej siadać i dyskretnie się zalecać – nie bez pewnego wysiłku. Nie był wprawdzie doświadczonym sędzią kobiecych wdzięków, lecz widział, że miała twarz jędzy z oczami osadzony-

...Teraz panują na giełdzie i rządzą kredytem. Dlatego socjalizm nie może nie być antysemicki... (s. 379)

mi zbyt blisko nosa. Natomiast Juliette Adam, choć nie wyglądała już tak jak przed dwudziestu laty, kiedy ją poznał, była jeszcze damą o pięknej prezencji, majestatyczną w ruchach.

Simonini nie angażował się więc zbytnio z Glinką i słuchał raczej jej fantazjowania, udając, że interesują go na przykład nieprawdopodobne wywody o wizji, jaką miała w Würzburgu: ujrzała jakoby guru z Himalajów, który zdradził jej jakieś bliżej nieokreślone tajemnice. Glinka była osobą, której Simonini mógł zaoferować materiały antysemickie, odpowiadające jej ezoterycznym inklinacjom. Tym bardziej że zgodnie z różnymi pogłoskami była ona siostrzenicą generała Orżejewskiego, sprawującego dość wysoką funkcję w tajnej policji rosyjskiej, i że za jego pośrednictwem została zwerbowana przez Ochranę, carskie służby specjalne; musiała więc być związana (nie wiadomo dokładnie w jakim charakterze: podwładnej, współpracownicy, bezpośredniej konkurentki?) z nowym szefem całego wywiadu zagranicznego, Piotrem Raczkowskim. Na łamach lewicowego dziennika „Le Radical" wyrażono podejrzenie, że Glinka utrzymuje się z systematycznego denuncjowania rosyjskich terrorystów na wygnaniu. Oznaczałoby to, że bywa nie tylko w salonie pani Adam, ale i w innych miejscach, o których Simonini nic nie wiedział.

Należało dostosować do gustów Glinki scenę na cmentarzu praskim: wyeliminować dłużyzny dotyczące gospodarki i położyć nacisk na mniej lub bardziej mesjanistyczne aspekty wypowiedzi rabinów.

Poszperawszy nieco w pismach Gougenota i w innych współczesnych publikacjach, Simonini kazał swoim rabinom fantazjować na temat powrotu Władcy wybranego przez Boga na Króla Izraela, który zmiecie wszystkie niegodziwości gojów. W związku z tym włączył do historii o cmentarzu co najmniej dwie strony mesjanistycznych fantasmagorii w rodzaju: „Królestwo tryumfującego Króla Izraela zbliża się wraz z całą przerażającą mocą Szatana do naszego nieodrodzonego świata. Król zrodzony z krwi Syjonu, Antychryst, zbliża się do tronu wszechświatowej potęgi".

Biorąc jednak pod uwagę, że zwolenników cara przerażają wszelkie idee republikańskie, dodał, iż tylko oparty na wyborach ludowych system republikański, pozwalający przekupić większość wyborców, umożliwiłby Żydom wprowadzenie korzystnych dla nich praw. Tylko ci głupi goje sądzą – mówili rabini na cmentarzu – że w ustroju republikańskim jest więcej wolności niż w państwie rządzonym autokratycznie; wręcz przeciwnie, w samowładztwie rządzą mędrcy, w państwie liberalnym zaś rządzi plebs podburzany przez żydowskich agentów. Wydawało się skądinąd, że między republiką a Królem świata nie ma żadnej niezgodności, albowiem przypadek Napoleona III dowodził, że z republik mogą wyrastać cesarze.

Pamiętając opowieści dziadka, Simonini wpadł na pomysł, aby wzbogacić przemówienia rabinów długim wywodem o tym, jak działał i jak powinien działać tajemny rząd światowy. Zastanawiające, że Glinka nie zdała sobie potem sprawy z całkowitej zbieżności jego argumentacji z argumentacją Dostojewskiego. Może zresztą uświadomiła to sobie i radowała się, że starodawny tekst jest zgodny z poglądami pisarza, bo w ten sposób sam dowodzi swojej prawdziwości.

Na praskim cmentarzu wyjawiano zatem, że żydowscy kabaliści byli inspiratorami wypraw krzyżowych, ponieważ chcieli, aby Jerozolima odzyskała godność centrum świata także dzięki (tu Simonini wiedział, że ma do dyspozycji bardzo bogaty repertuar) nieodzownym templariuszom. Wielka szkoda, że Arabowie zepchnęli krzyżowców do morza, a templariusze – jak wiadomo – fatalnie skończyli. Gdyby nie to, żydowskie plany zostałyby urzeczywistnione z kilkuwiekowym wyprzedzeniem.

Prascy rabini przypominali dalej, że humanizm, Wielka Rewolucja Francuska i wojna o niepodległość Stanów Zjednoczonych przyczyniły się do podważenia zasad chrystianizmu i szacunku dla władców oraz przygotowały Żydom grunt dla podboju świata. Żeby zrealizować swój plan, Żydzi musieli oczywiście zachować pozory i do tego potrzebne im było wolnomularstwo.

Simonini posłużył się zręcznie starym Barruelem, najwidoczniej nieznanym Glince i jej rosyjskim mocodawcom. Generał Orżejewski, któremu Glinka przesłała raport, uznał za stosowne opracować na jego podstawie dwa teksty. Krótszy odpowiadał mniej więcej oryginalnej scenie z praskiego cmentarza i został opublikowany w kilku rosyjskich czasopismach; zapomniano przy tym (a może uznano, że zapomnieli czytelnicy, albo po prostu nie wiedziano), że wzięta z książki Goedschego mowa głównego rabina była wydrukowana w Petersburgu już dziesięć lat wcześniej, potem zaś ukazała się znowu w *Antisemiten-Katechismus* Theodora Fritscha. Drugi tekst ogłoszono jako broszurę pod tytułem *Tajemnice żydostwa*, uświetnioną wstępem samego Orżejewskiego, podkreślającym, że ten odnaleziony wreszcie dokument dowodzi ścisłych związków między żydostwem a masonerią, głoszącymi wspólnie nihilizm (w ówczesnej Rosji było to oskarżenie bardzo poważne).

Od Orżejewskiego Simonini oczywiście otrzymał właściwie skalkulowane honorarium, Glinka zaś posunęła się tak daleko (postępek groźny, którego Simonini się obawiał), że w nagrodę za ten wspaniały sukces zaoferowała mu swoje ciało. Wymówił się przerażony, dając do zrozumienia – trzęsły mu się przy tym ręce, wzdychał głęboko jak dziewica – że jego stan nie różni się od stanu Octave'a de Malivert*, o którym od dziesięcioleci plotkowali wszyscy czytelnicy Stendhala.

Od tej chwili Glinka przestała się Simoninim interesować, a on przestał interesować się nią. Jednak pewnego dnia, wchodząc do Café de la Paix na proste „śniadanie mięsne", *déjeuner à la fourchette* (kotlety i cynaderki z rusztu), zobaczył ją siedzącą przy stoliku z zażywnym, dość pospolitym jegomościem, z którym dyskutowała wyraźnie podniecona. Podszedł, aby się przywitać, i Glinka nie mogła go nie przedstawić owemu panu Raczkowskiemu, który popatrzył nań z widocznym zaciekawieniem.

---

* Cierpiący na impotencję bohater *Armancji*.

Simonini nie pojął wtedy przyczyny tego zaciekawienia. Odkrył ją znacznie później, kiedy usłyszał dzwonek do swojego sklepiku i ujrzał w drzwiach Raczkowskiego we własnej osobie. Z szerokim uśmiechem i swobodną pewnością siebie gość przemierzył sklep i dostrzegłszy wiodące na piętro schody, wszedł po nich do gabinetu, gdzie rozsiadł się wygodnie w fotelu obok biurka.

– Proszę pana – powiedział – porozmawiajmy o interesach.

Jasne włosy Rosjanina poprzetykane były siwizną typową dla człowieka już od dawna po trzydziestce. Wargi miał mięsiste i zmysłowe, nos wydatny, brwi słowiańskiego diabła, uśmiech serdecznie okrutny i głos słodko fałszywy. Bardziej podobny do lamparta niż do lwa – stwierdził Simonini i zastanowił się, kiedy poczułby się mniej bezpieczny: czy wezwany przez Osman--beja na nocne spotkanie nad brzegiem Sekwany, czy też wezwany przez Raczkowskiego na spotkanie wczesnym rankiem w jego biurze w ambasadzie rosyjskiej przy ulicy Grenelle. Po namyśle zdecydował, że mniej bezpieczny byłby u Raczkowskiego.

– A zatem, kapitanie Simonini – zaczął Raczkowski – nie wie pan może, czym jest instytucja, którą tu, na Zachodzie, nazywacie niewłaściwie Ochraną, a o której rosyjscy emigranci mówią pogardliwie Ochranka.

– Słyszałem, jak o niej szeptano.

– Żadnych szeptów, wszystko w świetle dnia. Chodzi o Otdielenije po Ochranieniju Poriadka, to jest Departament Bezpieczeństwa, specjalną służbę wywiadowczą naszego Ministerstwa Spraw Wewnętrznych. Powstała po zamachu na cara Aleksandra II w tysiąc osiemset osiemdziesiątym pierwszym roku, żeby chronić rodzinę cesarską. Z czasem musiała zająć się groźnym terroryzmem nihilistów i powołać do życia kilka oddziałów nadzoru także za granicą, gdzie panoszą się uchodźcy i emigranci. Dlatego ja działam tutaj w świetle dnia dla dobra mojego kraju, a ukrywają się terroryści. Zrozumiał pan?

– Zrozumiałem. Ale ja?

– Po kolei. Gdyby przypadkiem wiedział pan coś o terrorystach, proszę śmiało mnie o tym poinformować. Wiem, że w swoim czasie wydał pan służbom francuskim niebezpiecznych antybonapartystów, a denuncjować można tylko przyjaciół albo przynajmniej osoby, z którymi się przestaje. Nie jestem niewinnym kwiatuszkiem. W swoim czasie zadawałem się z rosyjskimi terrorystami, to stare dzieje, ale dlatego właśnie zrobiłem karierę w służbach zwalczających terroryzm, w których potrafi skutecznie działać tylko ten, kto sam był dawniej wywrotowcem; żeby kompetentnie służyć prawu, trzeba było kiedyś je pogwałcić. Tutaj, we Francji, macie przykład Vidocqa, który został szefem policji dopiero po wyjściu z więzienia. Nie należy ufać policjantom... jak by tu powiedzieć... zbyt czystym, bo to lalusie. Ale wracam do naszej sprawy. Stwierdziliśmy ostatnio, że wśród terrorystów są żydowscy inteligenci. Na polecenie pewnych osób z carskiego dworu staram się dowieść, że Żydzi podważają morale ludu rosyjskiego i zagrażają samemu jego istnieniu. Panu powiedziano zapewne, że uważa się mnie za protegowanego ministra Wittego, który uchodzi za liberała i nie dałby mi w tej kwestii posłuchu. Należy jednak nie tyle służyć panu, którego ma się obecnie – proszę to sobie zapamiętać – ile przygotowywać się do służby u pana następnego. Jednym słowem, nie chcę tracić czasu. Widziałem materiał, który dał pan madame Glince, i doszedłem do wniosku, że to w większości śmieci. Nic dziwnego, działa pan pod przykrywką handlu starzyzną, to znaczy sprzedawania rzeczy starych po wyższej cenie niż nowe. Ale już dawno temu ogłosił pan w „Contemporain" sensacyjny dokument, który dostał pan od swojego dziadka, jestem więc pewny, że ma pan i inne. Mówi się też, że bardzo dużo pan wie o wielu sprawach. – (Simonini, jak widać, nie na darmo zdecydował kiedyś, że lepiej uchodzić za szpiega niż naprawdę nim być). – Chciałbym więc otrzymywać od pana materiały niebudzące wątpliwości. Umiem odróżniać ziarno od plew. Płacę, ale jeśli materiał jest kiepski, gniewam się. Jasne?

– Czego jednak konkretnie pan sobie życzy?

– Gdybym wiedział, nie płaciłbym panu. Pracują dla mnie ludzie, którzy umieją sporządzić dokument, ale muszę im dostar-

czyć treść. A nie mogę opowiadać zacnym rosyjskim poddanym, że Żydzi oczekują mesjasza, bo nie obchodzi to ani mużyka, ani dziedzica. Jeśli już mamy mówić o oczekiwaniu na mesjasza, trzeba wyjaśnić, w jaki sposób odbija się ono na ich kieszeniach.
– Dlaczego jednak mierzycie w szczególności w Żydów?
– Bo w Rosji są Żydzi. Gdybym był w Turcji, mierzyłbym w Ormian.
– Chce pan więc Żydów zniszczyć tak samo jak Osman-bej, chyba go pan zna.
– Osman-bej to fanatyk, ponadto sam jest Żydem. Lepiej trzymać się od niego z daleka. Ja nie chcę Żydów zniszczyć; ośmieliłbym się powiedzieć, że Żydzi są moimi najlepszymi sojusznikami. Ja troszczę się o morale rosyjskiego ludu i nie chcę (nie życzą sobie tego także osoby, którym pragnę się przysłużyć), żeby jego niezadowolenie skierowało się przeciw carowi. Ludowi potrzeba zatem wroga. Bezcelowe byłoby szukać tego wroga na przykład wśród Mongołów albo Tatarów, jak robili to samowładcy dawniej. Wroga rozpoznawalnego i naprawdę groźnego ma się we własnym domu lub na jego progu. Dlatego właśnie Żydzi. Dała nam ich boska Opatrzność, korzystajmy więc z tego i, na Boga, módlmy się, żeby nigdy nie zabrakło jakiegoś Żyda, którego należy bać się i nienawidzić. Potrzeba wroga, żeby lud nie tracił nadziei. Ktoś powiedział, że patriotyzm to ostatnie schronienie łajdaków; ludzie bez zasad moralnych owijają się zwykle sztandarem, a bękarty powołują się zawsze na czystość swojej rasy. Narodowa tożsamość to jedyne bogactwo biedaków, a poczucie tożsamości oparte jest na nienawiści – na nienawiści wobec tych, którzy są inni. Należy podsycać nienawiść, jest cnotą obywatelską. Wróg to przyjaciel ludów. Potrzeba zawsze kogoś, kogo się nienawidzi, aby dzięki temu uzasadnić własną nędzę. Nienawiść to prawdziwie pierwotna pasja, anomalię stanowi miłość. Dlatego zabito Chrystusa – sprzeciwiał się naturze. Nie kocha się kogoś przez całe życie; to nadzieja niemożliwa do spełnienia, rodzą się z niej cudzołóstwo, matkobójstwo, zdrada przyjaciół... Można natomiast

kogoś przez całe życie nienawidzić, pod warunkiem że zawsze jest, że stale naszą nienawiść podsyca. Nienawiść rozgrzewa serce.

Drumont

Simoniniego ta rozmowa zaniepokoiła. Wyglądało na to, że Raczkowski mówi poważnie, iż „pogniewa się", jeśli on nie dostarczy mu nowego materiału. Wprawdzie jego źródła jeszcze nie wyschły, wręcz przeciwnie, zebrał znaczną liczbę stron do swoich Protokołów wielokrotnego użytku, czuł jednak, że trzeba czegoś więcej – nie opowiadań o Antychryście, które wystarczały osobom pokroju Glinki, lecz czegoś, co byłoby bliższe aktualnym wydarzeniom. Krótko mówiąc, chciał zaktualizować swój cmentarz praski, ale nie po to, aby sprzedawać go tanio, tylko po to, by podnieść jego cenę. Postanowił więc czekać.

Zwierzył się ojcu Bergamaschiemu, który ze swej strony dopominał się od niego materiałów antymasońskich.

– Popatrz na tę książkę – powiedział mu jezuita. – To *Żydowska Francja**, autor Édouard Drumont. Setki stron. Drumont jest kimś, kto najwidoczniej wie więcej od ciebie.

Simoniniemu wystarczyło pobieżnie przejrzeć ów tom.

– Przecież to samo stary Gougenot napisał ponad piętnaście lat temu!

– No i co? Książkę rozchwytano, czytelnicy najwyraźniej nie znali Gougenota. A ty myślisz, że twój rosyjski klient przeczytał już Drumonta? Czyż nie jesteś mistrzem ponownego wprowadzania do obiegu? Idź wywąchać, co się mówi i robi w tym środowisku.

Skontaktować się z Drumontem nie było trudno. W salonie pani Adam Simonini zaskarbił sobie względy Alphonse'a Daudeta, który zapraszał go na wieczory w swoim domu w Champrosay, odbywające się na przemian z wieczorami u pani Adam. Julia Daudet przyjmowała tam z wdziękiem takie osobistości jak

---

* *La France juive*, 1886.

bracia Goncourt, Pierre Loti, Emil Zola, Frédéric Mistral i właśnie Drumont, który po ogłoszeniu *Żydowskiej Francji* zaczynał być sławny. W następnych latach Simonini widywał go najpierw w siedzibie założonej przezeń Ligi Antysemickiej, potem w redakcji jego czasopisma „La Libre Parole".

Drumont miał lwią grzywę, wielką czarną brodę, zakrzywiony nos i płonące oczy, wyglądał więc (jeśli wierzyć ówczesnej ikonografii) na hebrajskiego proroka. I rzeczywiście jego antysemityzm miał w sobie coś mesjanistycznego, jakby to Wszechmocny osobiście zlecił mu zniszczyć naród wybrany. Simoniniego urzekła jego antysemicka pasja. Drumont nienawidził Żydów... jak by to wyrazić... z miłości, z wyboru, z poświęcenia, wreszcie z popędu, który mu zastępował popęd płciowy. Nie był antysemitą filozoficzno-politycznym jak Toussenel ani teologicznym jak Gougenot; był antysemitą erotycznym.

Dość było go posłuchać, kiedy zabierał głos na długich i jałowych zebraniach redakcji.

– Chętnie napisałem wstęp do książki księdza Desportes'a o tajemnicy krwi u Żydów. Chodzi nie tylko o średniowieczne praktyki. Dziś jeszcze te bóstwa, żydowskie baronowe, dodają krwi dzieci chrześcijańskich do ciastek, którymi częstują gości w swoich salonach.

I dalej:

– Semita ma żyłkę kupiecką, jest chciwy, skłonny do intryg, wykrętny, chytry, my, Aryjczycy, zaś jesteśmy pełni entuzjazmu, bohaterscy, rycerscy, bezinteresowni, szczerzy, ufni tak bardzo, że aż naiwni. Semita żyje doczesnością, nie widzi nic ponad życie obecne; czy znaleźliście w Biblii jakieś odniesienia do zaświatów? Aryjczykiem rządzi miłość do transcendencji, to syn ideału. Bóg chrześcijan jest wysoko na niebie, bóg Żydów ukazuje się czasem na jakiejś górze, czasem w jakimś krzaku, nigdy wyżej. Semita to handlarz, Aryjczyk jest rolnikiem, poetą, mnichem, zwłaszcza żołnierzem, bo rzuca wyzwanie śmierci. Semita jest pozbawiony zdolności twórczych; widzieliście kiedy żydowskich muzyków, malarzy, poetów, widzieliście Żyda, który

1ʳᵉ Année. — N° 23   Paris et Départements, le Numéro : 10 Centimes.   Samedi 16 Décembre 1893

LA LIBRE PAROLE
ILLUSTRÉE
La France aux Français !

RÉDACTION
14 boulevard Montmartre   Directeur : EDOUARD DRUMONT   ADMINISTRATION
14, boulevard Montmartre

SI NOUS LES LAISSONS FAIRE ....

...widywał go najpierw w siedzibie założonej przezeń Ligi Antysemickiej, potem w redakcji jego czasopisma „La Libre Parole"... (s. 388)

dokonałby wynalazku naukowego? Wynalazcą jest Aryjczyk, Żyd jego wynalazki wykorzystuje.

Recytował potem to, co napisał Wagner: „Nie sposób wyobrazić sobie granej przez Żyda postaci ze starożytności lub ze współczesności, bohatera lub amanta, i nie odczuć bezwiednie, jak bardzo taka rola jest śmieszna. Najbardziej wstrętny jest dla nas szczególny akcent cechujący mowę Żydów. Niezwykle dokuczliwe dla naszych uszu są ostre, syczące, zgrzytliwe dźwięki tej mowy. To zrozumiałe, że wrodzona oschłość żydowskiego usposobienia, która tak niemile nas uderza, najdobitniej przejawia się w śpiewie – najżywszym, najbardziej autentycznym wyrazie osobistych uczuć. Żyd może być uzdolniony w każdej dziedzinie sztuki, ale nie w dziedzinie śpiewu, dokąd wstępu broni mu sama natura".

– Jak więc wytłumaczyć – zastanowił się jeden z obecnych – że Żydzi opanowali teatr muzyczny? Rossini, Meyerbeer, Mendelssohn, Giuditta Pasta... sami Żydzi...

– Może dlatego – sugerował inny – że nie jest prawdą, iż muzyka to sztuka wyższego rzędu. Czyż nie powiedział pewien niemiecki filozof, że stoi ona niżej od malarstwa i od literatury, bo przeszkadza tym, którzy nie chcą jej słuchać? Jeśli grają obok ciebie melodię, która ci się nie podoba, jesteś zmuszony jej słuchać; to tak, jakby ktoś wyciągnął z kieszeni chusteczkę skropioną perfumami, których nie znosisz. Chwałą Aryjczyków jest literatura, obecnie w stanie kryzysu. Tryumfuje natomiast muzyka, sztuka dla przewrażliwionych, zniewieściałych i chorych. Żyd jest po krokodylu największym melomanem ze wszystkich żywych stworzeń, wszyscy Żydzi są muzykami. Pianiści, wioliniści, wiolonczeliści... sami Żydzi.

– Zgoda, ale są tylko odtwórcami, pasożytują na wielkich kompozytorach – odparował Drumont. – Wymienił pan Meyerbeera i Mendelssohna, muzyków drugorzędnych. Delibes i Offenbach Żydami nie są.

Rozpoczęła się tak ożywiona dyskusja o tym, czy Żydzi są muzyce obcy, czy też muzyka jest sztuką *par excellence* żydowską. Zdania były podzielone.

Już wtedy, gdy projektowano wieżę Eiffla, a jeszcze mocniej po jej ukończeniu, Ligę Antysemicką ogarnęła niepohamowana wściekłość: było to przecież dzieło niemieckiego Żyda, żydowska odpowiedź na bazylikę Sacré-Coeur.

– Sam kształt tej babilońskiej budowli dowodzi, że ich mózg nie jest taki jak nasz... – oświadczył de Biez, chyba najbardziej bojowy antysemita w tej grupie, który swoje wywody o niższości Żydów zaczynał od stwierdzenia, że piszą oni w przeciwnym kierunku niż normalni ludzie.

Rozmowa zeszła potem na alkoholizm, prawdziwą plagę ówczesnej Francji. Roczna konsumpcja alkoholu w Paryżu wynosiła podobno sto czterdzieści jeden tysięcy hektolitrów!

– Alkohol – powiedział jeden z obecnych – rozprowadzają Żydzi i masoni, którzy udoskonalili swoją tradycyjną truciznę, *acqua tofana*. Wyrabiają teraz truciznę o wyglądzie wody, zawierającą opium i kantarydy. Powoduje niemoc i zidiocenie, później śmierć. Dodaje się ją do napojów alkoholowych, a ona skłania do samobójstwa.

– A pornografia? Toussenel... czasem także socjalista może powiedzieć prawdę... napisał, że emblematem Żyda jest świnia, której nie wstyd tarzać się w podłości i hańbie. W Talmudzie powiedziano zresztą, że sen o ekskrementach to dobra wróżba. Wszystkie sprośne publikacje wydają Żydzi. Pójdźcie na ulicę du Croissant, na ten targ pornograficznych pisemek. Jeden żydowski sklepik obok drugiego: rozpusta, mnisi spółkują z dziewczynami, księża chłoszczą nagie, okryte tylko włosami kobiety, plugawe sceny, wyuzdanie pijanych zakonników. A przechodnie się śmieją, bywają tam całe rodziny z małymi dziećmi! To prawdziwy tryumf Tyłka... wybaczcie mi, że użyłem tego słowa. Kanonicy pederaści, biczowane przez sprośnych proboszczów pośladki mniszek...

Innym poruszanym z reguły tematem był nomadyzm Żydów.

– Żyd jest nomadą, ale nie dlatego, że chce odkrywać nowe terytoria, lecz dlatego, że chce przed czymś uciec – zapewniał

...Alkohol – powiedział jeden z obecnych – rozprowadzają Żydzi i masoni, którzy udoskonalili swoją tradycyjną truciznę, acqua tofana... *(s. 391)*

Drumont. – Aryjczyk podróżuje i poznaje nowe ziemie, Semita czeka, aż Aryjczycy nowe ziemie odkryją, a potem jedzie je wykorzystywać. Pomyślcie o baśniach. Wprawdzie Żydzi nie mieli nigdy dość wyobraźni, żeby wymyślić piękną bajkę, ale Arabowie, ich semiccy bracia, opowiedzieli historie z *Tysiąca i jednej nocy*, w których odkrywa się wór pełen złota, jaskinię z diamentami zbójców, butelkę z dobroczynnym duchem – same dary nieba. Natomiast w baśniach aryjskich... weźmy na przykład legendy o poszukiwaniu Graala... wszystko trzeba zdobyć poprzez walkę i poświęcenie.

– A jednak – odezwał się jeden z przyjaciół Drumonta – Żydom udało się przetrwać mimo wszelkich przeciwieństw...

– Oczywiście – pienił się ze złości Drumont – nie da się ich zniszczyć. Inne narody nie wytrzymują zmiany klimatu i pożywienia, słabną. Oni zaś po zasiedleniu nowego środowiska stają się silniejsi, jak robactwo.

– Są jak Cyganie, którzy nigdy nie chorują, nawet gdy odżywiają się padliną. Może pomaga im w tym ludożerstwo i dlatego porywają dzieci...

– Nie jesteśmy jednak pewni, czy ludożerstwo przedłuża życie. Weźmy afrykańskich Murzynów: są ludożercami, a przecież mrą jak muchy w tych swoich wioskach.

– Jak więc wytłumaczyć odporność Żydów? Żyją przeciętnie pięćdziesiąt trzy lata, podczas gdy chrześcijanie – trzydzieści siedem. Już od średniowiecza okazują się z jakichś przyczyn najbardziej odporni na epidemie. Wydaje się, że noszą w sobie wieczną zarazę, która ich chroni przed zarazami zwykłymi.

Simonini zauważał, że te tematy były już omawiane przez Gougenota, lecz w kręgu Drumonta dbano nie tyle o oryginalność myśli, ile o ich prawdziwość.

– Zgoda – mówił Drumont. – Są od nas bardziej odporni na choroby fizyczne, ale i bardziej podatni na choroby umysłowe. Bezustanne zajmowanie się transakcjami handlowymi, spekulacjami i spiskami osłabia ich nerwy. We Włoszech jeden obłąkany przypada na trzystu czterdziestu ośmiu Żydów i na siedmiuset siedemdziesięciu ośmiu katolików. Charcot przeprowadził interesujące badania na Żydach rosyjskich, o których sporo wiemy, ponieważ są ubodzy; Żydzi francuscy są bogaci i kryją swoje choroby w klinice doktora Blanche'a, któremu słono płacą. Wiecie, że Sarah Bernhardt trzyma w swojej sypialni białą trumnę?

– Rozmnażają się jednak dwa razy szybciej od nas, jest ich już na świecie ponad cztery miliony.

– Napisano w Księdze Wyjścia: „A synowie Izraela rozradzali się, pomnażali, potężnieli i umacniali się coraz bardziej, tak że cały kraj się nimi napełnił"[*].

– No i teraz pełno ich tutaj. I byli tu nawet wtedy, kiedy wcale tego nie podejrzewaliśmy. Kim był Marat? Naprawdę nazywał się Mara. Pochodził z wygnanej z Hiszpanii rodziny sefardyjskiej, która przeszła na protestantyzm, aby ukryć swoje żydowskie korzenie. Zżerany trądem, zmarły w brudzie, umysłowo chory, najpierw dotknięty manią prześladowczą, potem manią zadawania śmierci, typowy Żyd, który mścił się na chrześcijanach, posyłając ich na gilotynę w możliwie największej liczbie. Spójrzcie na jego portret w muzeum Carnavalet, a od razu zobaczycie obłąkanego, neuropatę, takiego jak Robespierre i inni jakobini; asymetryczny układ twarzy świadczy o braku równowagi psychicznej.

– Rewolucja była przede wszystkim dziełem Żydów, to wiadomo. Ale czy Semitą był Napoleon ze swoją nienawiścią do papiestwa i sojuszem z masonami?

– Na to wygląda. Uważał tak również Disraeli. Na Balearach i na Korsyce schronili się wypędzeni z Hiszpanii Żydzi. Później, już jako marrani, przybrali nazwiska panów, którym służyli: Orsini, Bonaparte...

W każdym towarzystwie zdarza się *gaffeur* – ten, kto wypowiada niewłaściwe słowa w niewłaściwej chwili. I oto pojawia się podstępne pytanie:

---

[*] Księga Wyjścia 1, 7; cyt. za Biblią Tysiąclecia, Pallottinum, Poznań 1965.

– No a Jezus? Był przecież Żydem, ale umarł młodo, pieniądze były mu obojętne, myślał jedynie o królestwie niebieskim...

Odpowiedział Jacques de Biez:

– Panowie, żydowskie pochodzenie Chrystusa to legenda rozpowszechniona właśnie przez Żydów – świętego Pawła i czterech ewangelistów. W rzeczywistości Jezus należał do rasy celtyckiej tak samo jak my, Francuzi, których Rzymianie podbili bardzo późno. Celtowie, zanim zniewieścieli pod wpływem rasy łacińskiej, byli ludem zdobywców. Czy słyszeliście o Galatach, którzy dotarli aż do Grecji? Nazwa Galilea pochodzi od Galów, którzy ją skolonizowali. Zresztą mit o dziewicy, która urodziła syna, jest mitem celtyckim, związanym z druidyzmem. Jezus... dość spojrzeć na wszystkie jego wizerunki, jakie posiadamy... – był jasnowłosy i miał błękitne oczy. W swoich mowach piętnował obyczaje, przesądy i wady Żydów i wbrew temu, czego oczekiwali oni od Mesjasza, głosił, że jego królestwo nie jest z tego świata. Żydzi byli monoteistami, a Chrystus sformułował koncepcję Trójcy Świętej, inspirowaną celtyckim politeizmem. Dlatego go zabili. Żydem był Kajfasz, który go skazał, Żydem był Judasz, który go zdradził, Żydem był Piotr, który się go wyparł...

W tym samym roku, w którym założył „La Libre Parole", Drumont wskutek szczęśliwego zrządzenia losu czy też dzięki własnej intuicji zajął się sprawą Kanału Panamskiego.

– To proste – wyjaśnił Simoniniemu przed rozpoczęciem swojej kampanii. – Ferdinand de Lesseps, ten sam, który przekopał Kanał Sueski, otrzymuje zlecenie przebicia Przesmyku Panamskiego. Miało to kosztować sześćset milionów franków. Lesseps tworzy anonimowe towarzystwo, roboty zaczynają się w tysiąc osiemset osiemdziesiątym pierwszym roku wśród niezliczonych trudności. Lessepsowi potrzeba więcej pieniędzy, rozpisuje subskrypcję publiczną. Część zebranych funduszy spożytkowuje jednak na przekupienie dziennikarzy, żeby ukryć wyrastające stopniowo wciąż nowe przeszkody; w osiemdziesiątym siódmym roku przesmyk był przebity zaledwie w połowie, a wydano już miliard czterysta milionów franków. Lesseps prosi o pomoc Eiffla, Żyda, który zbudował tę koszmarną wieżę, po czym dalej zbiera pieniądze i przekupuje prasę oraz kilku ministrów. I tak cztery lata temu Towarzystwo Kanału zbankrutowało, a osiemdziesiąt pięć tysięcy zacnych Francuzów, którzy przystąpili do subskrypcji, straciło wszystkie swoje udziały.

– Sprawa ogólnie znana.

– Tak, ale ja teraz jestem w stanie dowieść, że Lessepsa popierali żydowscy finansiści, między innymi baron Jacques de Reinach, baron z pruskiego nadania! Jutrzejszy numer „La Libre Parole" narobi hałasu.

I rzeczywiście narobił hałasu, wciągając w skandaliczną aferę dziennikarzy, urzędników państwowych, byłych ministrów. Reinach popełnił samobójstwo, kilka ważnych osobistości trafiło do więzienia, Lessepsowi udało się jedynie ze względu na przedawnienie, Eiffel uratował się z największym trudem. Drumont tryumfował jako chłoszczący nieuczciwość, lecz przede wszystkich zasilał konkretnymi argumentami swoją antyżydowską kampanię.

Bomba

Wydaje się, że Simonini, zanim jeszcze nawiązał kontakt z Drumontem, został jak zwykle wezwany przez Hébuterne'a do środkowej nawy katedry Notre Dame.

– Kapitanie Simonini – usłyszał od niego – kilka lat temu zleciłem panu nakłonić tego Taxila do rozpoczęcia kampanii antymasońskiej, która tak dalece przypominałaby cyrk, że odbiłaby się ujemnie na najbardziej prostackich przeciwnikach masonerii. Że akcja będzie utrzymywana pod kontrolą, poręczył mi w pańskim imieniu ksiądz Dalla Piccola, któremu powierzyłem znaczną sumę pieniędzy. Teraz odnoszę wrażenie, że Taxil przesadza. Ponieważ to pan zarekomendował mi księdza, proszę, żeby wpłynął pan na niego i na Taxila.

Simonini przyznaje się tu, że ma lukę w pamięci. Przypomina sobie chyba, że Dalla Piccola miał zająć się Taxilem, ale nie pamięta, aby cokolwiek księdzu zlecał. Pamięta tylko, że obiecał Hébuterne'owi zainteresować się tą sprawą. Powiedział mu później, że na razie nadal zajmuje się Żydami i że niebawem nawiąże kontakt ze środowiskiem Drumonta. Zdziwił się też, gdy zauważył, że Hébuterne bardzo temu ugrupowaniu sprzyja. Czyż nie mówił mu kilkakrotnie – spytał – że rząd nie chce się mieszać w kampanie antyżydowskie?

– Sytuacja się zmienia, panie kapitanie – odpowiedział Hébuterne. – Widzi pan, do niedawna Żydzi byli albo biedakami mieszkającymi w getcie, jak jeszcze dzisiaj w Rosji lub w Rzymie, albo wielkimi bankierami, jak u nas. Żydzi ubodzy trudnili się lichwą lub medycyną, za to ci wzbogaceni finansowali dwory i zbijali majątki na długach królów, którym dostarczali pieniędzy na prowadzenie wojen. Stali wtedy zawsze po stronie władzy i nie mieszali się do polityki. Absorbowały ich finanse, więc nie zajmowali się przemysłem. Potem zdarzyło się coś, z czego my także z opóźnieniem zdaliśmy sobie sprawę. Po rewolucji państwom potrzeba było funduszy przekraczających już możliwości Żydów, którzy tym sposobem utracili stopniowo pozycję kredytodawców monopolistów. Rewolucja powoli doprowadziła także, przynajmniej u nas... dopiero teraz to sobie uświadamiamy... do równości wszystkich obywateli. Pomijając biedotę w gettach, której nadal nie brak, Żydzi stali się mieszczaństwem, nie tylko wielką burżuazją kapitalistów, ale i drobną burżuazją, złożoną z przedstawicieli wolnych zawodów i aparatu państwowego, jak też z wojskowych. Wie pan, ilu mamy dzisiaj żydowskich oficerów? Znacznie więcej, niż mógłby pan przypuszczać. Żydzi przeniknęli zresztą nie tylko do wojska; są też wśród wywrotowców anarchistycznych i komunistycznych. Dawniej rewolucyjni snobi jako przeciwnicy kapitalizmu byli antysemitami, a Żydzi w gruncie rzeczy zawsze popierali rządzących; dzisiaj zapanowała moda na Żyda opozycjonistę. Kim był ten Marks, o którym tyle mówią nasi rewolucjoniści? Mieszczaninem bez grosza przy duszy na utrzymaniu żony arystokratki. Nie wolno nam też zapominać, że Żydzi mają w swoich rękach całe szkolnictwo wyższe, od Collège de France po École des Hautes Études, a także wszystkie paryskie teatry oraz dużą część prasy – weźmy „Le Journal des Débats", oficjalny organ wielkich banków.

Simonini nie pojmował jeszcze, w jaki sposób Hébuterne zamierza się odnieść do tej rosnącej zaborczości żydowskiej burżuazji. Na swoje pytanie otrzymał dość niejasną odpowiedź.

– Nie wiem. Musimy tylko uważać. Nie wiadomo, czy możemy ufać tej nowej kategorii Żydów. Nie mam bynajmniej na myśli obiegowych urojeń o żydowskim spisku w celu podboju świata! Ci żydowscy mieszczanie nie utożsamiają się już ze wspólnotą, z której pochodzą, często nawet się jej wstydzą, ale jednocześnie jako obywatele są niepewni, ponieważ Francuzami zostali niedawno i jutro mogliby wejść w zmowę z mieszczanami pruskimi. W czasie najazdu pruskiego większość szpiegów rekrutowała się spośród alzackich Żydów.

Mieli się już pożegnać, kiedy Hébuterne dodał:

– Byłbym zapomniał. Za czasów Lagrange'a miał pan do czynienia z niejakim Gavialim. To pan doprowadził do jego uwięzienia.

– Tak, stał na czele zamachowców z ulicy Huchette. Wszyscy są chyba w Kajennie albo w okolicach.

– Wszyscy oprócz Gavialego. Niedawno uciekł, przebywa w Paryżu.

– Czy można uciec z Diabelskiej Wyspy?

– Uciec można zewsząd, wystarczy być twardym.

– Dlaczego go nie aresztujecie?

– Bo facet, który umie wyrabiać bomby, mógłby nam się w tej chwili przydać. Wiemy, gdzie go szukać. Handluje szmatami pod bramą Clignancourt. Niech go pan sobie znowu pozyska.

Nietrudno było znaleźć w Paryżu szmaciarzy. Krążyli po całym mieście, lecz kiedyś ich królestwo stanowiły ulice Mouffetard i Saint-Médard. Obecnie – przynajmniej ci, których miał na oku

Hébuterne – skupili się w pobliżu bramy Clignancourt. Mieszkali w zbiorowisku krytych gałęziami baraków, w lecie ozdobionych kwitnącymi słonecznikami, które wyrosły nie wiadomo jak w tej przyprawiającej o mdłości atmosferze.

Opodal znajdowała się kiedyś tak zwana Restauracja Wędkarzy. Nazwa pochodziła stąd, że klienci musieli czekać w kolejce na dworze, a po wejściu mieli prawo za jednego solda zanurzyć w kotle ogromny widelec i wyłowić nim co popadło: szczęściarze – kawałek mięsa, pechowcy – marchewkę. Potem musieli już wyjść.

Szmaciarze mieli swoje *hôtels garnis* – umeblowane hotele. W pokojach niewiele: łóżko, stół, dwa krzesła nie do pary. Na ścianach święte obrazki albo wyłowione w śmieciach ilustracje ze starych powieści. Kawałek lustra niezbędny przy niedzielnej toalecie. Szmaciarz sortował tam przede wszystkim to, co znalazł: kości, porcelanę, szkło, stare wstążki, podarte jedwabie. Dzień pracy zaczynał się o szóstej rano; jeśli policjanci miejscy (wszyscy nazywali ich już *flics*) o siódmej wieczorem zastawali jeszcze kogoś przy robocie, delikwent musiał płacić grzywnę.

Simonini poszedł szukać Gavialego tam, gdzie powinien on przebywać. Po długich wędrówkach trafił do *bibine* – knajpki, gdzie podawano nie tylko wino, lecz także specjalny absynt nazwany trującym (jak gdyby absynt normalny nie truł w wystarczającej mierze). Wskazano mu tam pewnego osobnika. Simonini pamiętał, że kiedy obcował z Gavialim, nie miał jeszcze brody, więc zanim wyszedł na spotkanie, zostawił ją w domu. Minęło około dwudziestu lat, ale sądził, że dawny znajomy go rozpozna. Gaviali natomiast zmienił się nie do poznania.

Twarz blada, pomarszczona, długa broda. Żółtawy krawat podobny do powroza zwisał spod zatłuszczonego kołnierzyka, z którego wystawała przeraźliwie chuda szyja. Na głowie obszarpany kapelusz, pod zielonkawym surdutem pognieciona kamizelka, buty zabłocone tak, jakby od lat ich nie czyszczono, sznurowadła zlepione brudem. Wśród szmaciarzy nikt jednak nie zwracał na Gavialego uwagi, nikt bowiem nie był ubrany lepiej od niego.

Simonini dał mu się rozpoznać, oczekując serdecznego powitania. Gaviali jednak spojrzał na niego wrogo.

– Ośmiela się pan, kapitanie, jeszcze stanąć przede mną? – zapytał. Simonini zmieszał się, a on ciągnął dalej: – Naprawdę wziął mnie pan za durnia? Kiedy weszli żandarmi i zaczęli do nas strzelać, widziałem dokładnie, jak dobił pan z pistoletu tego biedaka, którego do nas przysłał jako swojego agenta. Potem my wszyscy, którzy przeżyliśmy, odnaleźliśmy się na żaglowcu płynącym do Kajenny, ale pana z nami nie było. Dwa plus dwa to cztery. Przez piętnaście lat bezczynności nabiera się rozumu. Wymyślił pan spisek, żeby go potem wykryć. To musi być popłatny zawód.

– Co zatem? Chce się pan zemścić? Został z pana strzęp człowieka. Jeśli ma pan słuszność, policja powinna mnie posłuchać. Wystarczy, że zawiadomię kogo trzeba i wróci pan do Kajenny.

– Kapitanie, na miłość boską! Przez te lata zmądrzałem. Konspirator musi liczyć się z tym, że spotka szpicla. To jak zabawa w policjantów i złodziei. Ktoś powiedział zresztą, że wszyscy rewolucjoniści stają się z wiekiem obrońcami tronu i ołtarza. Mnie tron i ołtarz mało obchodzą, ale uważam, że skończyła się epoka wielkich ideałów. W tej tak zwanej Trzeciej Republice nie wiadomo nawet, kto jest tyranem, którego należałoby zabić. Jedno tylko umiem jeszcze robić – konstruować bomby. Przyszedł pan po mnie, a to znaczy, że potrzebuje pan bomb. Zgoda, ale pod warunkiem, że pan zapłaci. Widzi pan, gdzie mieszkam. Zmiana mieszkania i restauracji by mi wystarczyła. Kogo mam ukatrupić? Jak wszyscy byli rewolucjoniści stałem się sprzedawczykiem. To zawód, który panu powinien być dobrze znany.

– Chcę od pana bomb, panie Gaviali. Nie wiem jeszcze jakich i gdzie, porozmawiamy o tym we właściwej chwili. Mogę obiecać panu pieniądze, wykreślenie pańskiej przeszłości i nowe papiery.

Gaviali oświadczył, że gotów jest służyć każdemu, kto dobrze zapłaci. Simonini dał mu na razie sumę wystarczającą na przeżycie przynajmniej miesiąca bez zbierania szmat. Posłuszeństwa człowiek uczy się najlepiej w ciężkim więzieniu.

Na czym polegało zadanie Gavialego, wytłumaczył później Simoniniemu Hébuterne. W grudniu 1893 roku anarchista Auguste Vaillant, wołając: „Śmierć burżuazji! Niech żyje anarchia!", rzucił niewielką bombę (wypełnioną gwoździami) w Izbie Deputowanych. Był to gest symboliczny. „Gdybym chciał zabijać, naładowałbym bombę grubym śrutem – powiedział Vaillant na procesie. – Na pewno nie będę kłamał, żeby sprawić wam przyjemność i umożliwić ucięcie mi głowy". Głowę ucięto mu i tak, dla przykładu. Nie o samą sprawę jednak chodziło. Tajne służby niepokoiły się, że tego rodzaju czyny mogą wydać się bohaterskie i znaleźć naśladowców.

– Istnieją źli nauczyciele – wyjaśniał Hébuterne Simoniniemu – którzy usprawiedliwiają terror i podsycają społeczne niepokoje, a sami siedzą wygodnie w swoich klubach i restauracjach, rozprawiając o poezji i pijąc szampana. Na przykład ten nędzny dziennikarzyna Laurent Tailhade, który jako deputowany wywiera podwójny wpływ na opinię publiczną, napisał o Vaillancie: „Co znaczą ofiary, jeśli gest był piękny?" Dla państwa bardziej niebezpieczni od Vaillanta są tacy jak Tailhade, bo trudno im uciąć głowę. Trzeba publicznie udzielić nauczki tym intelektualistom, którym wszystko uchodzi na sucho.

O udzielenie nauczki mieli zadbać Simonini i Gaviali. Kilka tygodni później w restauracji Foyot, dokładnie w tym kącie, gdzie Tailhade zasiadał do swoich kosztownych posiłków, wybuchła bomba. Dziennikarz stracił oko (Gaviali okazał się geniuszem: bombę skonstruował tak, aby ofiara nie zginęła, lecz tylko odniosła odpowiednio ciężkie rany). Rządowe gazety mogły teraz z łatwością formułować sarkastyczne komentarze w rodzaju: „No cóż, panie Tailhade, czy gest był piękny?" Piękny był sukces rządu, Simoniniego i Gavialego. Tailhade oprócz oka stracił też reputację.

Najbardziej zadowolony był Gaviali. Simonini pomyślał, że

przyjemnie jest przywrócić wiarę w życie i we własne siły komuś, kto zrządzeniem wrogiego losu został jej kiedyś pozbawiony.

W tych samych latach Hébuterne powierzał Simoniniemu inne zadania. Skandaliczna sprawa Kanału Panamskiego przestawała zaprzątać uwagę opinii publicznej, bo powtarzanie komunikatów identycznej treści szybko staje się nudne. Drumonta temat już nie interesował, lecz inni dorzucali jeszcze drew do ognia, a rząd był najwyraźniej zaniepokojony tym (jak by to dzisiaj powiedzieć?) podsycaniem płomienia. Należało odwrócić uwagę społeczeństwa od echa tej afery, która straciła już aktualność. Hébuterne zażądał więc od Simoniniego zorganizowania jakichś pięknych rozruchów, które trafiłyby na pierwsze strony gazet.

– Zorganizować rozruchy nie jest łatwo – stwierdził Simonini.

Wtedy Hébuterne podpowiedział mu, że najbardziej skłonni do awantur są studenci; najwłaściwsze więc będzie zacząć wśród studentów, a potem włączyć do akcji jakichś specjalistów od zamieszek.

Simonini nie miał kontaktów ze światem studenckim, lecz pomyślał od razu, że w tym środowisku powinien zainteresować się młodzieżą nastawioną rewolucyjnie, zwłaszcza anarchistami. Kto zaś znał się najlepiej na anarchistach? Ten, kto między nich się wkradał i zawodowo ich demaskował, a więc Raczkowski. Zgłosił się zatem do Raczkowskiego, który ukazując w rzekomo przyjacielskim uśmiechu wszystkie swoje wilcze zęby, spytał o przyczynę tych odwiedzin.

– Potrzeba mi tylko kilku studentów, którzy na zlecenie narobią trochę wrzawy.

– To proste – powiedział Rosjanin. – Niech pan idzie do Château-Rouge.

Château-Rouge na ulicy Galande pozornie był miejscem spotkań nędzarzy z Dzielnicy Łacińskiej. Wznosił się w głębi dziedzińca, fasadę miał pomalowaną na kolor krwi. Po wejściu czuło się natychmiast dławiący smród zjełczałego tłuszczu, pleśni, tysiąckrotnie gotowanych zup, które z upływem lat zostawiły na lepkich od brudu ścianach wręcz namacalne ślady. Trudno było zresztą pojąć przyczynę tego stanu rzeczy, ponieważ żywność należało tam ze sobą przynosić, serwowano tylko wino i zapewniano talerze. Wydawało się, że cuchnąca mgiełka z dymu tytoniowego i wyziewów palników gazowych usypia dziesiątki kloszardów siedzących przy stołach, we trzech lub czterech po każdej stronie, i drzemiących z głową opartą na ramieniu sąsiada.

W dwóch salach wewnętrznych nie było jednak włóczęgów. Zapełniały je stare nierządnice w strojach ozdobionych sztuczną biżuterią, czternastoletnie kurewki o wyzywającej już minie, podkrążonych oczach i bladości gruźliczek oraz okoliczni nicponie z przykuwającymi wzrok fałszywymi pierścieniami na palcach i w surdutach lepszych od szmat, które mieli na sobie zgromadzeni w pierwszej sali kloszardzi. Wśród tych postaci przechadzali się panowie w wieczorowych strojach i elegancko ubrane panie, albowiem odwiedziny w Château-Rouge dostarczały pożądanych emocji. Późnym wieczorem, po teatrze, nadjeżdżały luksusowe karety, *tout Paris* przybywał delektować się urokiem społecznych mętów, w większości opłacanych prawdopodobnie darmowym absyntem przez właściciela, który chciał ściągnąć do swojego lokalu zacnych mieszczan, płacących za ten sam absynt podwójnie.

W Château-Rouge – zgodnie ze wskazówkami Raczkowskiego – Simonini nawiązał kontakt z niejakim Fayolle'em, z zawodu handlarzem płodami. Był to starszy już mężczyzna, który spędzał tam wieczory, wydając na osiemdziesięcioprocentowy alkohol to, co zdołał zarobić w ciągu dnia, kiedy krążył po szpitalach i zbierał płody i zarodki, odsprzedawane później studentom École de Médecine. Śmierdział nie tylko alkoholem, ale i mięsem w stanie rozkładu. Ten smród nawet wśród fetorów Château-Rouge izolował go od reszty otoczenia; mówiono jednak, że ma dużo znajomości w środowisku uczelnianym, zwłaszcza wśród wiecznych studentów, którzy zajmowali się nie tyle badaniem płodów, ile rozpustą, i zawsze, przy każdej okazji, byli gotowi do awantur.

Otóż tak się złożyło, że właśnie w tych dniach chłopcy z Dzielnicy Łacińskiej rozgniewali się na starego konserwatystę, senatora

...W dwóch salach wewnętrznych nie było jednak włóczęgów. Zapełniały je stare nierządnice w strojach ozdobionych sztuczną biżuterią, czternastoletnie kurewki o wyzywającej już minie, podkrążonych oczach i bladości gruźliczek oraz okoliczni nicponie z przykuwającymi wzrok fałszywymi pierścieniami na palcach i w surdutach lepszych od szmat, które mieli na sobie zgromadzeni w pierwszej sali kloszardzi... (s. 403)

Bérengera – nazwanego od razu *Père la Pudeur*, Ojcem Wstydli-
wym – który zgłosił w parlamencie projekt ustawy skierowany przeciw obrazie moralności, szkodzącej przede wszystkim, jak utrzymywał, właśnie im, studentom. Za pretekst posłużyły mu występy
niejakiej Sarah Brown, która na wpół naga (i zapewne spocona,
myślał ze wstrętem Simonini) popisywała się podczas Bal des Quat'z
Arts.

Biada temu, kto zechce pozbawić studentów godziwej rozrywki podglądactwa. Grupa kontrolowana przez Fayolle'a zamierzała iść którejś nocy pod okna senatora i narobić hałasu. Trzeba
było tylko się dowiedzieć, kiedy tam pójdzie, i zadbać o to, aby
w pobliżu czekali skorzy do bitki osobnicy. Za skromną sumę
Fayolle obiecał wszystko załatwić. Simoniniemu pozostawało
jedynie zawiadomić Hébuterne'a o dniu i godzinie.

I tak zaledwie studenci podnieśli wrzawę, pojawiła się kompania wojska lub żandarmów. Pod każdą szerokością geograficzną
to właśnie policja wzbudza w studentach wojownicze nastroje,
toteż poleciały kamienie, ale więcej było po prostu krzyków. Tyle
że rzucona przez żołnierza świeca dymna – tak sobie, żeby narobić trochę zamieszania – trafiła w oko biedaka, który przypadkiem tamtędy przechodził. No i jest nieodzowny trup. Oczywiście szybko wzniesiono barykady i zaczęła się prawdziwa rewol-
ta. Wkroczyli wtedy do akcji zwerbowani przez Fayolle'a
bojówkarze. Studenci zatrzymywali omnibusy, prosili grzecznie
pasażerów, aby zechcieli wysiąść, wyprzęgali konie i przewracali
na bok pojazd, który miał służyć za barykadę. Wtedy nadbiegały
rozwścieczone draby i podpalały omnibus. Krótko mówiąc, hała-
śliwy protest zamienił się w zamieszki, o mało co nie wybuchła
rewolucja. Było o czym przez dłuższy czas pisać na pierwszych
stronach gazet, no i żegnaj, Panamo.

Bordereau

Najwięcej pieniędzy zarobił Simonini w 1894 roku. Doszło do tego
prawie przypadkiem, ale przypadkowi trzeba zawsze trochę pomóc.

W tym czasie Drumonta zaczęła coraz bardziej drażnić obecność zbyt wielu Żydów w wojsku.

– Nikt o tym nie mówi – skarżył się udręczony – bo od mówienia o tych potencjalnych zdrajcach ojczyzny w łonie naszej okrytej największą chwałą organizacji, od opowiadania, że obecność tylu tych Żydów (wymawiał *ces Juëfs, ces Juëfs*, wysuwając do przodu wargi, jakby chciał wpić się nimi dziko w całą tę nikczemną rasę) zatruwa armię, można utracić wiarę w naszą obronność. Ktoś jednak będzie musiał o tym mówić. Wiecie, do czego ucieka się teraz Żyd, żeby zasłużyć na szacunek? Robi karierę jako oficer albo krążąc po arystokratycznych salonach jako artysta i pederasta. Ach, księżne mają już dosyć cudzołożenia ze szlachcicami starej daty lub z zacnymi kanonikami, łakną tego, co dziwaczne, egzotyczne, monstrualne, pociągają je samce uszminkowane i wyperfumowane jak kobieta. Mnie mało obchodzą perwersje dobrego towarzystwa; nie były lepsze te markizy, które szły do łóżka z różnymi Ludwikami w koronie. Jednak wynaturzenie wojska oznacza koniec francuskiej cywilizacji. Jestem przekonany, że większość żydowskich oficerów należy do pruskiej siatki szpiegowskiej, ale brak mi na to dowodów. Dowodów! Znajdźcie mi je! – krzyczał do redaktorów swojego czasopisma.

W redakcji „La Libre Parole" Simonini poznał majora Esterházyego. Był on wielkim dandysem, chwalił się ciągle swoim szlachectwem i swoją wiedeńską edukacją, wspominał o pojedynkach przeszłych i przyszłych. Wiedziano, że jest zadłużony po uszy, i redaktorzy unikali go, gdy zbliżał się do nich dyskretnie, bo obawiali się, że chce ich naciągnąć; w istocie wszystkim było wiadomo, że pożyczone Esterházyemu pieniądze należy spisać na straty. Był lekko niemęski, przykładał ustawicznie do ust haftowaną chusteczkę, zdaniem niektórych cierpiał na gruźlicę. Jego kariera wojskowa była dość dziwna: najpierw oficer kawalerii w kampanii 1866 roku we Włoszech, potem w żuawach papieskich, wreszcie w Legii Cudzoziemskiej w wojnie 1870 roku. Szeptano, że jest związany z kontrwywiadem wojskowym, lecz oczywiście kartki z taką informacją nikt nie przypiąłby sobie do munduru. Drumont wysoce go poważał, prawdopodobnie dlatego, że chciał zapewnić sobie kontakt z wojskiem.

Któregoś wieczoru Esterházy zaprosił Simoniniego na kolację do restauracji Le Boeuf à la Mode. Po zamówieniu *mignon d'agneau aux laitues* – filetu z jagnięcia z sałatą – i przejrzeniu listy win przystąpił do rzeczy.

– Kapitanie Simonini, nasz przyjaciel Drumont szuka dowodów, których nigdy nie znajdzie. Nie chodzi o wykrycie w naszym wojsku pruskich szpiegów żydowskiego pochodzenia. Do licha, na tym świecie szpiedzy są wszędzie, nie będziemy się przejmować jednym mniej lub jednym więcej. Wymogiem politycznym jest dowieść, że tacy szpiedzy istnieją. Zgodzi się pan ze mną, że aby przygwoździć szpiega lub konspiratora, nie trzeba koniecznie znaleźć dowodów. Prościej i taniej jest dowody sfabrykować, a w miarę możności sfabrykować samego szpiega. Dla dobra narodu musimy więc wytypować żydowskiego oficera, łatwo wzbudzającego podejrzenia ze względu na jakąś swoją słabostkę, i dowieść, że przekazywał on ważne informacje ambasadzie pruskiej w Paryżu.

– Kogo ma pan na myśli, mówiąc „my"?

– Rozmawiam z panem w imieniu kierowanej przez podpułkownika Sandherra sekcji statystycznej Francuskiej Służby Wywiadowczej. Może panu wiadomo, że ta sekcja o niewinnej nazwie zajmuje się przede wszystkim Niemcami. Początkowo interesowało ją tylko to, co robią u siebie w kraju. Zbierała informacje wszelkiego rodzaju: z gazet, z raportów podróżujących oficerów, od żandarmów, od naszych agentów po obu stronach granicy, starając się dowiedzieć jak najwięcej o organizacji pruskiej armii, ile ma dywizji kawalerii, ile wynosi wypłacany żołd, słowem – wszystkiego. Ostatnio postanowiono jednak zająć się także tym, co Niemcy robią u nas, w naszym kraju. Niektórzy ubolewają nad tym połączeniem wywiadu z kontrwywiadem, ale działalność obu jest ściśle ze sobą powiązana. Musimy wiedzieć, co się dzieje w ambasadzie niemieckiej, bo jest ona terytorium obcym – to wywiad; ale zbierane tam informacje dotyczą nas i o tym też chcemy wiedzieć – to już kontrwywiad. Otóż w ambasadzie pracuje dla nas niejaka pani Bastian, sprzątaczka, która udaje analfabetkę, a w rzeczywistości zna niemiecki w mowie i w piśmie. Do jej obowiązków należy codzienne opróżnianie koszów na śmieci w biurach ambasady; potem przekazuje nam notatki i dokumenty, które Prusacy (wie pan, jacy oni tępi) uważali za całkowicie zniszczone. Chodzi więc o to, aby spreparować dokument, w którym jeden z naszych oficerów przekazuje Niemcom ściśle tajne dane o francuskich zbrojeniach. Podejrzenie padnie na kogoś, kto ma dostęp do poufnych informacji, i ten ktoś zostanie zdemaskowany. Potrzebny nam więc zapisek, krótka lista, nazwijmy ją *bordereau*. Oto dlaczego zwracamy się do pana, który, jak nam powiedziano, jest prawdziwym artystą wśród fałszerzy dokumentów.

Simonini nie zastanawiał się, skąd ludzie z tajnych służb wiedzą o jego umiejętności; zapewne od Hébuterne'a. Podziękował za komplement i powiedział:

– Przypuszczam, że przyjdzie mi naśladować charakter pisma konkretnej osoby.

– Wytypowaliśmy już idealnego kandydata. To kapitan Dreyfus, oczywiście Alzatczyk, zatrudniony w naszej sekcji jako stażysta. Bogato się ożenił i pozuje na *tombeur de femmes* – uwodziciela; koledzy go nie znoszą i nie znosiliby nawet wtedy, gdyby był chrześcijaninem. Nikt nie będzie się z nim solidaryzował, doskonale nadaje się na ofiarę. Kiedy dokument do nas trafi, ustalimy, że to charakter pisma Dreyfusa. Potem ludzie tacy jak Drumont już się postarają, żeby wybuchł skandal, i napiszą o zagrożeniu ze strony Żydów. Będzie też ocalony honor sił zbrojnych, które tak trafnie umiały dostrzec to zagrożenie i tak sprawnie mu się przeciwstawiły. Jasne?

Jasne jak słońce. Na początku października Simonini znalazł się w gabinecie podpułkownika Sandherra. Podpułkownik miał twarz ziemistą, bez wyrazu, pasującą doskonale do jego funkcji szefa wywiadu i kontrwywiadu.

Le Judaïsme, voilà l'ennemi...

Edouard Drumont

...Potem ludzie tacy jak Drumont już się postarają, żeby wybuchł skandal... (s. 408)

– Oto wzór charakteru pisma Dreyfusa i tekst, który należy przepisać – powiedział, podając Simoniniemu dwa arkusze papieru. – Jak pan widzi, adresatem ma być attaché wojskowy ambasady, von Schwartzkoppen, a w notatce mowa będzie o tym, że wkrótce zostanie nadesłana dokumentacja wojskowa dotycząca hydraulicznego hamulca odrzutu działa kalibru sto dwadzieścia, oraz o innych tego rodzaju szczegółach. Na takie właśnie rzeczy Niemcy są łasi.

– Czy nie byłoby dobrze dodać nieco więcej danych technicznych? – spytał Simonini. – Dokument wydałby się wtedy jeszcze bardziej kompromitujący.

– Zdaje pan sobie chyba sprawę – rzekł Sandherr – że kiedy wybuchnie skandal, o tym *bordereau* wszyscy się dowiedzą. Nie możemy rzucać na pastwę dziennikarzom informacji technicznych. Do pracy, kapitanie Simonini. Kazałem przygotować dla pana pokój, gdzie będzie panu wygodnie, oraz przybory do pisania. Papier, pióro i atrament są takie, jakich używa się w naszych biurach. Robota ma być wykonana starannie. Proszę się nie śpieszyć i zrobić kilka prób, żeby charakter pisma dokładnie się zgadzał.

Simonini tak właśnie postąpił. Sporządził *bordereau* na welinowym papierze – trzydzieści linijek: osiemnaście po jednej stronie, dwanaście po drugiej. Zadbał, aby na pierwszej stronie linijki były bardziej od siebie oddalone niż na drugiej, na której charakter pisma miał świadczyć o pośpiechu. Tak się bowiem dzieje, kiedy piszący jest w stanie podniecenia: zaczyna spokojnie, a potem przyśpiesza. Simonini wziął również pod uwagę, że taki dokument drze się przed wrzuceniem do kosza i że sekcja statystyczna otrzyma go w kawałkach, które trzeba będzie poskładać. Żeby więc ułatwić składanie, należało pooddzielać nieco od siebie także poszczególne litery, ostrożnie jednak, aby nie oddalić się od wzoru, który mu dostarczono.

Krótko mówiąc, Simonini wykonał dobrą robotę.

Sandherr przekazał potem dokument ministrowi wojny, generałowi Mercierowi, zarządzając jednocześnie sprawdzenie dokumentów pisanych przez wszystkich związanych z sekcją oficerów. Na koniec najbardziej zaufani współpracownicy powiadomili go, że był to charakter pisma Dreyfusa, którego w konsekwencji aresztowano piętnastego października. Przez dwa tygodnie sprawę umyślnie trzymano w ukryciu, pozwalano jednak wymykać się pewnym niedyskrecjom budzącym ciekawość dziennikarzy. Później zaczęto szeptem wymieniać nazwisko, zobowiązując rozmówców do zachowania tajemnicy. Wreszcie ogłoszono, że winnym jest kapitan Dreyfus.

Esterházy zaraz po otrzymaniu upoważnienia od Sandherra poinformował Drumonta, który biegał teraz po redakcji z nową wiadomością w dłoni, krzycząc: „Dowody, dowody, oto dowody!"

Pierwszego listopada „La Libre Parole" obwieściło na stronie tytułowej wielkimi literami: „Zdrada stanu. Żydowski oficer Dreyfus aresztowany". Rozpoczęła się kampania, cała Francja trzęsła się z gniewu.

Jednak tego samego ranka, gdy w redakcji wznoszono toasty z powodu radosnego wydarzenia, Simonini rzucił okiem na list, którym Esterházy zawiadamiał o aresztowaniu Dreyfusa. Leżał na biurku Drumonta, poplamiony winem, lecz całkowicie czytelny. Simonini, który spędził ponad godzinę na naśladowaniu domniemanego charakteru pisma Dreyfusa, stwierdził teraz bez cienia wątpliwości, że ów charakter, który tak sprawnie odtworzył, był pod każdym względem podobny do stylu pisma Esterházyego. Nikt nie dostrzega takich rzeczy lepiej niż fałszerz.

Co się stało? Zamiast dać mu arkusz zapisany przez Dreyfusa, Sandherr przekazał arkusz zapisany przez Esterházyego? Czy to możliwe? Dziwne, niewytłumaczalne, ale pewne. Zrobił to przez pomyłkę? Umyślnie? Ale jeśli tak, to dlaczego? Może Sandherra oszukał jeden z podwładnych, wręczając mu niewłaściwy wzór? Jeśli nadużyto zaufania podpułkownika, należało go o tym poinformować. Jeśli jednak w złej wierze działał Sandherr, to zdradzenie mu, że jego gra została rozszyfrowana, mogło okazać się ryzykowne. Zawiadomić Esterházyego? Jeśli Sandherr umyślnie podmienił wzory w celu zaszkodzenia majorowi, Simonini, informując ofiarę, naraziłby się całym tajnym służbom. Milczeć? A gdyby pewnego dnia służby zechciały oskarżyć o podmianę jego?

Simonini nie był za ten błąd odpowiedzialny i zależało mu na wyjaśnieniu sprawy, przede wszystkim zaś pragnął, aby spreparowane przez niego fałszywki były – że się tak wyrazimy – autentyczne. Postanowił więc zaryzykować i zgłosił się do Sandherra. Ten początkowo grał na zwłokę i odsuwał termin spotkania, obawiając się może próby szantażu.

Kiedy wreszcie Simonini wyjawił mu prawdę (nawiasem mówiąc, jedyną prawdę prawdziwą w tej opartej na kłamstwach aferze), Sandherr zrobił się jeszcze bardziej ziemisty na twarzy niż zwykle i wydawało się, że nie chce w to wierzyć.

– Panie pułkowniku – powiedział Simonini – zachował pan z pewnością fotograficzną kopię *bordereau*. Proszę postarać się o wzory charakterów pisma Dreyfusa i Esterházyego. Porównamy te trzy teksty.

Sandherr wydał odpowiednie rozkazy i na jego biurku znalazły się wkrótce owe trzy arkusze. Simonini wskazał mu kilka przykładów.

– Proszę spojrzeć choćby tutaj. We wszystkich słowach z podwójnym „s", jak *adresse* czy *intéressant*, w tekście Esterházyego pierwsze „s" jest zawsze mniejsze, a drugie większe, i prawie nigdy się ze sobą nie łączą. Zauważyłem to dzisiaj rano, bo miałem z tym szczególne trudności, kiedy sporządzałem *bordereau*. Proszę teraz popatrzeć na charakter pisma Dreyfusa, który widzę po raz pierwszy. To zaskakujące, z dwóch „s" większe jest zawsze to pierwsze, a mniejsze drugie, są też za każdym razem ze sobą złączone. Mam mówić dalej?

– Nie, wystarczy. Nie wiem, jak doszło do nieporozumienia. Przeprowadzę dochodzenie. Rzecz w tym, że dokument jest już w rękach generała Merciera, który mógłby jeszcze zechcieć porównać go ze wzorem pisma Dreyfusa, ale nie jest doświadczonym grafologiem, a oba charaktery są przecież podobne. Trzeba więc tylko nie sugerować mu, żeby zapoznał się także ze wzorem charakteru pisma majora. Nie sądzę jednak, żeby pomyślał właśnie o Esterházym – o ile pan będzie siedział cicho. Proszę starać się zapomnieć o sprawie i nie pokazywać się już w tym biurze. Pańskie wynagrodzenie zostanie odpowiednio skorygowane w górę.

Simonini nie musiał już potem sięgać do poufnych źródeł, by dowiedzieć się o biegu wydarzeń, ponieważ o aferze Dreyfusa pełno było we wszystkich gazetach. Także w sztabie generalnym nie zabrakło ludzi niepozbawionych rozsądku, którzy zażądali pewnych dowodów, że *bordereau* napisał Dreyfus. Sandherr zwrócił się do biegłego grafologa wielkiej sławy, Bertillona, który stwierdził, że wprawdzie charakter pisma autora *bordereau* nie jest identyczny ze stylem Dreyfusa, niemniej jednak chodzi tutaj o oczywisty fałsz: Dreyfus zmienił – na szczęście tylko częściowo – swój charakter, aby się wydawało, że list napisał ktoś inny. A zatem nie należy sobie zaprzątać myśli tymi niezasługującymi na uwagę szczegółami, gdyż dokument z całą pewnością wyszedł spod pióra Dreyfusa.

Kto zresztą ośmieliłby się w to wątpić, skoro „La Libre Parole" codziennie bombardowało opinię publiczną nowymi rewelacjami, wyrażając nawet przypuszczenie, że aferę chce się wyciszyć, ponieważ Dreyfus jest Żydem i Żydzi go chronią? Armia liczy czterdzieści tysięcy oficerów – pisał Drumont – dlaczego Mercier powierzył tajemnice obrony narodowej właśnie kosmopolitycznemu alzackiemu Żydowi? Liberał Mercier od dawna odczuwał presję ze strony Drumonta i nacjonalistycznej prasy, oskarżających go o filosemityzm. Nie chciał uchodzić za obrońcę żydowskiego zdrajcy, nie był więc bynajmniej zainteresowany wyciszaniem sprawy, wręcz przeciwnie – okazywał się bardzo aktywny.

Drumont bombardował:

– Żydzi długo pozostawali z dala od wojska, które zachowywało swoją francuską nieskazitelność. Teraz wślizgnęli się także do armii i będą panami Francji, plany mobilizacyjne przekażą Rotszyldowi... Zrozumieliście już w jakim celu.

Napięcie sięgnęło zenitu. Kapitan dragonów Crémieu-Foa napisał do Drumonta, zarzucając mu zniewagę wszystkich żydowskich oficerów i żądając satysfakcji. Doszło do pojedynku; zamieszanie było tym większe, że Crémieu-Foa miał za sekundanta... kogo? Esterházyego. Z kolei markiz de Morès z redakcji „La Libre Parole" wyzwał Crémieu-Foa, ale zwierzchnicy zabronili mu ponownego pojedynku i zakazali opuszczać koszary, więc zastąpił go niejaki kapitan Mayer, który padł z płucami przebitymi kulą. Burzliwe debaty, protesty przeciwko powrotowi do czasów wojen religijnych... Simonini z zachwytem śledził sensacyjne rezultaty jednej godziny swojej pisarskiej działalności.

W grudniu zwołano radę wojenną i jednocześnie udostępniono inny dokument – skierowany do Niemców list, w którym włoski attaché wojskowy Panizzardi wspominał, że „ten łajdak D..." miał mu sprzedać plany kilku fortyfikacji. „D..." to Dreyfus? Nikt nie ośmielał się w to wątpić i dopiero potem odkryto, że był to niejaki Dubois, urzędnik ministerstwa, który sprzedawał informacje po dziesięć franków od sztuki. Odkryto zbyt późno: dwudziestego drugiego grudnia Dreyfusa uznano za winnego i na początku stycznia został on zdegradowany w École Militaire. W lutym miał odpłynąć na Diabelską Wyspę.

Simonini poszedł przyjrzeć się ceremonii degradacji, którą w swoim dzienniku nazywa niezwykle sugestywną. Żołnierze w szyku po czterech stronach dziedzińca, Dreyfus wszedł tam i musiał przejść prawie kilometr pomiędzy tymi szeregami dzielnych wojaków, którzy, choć niewzruszenie spokojni, wydawali się zionąć pogardą. Generał Darras wyciągnął szablę z pochwy, zagrzmiały fanfary. Dreyfus w galowym mundurze pomaszerował w kierunku generała, eskortowany przez czterech artylerzystów pod dowództwem sierżanta. Darras wygłosił wyrok stanowiący o degradacji, a olbrzymi oficer żandarmerii w hełmie ozdobionym piórami zbliżył się do kapitana, zerwał z jego munduru galony, guziki i numer pułku, odebrał mu szablę i złamawszy ją na kolanie, rzucił obie części pod nogi zdrajcy.

Le Petit Journal

SUPPLÉMENT ILLUSTRÉ

Le Petit Journal
Le Supplément illustré

Huit pages : CINQ centimes

ABONNEMENTS

DIMANCHE 13 JANVIER 1895

Sixième année

Numéro 217

LE TRAITRE
Dégradation d'Alfred Dreyfus

...olbrzymi oficer żandarmerii w hełmie ozdobionym piórami zbliżył się do kapitana, zerwał z jego munduru galony, guziki i numer pułku, odebrał mu szablę i złamawszy ją na kolanie, rzucił obie części pod nogi zdrajcy... (s. 414)

Dreyfus wydawał się niewzruszony, co wiele gazet uznało za dowód jego wiarołomności. Według Simoniniego w chwili degradacji zawołał: „Jestem niewinny!", ale bez wzburzenia, nadal w pozycji na baczność. To dlatego – zauważa sarkastycznie Simonini – że ten żydek tak dalece wrósł w swoją (uzurpowaną) rolę godnego francuskiego oficera, że nie mógł już kwestionować decyzji zwierzchników; ponieważ uznali, że jest zdrajcą, musiał się z tym pogodzić, nie wolno mu było wątpić. Może w tej chwili naprawdę czuł, że zdradził, a zapewnienie o niewinności było dla niego tylko niezbędnym składnikiem rytuału.

Tak to sobie przypominał Simonini, który wszakże w jednym ze swoich pudeł znalazł wycinek z „La République Française" z dnia następnego. Autor artykułu, niejaki Brisson, utrzymywał coś zupełnie przeciwnego:

Kiedy generał rzucił mu w twarz to pozbawiające czci słowo, Dreyfus podniósł ramię i zawołał: „Niech żyje Francja, jestem niewinny!"
Podoficer skończył wykonywać swoje zadanie. Pokrywające mundur złocenia leżą na ziemi. Nie oszczędzono nawet czerwonych naszywek oznaczających rodzaj broni. Dolman jest teraz całkiem czarny, ciemne stało się nagle również kepi, wydaje się, że Dreyfus stoi już w stroju więźnia… Krzyczy nadal: „Jestem niewinny!" Po przeciwnej stronie ogrodzenia, w tłumie, który dostrzega tylko jego sylwetkę, rozlegają się głośne przekleństwa i ostre gwizdy. Dreyfus słyszy te złorzeczenia, jego gniew rośnie.
Kiedy przechodzi przed grupą oficerów, dobiegają go słowa: „Precz, judaszu!" Odwraca się rozwścieczony i powtarza znowu: „Jestem niewinny, jestem niewinny!"
Teraz możemy rozróżnić rysy jego twarzy. Przez kilka chwil wpatrujemy się w nią w nadziei, że dostrzeżemy oznaki wzruszenia, odbicie duszy, którą dotychczas jedynie sędziowie zdołali poznać, badając jej najskrytsze zakamarki. Z jego fizjonomii odczytać jednak można przede wszystkim gniew, prawdziwy paroksyzm gniewu. Wargi ma wygięte w przerażający grymas, oczy nabiegłe krwią. Pojęliśmy, że skazaniec

wydaje się tak zdecydowany, a jego krok tak żołnierski, ponieważ targa nim wściekłość, która napina do ostateczności jego nerwy...

Co kryje w sobie dusza tego człowieka? Co każe mu manifestować swoją niewinność w ten sposób i dowodzić rozpaczliwej energii? Ma może nadzieję, że zdezorientuje opinię publiczną, że wzbudzi w niej zwątpienie, podejrzenia wobec sędziów, którzy go skazali? Pewna myśl nachodzi nas nagle z jasnością błyskawicy: gdyby był niewinny, cóż za straszliwa tortura!

Simonini nie okazuje żadnych wyrzutów sumienia, ponieważ wina Dreyfusa jest dla niego pewna: przecież on sam o niej zadecydował. Nie ulega jednak wątpliwości, że różnica między jego wspomnieniami a przytoczonym artykułem świadczy o tym, jak mocno afera Dreyfusa wstrząsnęła całym krajem, oraz o tym, że w związanych z nią wydarzeniach każdy widział to, co chciał widzieć.

– Niech Dreyfus idzie do diabła albo na jego wyspę – powiedział sobie Simonini. – To już nie moja sprawa.

Wynagrodzenie, które w swoim czasie dyskretnie mu przesłano, naprawdę przewyższało jego oczekiwania.

Nie spuszczając oka z Taxila

Simonini przypomina sobie dokładnie, że w tym samym czasie śledził także machinacje Taxila, przede wszystkim dlatego, że w środowisku Drumonta dużo się o nim mówiło. Do afery Taxila podchodzono tam najpierw sceptycznie i nie bez rozbawienia, potem z pełnym zgorszenia rozdrażnieniem. Drumont uważał się za wroga masonerii, antysemitę i dobrego katolika – na swój sposób zresztą nim był – i trudno mu było znieść, że w obronie jego sprawy występuje łajdak. W łajdactwo Taxila nie wątpił od dawna; zaatakował go już w *Żydowskiej Francji*, utrzymując, że wszystkie jego antyklerykalne książki opublikowali żydowscy wydawcy. Potem stosunki między nimi pogorszyły się jeszcze bardziej z powodów politycznych.

Wiemy już od księdza Dalla Piccola, że obaj zgłosili swoje kandydatury w wyborach na radnych miejskich w Paryżu, stawiając na tę samą kategorię wyborców. Konflikt nabrał więc otwartego charakteru.

Taxil napisał pamflet *Pan Drumont, studium psychologiczne*, w którym dość sarkastycznie krytykował przesadny antysemityzm przeciwnika, zauważając, że antysemityzm jest typowy nie tyle dla katolików, ile dla prasy socjalistycznej i rewolucyjnej. Drumont odpowiedział *Testamentem antysemity*, podając w wątpliwość nawrócenie Taxila; przypomniał, że obrzucał on błotem świętości, postawił też kilka niepokojących pytań co do jego ostrożnej postawy wobec Żydów.

Biorąc pod uwagę, że w tym samym roku 1892 powstały „La Libre Parole", organ walki politycznej demaskujący skandal związany z budową Kanału Panamskiego, oraz *Diabeł w XIX wieku*, publikacja, którą trudno byłoby uznać za wiarygodną, łatwo pojąć, dlaczego w redakcji u Drumonta sarkazm w odniesieniu do Taxila był na porządku dziennym, a kolejne nieszczęścia, jakie na niego spadały, przyjmowano tam ze złośliwym uśmieszkiem.

Zdaniem Drumonta bardziej od krytyk szkodziła Taxilowi niepożądana przychylność pewnych osób. Sprawą tajemniczej Diany zajmowały się dziesiątki podejrzanych postaci, chwalących się zażyłością z kobietą, której bodaj nigdy nie widziały.

Niejaki Domenico Margiotta opublikował *Wspomnienia trzydziestego trzeciego: Adriano Lemmi, Najwyższy Wódz Wolnomularzy* i wysłał egzemplarz Dianie z oświadczeniem, że popiera jej bunt. W liście ów Margiotta wymieniał swoje tytuły: Sekretarz Loży imienia Savonaroli we Florencji, Czcigodny Loży imienia Giordana Bruna w Palmi, Suwerenny Wielki Inspektor Generalny, Trzydziesty Trzeci Rytu Szkockiego Dawnego i Uznanego, Suwerenny Książę Rytu Memfis i Misraim (dziewięćdziesiątego piątego stopnia), Inspektor Lóż Misraim na Kalabrię i Sycylię, Członek Honorowy Wielkiego Wschodu Narodowego Haiti, Członek Czynny Najwyższej Rady Federalnej w Neapolu, Inspektor Generalny Lóż Masońskich w Kalabrii, Wielki Mistrz *ad vitam* Masońskiego Zakonu Wschodniego Misraim lub Egiptu w Paryżu (dziewięćdziesiątego stopnia), Komandor Zakonu Rycerzy Obrońców Masonerii Powszechnej, Członek Honorowy *ad vitam* Najwyższej Rady Federalnej w Palermo, Inspektor Stały i Suwerenny Delegat Wielkiego Dyrektoriatu Centralnego w Neapolu oraz Członek Nowego Zreformowanego Palladium. Byłby więc wielkim dostojnikiem masońskim, lecz zaznaczał, że z masonerii niedawno wystąpił. Drumont utrzymywał, że Margiotta nawrócił się na wiarę katolicką, ponieważ wbrew jego nadziejom najwyższym i tajnym wodzem wolnomularstwa został nie on, lecz właśnie Adriano Lemmi.

O tym ponurym osobniku Margiotta pisał, że zaczął on karierę jako złodziej: w Marsylii sfałszował list kredytowy neapolitańskiej firmy Falconet & Co. oraz ukradł woreczek pereł i trzysta franków w złocie żonie zaprzyjaźnionego lekarza, kiedy ta w kuchni warzyła pewien napar. Odsiedział karę w więzieniu i pojechał do Konstantynopola, gdzie zatrudnił się u starego żydowskiego zielarza, oświadczywszy, że jest gotów wyprzeć się chrztu i dać się obrzezać. Dzięki pomocy Żydów zrobił potem w masonerii karierę, o której już nam wiadomo.

I tak – kończył swój wywód Margiotta – „przeklęte plemię Judasza, od którego pochodzi wszelkie zło tego świata, użyło całego swojego wpływu, aby na czele najwyższych władz powszechnego zakonu wolnomularskiego stanął jego człowiek, i to najnikczemniejszy ze wszystkich".

Podobne oskarżenia były bardzo po myśli duchowieństwa. Opublikowana przez Margiottę w 1895 roku książka *Palladyzm, kult Szatana-Lucyfera w trójkątach masońskich* zawierała na wstępie listy pochwalne od biskupów Grenoble, Montauban, Aix, Limoges, Mende, regionu Tarentaise, Pamiers, Oranu, Annecy oraz od Ludovica Piaviego, patriarchy Jerozolimy.

Na nieszczęście rewelacje Margiotty dotyczyły połowy włoskiej klasy politycznej, a zwłaszcza Crispiego, niegdyś pomocnika Garibaldiego, a w tych latach premiera królestwa. Dopóki publikowało się i sprzedawało urojone sensacje o obrządkach masońskich, można było w zasadzie spać spokojnie, ale wkraczając na śliski grunt stosunków między masonerią a polityką, łatwo było rozgniewać bardzo mściwe osobistości.

Taxil powinien był to wiedzieć, lecz chodziło mu najwidoczniej o odzyskanie pozycji, z których Margiotta go wypierał. Ukazał się więc pod nazwiskiem Diany prawie czterystustronicowy tom *Crispi trzydziesty trzeci* – mieszanina faktów ogólnie znanych, jak skandal Banca Romana, w którym Crispi miał swój udział, z informacjami o pakcie jakoby przezeń zawartym z demonem Harborymem i o jego uczestnictwie w zebraniu palladystów, gdzie nieodzowna Sophie Walder oznajmiła, że nosi w swoim łonie córkę mającą z kolei urodzić Antychrysta.

– To zupełnie jak w operetce – gorszył się Drumont. – Nie tak prowadzi się walkę polityczną!

A jednak książkę przyjęto przychylnie w Watykanie, co jeszcze bardziej rozzłościło Drumonta. Watykan miał na pieńku z Crispim, który na jednym z rzymskich placów kazał wznieść pomnik Giordana Bruna, ofiary nietolerancji Kościoła; dzień odsłonięcia Leon XIII spędził na modłach pokutnych u stóp posągu świętego Piotra. Nietrudno sobie wyobrazić radość papieża podczas lektury tych skierowanych przeciw Crispiemu stron. Zlecił on swojemu sekretarzowi, prałatowi Sardiemu, by wysłał Dianie nie tylko zwyczajowe „błogosławieństwo apostolskie", ale i gorące podziękowania ze słowami zachęty: niech pisze tak dalej i skutecznie demaskuje „nikczemną sektę". Nikczemności sekty dowodził fakt, że w książce Diany demon Harborym miał trzy głowy – ludzką z ognistymi włosami, kocią i wężową; autorka jednak z naukową dokładnością zaznaczyła, że w tej postaci nigdy go nie widziała, albowiem na jej wezwanie stawił się tylko jako piękny starzec o srebrzystej długiej brodzie.

– Nie troszczą się nawet o zachowanie prawdopodobieństwa! Czy to możliwe – oburzał się Drumont – żeby Amerykanka od niedawna przebywająca we Francji znała wszystkie sekrety polityki włoskiej? No tak, ludzie nie zwracają na takie rzeczy uwagi i książki Diany dobrze się sprzedają, lecz przecież papieża, samego papieża nie sposób oskarżyć o to, że wierzy w jakieś brednie! Trzeba bronić Kościół przed jego własnymi słabościami!

Pierwsze wątpliwości co do istnienia Diany wyrażono otwarcie właśnie na łamach „La Libre Parole". Zaraz potem włączyły się do polemiki czasopisma o zdecydowanie religijnym charakterze, jak „L'Avenir" i „L'Univers". W pewnych kręgach katolickich stawano na głowie, aby dowieść istnienia Diany. W „Le Rosier de Marie" ukazało się oświadczenie prezesa Izby Adwokackiej w Saint-Pierre, pana Lautiera, stwierdzające, że widział on Dianę w towarzystwie Taxila, doktora Bataille'a i rysownika, który ją sportretował. Chociaż to spotkanie miało miejsce dość dawno temu, kiedy Diana była jeszcze palladystką, jej twarz musiała promienieć już bliskością nawrócenia, albowiem Lautier opisał ją następująco: „Młoda, dwudziestodziewięcioletnia kobieta, pełna wdzięku, dystyngowana, wzrostu ponad przeciętny, oblicze otwarte, szczere, uczciwe, w spojrzeniu błyszczy inteligencja, dowodzi stanowczości i nawyku wydawania poleceń. Ubrana elegancko, gustownie, bezpretensjonalnie, w przeciwieństwie do większości bogatych cudzoziemek nie jest śmiesznie obwieszona biżuterią... Oczy niezwykłe, raz błękitne jak morze, raz znowu żółte, barwy szczerego złota". Kiedy zaproponowano jej kieliszek chartreuse, odmówiła z nienawiści do wszystkiego, co przypomina Kościół. Piła wyłącznie koniak.

Taxil był głównym organizatorem wielkiego zjazdu antymasońskiego w Trydencie we wrześniu 1896 roku. Jednak tam właśnie niemieccy katolicy wystąpili ze spotęgowaną krytyką i podejrzeniami. Niejaki ojciec Baumgarten zażądał świadectwa urodzenia Diany i deklaracji kapłana, u którego się nawróciła. Taxil zapewnił, że dowody ma w kieszeni, ale ich nie okazał.

W miesiąc po zjeździe w Trydencie ksiądz Garnier na łamach „Le Peuple Français" wyraził nawet podejrzenie, że Diana to masońska mistyfikacja. Zdystansował się od Diany także ojciec Bailly w nadzwyczaj miarodajnym „La Croix", a w „Kölnische Volkszeitung" przypomniano, że Bataille-Hacks jeszcze w tym samym roku, w którym zaczęły wychodzić zeszyty *Diabła*, złorzeczył Bogu i wszystkim świętym. W obronę wzięli Dianę wspomniany już kanonik Mustel, „Civiltà Cattolica" i jeden z sekretarzy kardynała Parocchiego, który napisał do niej „dla dodania sił w walce z burzą oszczerstw, podającą w wątpliwość samo jej istnienie".

Drumontowi nie brak było wpływowych znajomych w różnych środowiskach oraz dziennikarskiego nosa. Simonini nie wie, jak on to zrobił, ale zdołał odnaleźć Hacksa-Bataille'a; prawdopodobnie zaskoczył go w stanie upojenia alkoholowego, w który doktor często popadał, skłaniając się wówczas coraz bardziej ku melancholii i skrusze. Po tym spotkaniu nastąpiła niespodziewana zmiana sytuacji: Hacks przyznał się do fałszerstwa najpierw w „Kölnische Volkszeitung", potem w „La Libre Parole". Napisał szczerze: „Po ukazaniu się encykliki *Humanum genus* pomyślałem, że trzeba wykorzystać łatwowierność i niezmierzoną głupotę katolików. Wystarczyło znaleźć nowego Jules'a Verne'a, aby wzbudzał grozę historiami o rozbójnikach. Nowym Verne'em stałem się ja, oto cała prawda... Opowiadałem niesamowite historie umieszczone w egzotycznym kontekście, przekonany, że nikt ich nie sprawdzi... Katolicy wchłonęli wszystko. Tępota tych ludzi jest tak wielka, że gdybym dziś jeszcze powiedział, że z nich zakpiłem, toby mi nie uwierzyli".

W „Le Rosier de Marie" Lautier oświadczył, że być może go oszukano i kobieta, którą zobaczył, nie była Dianą Vaughan. Jezuici ruszyli po raz pierwszy do ataku w artykule pióra ojca Portalié na łamach „Études", wysoce miarodajnego czasopisma. Jakby to nie wystarczało, według kilku doniesień prasowych jego ekscelencja Northrop, biskup Charlestonu (gdzie miałby rezydować Pike, Wielki Mistrz Wielkich Mistrzów), udał się do Rzymu, aby osobiście zapewnić Leona XIII, że masoni jego miasta to porządni ludzie i że w ich świątyniach nie ma żadnych posągów Szatana.

Drumont tryumfował. Taxil był załatwiony, walka z masonami i Żydami ponownie skupiła się w rękach osób poważnych.

24

NOCNA MSZA

17 kwietnia 1897

Drogi kapitanie,

na swoich ostatnich stronach nagromadził pan niewiarygodną wprost liczbę wydarzeń; jest oczywiste, że kiedy pan w nich uczestniczył, ja uczestniczyłem w innych. Nie ulega też wątpliwości, że wiedział pan (siłą rzeczy, Taxil i Bataille narobili przecież wrzawy), co się działo wokół mnie, i może pamięta pan z tego więcej, niż mnie udaje się przypomnieć.

Jest teraz kwiecień 1897 roku, zatem moje związki z Taxilem i Dianą trwały około dwunastu lat, w ciągu których zbyt wiele się zdarzyło. Na przykład: kiedy doprowadziliśmy do zniknięcia Boullana?

Chyba w niespełna rok po rozpoczęciu wydawania *Diabła*. Pewnego wieczoru Boullan zjawił się w Auteuil zmieniony na twarzy. Nieustannie wycierał sobie chusteczką usta, na których zbierała się biaława piana.

– Koniec ze mną – powiedział. – Zabijają mnie.

Doktor Bataille zdecydował, że duży kieliszek mocnego alkoholu dobrze mu zrobi. Boullan nie odmówił, po czym przerywanym głosem opowiedział nam historię o czarach i zaklęciach.

Fatalnie ułożyły się jego stosunki z postaciami, którymi zajmowaliśmy się już w *Diable* – ze Stanislasem de Guaita i jego kabalistycznym zakonem różokrzyżowców oraz z Joséphinem Péladanem, późniejszym dysydentem i założycielem zakonu różokrzyżowców katolickich. Moim zdaniem różnica między różokrzyżowcami Péladana a sektą Vintrasa, której wielkim kapła-

nem został Boullan, była niewielka. Wszyscy chodzili w dalmaty-
kach pokrytych kabalistycznymi znakami i trudno było zrozumieć,
czy stoją po stronie Pana Boga, czy diabła. Jednak chyba właśnie
dlatego Boullan był na noże ze środowiskiem Péladana: polowali
na tym samym terenie, starając się pochwycić te same zagubione
dusze.

Wierni przyjaciele Guaity przedstawiali go jako wyrafinowane-
go arystokratę (był markizem) zbierającego *grimoires* – księgi
czarów usiane pentagramami, pisma Lulla i Paracelsusa, rękopisy
swojego mistrza białej magii Éliphasa Léviego i inne niezwykle
rzadkie dzieła hermetyczne. Mówiono, że spędza czas w miesz-
kanku na parterze domu przy ulicy Trudaine, gdzie przyjmuje
wyłącznie okultystów i skąd nie wychodzi często całymi tygodnia-
mi. Zdaniem innych tam właśnie walczył z widmem, które więził
w szafie, i upojony alkoholem i morfiną nadawał kształt cieniom
zrodzonym z majaczeń.

O tym, że obraca się wśród złowrogich dyscyplin, świadczyły
tytuły jego *Esejów o naukach przeklętych**, w których demaskował
knowania lucyferskie lub lucyferiańskie, szatańskie lub satanistyczne, diabelskie lub diabelne, przypisywane Boullanowi,
przedstawionemu jako osobnik głęboko zdeprawowany, „ze spół-
kowania czyniący akt liturgiczny".

Była to stara historia. Już w 1887 roku Guaita i jego zwolennicy
utworzyli „trybunał inicjacyjny", który skazał Boullana. Czy sank-
cja była tylko moralna? Boullan od dawna utrzymywał, że kara
miała charakter fizyczny. Czuł się bezustannie napastowany, bity,
gnębiony przez tajemne fluidy, raniony niewidzialnymi oszczepami, które Guaita i inni rzucali, nawet gdy przebywali daleko.

Obecnie Boullan był już u kresu sił.

– Co wieczór tuż przed zaśnięciem odczuwam razy, ciosy pięścią, uderzenia wierzchem dłoni i wierzcie mi, to nie złudzenia
moich chorych zmysłów, bo w tej samej chwili kot rzuca się jakby
pod wpływem wstrząsu elektrycznego. Wiem, że Guaita ulepił

---

* *Essais de sciences maudites*, 1886–1897.

...walczył z widmem, które więził w szafie, i upojony alkoholem i morfiną nadawał kształt cieniom zrodzonym z majaczeń... (s. 424)

...*Czuł się bezustannie napastowany, bity, gnębiony przez tajemne fluidy, raniony niewidzialnymi oszczepami, które Guaita i inni rzucali, nawet gdy przebywali daleko...* (s. 424)

z wosku figurę, którą nakłuwa szpilką, a ja wtedy czuję przeszywający ból. Usiłowałem ze swej strony rzucić na niego urok i sprawić, by oślepł, ale on zdał sobie z tego sprawę i jako potężniejszy ode mnie w sztukach czarnoksięskich skierował ów urok na moją osobę. Oczy zachodzą mi mgłą, oddycham coraz ciężej, nie wiem, ile godzin życia jeszcze mi pozostało.

Nie byliśmy pewni, czy mówi nam prawdę, ale nie o to chodziło. Biedak był naprawdę w bardzo złym stanie.

Wtedy Taxil doznał jednego ze swoich przebłysków geniuszu.

– Proszę rozgłosić przez zaufanych ludzi, że zmarł pan w drodze do Paryża. Niech pan nie wraca do Lyonu, znajdzie sobie schronienie tutaj, zgoli brodę i wąsy, stanie się kimś innym. Za przykładem Diany obudzi się pan całkowicie odmieniony, ale w odróżnieniu od niej taki już pan pozostanie. W końcu Guaita i jego towarzysze też uznają pana za zmarłego i przestaną pana dręczyć.

– A jak będę żył, jeśli nie wrócę do Lyonu?

– Zamieszka pan tu u nas, w Auteuil, przynajmniej dopóki burza nie minie i pańscy wrogowie nie zostaną zdemaskowani. W gruncie rzeczy Diana coraz bardziej potrzebuje pomocy i będzie pan nam tutaj użyteczniejszy na stałe niż jako przyjezdny.

– Ale – dorzucił jeszcze Taxil – jeśli ma pan oddanych przyjaciół, to zanim uda pan zmarłego, proszę do nich napisać, zapowiadając poniekąd swoją śmierć i wyraźnie oskarżając Guaitę i Péladana. Wtedy pańscy niepocieszeni zwolennicy rozpętają kampanię przeciwko mordercom.

Tak też się stało. Jedyną osobą, która o wszystkim wiedziała, była pani Thibault, asystentka, kapłanka, powiernica (a może i coś więcej) Boullana. Paryskim znajomym księdza dostarczyła wzruszający opis jego agonii, jakoś też, choć nie wiem już jak, poradziła sobie z wiernymi w Lyonie – może kazała pogrzebać pustą trumnę. Zatrudnił ją wkrótce jako guwernantkę jeden z przyjaciół i pośmiertnych obrońców Boullana, modny pisarz Huysmans. Jestem też przekonany, że wieczorami, kiedy nie było mnie w Auteuil, nieraz przychodziła odwiedzić dawnego wspólnika.

Na wiadomość o śmierci Boullana dziennikarz Jules Bois zaatakował Guaitę na łamach „Gila Blasa", zarzucając mu praktyki
czarnoksięskie i zabójstwo, w „Le Figaro" zaś ukazał się wywiad
z Huysmansem, wyjaśniający ze szczegółami działanie czarów
Guaity. Bois w „Gilu Blasie" oskarżał dalej, domagał się autopsji
zwłok w celu sprawdzenia, czy wątroba i serce zmarłego rzeczywiście ucierpiały od śmiercionośnych fluidów Guaity, żądał
dochodzenia sądowego.

„Gil Blas" zamieścił również odpowiedź Guaity, który ironizował
na temat swoich zabójczych mocy („tak, w istocie manipuluję
z szatańską mocą najbardziej wymyślnymi truciznami, wprowa-
dzam je w stan lotny, aby śmiercionośne wyziewy sięgnęły nozdrzy
odległych o setki mil ludzi, których nie lubię. Jestem Gilles'em de
Rais nadchodzącego nowego wieku"). Guaita wyzwał też na pojedynek zarówno Huysmansa, jak i Bois.

Bataille chichotał na myśl, że mimo tych magicznych mocy
nikomu nie udało się nikogo zadrasnąć – ani po jednej, ani po
drugiej stronie. Pewien dziennik z Tuluzy insynuował jednak, że
ktoś rzeczywiście chwycił się czarów: jeden z koni zaprzężonych
do landa, którym Bois jechał na pojedynek, upadł bez widocznej
przyczyny, to samo stało się z drugim, zaprzężonym w miejsce
tamtego. Lando przewróciło się i Bois dotarł na pole chwały posi-
niaczony i podrapany. Miał też powiedzieć później, że jedną z kul
jego pistoletu zatrzymała w lufie nadnaturalna siła.

Przyjaciele Boullana powiadomili ponadto prasę, że różokrzy-
żowcy Péladana, obecni w katedrze Notre Dame na mszy, którą
sami zamówili, w chwili podniesienia groźnie błysnęli puginałami
w stronę ołtarza. Czy zdarzyło się tak naprawdę? Dla wydawców
Diabła podobne wiadomości stanowiły łakomy kąsek, były też
mniej niewiarygodne od wielu innych, do których jego czytelnicy
zdążyli się już przyzwyczaić. Tyle że trzeba było teraz włączyć do
sprawy także Boullana, i to bez zbytnich ceregieli.

– Pan umarł – powiedział mu Bataille – i cokolwiek się powie
o zmarłym, nie powinno to już pana interesować. Gdyby zaś miał
pan pewnego dnia zmartwychwstać, stworzylibyśmy wokół pana

aurę tajemniczości, która byłaby panu bardzo przydatna. Proszę więc nie przejmować się tym, co napiszemy, bo nie będzie to dotyczyło pana, lecz Boullana, którego już nie ma.

Boullan zgodził się, a w swoim narcystycznym obłędzie cieszył się może nawet dalszym fantazjowaniem Bataille'a na temat okultystycznych praktyk. Był jednak przede wszystkim zafascynowany Dianą. Towarzyszył jej z chorobliwą gorliwością; prawie się o nią obawiałem, gdyż jego rojenia urzekały ją w coraz większym stopniu, a przecież i bez tego żyła już w oderwaniu od rzeczywistości.

***

Opowiedział pan dokładnie to, co zdarzyło się nam później. Świat katolicki podzielił się na dwa obozy, z których jeden zakwestionował samo istnienie Diany. Hacks zdradził, wzniesiony przez Taxila zamek z kart zaczął się rozpadać. Ujadali na nas teraz z jednej strony przeciwnicy, z drugiej – liczni zwolennicy Diany, jak wspomniany przez pana Margiotta. Stało się jasne, że zaszliśmy zbyt daleko: historię o trójgłowym diable bankietującym z szefem włoskiego rządu trudno było ludziom strawić.

Nieliczne rozmowy z ojcem Bergamaschim przekonały mnie, że o ile jezuici rzymscy z „Civiltà Cattolica" byli jeszcze gotowi popierać Dianę, o tyle jezuici francuscy (patrz cytowany artykuł ojca Portalié) postanowili już całą sprawę pogrzebać. Krótka rozmowa z Hébuterne'em dowiodła mi natomiast, że także masoneria chce jak najszybciej skończyć z tą farsą. Katolicy pragnęli zamknąć ją po cichu, tak aby jeszcze bardziej nie skompromitowała hierarchów kościelnych, masoni – wręcz przeciwnie: zależało im na sensacyjnym odwołaniu, w którego świetle cała wieloletnia propaganda antymasońska Taxila okazałaby się czystym łotrostwem.

I tak pewnego dnia otrzymałem jednocześnie dwie wiadomości. Pierwsza brzmiała: „Upoważniam pana do zaoferowania Taxilowi pięćdziesięciu tysięcy franków za zakończenie całego przedsięwzięcia. Po bratersku w Chrystusie, Bergamaschi". Hébuterne zaś komunikował mi, co następuje: „Skończmy z tym już. Proszę zaoferować Taxilowi sto tysięcy franków, jeżeli wyzna publicznie, że wszystko zmyślił".

Byłem więc kryty z obu stron. Mogłem teraz działać – oczywiście po zainkasowaniu sum obiecanych przez moich mocodawców. Dezercja Hacksa ułatwiła mi zadanie. Musiałem tylko nakłonić Taxila do nawrócenia lub odwrócenia – jakkolwiek chcielibyśmy to nazwać. Podobnie jak na początku całej tej historii, znowu dysponowałem stu pięćdziesięcioma tysiącami franków, a Taxilowi wystarczało dać siedemdziesiąt pięć tysięcy, ponieważ miałem też argumenty bardziej przekonujące od pieniędzy.

– Panie Taxil, straciliśmy Hacksa, a Dianę trudno byłoby wystawić na widok publiczny. Zatroszczę się o to, żeby zniknęła. Ale martwi mnie pan. Z tego, co doszło do moich uszu, wnioskuję, że masoni postanowili pana ukarać, sam pan zaś wie, jak krwawa jest ich zemsta. Dawniej wzięłaby pana w obronę katolicka opinia publiczna, widzi pan jednak, że teraz wycofują się nawet jezuici. Otóż pojawiła się niezwykła okazja: pewna loża – proszę nie pytać która, bo to sprawa nadzwyczaj poufna – oferuje panu siedemdziesiąt pięć tysięcy franków za publiczne oświadczenie, że zakpił pan sobie ze wszystkich. Pojmuje pan, jaką korzyść miałaby stąd masoneria. Oczyściłaby się z całego błota, którym ją pan obrzucił, i pokryłaby nim katolików, którzy wyszliby na groteskowo naiwnych. Co się pana tyczy, ta niespodzianka przyniesie panu rozgłos, sprawi, że pańskie przyszłe publikacje będą się sprzedawać jeszcze lepiej od dotychczasowych, które katolicy kupowali już zresztą z coraz mniejszą chęcią. Pozyska pan sobie ponownie publiczność antyklerykalną i masońską. To dla pana dobry interes.

Nie potrzebowałem długo nalegać. Taxil był błaznem i na myśl o nowej błazenadzie zabłysły mu oczy.

– Drogi księże, proszę posłuchać. Wynajmuję salę i zawiadamiam prasę, że w określonym dniu wystąpi Diana Vaughan i pokaże widzom fotografię demona Asmodeusza, którą zrobiła za pozwoleniem samego Lucyfera! Na ulotkach reklamowych obiecam, że zebrani wezmą udział w losowaniu maszyny do pisania wartości czterystu franków. Losowania oczywiście nie będzie, bo wystąpię ja i oświadczę, że Diana nie istnieje – a skoro nie istnieje ona, nie ma też maszyny do pisania. Już widzę tę scenę. Będę na pierwszych stronach wszystkich gazet. Piękna rzecz. Proszę dać mi trochę czasu na przygotowanie imprezy oraz... jeśli nie sprawi to księdzu różnicy... załatwić zaliczkę na te siedemdziesiąt pięć tysięcy franków, bo będą koszty...

Już następnego dnia Taxil znalazł odpowiednią salę w siedzibie Towarzystwa Geograficznego, wolną jednak dopiero w poniedziałek wielkanocny.

– A więc za niecały miesiąc. Przez ten czas proszę nie pokazywać się już publicznie, żeby nie wzbudzać dalszych plotek. Ja tymczasem się zastanowię, co zrobić z Dianą.

Taxil zawahał się chwilę. Drżały mu wargi, a wraz z nimi wąsy.

– Nie zechce ksiądz... wyeliminować jej – powiedział.

– Co to za brednie! – obruszyłem się. – Proszę nie zapominać, że jestem duchownym. Odprowadzę ją tam, skąd ją wziąłem.

Wydał mi się przygnębiony myślą o utracie Diany, lecz strach przed zemstą masonów okazał się silniejszy niż jego obecny czy miniony pociąg do tej kobiety. Taxil był nie tylko łajdakiem, ale i tchórzem. Jak by zareagował, gdybym mu powiedział, że owszem, zamierzam uśmiercić Dianę? Z obawy przed masonami może przystałby na ten pomysł, byle tylko on sam nie musiał go realizować.

Poniedziałek wielkanocny przypadnie dziewiętnastego kwietnia. Skoro żegnając się z Taxilem, mówiłem o miesiącu oczekiwania, musiało to być dziewiętnastego lub dwudziestego marca. Dzisiaj mamy szesnasty kwietnia. Zatem rekonstruując stopniowo wydarzenia ostatnich dziesięciu lat, doszedłem do dni sprzed niespełna miesiąca. Jeżeli niniejszy dziennik miał posłużyć zarówno mnie, jak i panu do ustalenia przyczyny naszego obecnego zagubienia, niczego takiego nie udało się w nim odnotować. Ale może do tego decydującego wydarzenia doszło właśnie w ciągu ostatnich trzydziestu dni.

Teraz poczułem się tak, jakbym dręczony obawą nie chciał już dalej sobie przypominać.

17 kwietnia, o świcie

Taxil krążył zdenerwowany po domu, nie mogąc znaleźć sobie miejsca, Diana zaś nie zdawała sobie sprawy z tego, co się wokół niej dzieje. Przechodząc z jednego ze swoich stanów w drugi, przysłuchiwała się naszym naradom ze wzrokiem wbitym w próżnię i reagowała tylko na dźwięk jakiegoś imienia lub nazwy, które odbijały się w jej umyśle słabym echem.

Stopniowo zamieniała się w coś przypominającego roślinę, choć przejawiała jedną cechę zwierzęcą – coraz silniej rozbudzoną zmysłowość, skierowaną na nas wszystkich: na Taxila, Bataille'a, kiedy jeszcze z nami był, oczywiście na Boullana, a także na mnie, chociaż usiłowałem nie dawać jej żadnego pretekstu.

Diana przystała do nas, gdy miała nieco ponad dwadzieścia lat, teraz ukończyła ich już trzydzieści pięć. Jednakże – mówił Taxil, uśmiechając się z czasem coraz bardziej lubieżnie – wraz z dojrzewaniem urok Diany rósł; ale czy kobieta ponadtrzydziestoletnia może być jeszcze pociągająca? Niewykluczone, że to niezwykła żywotność nadawała jej spojrzeniu tajemnicze piękno.

Nie znam się na tych sprawach trącących perwersją. Mój Boże, dlaczego rozwodzę się nad cielesnością tej kobiety, która dla nas miała być jedynie niefortunnym narzędziem?

***

Powiedziałem, że Diana nie uświadamiała sobie, co się z nami dzieje. Może się mylę. W marcu, zapewne dlatego, że nie widziała już ani Taxila, ani Bataille'a, była bardzo wzburzona. W napadzie histerii twierdziła, że zawładnął nią okrutny demon, który ją rani, gryzie, wykręca jej nogi, bije po twarzy. Pokazywała mi sine ślady pod oczami. Na jej dłoniach zaczęły się pojawiać zarysy ran, przypominające stygmaty. Zastanawiała się, dlaczego siły

432

piekielne traktują tak surowo właśnie ją, oddaną Lucyferowi palladystkę, i chwytała mnie za poły, jakby prosząc o pomoc.

Pomyślałem o Boullanie, który na czarach znał się lepiej ode mnie. I rzeczywiście zaledwie go sprowadziłem, Diana ujęła go za ramiona i zaczęła drżeć. On położył jej ręce na karku, przemówił do niej łagodnie, uspokajająco, a potem napluł jej w usta.

– Kto ci powiedział, córko – spytał – że poddaje cię tym mękom Lucyfer, twój pan? Czy nie sądzisz, że karze cię za twój palladyzm, którym gardzi, wróg prawdziwy, wróg nad wrogami, czyli ów eon zwany przez chrześcijan Jezusem Chrystusem, albo jeden z jego rzekomych świętych?

– Wielebny księże – odpowiedziała skonsternowana Diana – jako palladystka odmawiam wszelkiej mocy wiarołomnemu Chrystusowi. Kiedyś nie chciałam nawet przebić puginałem hostii, uważając, że tylko szaleniec może się dopatrywać rzeczywistej obecności w tym, co jest jedynie grudką mąki.

– Mylisz się, córko. Widzisz, co robią chrześcijanie. Uznają władzę Chrystusa, lecz nie przeczą z tego powodu istnieniu diabła. Wręcz przeciwnie, obawiają się jego podstępów, złości i pokus. Tak samo powinniśmy robić my. Wierzymy w moc Lucyfera, naszego pana, wierząc jednocześnie, że jego wróg Adonai w sferze duchowej istnieje, choćby pod postacią Chrystusa, i objawia się poprzez swą niegodziwość. Powinnaś się zatem ugiąć i zdeptać wizerunek swojego wroga w jedyny sposób dozwolony czcicielowi Lucyfera.

– Co to za sposób?

– Czarna msza. Nie pozyskasz nigdy łaskawości Lucyfera, naszego pana, jeśli nie uświęcisz czarną mszą swojego wyrzeczenia się Boga chrześcijan.

Diana wydawała się przekonana. Boullan poprosił mnie o zgodę na udział w zebraniu wiernych satanistów, gdzie spróbuje jej uświadomić, że satanizm i lucyferianizm, czyli palladyzm, mają te same cele i tę samą oczyszczającą funkcję.

Byłem przeciwny wypuszczaniu Diany z domu, ale musiałem dać jej nieco odetchnąć.

***

Zastaję księdza Boullana na poufnej rozmowie z Dianą. Pyta ją:
– Podobało ci się wczoraj?
Co wydarzyło się wczoraj?
Ksiądz mówi dalej:
– Jutro wieczorem mam odprawić uroczystą mszę w opuszczonym kościele w Passy. Wieczór cudowny, dwudziesty pierwszy marca, równonoc wiosenna, data bogata w tajemne treści. Jeśli zgodzisz się tam pójść, będę musiał przygotować cię duchowo teraz, samą, poprzez spowiedź.

Wyszedłem, a Boullan pozostał z nią ponad godzinę. Zawołał mnie wreszcie i powiedział, że nazajutrz wieczorem Diana pójdzie do Passy, lecz on pragnie, abym jej towarzyszył.

– Tak, księże wielebny – potwierdziła Diana z niezwykle błyszczącymi oczami i wypiekami na policzkach. – Bardzo księdza proszę.

Powinienem był odmówić, ale byłem zaciekawiony i nie chciałem w oczach Boullana uchodzić za świętoszka.

***

Piszę i drżę, ręka prawie sama sunie po papierze. Nie wspominam już, lecz przeżywam. Jest tak, jakbym opowiadał coś, co dzieje się w chwili obecnej...

Był wieczór dwudziestego pierwszego marca. Pan, kapitanie, rozpoczął swój dziennik dwudziestego czwartego, zaznaczając, że miałem utracić pamięć dwudziestego drugiego rano. Jeśli więc wydarzyło się coś strasznego, musiało nastąpić dwudziestego pierwszego wieczorem.

Przyjechałem po Dianę do Auteuil. Wsiedliśmy do dorożki, podałem woźnicy pewien adres. Spojrzał na mnie z ukosa, jakby mimo moich duchownych szat nie ufał takiemu klientowi; obiecałem mu jednak suty napiwek i ruszył bez słowa. Oddala się coraz bardziej od śródmieścia, jedzie na peryferie coraz ciemniejszymi ulicami, wreszcie skręca w zaułek. Po obu stronach ciągną się porzucone dawno temu chałupy, w głębi zamyka drogę rozpadająca się niemal fasada starej kaplicy. Wysiadamy. Dorożkarz wyraźnie chciałby jak najprędzej się stąd wynieść, bo kiedy zapłaciwszy za kurs, szukam w kieszeniach kilku dodatkowych franków, woła: „Nie szkodzi, wielebny, dziękuję i bez tego!" Rezygnuje z napiwku, byle tylko szybciej odjechać.

– Zimno mi, boję się – mówi Diana i się do mnie przytula.

Cofam się, lecz jednocześnie – nie pokazuje ramion, czuję je jednak pod suknem – zauważam, że jest dziwnie ubrana. Ma na sobie płaszcz z kapturem okrywający ją całą od stóp do głów; w ciemności można by ją wziąć za mnicha, takiego jak ci, którzy w powieściach gotyckich, modnych na początku naszego stulecia, krążą po klasztornych podziemiach. Nigdy dotąd nie widziałem tego płaszcza, lecz przyznaję, że nigdy też nie wpadłem na pomysł przeszukania kufra z rzeczami, które zabrała ze sobą z kliniki doktora Du Maurier.

Małe drzwi kaplicy są na wpół otwarte. Wchodzimy do jedynej nawy oświetlonej rzędem świec palących się na ołtarzu oraz płomieniami z wielu trójnogów, które otaczają ołtarz od strony niewielkiej apsydy. Ołtarz jest przykryty ciemną tkaniną, podobną do sukna używanego podczas nabożeństw pogrzebowych. Na ołtarzu w miejsce krucyfiksu lub świętego obrazu umieszczono posąg diabła pod postacią kozła z wyprężonym fallusem – ogromnym, długości co najmniej trzydziestu centymetrów. Świece nie są białe ani barwy kości słoniowej, lecz czarne. Pośrodku tabernakulum z trzema czaszkami.

– Mówił mi o nich ksiądz Boullan – szepce Diana. – To relikwie trzech króli, tych prawdziwych: Teobensa, Mensera i Saira. Ostrzeżeni zgaśnięciem spadającej gwiazdy, opuścili Palestynę, żeby nie być świadkami narodzin Chrystusa.

Przed ołtarzem ustawiony w półkole zastęp nieletniej młodzieży, chłopcy po prawej, dziewczynki po lewej. I oni, i one są w tak młodym wieku, że różnicę płci trudno byłoby dostrzec i można by ich wziąć za zespół pełnych wdzięku hermafrodytów, tym bardziej do siebie podobnych, że wszyscy mają na głowie wieńce ze zwiędłych róż. Chłopcy są jednak nadzy i wyróżniają się za sprawą swoich członków, którymi się popisują, pokazując je sobie wzajemnie; dziewczynki natomiast noszą krótkie tuniki z przezroczystej prawie tkaniny, która muska pieszczotliwie ich drobne piersi i delikatną krągłość bioder, niczego nie zakrywając. Zarówno chłopcy, jak i dziewczynki odznaczają się wielką urodą, chociaż ich twarze wyrażają nie tyle niewinność, ile zepsucie. Z pewnością jednak dodaje im to uroku. Muszę wyznać (co za szczególna sytuacja: ja, ksiądz, spowiadam się panu, kapitanowi!), że chociaż w obecności kobiety dojrzałej ogarnia mnie wstręt, a przynajmniej niepokój, trudno mi się oprzeć czarowi istoty nieletniej.

Ci osobliwi klerycy udają się za ołtarz, skąd powracają z małymi kadzielnicami, które rozdają obecnym. Potem kładą na trójnogach żywiczne gałązki, podpalają je i przenoszą płomień do kadzielnic. Zaczyna się wydobywać gęsty dym i drażniący zapach egzotycznych korzeni. Kilku nagich efebów roznosi niewielkie puchary, mnie też dostaje się jeden.

– Proszę pić, ojcze wielebny – mówi chłopiec o bezczelnej minie. – To pomaga wczuć się w ducha rytuału.

Wypiłem. Teraz widzę i czuję wszystko jakby we mgle.

Wchodzi Boullan w białej chlamidzie i czerwonym ornacie z odwróconym krzyżem. W miejscu, gdzie przecinają się ramiona krzyża, widnieje wizerunek czarnego kozła, który – wyprostowany na tylnych łapach – wyciąga do przodu rogi... Jakby przez przypadek lub zaniedbanie, lecz w rzeczywistości skutkiem perwersyjnej kokieterii, już za pierwszym ruchem celebransa chlamida rozwiera się z przodu, ukazując fallusa znacznych rozmiarów – nigdy bym nie przypuszczał, że zwiotczały Boullan może takiego mieć – i już w stanie wzwodu na skutek działania jakiegoś narkotyku, który ksiądz najwidoczniej przedtem zażył. Na nogach ma pończochy ciemne, lecz całkiem przezroczyste, podobne do tych (niestety, można je już zobaczyć w „Charivari" i w innych tygodnikach, z którymi także zakonnicy i księża styka-

ją się choćby mimo woli), które miała Céleste Mogador, gdy tań-
czyła kankana w Bal Mabille.

Celebrans odwraca się plecami do wiernych i zaczyna odprawiać swoją mszę po łacinie, hermafrodyci zaś mu odpowiadają.

– *In nomine Astaroth et Asmodei et Beelzebuth. Introibo ad
altarem Satanae.* W imię Astarota i Asmodeusza, i Belzebuba.
Przystąpię do ołtarza Szatana.

– *Qui laetificat cupiditatem nostram.* Który jest weselem i radością naszych chuci.

– *Lucifer omnipotens, emitte tenebram tuam et afflige inimicos
nostros.* Wszechmocny Lucyferze, ześlij swą ciemność i pognęb
naszych nieprzyjaciół.

– *Ostende nobis, Domine Satana, potentiam tuam, et exaudi
luxuriam meam.* Okaż nam, Panie Szatanie, swoją potęgę i zado-
wól moje żądze.

– *Et blasphemia mea ad te veniat.* A moje bluźnierstwa niech
do ciebie przyjdą.

Potem Boullan wydobywa ze swoich szat krzyż, rzuca go sobie
pod nogi i po trzykroć depcze.

– O Krzyżu, zgniatam cię, aby przypomnieć i pomścić starodawnych Mistrzów Świątyni. Depczę cię, bo byłeś narzędziem
fałszywego uświęcenia fałszywego boga Jezusa Chrystusa.

W tym momencie Diana, nie uprzedzając mnie, jakby pod
wpływem nagłego objawienia (ale z pewnością posłuszna wska-
zówkom, które Boullan dał jej wczoraj podczas spowiedzi), przemierza nawę między dwoma szpalerami wiernych i staje u stóp
ołtarza. Zwraca się ku wiernym (czy też raczej niewiernym)
i hieratycznym gestem zrzuca niespodzianie kaptur i płaszcz; pod
spodem promienieje jej nagość. Brak mi słów, kapitanie Simonini, lecz jakbym ją teraz wdział, obnażoną niczym Izyda, tylko
z twarzą zakrytą cienką czarną maską.

Z trudem tłumię szloch, widząc po raz pierwszy kobietę w całej
nieodpartej krasie jej nagiego ciała. Złote z rudawym odcieniem
włosy Diany, zwykle zaczesane niewinnie w upięty warkocz,
a teraz rozpuszczone, spływają w dół i muskają bezwstydnie jej

cudownie krągłe, perwersyjnie piękne pośladki. Jest jak wspaniały posąg pogański: smukła szyja niby kolumna wyrasta z ramion białych białością marmuru, piersi (po raz pierwszy widzę kobiece piersi) prężą się pyszne, szatańsko dumne. Pomiędzy nimi jedyna nienależąca do ciała pozostałość po ubiorze – medalion, z którym nigdy się nie rozstaje.

Diana odwraca się i miękkim krokiem, przeciągając się lubieżnie, wchodzi po trzech stopniach wiodących do ołtarza. Tam przy pomocy celebransa kładzie się, pod głową ma poduszkę z czarnego aksamitu ozdobioną srebrnymi frędzlami. Włosy zwisają z ołtarza, brzuch jest lekko wygięty, nogi rozwarte tak, że widać rudawe runo kryjące wejście do jej kobiecej jaskini; ciało lśni złowrogo w czerwonawym blasku świec. Boże mój, nie wiem, jakimi słowami opisać to, co widzę. Jest tak, jakby moja wrodzona odraza do kobiecego ciała i strach, jakim mnie ono napawa, zniknęły, a w ich miejsce pojawiło się uczucie zupełnie nowe. Wydaje się, że moje żyły napełnia napój, którego nigdy jeszcze nie próbowałem...

Boullan stawia na piersi Diany małego fallusa z kości słoniowej. Na jej brzuchu rozpościera haftowaną serwetę, na której umieszcza kielich z ciemnego kamienia.

Z kielicha wyjmuje hostię, na pewno nie z tych już poświęconych, jakimi pan handluje, kapitanie Simonini. To hostia, którą Boullan – nadal ksiądz świętego Kościoła rzymskokatolickiego, choć prawdopodobnie ekskomunikowany – chce konsekrować na brzuchu Diany.

Mówi:

– *Suscipe, Domine Satana, hanc hostiam, quam ego indignus famulus tuus offero tibi. Amen.* Przyjmij, Panie Szatanie, tę hostię, którą ja, niegodny sługa, ci ofiarowuję. Amen.

Bierze hostię i zniża ją dwukrotnie ku ziemi, podnosi dwukrotnie ku niebu, po czym obraca nią raz w prawo i raz w lewo. Potem pokazuje ją wiernym.

– Z południa wzywam łaskawość Szatana, ze wschodu wzywam łaskawość Lucyfera, z północy wzywam łaskawość Beliala, z zachodu wzywam łaskawość Lewiatana. Niech otworzą się szeroko bramy piekieł i niech przybędą do mnie wezwani tymi imionami Strażnicy Przepastnej Czeluści. Ojcze nasz, któryś jest w piekle, przeklęte imię twoje, niechaj zginie królestwo twoje, niechaj gardzi się wolą twoją na ziemi i w piekle! Święć się imię Bestii!

A chór nieletnich, bardzo głośno:

– Sześć, sześć, sześć!

To liczba Bestii!

Teraz Boullan krzyczy:

– Chwała Lucyferowi, którego Imieniem jest Nieszczęście! O mistrzu grzechu, miłości przeciw naturze, dobrodziejstw cudzołóstwa, boskiej sodomii, Szatanie, ciebie wielbimy! A ciebie, Jezusie, zmuszam do wcielenia się w tę hostię, abyśmy mogli ponowić twoje męczarnie i raz jeszcze zadawać ci ból gwoździami, którymi zostałeś przybity do krzyża, i kłuć cię lancą Longinusa!

– Sześć, sześć, sześć! – powtarza chór.

Boullan podnosi do góry hostię i mówi:

– Na początku było ciało, ciało było przy Lucyferze i ciało było Lucyferem. Było ono na początku przy Lucyferze; wszystko stało się za jego sprawą, bez niego nie stało się nic z tego, co istnieje. A słowo ciałem się stało i mieszkało między nami w ciemności, my zaś widzieliśmy jego mroczną wspaniałość jedynej córki Lucyfera, wyjącej, szalonej, pełnej pożądania.

Przesuwa hostię po brzuchu Diany i zanurza w jej pochwie. Potem ją stamtąd wyjmuje i trzymając w rękach wyciągniętych w stronę nawy, woła głośno:

– Bierzcie i spożywajcie!

Dwoje hermafrodytów klęka przed Boullanem, unosi chlamidę i razem całuje jego wyprężony członek. Potem cała grupa rzuca mu się do nóg, chłopcy zaczynają się masturbować, dziewczynki zdzierają jedna z drugiej tuniki i sczepiają się ze sobą wśród podniecających okrzyków. Powietrze napełnia się nowymi, coraz ostrzejszymi, trudnymi do zniesienia zapachami. Słychać pełne pożądania westchnienia, potem wycie zwierząt w rui. Wszyscy obecni obnażają się i spółkują ze sobą, nie zważając na płeć ni wiek. Widzę w oparach ponadsiedemdziesięcioletnią megierę o pomarszczonej skórze, piersiach jak listki sałaty, nogach szkieletu, która tarza się po posadzce, podczas gdy jeden z nieletnich całuje chciwie to, co było jej pochwą.

Drżę cały, rozglądam się wokół, chcę uciec z tego lupanaru. Kąt, w którym się skuliłem, wypełniają trujące wyziewy; jestem zanurzony jakby w gęstej chmurze. To, co wypiłem na początku, z pewnością mnie odurzyło, niczego już nie kojarzę, widzę wszystko jakby przez czerwonawą mgłę. Przez tę mgłę dostrzegam Dianę, nadal nagą, bez maseczki na twarzy. Schodzi z ołtarza, a oddający się rozpuście tłum szaleńców rozstępuje się przed nią. Diana idzie w moim kierunku.

Jestem przerażony, nie chcę stać się jednym z tej gromady opętanych. Cofam się, lecz za plecami mam kolumnę. Diana rzuca się na mnie, dysząc ciężko – och, Boże, pióro drży mi w ręku, umysł słabnie, łzy cieknąk z oczu, czuję się wstrętny sam sobie (teraz i wtedy), niezdolny nawet krzyczeć, bo Diana w jakiś sposób zatkała mi usta. Padam na ziemię oszołomiony zapachami. Ciało, które usiłuje połączyć się z moim, wprawia mnie w podniecenie na granicy agonii. Roztrzęsiony jak histeryczka ze szpitala La Salpêtrière, dotykam (własnymi rękami, jakbym tego sam chciał) obcego ciała, przenikam w ranę z niezdrową ciekawością chirurga, proszę tę czarownicę, aby mnie puściła; broniąc się, gryzę ją, a ona krzyczy, żebym to powtórzył. Odrzucam do tyłu głowę, myśląc o doktorze Tissocie. Wiem, że zasłabłem, że potem cały schudnę, twarz nabierze bladoziemistej barwy jak twarz umierającego, wzrok będę miał zamglony, sny niespokojne, głos ochrypły, ból w gałkach ocznych, cuchnące czerwone plamki na policzkach, będę wymiotował zwapnioną substancją, serce będzie mi łomotać; wreszcie doczekam się syfilisu, a wraz z nim – ślepoty.

Już teraz nie widzę; doświadczam nagle najbardziej przykrego, niewysłowionego i nieznośnego uczucia w życiu, jakby cała krew z moich żył wytrysnęła niespodziewanie z ran na wszystkich naprężonych do ostatecznych granic częściach ciała, z nosa, z uszu, z czubków palców, nawet z odbytu – ratunku, ratunku, chyba już zrozumiałem, czym jest śmierć, od której ucieka każda żywa istota, chociaż jej szuka pod wpływem nienaturalnego instynktu każącego mnożyć własne nasienie...

Nie mogę już pisać. Nie przypominam sobie, choć z powrotem widzę. Tego doświadczenia nie sposób znieść, chciałbym ponownie pozbyć się wszelkich wspomnień...

**

Wracam do siebie jakby po omdleniu. Obok mnie stoi Boullan, trzymając za rękę Dianę, okrytą znowu swoim płaszczem. Mówi, że przed wejściem czeka dorożka; trzeba odwieźć Dianę do domu, bo wydaje się całkiem wyczerpana. Rzeczywiście trzęsie się, szepce niezrozumiałe słowa.

Boullan jest niezwykle usłużny. W pierwszej chwili odnoszę wrażenie, że chciałby przeprosić, bo przecież w gruncie rzeczy to on wplątał mnie w tę obrzydliwą historię. Gdy jednak mówię mu, że może odejść, że Dianą zajmę się ja, nalega, by jechać z nami; przypomina, że on także mieszka w Auteuil. Zupełnie jakby był zazdrosny. Chcę go zirytować i oznajmiam, że nie pojadę do Auteuil, lecz gdzie indziej, że zawiozę Dianę do zaufanego przyjaciela.

Blednie, jakbym zabierał należny mu łup.

– Nie szkodzi – mówi. – Jadę z wami, Diana potrzebuje pomocy.

Wsiadając do dorożki, podaję bez namysłu adres na ulicy Maître-Albert, jakbym już zdecydował, że od tego wieczoru Diana ma zniknąć z Auteuil. Boullan patrzy na mnie zdezorientowany, lecz milczy. Potem wsiada, trzymając ją za rękę.

Nie rozmawiamy w ogóle przez całą drogę. Wchodzimy razem do mojego mieszkania, kładę Dianę na łóżku, chwytam za przegub dłoni, odzywam się do niej po raz pierwszy po tym wszystkim, co w milczeniu zaszło między nami. Krzyczę:

– Dlaczego?! Dlaczego?!

Boullan próbuje się wmieszać, odpycham go gwałtownie pod ścianę, gdzie osuwa się na podłogę. Dopiero teraz zauważam, jak bardzo kruchy i chorowity jest ten demon; w porównaniu z nim jestem Herkulesem. Diana się szamoce, płaszcz rozchyla się na piersi. Nie mogę znieść ponownego widoku jej ciała, staram się ją przykryć, moja ręka zaplątuje się w łańcuszek medalionu. Po krótkiej szarpaninie łańcuszek pęka, medalion zostaje mi w ręku. Diana usiłuje go odebrać, ale ja wycofuję się w głąb pokoju i otwieram puzderko.

Jest w nim złota blaszka, na której bez cienia wątpliwości widać wyobrażenie mojżeszowych tablic praw oraz napis po hebrajsku.

– Co to ma znaczyć? – pytam, zbliżając się do Diany wyciągniętej na łóżku, z oczami wbitymi w próżnię. – Co to za znaki obok portreciku twojej matki?

– Mama – szepce nieobecna duchem – mama była Żydówką... Wierzyła w Adonai...

A więc to tak. Zespoliłem się nie tylko z kobietą, diabelskim pomiotem, lecz także z Żydówką – bo wiem, że dla Żydów jest Żydem ten, kto ma matkę Żydówkę. Jeśli więc przypadkiem podczas stosunku moje nasienie zapłodniło jej nieczyste łono, stałbym się ojcem Żyda.

– Nie możesz mi tego zrobić! – krzyczę i rzucam się na prostytutkę, ściskam jej szyję, ona się szamoce, ja ściskam jeszcze mocniej.

Boullan przytomnieje i doskakuje do mnie, odpycham go kopnięciem w pachwinę i widzę, że mdleje w kącie. Znowu dopadam Diany (och, musiałem naprawdę stracić rozum!). Jej oczy wydają się stopniowo wychodzić z orbit, nabrzmiały język wystaje z ust; słyszę ostatnie tchnienie, potem jej ciało osuwa się martwe.

Opanowuję się. Popełniłem czyn straszny – myślę. Boullan jęczy w kącie, prawie pozbawiłem go męskości. Staram się całkiem wrócić do siebie i wybucham śmiechem: niech się dzieje, co chce, ja w każdym razie nie będę ojcem Żyda.

...Mama – szepce nieobecna duchem – mama była Żydówką... (s. 442)

Uspokajam się. Mówię sobie, że muszę ukryć zwłoki kobiety w kloace na dole, która staje się już bardziej gościnna niż pański cmentarz w Pradze. Jest jednak ciemno, musiałbym nieść ze sobą lampę, przejść przez cały korytarz aż do pańskiego mieszkania, stamtąd zejść do sklepu, ze sklepu do ścieków. Potrzebuję pomocy Boullana, który wstaje właśnie z podłogi, wpatrując się we mnie wzrokiem obłąkańca.

W tej chwili uświadamiam sobie również, że nie mogę wypuścić z domu świadka swojej zbrodni. Przychodzi mi na myśl pistolet, z którego kilka dni wcześniej strzelałem do nieproszonego gościa. Otwieram szufladę, gdzie ukryłem broń, i celuję w Boullana, nadal patrzącego na mnie błędnym wzrokiem.

– Przykro mi, księże – mówię – ale jeśli chce ksiądz żyć dalej, proszę mi pomóc pozbyć się tego przemiłego ciała.

– Tak, tak – mówi w erotycznej jakby ekstazie.

Jest oszołomiony. Diana martwa, z wystającym z ust językiem i oczami w słup, wydaje mu się zapewne tak samo godna pożądania jak Diana naga, która wykorzystała mnie dla zaspokojenia swoich chuci.

Skądinąd i mój umysł nie jest całkiem jasny. Jak we śnie owijam Dianę jej płaszczem, daję Boullanowi zapaloną lampę, chwytam martwą kobietę za nogi i ciągnę przez korytarz do pańskiego mieszkania, potem po schodach do sklepu, stamtąd do kloaki. Na każdym stopniu schodów głowa trupa stuka złowieszczo. Kładę go wreszcie obok szczątków Dalla Piccoli (tego drugiego).

Wygląda na to, że Boullan zwariował. Zanosi się śmiechem.

– Ileż tu zwłok! – mówi. – Może lepiej jest tutaj niż tam na górze, w świecie, gdzie czeka na mnie Guaita... Czy mógłbym zostać z Dianą?

– Ależ proszę bardzo, księże, tego właśnie sobie życzę.

Wyciągam pistolet, strzelam, trafiam go w samo czoło.

Boullan pada ukosem, prawie na nogi Diany. Muszę się schylić, unieść go i położyć przy niej. Leżą obok siebie jak para kochanków.

***

I tak właśnie, w toku opowiadania, odkryłem zalęknioną pamięcią to, co się wydarzyło na chwilę przed jej utratą.

Krąg się zamknął. Teraz wiem. Teraz, osiemnastego kwietnia o świcie, w niedzielę wielkanocną, napisałem o tym, co się stało dwudziestego pierwszego marca późną nocą temu, o którym sądziłem, że jest księdzem Dalla Piccola.

25

WYJAŚNIENIA

Z dziennika, 18 i 19 kwietnia 1897

W tym miejscu osoba, która zaglądając przez ramię Simoniniemu, czytałaby tekst Dalla Piccoli, zobaczyłaby, że urywa się on nagle, jakby wypuszczone już z ręki pióro – ciało piszącego osunęło się na podłogę – samo skreśliło długi, bezsensowny zygzak, który kończył się poza kartką i plamił zielony filc pokrywający biurko. Kolejna kartka wyglądała tak, jakby pisał na niej znowu kapitan Simonini. Obudził się w stroju księdza, z peruką Dalla Piccoli na głowie. Teraz wiedział już jednak bez cienia wątpliwości, że jest Simoninim. Od razu zobaczył ostatnie strony skreślone przez rzekomego Dalla Piccolę, rozłożone na stole i pokryte histerycznym, coraz bardziej bezładnym pismem. Czytając je, pocił się, czuł, jak serce łomoce mu w piersi, i wraz z Dalla Piccolą przypominał sobie wszystko aż do miejsca, w którym tekst księdza się urwał i on (czyli ksiądz) lub on (czyli Simonini) mdleli... nie, mdlał. Zaledwie oprzytomniał i odzyskał powoli jasność umysłu, wszystko stało się zrozumiałe. Wracając do zdrowia, pojmował i wiedział, że stanowi z Dalla Piccolą jedność. To, co przypomniał sobie Dalla Piccola poprzedniego wieczoru, przypominał sobie także on, to jest przypominał sobie, że jako ksiądz Dalla Piccola (nie ten z wystającymi zębami, którego zabił, lecz ten drugi, którego wskrzesił i z którym przez długie lata się utożsamiał) przeżył koszmar czarnej mszy.

Co się stało potem? Może podczas szarpaniny Diana zdążyła zerwać mu z głowy perukę. Może aby zawlec zwłoki tej nędznicy do ścieku, musiał zdjąć sutannę, a później, już prawie straciwszy panowanie nad sobą, wrócił instynktownie do swojego mieszkania na ulicy Maître-Albert, gdzie zbudził się dwudziestego drugiego marca rano, nie pamiętając, co zrobił z ubraniem.

Stosunek cielesny z Dianą, wykrycie jej haniebnego pochodzenia i nieuniknione, rytualne niemal zabójstwo były dla niego zbytnim obciążeniem. Tej samej nocy utracił pamięć, to znaczy utracili ją razem Dalla Piccola i Simonini, dwie osobowości, które wymieniały się między sobą w ciągu ostatniego miesiąca. Zapewne podobnie jak Diana Simonini przechodził z jednego stanu w drugi poprzez swego rodzaju kryzys – może napad epilepsji lub omdlenie – lecz nie zdawał sobie z tego sprawy i budząc się inny za każdym razem, uważał, że przedtem po prostu spał.

Terapia doktora Froïde'a zadziałała (chociaż ten nigdy się nie dowie, że była skuteczna). Opowiadając stopniowo drugiemu sobie wspomnienia wydobywane z trudem, jak we śnie, z odrętwiałej pamięci, Simonini dotarł do momentu rozstrzygającego, do traumatycznego wydarzenia, które spowodowało amnezję i uczyniło z niego dwie różne osoby. Każda z nich pamiętała tylko część jego przeszłości i jemu lub temu drugiemu, będącemu jednak zawsze nim samym, nie udawało się obu tych części scalić, chociaż zarówno on, jak i ten drugi usiłowali ukryć przed sobą straszną, odrażającą przyczynę owej amnezji.

Przypominając sobie to wszystko, Simonini nie bez powodu poczuł się wyczerpany. Aby się upewnić, że naprawdę zaczyna nowe życie, zamknął dziennik i postanowił wyjść, gotów spotkać się z kimkolwiek, ponieważ wiedział już, kim jest. Odczuwał też potrzebę obfitego posiłku, lecz tego dnia nie zamierzał jeszcze pozwolić sobie na potrawy godne smakosza, albowiem jego zmysły zostały już wystawione na ciężką próbę. Pragnął pokuty jak pustelnik z Tebaidy. Poszedł więc do jadłodajni Flicoteaux, gdzie za trzynaście soldów udało mu się zjeść źle, ale w granicach rozsądku.

Po powrocie do domu zapisał kilka szczegółów, które kończył rekonstruować. Brak było właściwie podstaw do kontynuowania dziennika, który zaczął pisać, by przypomnieć sobie to, co teraz już wiedział; jednak zdążył się przyzwyczaić do prowadzenia zapisków. Założywszy, że istnieje jakiś różny od niego Dalla Piccola, przez prawie miesiąc łudził się, że ma kogoś, z kim może toczyć dialog, tocząc zaś dialog, uświadomił sobie, jak bardzo był zawsze samotny, i to już od dzieciństwa. Może (przypuszcza Narrator) rozdwoił swoją osobowość po to właśnie, żeby stworzyć sobie interlokutora.

Obecnie nadeszła chwila, by zrozumieć, że Inny nie istnieje i że również dziennik jest rozrywką samotnika. Jednak Simonini już się przyzwyczaił do śpiewu jednogłosowego i zamierzał trzymać się go dalej. Za sobą samym szczególnie nie przepadał, ale do innych żywił niechęć tak wielką, że siebie samego jakoś znosił.

Wprowadził na scenę Dalla Piccolę – swojego – po zabiciu tego prawdziwego, kiedy Lagrange zlecił mu zająć się Boullanem. Uznał, że w wielu sprawach duchowny wzbudzi mniej podejrzeń niż osoba świecka. Podobała mu się też możliwość wskrzeszenia kogoś, kogo sam zgładził.

Nabywszy za psie pieniądze dom ze sklepem w zaułku Maubert, nie wykorzystał od razu pokoju i wejścia od ulicy Maître-Albert, wolał też posługiwać się adresem w zaułku, aby dysponować sklepem. Wraz z pojawieniem się na scenie Dalla Piccoli umeblował ten pokój tanimi meblami i uczynił go widmową siedzibą swojego widmowego księdza.

Dalla Piccola był użyteczny. Nadstawiał ucha w kręgach satanistycznych i okultystycznych. Siadał u wezgłowia umierającego, wezwany przez jego bliskiego (lub odległego) kuzyna, który potem – na podstawie sfabrykowanego przez Simoniniego testamentu – mógł się okazać głównym spadkobiercą. A gdyby wobec takiego nieoczekiwanego dokumentu ktoś miał wątpliwości, rozwiałoby je świadectwo duchownego, gotowego przysiąc, że testament jest zgodny z ostatnią wolą konającego, którą ten szeptem mu przekazał. Kiedy zaś pojawiła się sprawa Taxila,

Dalla Piccola stał się wręcz nieodzowny i przez ponad dziesięć lat niósł na swoich barkach praktycznie cały ciężar przedsięwzięcia.

Pod postacią Dalla Piccoli Simonini rozmawiał nawet z ojcem Bergamaschim i Hébuterne'em, ponieważ jego przebranie okazało się doskonałe. Ksiądz był gładko wygolony, włosy miał konopne, gęste brwi, przede wszystkim zaś nosił niebieskie okulary, pod którymi krył wzrok. Jakby to nie wystarczało, wymyślił sobie całkiem inny charakter pisma – drobny, prawie kobiecy – i nauczył się zmieniać głos. Simonini jako Dalla Piccola rzeczywiście nie tylko inaczej mówił i pisał, lecz także inaczej myślał, wcielając się bez reszty w swoją rolę.

Wielka szkoda, że obecnie Dalla Piccola musiał zniknąć (przeznaczenie wszystkich noszących to nazwisko księży), ale Simonini był zmuszony zlikwidować całą sprawę nie tylko po to, aby zatrzeć pamięć haniebnych wydarzeń, które wywołały jego traumatyczny szok, ale i dlatego, że w poniedziałek wielkanocny Taxil zgodnie z obietnicą miał publicznie wyprzeć się wiary, oraz dlatego, że po zniknięciu Diany należało usunąć wszelkie ślady spisku, bo inaczej mogłyby się pojawić niepokojące pytania.

Simonini miał do dyspozycji tylko tę niedzielę i poniedziałkowe przedpołudnie. Przebrał się znowu za Dalla Piccolę i poszedł na spotkanie z Taxilem, który przez prawie miesiąc jeździł co dwa–trzy dni do Auteuil. Nie zastawał tam ani Diany, ani jego, a starucha go zapewniała, że o niczym nie wie; zaczął więc podejrzewać, że masoni dopuścili się porwania. Teraz Simonini mu oświadczył, że otrzymał wreszcie od doktora Du Maurier adres rodziny Diany w Charlestonie i zdołał wyekspediować pannę do Ameryki. Powiedział to Taxilowi w samą porę, ułatwiając mu wyjawienie w odpowiedni sposób jego oszustwa. Wręczył mu ponadto pięć tysięcy franków zaliczki z obiecanych siedemdziesięciu pięciu tysięcy. Ustalili, że następnego popołudnia zobaczą się w siedzibie Towarzystwa Geograficznego.

Nadal jako Dalla Piccola udał się potem do Auteuil. Starucha przyjęła go z wielkim zdziwieniem, bo ani on, ani Diana nie pokazywali się tam prawie od miesiąca, nie wiedziała więc, co mówić biednemu panu Taxilowi, który tyle razy przychodził. Simonini opowiedział jej tę samą historyjkę: Diana odnalazła swoją rodzinę i wróciła do Ameryki. Hojna odprawa zamknęła usta megierze, która spakowała swoje szmaty i po południu sobie poszła.

Wieczorem Simonini spalił wszystkie dokumenty i dowody dotyczące długiej działalności bractwa, które tworzył razem ze wspólnikami, a późną nocą zawiózł Gavialemu w prezencie suknie i ozdóbki Diany; handlarz używaną odzieżą nigdy nie pyta o pochodzenie rzeczy, które do niego trafiają. Następnego ranka zgłosił się do właściciela domu i oświadczywszy, że musi nagle wyjechać do dalekiego kraju, niezwłocznie zrezygnował z wynajmu i zapłacił bez sprzeciwu należność za kolejne sześć miesięcy. Właściciel poszedł z nim do domu, żeby sprawdzić, czy meble i ściany są w dobrym stanie, odebrał klucze i zamknął drzwi na cztery spusty.

Należało teraz tylko „zabić" (powtórnie) Dalla Piccolę. Nie było to trudne. Wystarczyło zetrzeć z twarzy szminkę, sutannę powiesić w korytarzu, i oto Dalla Piccola zniknął z powierzchni ziemi. Na wszelki wypadek Simonini pozbył się także klęcznika i nabożnych książek, przenosząc wszystko z mieszkania do sklepiku jako towar dla amatorów, których zresztą trudno było się spodziewać. Dysponował teraz zwyczajnym pomieszczeniem, które być może mu się przyda, gdy zechce wystąpić w jakimś innym wcieleniu.

Z całej tej historii nie zostało nic oprócz wspomnień Taxila i Bataille'a. Jednak zdrajca Bataille z pewnością już się nie pokaże, a sprawa Taxila miała się zakończyć tego popołudnia.

Dziewiętnastego kwietnia Simonini w swoim zwykłym ubraniu poszedł nacieszyć się widokiem wypierającego się wiary Taxila. Taxil znał Dalla Piccolę, a poza nim jedynie rzekomego notariusza Fourniera – wygolonego, o kasztanowych włosach, z dwoma złotymi zębami. Simoniniego z brodą widział tylko raz, gdy zlecał mu sfałszowanie listów Wiktora Hugo i Louisa Blanca; było to jednak jakieś piętnaście lat wcześniej i prawdopodobnie zdążył już zapomnieć twarz skryby. Tak więc Simonini, który z przezorności przyprawił sobie siwą brodę i włożył zielone okulary upodabniające go do członka Akademii Francuskiej, mógł spokojnie zasiąść na parterze i delektować się spektaklem.

Wydarzenie zapowiedziały wszystkie gazety. Sala była zatłoczona: ciekawscy, wierni Diany Vaughan, masoni, dziennikarze, nawet przedstawiciele arcybiskupstwa i nuncjatury apostolskiej.

Taxil przemówił z pewnością siebie i elokwencją południowca. Zaskoczył audytorium spodziewające się przedstawienia Diany i potwierdzenia wszystkiego, co napisał w ciągu ostatnich piętnastu lat. Polemizował najpierw z dziennikarzami katolickimi, po czym przeszedł do wprowadzenia, mówiąc: „Lepiej śmiać się niż płakać, głosi mądrość narodów". Wspomniał o swoim zamiłowaniu do mistyfikacji (nie na darmo jest się synem Marsylii – oświadczył wśród śmiechu publiczności). Aby przekonać obecnych, że był szalbierzem, z wielkim upodobaniem opowiedział historie o rekinach w Marsylii i o mieście na dnie Jeziora Lemańskiego. Były one jednak niczym w porównaniu z największą mistyfikacją w jego życiu – dodał. I zaczął opowiadać o swoim rzekomym nawróceniu oraz o tym, jak oszukał spowiedników i ojców duchowych, którzy mieli być przekonani o szczerości jego skruchy.

Mowę przerywały początkowo śmiechy, a potem rozległy się gwałtowne uwagi coraz bardziej zgorszonych księży. Niektórzy wstawali i wychodzili z sali, inni chwytali za krzesła, jakby chcieli Taxila zlinczować. Powstał okropny zgiełk, przez który z trudem przebijał się głos mówcy, wyznającego, że dla przypodobania się Kościołowi postanowił po encyklice *Humanum genus* obmawiać masonerię. W gruncie rzeczy jednak także masoni powinni być mu wdzięczni, bo jego publikacje poświęcone ich obrządkom wpłynęły na podjęcie decyzji o zaniechaniu przestarzałych praktyk, uważanych już za śmieszne przez każdego postępowo nastawionego masona. Co się tyczy katolików –

mówił – już w kilka dni po swoim nawróceniu stwierdziłem, że wielu z nich jest przekonanych, iż Wielki Budowniczy Świata, czyli Istota Najwyższa wolnomularzy, to diabeł; więc jeśli tak, mogłem na ten temat dalej fantazjować.

Zamieszanie rosło. Kiedy Taxil wspomniał o swojej rozmowie z Leonem XIII (papież spytał go: „Synu mój, czego pragniesz?", a on odpowiedział: „Ojcze Święty, największym szczęściem było-by dla mnie umrzeć w tej chwili u twoich stóp!"), podniósł się chór okrzyków. Jeden wołał: „Niech pan uszanuje Leona XIII, nie ma pan prawa wymawiać jego imienia!", drugi: „I my musi-my tego wszystkiego słuchać! To obrzydliwe!", trzeci: „Och, co za łajdak, och, wstrętna orgia!" Większość obecnych chichotała złośliwie.

– W ten sposób – ciągnął Taxil – dzięki moim staraniom wyrosło drzewo współczesnego lucyferianizmu, w które wszcze-piłem rytuał palladystyczny, wymyślony przeze mnie od począt-ku do końca.

Opowiedział potem, jak ze znanego mu od dawna alkoholika zrobił doktora Bataille'a, jak wymyślił Sophie Walder, czyli Safo, i zapewnił, że sam napisał wszystkie książki wydane pod nazwi-skiem Diany Vaughan. Diana – powiedział – była protestantką, zwykłą maszynistką, przedstawicielką pewnej amerykańskiej wytwórni maszyn do pisania, kobietą inteligentną, dowcipną i podobnie jak większość protestantek obdarzoną wytworną pro-stotą. Zainteresował ją i rozbawił diabelskimi sprawami, toteż została jego wspólniczką. Zasmakowała w tym szachrajstwie, lubi-ła korespondować z biskupami i kardynałami, otrzymywać listy od papieża, donosić Watykanowi o lucyferiańskich spiskach…

– Przekonaliśmy się jednak – mówił dalej Taxil – że w nasze wymysły wierzą także masoni. Kiedy Diana wyjawiła, że Wielki Mistrz z Charlestonu mianował Adriana Lemmiego swoim następcą na stanowisku najwyższego kapłana lucyferianizmu, kilku włoskich masonów, a wśród nich poseł do parlamentu, potraktowało tę wiadomość serio. Uskarżali się, że Lemmi ich nie poinformował, i powołali do życia trzy niezależne Najwyższe

*...Diana – powiedział – była protestantką, zwykłą maszynist-
ką, przedstawicielką pewnej amerykańskiej wytwórni maszyn
do pisania, kobietą inteligentną, dowcipną i podobnie jak
większość protestantek obdarzoną wytworną prostotą...*
(s. 453)

Rady Palladystów – na Sycylii, w Neapolu i we Florencji, przyznając Miss Vaughan honorowe członkostwo. Osławiony pan Margiotta napisał, że poznał Dianę. Tymczasem to ja powiedziałem mu o spotkaniu, do którego nigdy nie doszło, on zaś albo udał, albo naprawdę uwierzył, że je sobie przypomina. Oszukaliśmy nawet samych wydawców, ale nie powinni się uskarżać, bo dzięki nam opublikowali dzieła mogące rywalizować z *Księgą tysiąca i jednej nocy*. Proszę państwa – ciągnął – kiedy pojmujemy, że z nas zakpiono, najlepszym wyjściem jest śmiać się razem ze wszystkimi. Wielebny ojcze Garnier – zwrócił się do jednego ze swoich najbardziej nieprzejednanych krytyków obecnych na sali – złość księdza wystawia go na pośmiewisko.

– Jest pan łajdakiem! – krzyknął Garnier, wymachując parasolem, przyjaciele zaś starali się go ułagodzić.

– Z drugiej strony – kontynuował Taxil z anielskim spokojem – nie wolno nam ganić tych, co uwierzyli w nasze diabły zjawiające się podczas ceremonii inicjacyjnych. Czyż dobrzy chrześcijanie nie wierzą, że Szatan przeniósł Jezusa Chrystusa na szczyt góry, skąd pokazał mu wszystkie królestwa na ziemi? A jak mógł je pokazać, skoro ziemia jest okrągła?

– Brawo! – krzyczeli jedni.

– Niech pan chociaż nie bluźni! – wołali inni.

– Proszę państwa – zakończył swoją mowę Taxil – wyznaję, że popełniłem dzieciobójstwo. Palladyzm umarł, zamordowany przez własnego ojca.

Rwetes sięgnął zenitu. Ksiądz Garnier wskoczył na krzesło i usiłował przemawiać do obecnych, lecz zagłuszały go złośliwe chichoty jednych i groźby wykrzykiwane przez innych. Taxil trwał nadal na podium, spoglądając wyniośle na kłębiący się tłum. Była to jego chwila chwały. Jeśli chciał zostać koronowany na króla mistyfikacji, to cel swój osiągnął.

Patrzył dumnie na podchodzące do niego osoby, które wygrażając pięścią lub laską, krzyczały: „Nie wstyd panu?!" Wydawało się, że ich nie rozumie. Czego miałby się wstydzić? Czy tego, że wszyscy o nim mówią?

Najlepiej z całej sali bawił się Simonini, który myślał o tym, co czeka Taxila w najbliższych dniach. Marsylczyk będzie szukał Dalla Piccoli, aby otrzymać swoje pieniądze. Nie będzie jednak mógł go znaleźć. Dom w Auteuil zastanie pusty, może nawet zajęty już przez kogoś innego. Nigdy nie wiedział, że Dalla Piccola ma mieszkanie na ulicy Maître--Albert. Nie wie, gdzie szukać notariusza Fourniera, i nawet nie przyjdzie mu do głowy skojarzyć go z człowiekiem, który wiele lat wcześniej sfałszował dla niego list Wiktora Hugo. Boullana nie znajdzie. Nie wspomniano mu słowem, że Hébuterne, o którym słyszał niejasno jako o dostojniku masońskim, miał coś wspólnego z jego sprawą. A istnienie ojca Bergamaschiego zawsze było okryte przed nim tajemnicą. Jednym słowem, Taxil nie będzie wiedział, od kogo żądać wynagrodzenia, które Simonini zainkasuje już nawet nie w połowie, lecz w całości (niestety, bez pięciu tysięcy franków zaliczki).

Można się było ubawić myślą o nieszczęsnym oszuście krążącym po Paryżu w poszukiwaniu księdza i notariusza, którzy nie istnieją, satanisty i palladystki, których trupy leżą w ścieku, doktora Bataille'a, który – nawet gdyby udało się zastać go trzeźwego – nic nie umiałby mu powiedzieć, oraz pliku banknotów, który trafił nie do jego kieszeni. Przeklinają go katolicy, masoni patrzą na niego podejrzliwie, obawiając się nie bez podstaw nowego piruetu, może musi jeszcze zwracać znaczne długi drukarzom. Nie wie, co robić, poci się ze strachu.

Ale – pomyślał Simonini – ten marsylski hultaj w pełni sobie na to zasłużył.

26

OSTATECZNE ROZWIĄZANIE

10 listopada 1898

Już półtora roku temu uwolniłem się od Taxila i Diany, a co najważniejsze – od księdza Dalla Piccola. Jeśli byłem chory, to wyzdrowiałem – dzięki autohipnozie lub dzięki doktorowi Froïde'owi. A jednak przez wszystkie te miesiące trapiły mnie różne niepokoje. Gdybym był wierzący, powiedziałbym, że odczuwałem wyrzuty sumienia i udrękę. Ale z jakiego powodu, kto mnie dręczył?

Wieczorem tego dnia, w którym z satysfakcją zakpiłem z Taxila, świętowałem w pogodnym, beztroskim nastroju. Żałowałem tylko, że nie mam z kim się podzielić radością ze swojego zwycięstwa, lecz jestem już przyzwyczajony cieszyć się w samotności. Za przykładem dezerterów z restauracji Magny'ego poszedłem do Brébant-Vachette; z pieniędzmi zarobionymi na klęsce przedsięwzięcia Taxila mogłem sobie pozwolić na wszystko. Starszy kelner mnie rozpoznał, podobnie zresztą jak ja jego. Opisał mi szczegółowo *salade Francilion* skomponowaną po tryumfie sztuki Aleksandra Dumasa syna; tak, syna. Boże, jak ja się starzeję! Gotuje się więc kartofle na rosole, kraje w plasterki, przyprawia jeszcze ciepłe solą, pieprzem, oliwą z oliwek i octem orleańskim, zalewa kieliszkiem białego wina – najlepiej Château d'Yquem – dodaje trochę drobno posiekanych aromatycznych ziół. Jednocześnie gotuje się w gęstym bulionie bardzo duże omułki z łodygą selera. Miesza się wszystko razem i przykrywa cienkimi płatkami trufli gotowanymi w szampanie. Potrawę trzeba przyrządzić na dwie godziny przed podaniem, aby trafiła na stół odpowiednio schłodzona.

A jednak nie jestem spokojny i czuję potrzebę wyjaśnienia swojego stanu ducha, dlatego znowu podejmuję pisanie tego dziennika, jakby wciąż leczył mnie doktor Froïde. Chodzi o to, że nadal dzieją się rzeczy niepokojące, a ja żyję w ciągłej niepewności. Przede wszystkim dręczy mnie jeszcze pytanie, kim jest leżący w ścieku Rosjanin. Był on w moim mieszkaniu dwunastego kwietnia, może nawet nie sam. Czy jakiś Rosjanin tu wrócił? Niejednokrotnie się zdarzyło, że nie mogłem czegoś znaleźć – ot, jakiegoś drobiazgu, na przykład pióra, kilku kartek papieru; odnajdywałem je potem w miejscach, w których z całą pewnością ich nie kładłem. Czy ktoś tutaj był? Szperał, przestawiał, znalazł? Co znalazł?

Rosjanie, a zatem Raczkowski, lecz ten człowiek jest sfinksem. Odwiedził mnie dwa razy i dopominał się o to, co uważa za niepublikowane dotychczas papiery, które odziedziczyłem po dziadku. Wykręcałem się, bo, po pierwsze, nie miałem jeszcze odpowiednio wypełnionej teczki, po drugie zaś – chciałem w ten sposób wzmóc jego zainteresowanie.

Ostatnim razem oświadczył, że nie ma już ochoty dłużej czekać. Nalegał, pragnął się dowiedzieć, czy chodzi mi tylko o cenę. Nie jestem chciwy – odpowiedziałem – dziadek rzeczywiście zostawił mi dokumenty z pełnym zapisem tego, co powiedziano owej nocy na praskim cmentarzu, ale tutaj ich nie mam. Musiałbym wyjechać z Paryża i przywieźć je z pewnego miejsca.

– To niech pan jedzie – powiedział Raczkowski i zrobił niejasną aluzję do kłopotów, jakie mógłbym mieć w związku z rozwojem afery Dreyfusa. A co on o tym wie?

W istocie zesłanie Dreyfusa na Diabelską Wyspę nie uciszyło głosów w jego sprawie. Wręcz przeciwnie, zaczęli mówić ci, którzy uważają go za niewinnego, czyli *dreyfusards*, jak ich się

obecnie nazywa. Zmobilizowali się również grafologowie pod-
ważający ekspertyzę Bertillona.

Wszystko zaczęło się w końcu 1895 roku, kiedy Sandherr
opuścił służbę (zdaje się, że dotknięty paraliżem postępującym
czy czymś podobnym), a jego miejsce zajął niejaki Picquart,
który od razu okazał się nadzwyczaj wścibski – najwidoczniej
nadal rozpamiętywał sprawę Dreyfusa, chociaż zamknięto ją
wiele miesięcy wcześniej. No i w marcu ubiegłego roku w tych
samych co zwykle koszach na śmieci w ambasadzie niemieckiej
znaleziono brudnopis telegramu, który attaché wojskowy chciał
wysłać Esterházyemu. W tekście nie było niczego kompromi-
tującego, ale z jakiej przyczyny niemiecki attaché utrzymywał
stosunki z francuskim oficerem? Picquart sprawdził dokładniej
Esterházego, poszukał wzorów jego pisma i zauważył, że
major pisze tak jak autor *bordereau* Dreyfusa.

Dowiedziałem się o tym, bo wiadomość dotarła do redakcji
„La Libre Parole" i Drumont złościł się na tego mądralę, który
chciał podać w wątpliwość szczęśliwie zakończoną sprawę.

– Wiem, że poszedł zakomunikować swoje odkrycie generałowi Boisdeffre'owi i generałowi Gonse'owi, którzy na szczęście
go nie wysłuchali. Nasi generałowie nie są chorzy na nerwy.

W listopadzie spotkałem w redakcji Esterházyego; był bardzo
zdenerwowany i chciał porozmawiać ze mną na osobności.
Przyszedł do mnie do domu w towarzystwie niejakiego majora
Henry'ego.

– Simonini, mówi się po cichu, że charakter pisma w *bordereau*
jest mój. Pan przepisywał z listu lub jakiejś notatki Dreyfusa,
prawda?

– Oczywiście. Wzór dostarczył mi Sandherr.

– Wiem, ale dlaczego tego dnia Sandherr nie wezwał także
mnie? Żebym nie sprawdził wzoru pisma Dreyfusa?

– Ja zrobiłem to, czego ode mnie zażądano.

– Wiem, wiem. Jest jednak w pańskim interesie pomóc mi
wyjaśnić tę zagadkę, bo jeśli posłużono się panem w jakiejś

intrydze, której przyczyny trudno mi pojąć, ktoś może teraz zechcieć wyeliminować pana jako niebezpiecznego świadka. Sprawa więc dotyczy pana bezpośrednio. Nie powinienem był w ogóle zadawać się z wojskowymi. Byłem zaniepokojony. Esterházy wytłumaczył mi potem, czego ode mnie oczekuje. Dał mi jako wzór list włoskiego attaché wojskowego, Panizzardiego, i tekst listu, który miałem spreparować; Panizzardi pisał w nim do niemieckiego attaché wojskowego o współpracy z Dreyfusem.

– Major Henry – zakończył – zatroszczy się o odnalezienie tego dokumentu i dostarczenie go generałowi Gonse'owi.

Wykonałem robotę i otrzymałem od Esterházyego tysiąc franków. Nie wiem, co się stało potem. W każdym razie w końcu 1896 roku Picquarta przeniesiono do Czwartego Pułku Strzelców w Tunezji.

Jednak właśnie w czasie, kiedy ja byłem zajęty unieszkodliwianiem Taxila, Picquart musiał uaktywnić swoich przyjaciół, bo sytuacja się skomplikowała. Chodziło oczywiście o wiadomości nieoficjalne, które jakimś sposobem przenikały do prasy; gazety stojące po stronie Dreyfusa (nie było ich wiele) podawały je jako pewne, gazety Dreyfusowi przeciwne nazywały oszczerstwami. Pojawiły się telegramy zaadresowane do Picquarta, z których wynikało, że to on był autorem osławionej niemieckiej depeszy do Esterházyego. O ile udało mi się zrozumieć, było to posunięcie samego Esterházyego i majora Henry'ego. Piękna gra w siatkówkę: oskarżeń nie trzeba wymyślać, wystarczy odbić przeciwnikowi te, które on skierował do ciebie. Niech ich licho, wywiad (i kontrwywiad) to sprawa zbyt poważna, aby powierzać ją wojskowym. Profesjonaliści, tacy jak Lagrange i Hébuterne, nigdy nie narobiliby takiego zamieszania, lecz czego można oczekiwać po ludziach, którzy są dziś w służbach specjalnych, a jutro w Czwartym Pułku Strzelców w Tunezji lub którzy z żuawów papieskich przechodzą do Legii Cudzoziemskiej?

To ostatnie posunięcie nie na wiele jednak się zdało, bo przeciw Esterházyemu wszczęto dochodzenie. A gdyby tak, żeby się uwolnić od wszelkich podejrzeń, wyjawił on, że *bordereau* napisałem ja?

***

Źle sypiałem przez cały rok. Co noc słyszałem w domu hałasy, kusiło mnie, żeby wstać i zejść do sklepu, ale bałem się spotkać tam Rosjanina.

***

W styczniu tego roku odbył się proces przy drzwiach zamkniętych. Esterházy został całkowicie oczyszczony ze wszystkich zarzutów i podejrzeń, Picquarta ukarano sześćdziesięciodniowym aresztem w twierdzy. *Dreyfusards* jednak nie rezygnowali. Zola, pisarz dość wulgarny, opublikował płomienny artykuł (*J'accuse!* – Oskarżam!), a grupa podrzędnych literatów i rzekomych naukowców wstąpiła w szranki, żądając wznowienia procesu. Kim oni wszyscy są – jakiś Proust, France, Sorel, Monet, Renard, Durkheim? U pani Adam nigdy ich nie widziałem. Ten Proust – jak mówią – jest dwudziestopięcioletnim pederastą, autorem pism na szczęście jeszcze niepublikowanych. Monet to pacykarz; widziałem jeden jego obraz, patrzy z niego na świat kaprawymi oczami. Zresztą co pisarzowi albo malarzowi do postanowień sądu wojskowego? O nieszczęsna Francjo, jak użala się Drumont. Gdyby ci „intelektualiści" – nazywa ich tak ten kauzyperda Clemenceau – zechcieli zająć się tymi nielicznymi sprawami, na których powinni się znać...

Wytoczono proces Zoli, który na szczęście został skazany na rok więzienia. Jest jeszcze we Francji sprawiedliwość – mówi Drumont, którego w maju wybrano na deputowanego z Algie-

ru. W Izbie Deputowanych będzie więc silna grupa antysemicka, co wzmocni pozycję przeciwników Dreyfusa.

Wydawało się, że wszystko idzie jak najlepiej: w lipcu Picquarta skazano na osiem miesięcy więzienia, Zola uciekł do
Londynu, sądziłem więc, że nikt już do sprawy nie będzie mógł
wrócić. Pojawił się jednak niejaki kapitan Cuignet, który dowodził, że list Panizzardiego oskarżający Dreyfusa jest fałszywy.
Nie rozumiem, jak mógł to twierdzić; przecież wykonałem doskonałą robotę. W każdym razie naczelne dowództwo dało mu
posłuch, a ponieważ list wykrył i udostępnił major Henry,
zaczęto mówić o „fałszywce Henry'ego". Ten w końcu sierpnia,
przyparty do muru, przyznał się. Aresztowano go i osadzono
w forcie Mont-Valérien, gdzie następnego dnia podciął sobie
brzytwą gardło. Jak już powiedziałem: pewnych spraw nie
wolno powierzać wojskowym. Słyszane rzeczy? Aresztuje się
podejrzanego o zdradę i zostawia mu brzytwę?

– Henry nie odebrał sobie życia, jemu życie odebrano! –
krzyczał wściekły Drumont. – Jest jeszcze zbyt wielu Żydów
w sztabie generalnym! Rozpiszemy subskrypcję publiczną na
sfinansowanie procesu rehabilitacyjnego majora Henry'ego!

Jednak cztery czy pięć dni później Esterházy uciekł do Belgii,
a stamtąd do Anglii. Oznaczało to prawie przyznanie się do
winy. Trudno zrozumieć, dlaczego się nie bronił i nie oskarżył
o wszystko mnie.

***

Dręczony tą myślą, usłyszałem znowu w nocy hałasy na dole.
Następnego ranka zastałem bałagan nie tylko w sklepie, ale
i w piwnicy. Klapa, która zakrywa schodki wiodące do ścieku,
była podniesiona.

Kiedy zastanawiałem się, czy nie powinienem uciec jak Esterházy, do drzwi sklepu zadzwonił Raczkowski. Nie wszedł nawet na górę; usiadł tylko na krześle przeznaczonym na sprze-

...Jest jeszcze zbyt wielu Żydów w sztabie generalnym!...
(s. 462)

daż – gdyby ktoś odważył się wyrazić chęć kupna – i natychmiast zaczął:

– Co pan by powiedział, gdybym zawiadomił policję, że tu, w piwnicy, leżą cztery trupy, z trupem jednego z moich ludzi, którego wszędzie szukałem, włącznie? Mam już dosyć czekania. Daję panu dwa dni na przywiezienie zapisów, o których pan mówił, i zapomnę o tym, co tam na dole widziałem. Zdaje mi się, że to uczciwa umowa.

Nie dziwiło mnie już, że Raczkowski wie tyle o mojej kloace. Zdawałem sobie sprawę, że prędzej czy później będę musiał coś mu dać, toteż spróbowałem wyciągnąć dodatkową korzyść z układu, który mi proponował. Zaryzykowałem:

– Mógłby pan też pomóc mi rozwiązać pewien problem, jaki mam z wywiadem wojskowym...

Wybuchnął śmiechem.

– Boi się pan, że zostanie zdemaskowany jako prawdziwy autor *bordereau*?

Ten człowiek zdecydowanie wie wszystko. Splótł dłonie, jakby chciał zebrać myśli, i zaczął mi tłumaczyć.

– Prawdopodobnie nic pan z tej sprawy nie zrozumiał i obawia się tylko, że ktoś pana w nią wciągnie. Może pan spać spokojnie. Jest w interesie bezpieczeństwa narodowego Francji, aby ów dokument uchodził za autentyczny.

– Dlaczego?

– Dlatego, że francuska artyleria przygotowuje swoją najnowszą broń, armatę kalibru siedemdziesiąt pięć, a Niemcy powinni dalej myśleć, że Francuzi pracują jeszcze nad armatą kalibru sto dwadzieścia. Niemcy musieli się zatem dowiedzieć, że szpieg chciał im sprzedać sekrety stodwudziestki, i w efekcie uwierzyć, że to właśnie ona ma zasadnicze znaczenie. Jako człowiek obdarzony zdrowym rozsądkiem zauważy pan, że Niemcy powinni byli sobie powiedzieć: „Do licha, przecież gdyby to *bordereau* było prawdziwe, musielibyśmy coś o nim wiedzieć, zanim wyrzuciliśmy je do kosza na śmieci!" No i powinni byli poczuć, co się święci. A jednak wpadli w pułapkę, bo w kręgach tajnych służb nikt nie mówi innym wszystkiego, zawsze podejrzewa się, że kolega zza sąsiedniego biurka jest podwójnym agentem. Prawdopodobnie zaczęli więc oskarżać się wzajemnie: „Jak to? Nadeszła tak ważna wiadomość, a nie wiedział o niej nawet attaché wojskowy, który był chyba jej adresatem – albo wiedział, ale milczał?" Łatwo sobie wyobrazić, jaka rozpętała się burza, ile było wzajemnych podejrzeń. Kogoś musiało to u nich drogo kosztować. Było trzeba... i nadal trzeba... aby w autentyczność *bordereau* wierzyli wszyscy. Dlatego tak szybko zesłano Dreyfusa na Diabelską Wyspę; mógł przecież, broniąc się, powiedzieć, że to bez sensu, że nie zdradzał sekretów dotyczących armaty kalibru sto dwadzieścia, bo jako domniemany szpieg zająłby się siedemdziesiątkąpiątką. Podobno ktoś nawet położył przed nim w celi pistolet, by zachęcić go do samobójstwa i oszczędzenia sobie hańby, którą zamierzano go okryć. Uniknięto by wtedy ryzyka związanego z publicznym procesem. Ale Dreyfus to człowiek uparty i chciał się bronić, bo myślał, że jego niewinność zostanie udowodniona. Oficer nie powinien nigdy myśleć. Zresztą moim zdaniem ten nieszczęśnik nic nie wiedział o nowej armacie, pewnych tajemnic nie powierza się przecież zwykłemu stażyście. Lepiej jednak było zachować ostrożność. Jasne? Gdyby wyszło na jaw, że *bordereau* jest pana dziełem, runęłaby cała konstrukcja, Niemcy zrozumieliby, że sprawa stodwudziestki to mylny trop; szwaby nie są zbyt bystre, ale coś niecoś kapują. Powie pan, że tajnymi służbami, nie tylko niemieckimi, ale i francuskimi, kieruje w rzeczywistości banda bałaganiarzy. Naturalnie, bo w przeciwnym wypadku ci ludzie pracowaliby dla Ochrany, która działa trochę lepiej i – jak pan widzi – ma informatorów i u jednych, i u drugich.

– A Esterházy?

– Nasz elegancik to podwójny agent. Udawał, że szpieguje Sandherra dla Niemców z ambasady, a jednocześnie szpiegował Niemców z ambasady dla Sandherra. Napracował się, żeby zmontować sprawę Dreyfusa, ale Sandherr zdał sobie sprawę, że jest on już właściwie spalony, a Niemcy zaczęli go podejrzewać. Sandherr wiedział doskonale, że daje panu wzór charakteru pisma Esterházyego. Chodziło o oskarżenie Dreyfusa, ale w razie pojawienia się trudności można było zawsze zrzucić odpowiedzialność za *bordereau* na Esterházyego. Naturalnie on sam zbyt późno zrozumiał, w jaką wpadł pułapkę.

– A dlaczego nie wymienił mojego nazwiska?

– Bo powiedziano by, że kłamie, i trafiłby do więzienia w jakiejś twierdzy albo po prostu do jakiegoś kanału. A tak może leżeć do góry brzuchem w Londynie i korzystać z wysokiego uposażenia wypłacanego przez służby. *Bordereau* musi pozostać autentyczne bez względu na to, czy przypisze się je Dreyfusowi, czy też za zdrajcę uzna się Esterházyego. Nikt nigdy nie obwini o to fałszerza takiego jak pan. Pod tym względem jest pan całkowicie bezpieczny. Ja natomiast mógłbym panu sprawić wiele kłopotu w związku z trupami na dole i dlatego dostarczy mi pan zaraz dane, których potrzebuję. Pojutrze przyjdzie do pana mój pracownik, młody człowiek nazwiskiem Gołowinski. Nie będzie pańskim zadaniem spreparowanie dokumentów oryginalnych w wersji ostatecznej, bo muszą być po rosyjsku i tym zajmie się on. Pan ma mu dostarczyć materiały nowe, autentyczne i przekonujące, które wzbogacą tę pańską historię o cmentarzu praskim, znaną już wszystkim kumoszkom. Rewelacje mogą w dalszym ciągu pochodzić od uczestników tego zgromadzenia na cmentarzu, ale nie należy precyzować, kiedy się ono odbyło, i powinny dotyczyć tematów aktualnych, a nie średniowiecznych banialuk.

Musiałem wziąć się do roboty.

***

Miałem niecałe dwa dni i dwie noce na przejrzenie setek notatek i wycinków zebranych w ciągu ponaddziesięcioletniej znajomości z Drumontem. Nie sądziłem, że kiedyś je spożytkuję, ponieważ były to wyłącznie rzeczy już opublikowane w „La Libre Parole", ale dla Rosjan stanowiły chyba materiał nieznany. Musiałem rozróżniać. Tego Gołowinskiego i Raczkowskiego nie interesowało z pewnością, czy Żydzi są mniej lub bardziej nieuzdolnieni w dziedzinie muzyki lub w jakiej mierze nie nadają się na odkrywców nowych ziem. Bardziej powinno zainteresować ich podejrzenie, że szykują porządnym ludziom ruinę finansową.

Sprawdzałem, co wykorzystałem już w dawniejszych wystąpieniach rabinów. Żydzi zamierzali zawładnąć kolejami żelaznymi, kopalniami, lasami, poborem podatków, wielką własnością ziemską. Chcieli opanować sądownictwo, adwokaturę i szkolnictwo, przeniknąć do filozofii, polityki, nauki, sztuki, a przede wszystkim medycyny, bo lekarz ma łatwiejszy dostęp do rodzin niż ksiądz. Pragnęli osłabiać wiarę, rozpowszechniać wolnomyślicielstwo, wykreślić z programów szkolnych naukę religii chrześcijańskiej, opanować handel alkoholem i kontrolować prasę. Czegóż oni jeszcze, na miłość boską, mogli chcieć?

Nawet ten materiał byłem w stanie jakoś na nowo opracować. Raczkowski przemówienia rabinów znał chyba tylko z wersji, którą dostarczyłem Glince; dotyczyła ona w szczególności tematów religijnych i o apokaliptycznym charakterze. Do moich dawniejszych tekstów musiałem jednak stanowczo dorzucić coś nowego.

Dokonałem starannego przeglądu wszystkich tematów, które mogły zainteresować przeciętnego czytelnika. Spisałem całość pięknym, kaligraficznym pismem sprzed ponad pół wieku na pożółkłym, jak należało, papierze. Dokumenty, które przekazał mi dziadek, mogły teraz uchodzić za sporządzone przez Żydowinów w getcie, gdzie mieszkał za młodu, a zawierały tłumaczenie protokołów spisanych przez rabinów po ich spotkaniu na praskim cmentarzu.

Kiedy następnego dnia Gołowinski wszedł do sklepu, zdziwiłem się, że Raczkowski powierza tak odpowiedzialne zadanie młodemu mużykowi, sflaczałemu i krótkowzrocznemu, źle ubranemu, o wyglądzie przygłupka. Potem jednak w rozmowie z nim stwierdziłem, że jest bardziej rozgarnięty, niż mogłoby się wydawać. Mówił kiepską francuszczyzną z wyraźnym rosyjskim akcentem, lecz spytał od razu, dlaczego rabini z turyńskiego getta pisali po francusku. Wyjaśniłem mu, że w owych czasach w Piemoncie wszyscy ludzie umiejący czytać i pisać znali francuski, co go przekonało. Zastanowiłem się później, czy moi rabini z cmentarza mówili po hebrajsku, czy w jidysz, ale ponieważ mieliśmy już dokumenty po francusku, nie miało to żadnego znaczenia.

– Widzi pan – powiedziałem mu – na przykład na tej karcce tłumaczy się, jak należy rozpowszechniać myśl filozofów ateistycznych, aby zdemoralizować gojów. Proszę posłuchać: „Musimy... wyrwać z umysłu gojów zasady Bóstwa i ducha, zamieniając wszystko na wyliczenia arytmetyczne i potrzeby materialne"*.

Napisałem tak z myślą o tym, że matematyki nikt nie lubi. Mając zaś w pamięci narzekania Drumonta na prasę obsceniczną, doszedłem do wniosku, że przynajmniej w opinii konserwatystów zamiar upowszechnienia niewybrednych i bezmyślnych rozrywek wśród szerokich mas mógł doskonale pasować do wyobrażenia o żydowskim spisku. Proszę posłuchać – powiedziałem Gołowinskiemu: „Aby odciągnąć ludzi od debatowania nad kwestiami politycznymi, zajmiemy ich uwagę uciechami, zabawami, różnymi namiętnościami, hulankami w karczmach, zaczniemy ogłaszać konkursy w dziedzinie sztuki i sportu wszelkiego rodzaju... Rozbudzimy zamiłowanie do nieumiarkowanego luksusu, podniesiemy płacę zarobkową, co jednak nie przyniesie żadnej korzyści robotnikom, albowiem jednocześnie wywołamy drożyznę artyku-

---

* Fragmenty *Protokołów mędrców Syjonu* cytowane na podstawie anonimowego przekładu polskiego.

łów pierwszej potrzeby, spowodowaną rzekomo upadkiem rolnictwa i hodowli. Oprócz tego podkopiemy zręcznie i głęboko źródła wytwórczości, przyzwyczaiwszy robotników do anarchii i nadużywania napojów wyskokowych... Postaramy się skierować opinię publiczną ku najrozmaitszym teoriom fantastycznym, mogącym wyglądać na postępowe lub liberalne".

– Dobrze powiedziane, dobrze – cieszył się Gołowinski – ale ma pan coś dla studentów poza tą matematyką? W Rosji studenci odgrywają ważną rolę, to gorące głowy, trzeba ich pilnować.

– Rzecz jasna. „Kiedy obejmiemy władzę, usuniemy z wychowania wszelkie przedmioty wywołujące zamęt i uczynimy z młodzieży posłuszne dzieci władcy. Klasycyzm oraz wszelkie studia nad historią starożytną, zawierającą więcej złych niż dobrych przykładów, zastąpimy przez studia nad programem przyszłości. Wykreślimy z pamięci ludzi wszystkie fakty z wieków minionych, niepożądane dla nas. Połkniemy i skonfiskujemy ostatnie przejawy niepodległości myśli, którą już od dawna zwróciliśmy w kierunku potrzebnych nam spraw i idei... Książki liczące mniej niż trzysta stron będą płaciły podatek zdwojony. Środek ten zmusi literatów do pisania książek tak obszernych, że nikt ich nie będzie czytał. Nasze własne wydawnictwa, mające zwrócić ruch umysłów w kierunku przez nas wybranym, będą tanie i zyskają wielką poczytność. Podatki położą kres lichym płodom literackim, system zaś kar wytworzy zależność literatów od nas. Gdyby nawet znaleźli się chętni do pisania przeciwko nam, to jednak nie znajdą wydawców". Co do prasy plan żydowski przewiduje pozorną wolność, umożliwiającą ściślejszą kontrolę opinii. Zdaniem naszych rabinów trzeba opanować jak najwięcej czasopism, które niby będą reprezentować różne punkty widzenia, stwarzając pozory swobodnej wymiany myśli, a w rzeczywistości wyrażając poglądy żydowskich władców. Rabini twierdzą, że nie będzie trudno dziennikarzy przekupić, ponieważ stanowią oni swego rodzaju masonerię i żaden wydawca nie ośmieli się wyjawić łączących ich wszystkich więzi, albowiem w świecie prasy nie ma nikogo, kto w życiu prywatnym nie miałby czegoś na sumieniu. „Nie można oczywiście pozwolić na demaskowanie przez prasę nieuczciwości. Konieczne jest, aby myślano, że nowy ustrój zadowolił wszystkich na tyle, że nawet znikła przestępczość... Nie trzeba zresztą zbytnio się przejmować ograniczeniem wolności prasy, bo lud przykuty do pracy i zgnębiony biedą nie zauważa nawet, czy jest ona wolna, czy nie. Co ma ciężko pracujący proletariat z tego, że gadułom pozwala się paplać?"

– Doskonale – powiedział Gołowinski. – U nas malkontenci skarżą się ciągle na rzekome cenzurowanie prasy przez rząd. Niech zrozumieją, że z Żydami u władzy byłoby jeszcze gorzej.

– Mam tu coś jeszcze: „Należy wziąć pod uwagę podłość, niestałość i chwiejność tłumu, jego niezdolność pojmowania. Potęga tłumu jest ślepa, nierozumna, niezdolna do rozważania, nasłuchująca na wszelakie strony. Czyż możliwe jest, by masy ludowe spokojnie, bez zawiści rozważyły i załatwiły sprawy kraju, których nie wolno łączyć z widokami osobistymi? Czyż mogą zorganizować obronę przeciwko wrogowi zewnętrznemu? Jest to nie do pomyślenia, albowiem plan rozbity na tyle części, ile głów liczy tłum, przestaje być całością i wskutek tego staje się niezrozumiały i niewykonalny... Tylko w umyśle samowładcy mogą wytworzyć się plany rozległe i jasne, w kolejności regulujące cały mechanizm maszyny państwowej... Bez despotyzmu bezwzględnego nie może istnieć cywilizacja, bo zdolne są wprowadzić ją nie masy, lecz ich władca, kimkolwiek by był". Proszę teraz spojrzeć na ten fragment: „Nikt nie widział jeszcze konstytucji powstałej z woli ludu, więc plan dowodzenia musi być dziełem jednego człowieka". I dalej: „Jak bożek Wisznu o stu dłoniach w stu dłoniach naszych dzierżyć będziemy sprężyny maszyny społecznej. Nie będziemy nawet potrzebowali policji: trzecia część poddanych naszych będzie śledziła pozostałe części".

– Wspaniałe!

– Kontynuuję: „Tłum to barbarzyńca ujawniający przy każdej sposobności swe barbarzyństwo. Spójrzcie na te zwierzęta odurzone wódką, do której nadmiernego użycia prawo otrzymują razem z wolnością. Czyżbyśmy mieli pozwolić, aby i «nasi» doszli do podobnego stanu? Narody gojów są odurzone przez napoje wyskokowe. Ich młodzież zatraciła inteligencję wskutek rozpusty, do której podjudzana była przez naszych agentów... W sprawach polityki zwycięża tylko siła. Gwałt powinien być zasadą, przebiegłość i obłuda regułą. Zło stanowi jedyny środek osiągnięcia celu, którym jest dobro. Nie powinniśmy więc cofać się przed korupcją pieniężną, oszustwem i zdradą. Wynik uświęca środki".

– U nas mówi się dużo o komunizmie. Co o nim myślą rabini w Pradze?

– Proszę przeczytać to: „W polityce musimy nauczyć się konfiskować własność bez chwili namysłu, jeśli w ten sposób możemy podporządkować sobie innych i objąć władzę. Staniemy się niejako oswobodzicielami robotników spod ciążącego im jarzma, udając, że ich kochamy zgodnie z zasadami rzekomego prawa solidarności ogólnoludzkiej naszej masonerii społecznej. Powiemy, że przybyliśmy ich oswobodzić, i zaproponujemy im wstąpienie do szeregów armii naszej, czyli do socjalistów, anarchistów i komunistów. Korzystającą z pracy robotników arystokrację obchodziło żywo to, by robotnicy byli syci, zdrowi i krzepcy. Interes nasz leży w zjawisku wręcz przeciwnym – w wyradzaniu się gojów. Źródło władzy naszej spoczywa w chronicznym niedojadaniu i braku sił u robotników, ponieważ wskutek tego popadają oni w niewolę naszą, a w swoim środowisku nie znajdą ani sił, ani energii do przeciwdziałania temu". I jeszcze to: „Stworzywszy dostępnymi dla nas sposobami tajnymi, przy pomocy złota będącego wyłącznie we władaniu naszym, ogólne przesilenie ekonomiczne, wyślemy na ulice jednocześnie we wszystkich krajach europejskich tłumy robotników. Tłumy te z rozkoszą będą przelewały krew tych, którym w prostocie

471

ducha zazdroszczą od najmłodszych lat, a których dobytek będą mogły wówczas grabić. «Naszych» tłumy nie tkną, albowiem chwila napadów będzie nam wiadoma i będą przedsięwzięte środki zapewnienia bezpieczeństwa".

– A ma pan coś o Żydach i masonach?

– Naturalnie. Oto tekst nader jasny: „Do chwili, kiedy obejmiemy władzę, będziemy stwarzali i rozmnażali łoże wolnomularskie we wszystkich państwach świata. Łoże te będą centralnym punktem informacyjnym i ośrodkiem naszych wpływów, zadzierzgniemy w nich węzeł ze wszystkimi czynnikami rewolucyjnymi i wolnomyślnymi. W liczbie członków łóż będą prawie wszyscy agenci policji narodowej i międzynarodowej. Do stowarzyszeń tajnych zapisują się najchętniej aferzyści, karierowicze i w ogóle ludzie lekkomyślni, którzy chcą jakoś sobie w życiu radzić i nie mają zbyt poważnych zamiarów. Robienie z nimi interesów nie będzie dla nas trudne. Jest oczywiste, że my, nie zaś ktoś inny, będziemy kierowali sprawami i czynnościami masonerii".

– Fantastyczne!

– Proszę też pamiętać, że Żydzi bogaci sprzyjają antysemityzmowi skierowanemu przeciwko Żydom ubogim, bo skłania on chrześcijan o wrażliwym sercu do współczucia całej ich rasie. Niech pan czyta tutaj: „Przejawy antysemityzmu były bardzo użyteczne żydowskim prowodyrom, budziły bowiem współczucie w sercach części gojów wobec narodu, który pozornie krzywdzono. W ten sposób u wielu gojów zrodziło się poparcie dla sprawy Syjonu. Antysemityzm przejawiający się prześladowaniami Żydów z warstw niższych ułatwił żydowskim przywódcom kontrolę nad nimi i utrzymywanie ich w posłuszeństwie. Godzili się na te prześladowania, bo w odpowiedniej chwili wkraczali i ratowali współwyznawców. Zasługuje na uwagę to, że w czasie antysemickich zamieszek żydowscy prowodyrzy nie ucierpieli nigdy ani w życiu prywatnym, ani na swoich oficjalnych stanowiskach administratorów. Właśnie oni szczuli «chrześcijańskie brytany» na najuboższych Żydów. Brytany utrzymywały porządek w ich owczarni, pomagając wzmocnić trwałość Syjonu".

Posłużyłem się także wieloma stronicami o przesadnie technicznym charakterze, które Joly poświęcił pożyczkom i stopom procentowym. Niewiele z tego rozumiałem, nie byłem nawet pewien, czy od czasów, kiedy pisał Joly, nie uległy one zmianie, ale ufałem swojemu źródłu i wręczyłem Gołowinskiemu kilka stron, które prawdopodobnie przeczytaliby z uwagą handlowcy i rzemieślnicy, zadłużeni po uszy lub znajdujący się już w szponach lichwiarzy.

W redakcji „La Libre Parole" przysłuchiwałem się ostatnio rozmowom o kolei podziemnej, którą miano zbudować w Paryżu. Stara historia, mówiło się o tym od dziesięcioleci, ale dopiero w lipcu 1897 roku zatwierdzono oficjalny projekt i całkiem niedawno rozpoczęto roboty ziemne na linii Porte de Vincennes–Porte de Maillot. Było to jeszcze niewiele, lecz powstała już spółka Metro i „La Libre Parole" od ponad roku prowadziło kampanię przeciwko jej licznym akcjonariuszom żydowskim. Wydało mi się właściwe połączyć spisek żydowski z podziemnymi kolejami i przejściami, napisałem więc: „Tunele dla kolei podziemnych do tego czasu będą przeprowadzone we wszystkich stolicach. W odpowiedniej chwili będą one wysadzone w powietrze wraz ze wszystkimi organizacjami i dokumentami państwowymi".

– Ale skoro zebranie w Pradze odbyło się przed wielu laty, jak rabini mogli wiedzieć o kolejach podziemnych? – spytał Gołowinski

– Proszę przede wszystkim zajrzeć do ostatniej wersji przemówienia głównego rabina, opublikowanej około dziesięciu lat temu w „Contemporain". Wynika z niej, że zebranie miało miejsce w 1880 roku, kiedy, jak mi się wydaje, istniało już metro w Londynie. A ponadto żydowski plan powinien też mieć ton przepowiedni.

Gołowinski wysoko ocenił powyższy fragment, który wydał mu się szczególnie obiecujący. Potem zauważył jednak:

– Czy nie sądzi pan, że wiele zawartych w tych dokumentach myśli jest ze sobą sprzecznych? Chce się na przykład z jednej strony zakazać luksusu i zbędnych przyjemności oraz karać za pijaństwo, a z drugiej – upowszechniać sport i rozrywki oraz rozpijać robotników...

– Żydzi zawsze tak robią: mówią coś, a później temu przeczą, są kłamcami z natury. Jeśli jednak sporządzi pan dokument wielostronicowy, ludzie nie przeczytają go jednym tchem. Odruch obrzydzenia należy wywołać raz po raz; kiedy kogoś gorszy to, co przeczytał dzisiaj, nie pamięta już tego, co zgorszyło go wczoraj. A zresztą jeśli będzie czytał pan uważnie, przekona się, że rabini w Pradze chcą posłużyć się luksusem, rozrywkami i alkoholem, aby zmienić plebs w niewolników dzisiaj; gdy zaś obejmą władzę, zmuszą go do wstrzemięźliwości.

– Słusznie, przepraszam.

– No cóż, rozmyślałem nad tymi dokumentami przez całe dziesięciolecia, odkąd byłem dorastającym chłopcem, więc znam je w każdym szczególe – powiedziałem ze słuszną dumą.

– Ma pan rację. Chciałbym jednak zakończyć stwierdzeniem bardzo dobitnym, czymś, co pozostaje w pamięci jako symbol żydowskiej podłości. Na przykład: „Nasza żądza władzy nie zna granic, nasza zachłanność jest nienasycona, pragnienie zemsty bezlitosne, nienawiść nieubłagana".

– To pasowałoby do powieści w odcinkach. Uważa pan, że Żydzi, którzy z pewnością nie są głupi, wypowiedzieliby takie potępiające ich samych słowa?

– O to zbytnio bym się nie troszczył. Rabini mówią na swoim cmentarzu, są pewni, że nikt obcy ich nie słyszy. Są bezwstydni. Niech tłumy mają czym się oburzać.

Gołowinski okazał się dobrym współpracownikiem. Brał moje dokumenty za prawdziwe lub udawał, że za takie je bierze,

...Chciałbym jednak zakończyć stwierdzeniem bardzo dobitnym, czymś, co pozostaje w pamięci jako symbol żydowskiej
podłości. Na przykład: „Nasza żądza władzy nie zna granic,
nasza zachłanność jest nienasycona, pragnienie zemsty bezlitosne, nienawiść nieubłagana"... (s. 474)

nie wahał się jednak ich modyfikować, kiedy mu to odpowiadało. Raczkowski wytypował właściwego człowieka.

– Myślę – powiedział na koniec Gołowinski – że mam teraz dosyć materiału, żeby zredagować tekst, który nazwiemy Protokołami z zebrania rabinów na cmentarzu w Pradze.

Mój własny twór wymykał mi się z rąk, lecz prawdopodobnie przyczyniałem się teraz do jego tryumfu. Odetchnąłem z ulgą i zaprosiłem Gołowinskiego na kolację do restauracji Paillard na rogu Chaussée d'Antin i bulwaru des Italiens. Drogiej, ale znakomitej. Gołowinskiemu wyraźnie smakowały *poulet d'archiduc* – kurczak arcyksięcia, i *canard à la presse* – kaczka po dziennikarsku, lecz może ktoś taki jak on, przybyły ze stepów, z równą ochotą napełniłby sobie brzuch *choucroute* – kiszoną kapustą. Mogłem był zaoszczędzić trochę pieniędzy i zapobiec podejrzliwym spojrzeniom, które kelnerzy rzucali na mlaszczącego głośno klienta.

Jadł z prawdziwym apetytem, oczy błyszczały mu z podniecenia wywołanego winem lub może autentyczną pasją – religijną czy polityczną, nie umiałbym powiedzieć.

– Powstanie tekst wzorowy – mówił – dowodzący głębokiej nienawiści, jaką oni żywią z powodów rasowych i religijnych. Te strony wprost nią kipią, wydaje się ona przelewać z pełnego żółci kotła... Wielu zrozumie, że nadeszła chwila ostatecznego rozwiązania.

– Słyszałem już to określenie z ust Osman-beja. Zna go pan?

– Mówiono mi o nim. Jest oczywiste, że tę przeklętą rasę trzeba wykorzenić za wszelką cenę.

– Raczkowski nie podziela chyba pańskiego zdania. Uważa, że potrzebuje Żydów żywych jako właściwych wrogów.

– Bujda! Odpowiedniego wroga zawsze się znajdzie. Proszę nie myśleć, że ja, pracując dla Raczkowskiego, we wszystkim z nim się zgadzam. Sam mnie nauczył, że kiedy pracuje się dla szefa dzisiejszego, trzeba przygotowywać się do pracy dla szefa jutrzejszego. Raczkowski nie jest wieczny, na świętej Rusi nie brak ludzi bardziej radykalnych niż on. Rządy krajów Europy Zachodniej są zbyt bojaźliwe, żeby zdecydować się na ostateczne rozwiązanie. Rosja jest natomiast krajem pełnym energii i szaleńczych nadziei, stale myślącym o totalnej rewolucji. Stamtąd musimy oczekiwać rozstrzygającego posunięcia, nie od tych Francuzów, którzy wciąż plotą o swoich *égalité* i *fraternité*, czy od tych prostackich Niemców, niezdolnych do wielkich czynów...

Wyczułem to po nocnej rozmowie z Osman-bejem. Ksiądz Barruel nie wykorzystał oskarżeń zawartych w liście mojego dziadka, ponieważ obawiał się ogólnej masakry. Dziadek prawdopodobnie miał na myśli przedsięwzięcie, które prorokowali Osman-bej i Gołowinski, i być może skazał mnie na urzeczywistnienie swojego snu. Mój Boże, na szczęście to nie ja miałem unicestwić cały naród, ale wnosiłem do sprawy własny wkład, chociaż skromny.

W gruncie rzeczy była to też działalność dochodowa. Żydzi nie zapłaciliby mi nigdy za zagładę wszystkich chrześcijan – mówiłem sobie – bo chrześcijan jest zbyt wielu; gdyby zagłada była wykonalna, sami by o nią zadbali. Żydów natomiast, po dokładnym rozważeniu wszystkiego, można byłoby załatwić.

Nie musiałem likwidować ich ja, który (na ogół) unikam przemocy fizycznej; mając jednak doświadczenia z czasów Komuny, wiedziałem dokładnie, jak należy postąpić: zmobilizować dobrze wyćwiczone i przeszkolone ideologicznie oddziały i postawić pod ścianą wszystkich z haczykowatymi nosami i kędzierzawymi włosami. Zginęłoby także trochę chrześcijan, ale jak powiedział ów biskup idącym do szturmu na zajęte przez albigensów Béziers: na wszelki wypadek zabijmy wszystkich, potem Bóg rozpozna swoich.

Napisano w żydowskich Protokołach: cel uświęca środki.

27

DZIENNIK SIĘ URYWA

20 grudnia 1898

Po przekazaniu Gołowinskiemu całej dotyczącej Protokołów dokumentacji, którą jeszcze dysponowałem, poczułem się wewnętrznie pusty. Pytałem sam siebie jak młody człowiek po ukończeniu studiów: „A co teraz?" Wyzbyłem się już także rozdwojonej świadomości i nie miałem obecnie nikogo, komu mógłbym o sobie opowiadać.

Zakończyłem dzieło swojego życia, rozpoczęte lekturą *Józefa Balsamo* Dumasa na turyńskim strychu. Myślę o dziadku, o jego szeroko otwartych, wbitych w próżnię oczach, kiedy wspomina widmo Mordechaja. Także dzięki mojej działalności Mordechajowie z całego świata zmierzają obecnie w kierunku majestatycznego, straszliwego stosu. Ale ja? Po spełnieniu obowiązku czuję, że ogarnia mnie melancholia większa i trudniejsza do nazwania od tej, która nachodzi nas podczas długich morskich podróży.

Nadal preparuję holograficzne testamenty, sprzedaję tygodniowo z tuzin hostii, lecz Hébuterne już mnie nie szuka – może jestem dla niego zbyt stary – a o wojskowych nie ma co mówić: dziś moje nazwisko nie istnieje nawet dla tych, którzy jeszcze mogą je pamiętać, jeśli tacy w ogóle są; Sandherr leży sparaliżowany w jakimś szpitalu, Esterházy gra w bakarata w jakimś luksusowym burdelu w Londynie.

Pieniędzy mi nie brak, uzbierałem ich dosyć, ale doskwiera mi nuda. Mam dolegliwości żołądkowe i nie mogę nawet się pocieszyć dobrą kuchnią. W domu gotuję sobie bulion, po posiłku w restauracji nie śpię całą noc. Czasem wymiotuję. Oddaję mocz częściej niż przedtem.

Zaglądam jeszcze do redakcji „La Libre Parole", lecz Drumont nie ekscytuje mnie już swoją antysemicką furią. Nad tym, co się stało na praskim cmentarzu, pracują teraz Rosjanie.

Sprawa Dreyfusa wlecze się nadal. Dzisiaj głośno o niespodziewanym wystąpieniu katolickiego *dreyfusard* na łamach „La Croix" – dziennika, który zawsze był zdecydowanie przeciwko Dreyfusowi (gdzie te piękne czasy, kiedy „La Croix" walczył o Dianę!). Wczoraj na pierwszych stronach gazet podano wiadomość o gwałtownej manifestacji antysemickiej na placu de la Concorde. W pewnym czasopiśmie humorystycznym Caran d'Ache zamieścił dwuczęściowy dowcip rysunkowy: najpierw liczna rodzina siedzi zgodnie przy stole, a najstarszy wiekiem ostrzega, aby nie mówić o aferze Dreyfusa; potem wściekła bójka z komentarzem, że w rodzinie zaczęto jednak o aferze mówić.

Ta sprawa dzieli Francuzów oraz – jak wynika z różnych wzmianek w prasie – całą resztę świata. Czy proces zostanie wznowiony? Na razie Dreyfus jest jeszcze w Kajennie. Dobrze mu tak.

Odwiedziłem ojca Bergamaschiego. Postarzał się, jest zmęczony. No tak, ja mam sześćdziesiąt osiem lat, więc on powinien mieć teraz osiemdziesiąt pięć.

– Właśnie chciałem się z tobą pożegnać, Simonino – powiedział mi. – Wracam do Włoch dożywać swoich dni w jednym z naszych klasztorów. Pracowałem aż zbyt wiele na chwałę Pana. Ale czy ty nie jesteś jeszcze wplątany w jakieś intrygi? Nienawidzę już intryg. O ile prościej wyglądało wszystko za czasów twojego dziadka: karbonariusze po jednej stronie, my po drugiej, wiadomo było, gdzie wróg. Nie jestem już taki jak kiedyś.

Ma już trochę źle w głowie. Uściskałem go po bratersku i odszedłem.

...Odwiedziłem ojca Bergamaschiego. Postarzał się, jest zmęczony... (s. 480)

***

Wczoraj wieczorem przechodziłem koło kościoła Saint-Julien-
-le-Pauvre. Przy samym wejściu siedziała ruina człowieka, ślepy
cul-de-jatte, kaleka bez nóg, z łysą, pokrytą sinymi bliznami
głową. W jednym jego nozdrzu tkwiła pikulina, na której grał
nieporadnie jakąś melodię, drugie wydawało głuchy świst, usta
zaś otwierały się jak usta tonącego, żeby łapać oddech.
Nie wiem dlaczego, ale się przestraszyłem. Wydało mi się, że
życie może być wstrętne.

***

Źle sypiam, mam niespokojne sny, w których ukazuje mi się
Diana, potargana i blada.
Wczesnym rankiem często chodzę przypatrywać się zbiera-
czom niedopałków. Zawsze mnie fascynowali. Rano krążą ob-
wiązani sznurem, z którego zwisa cuchnący worek, i uzbrojeni
w kij zakończony żelaznym szpikulcem, na który mogą nadziać
nawet niedopałki leżące pod stołem. Śmiesznie wyglądają, kiedy
kelnerzy wypędzają ich kopniakami z kawiarnianych ogródków
albo pryskają na nich wodą sodową z syfonów.
Liczni zbieracze spędzają noc nad brzegiem Sekwany i rano
siedzą tam, oddzielając zawilgocony jeszcze śliną tytoń od
popiołu. Inni piorą przesiąknięte tytoniowym sokiem koszule
i sortując swoją zdobycz, czekają, aż wysuszy je słońce. Bardziej
przedsiębiorczy zbierają niedopałki nie tylko cygar, lecz także
papierosów; oddzielanie mokrej bibułki od tytoniu staje się wtedy
zajęciem szczególnie obrzydliwym.
Rozchodzą się potem po placu Maubert i okolicy, aby sprzedać towar. Zaledwie coś zarobią, idą do knajpy pić trujący alkohol.
Przyglądam się życiu innych dla zabicia czasu. Żyję jak
emeryt lub jak kombatant.

***

Dziwne, ale jest mi tak, jakbym tęsknił za Żydami. Brak mi ich. Od młodości budowałem kamień za kamieniem swój cmentarz w Pradze, a teraz Gołowinski jakby mi go ukradł. Bóg wie, co zrobią z tego w Moskwie. Może połączą moje Protokoły w suchy, biurokratyczny dokument, pozbawiony pierwotnej scenografii. Nikt nie będzie chciał go przeczytać i okaże się, że zmarnowałem życie na stworzenie bezcelowego świadectwa. Może jednak dzięki dokumentowi, który tam powstanie, myśli moich rabinów (to przecież mimo wszystko moi rabini) rozpowszechnią się w świecie i będą towarzyszyć ostatecznemu rozwiązaniu.

***

Przeczytałem gdzieś, że w alei de Flandre, w głębi starego dziedzińca, znajduje się cmentarz Żydów portugalskich. Już w końcu XVII wieku stał tam zajazd niejakiego Camota, który pozwolił niemieckim przeważnie Żydom chować w pobliżu swoich zmarłych, po pięćdziesiąt franków od dorosłego i po dwadzieścia od dziecka. Potem zajazd przejął niejaki Matard, zajmujący się zawodowo obdzieraniem ze skóry martwych zwierząt, który obok zwłok Żydów zaczął grzebać ścierwa oprawionych koni i wołów. Żydzi zaprotestowali. Ci pochodzący z Portugalii zakupili sąsiedni teren, aby tam chować swoich. Żydzi z krajów północnych znaleźli sobie inne miejsce w Montrouge.

Cmentarz portugalski zamknięto na początku naszego stulecia, lecz można tam jeszcze wchodzić. Liczy około dwudziestu nagrobków z napisami po hebrajsku lub po francusku. Przeczytałem jeden napis osobliwy, o następującej treści: „Najwyższy Bóg powołał mnie do siebie w dwudziestym trzecim roku mojego żywota. Wolę swoją obecną sytuację od niewoli. Spoczywa tu szczęśliwy Samuel Fernandez Patto, zmarły dwudziestego ósmego prairiala roku drugiego republiki francuskiej jednej i niepodzielnej". No właśnie, republikanie, ateiści i Żydzi.

Cmentarzyk jest ponury, ale jego widok pomógł mi lepiej wyobrazić sobie cmentarz w Pradze, który widziałem tylko na ilustracjach. Okazałem się zdolnym narratorem, mógłbym zostać artystą: na podstawie nikłego wzoru zbudowałem miejsce magiczne – mroczne, księżycowe centrum uniwersalnego spisku. Dlaczego wypuściłem swoje dzieło z rąk? Mógłbym jeszcze umieścić tam wiele innych wydarzeń...

***

Pojawił się znowu Raczkowski i powiedział, że mnie potrzebuje. Zirytowałem się.

– Nie dotrzymuje pan umowy. Myślałem, że jesteśmy kwita. Dałem panu zupełnie nieznany materiał, pan milczał o mojej kloace. Zresztą coś jeszcze mi się należy. Nie sądzi pan chyba, że tak cenny materiał nic nie kosztuje.

– To pan nie dotrzymuje umowy. Dokumentami opłacił pan moje milczenie, teraz domaga się pan jeszcze pieniędzy. Zgoda, nie dyskutuję, za dokumenty dostanie pan pieniądze, ale będzie mi pan jeszcze coś winien za milczenie o ścieku. Poza tym, panie Simonini, nie targujmy się. Nie leży w pańskim interesie źle mnie do siebie nastawiać. Powiedziałem panu, że wiara w autentyczność *bordereau* ma zasadniczą wagę dla Francji; nie ma jej jednak dla Rosji. Z wielką łatwością mógłbym pana rzucić na żer prasie. Spędziłby pan wtedy resztę życia w salach sądowych. Ach, byłbym zapomniał. Żeby zrekonstruować pańską przeszłość, rozmawiałem z tym ojcem Bergamaschim i z panem Hébuterne'em. Powiedzieli mi, że przedstawił im pan niejakiego księdza Dalla Piccola, który uknuł aferę Taxila. Starałem się odnaleźć tego księdza. Wygląda na to, że rozpłynął się w powietrzu razem ze wszystkimi osobami, które w sprawie Taxila uczestniczyły i przebywały w pewnym domu w Auteuil. Został tylko sam Taxil, także krążący po Paryżu w poszukiwaniu owego księdza, który zniknął. Mógłbym pana oskarżyć o jego zabójstwo.

– Nie ma ciała.

– Ale tam w dole są aż cztery inne. Kto wrzucił do ścieku cztery trupy, mógł z powodzeniem ukryć jeszcze jednego gdzie indziej.

Ten nędznik trzymał mnie w garści, musiałem ustąpić.

– No dobrze – powiedziałem. – Czego pan chce?

– W pańskich dokumentach przekazanych Gołowinskiemu jest ustęp, który zrobił na mnie wrażenie; mowa w nim o zamiarze wykorzystania metra w celu zaminowania wielkich miast. Ale żeby ludzie w to uwierzyli, naprawdę musiałaby wybuchnąć pod ziemią jakaś bomba.

– Ale gdzie, w Londynie? Tutaj metro jeszcze nie istnieje.

– Rozpoczęto już jednak roboty ziemne, dokonano wierceń wzdłuż Sekwany. Mnie nie chodzi o wysadzenie w powietrze całego Paryża. Wystarczy mi, że runą dwie lub trzy belki podporowe albo najlepiej kawałek nawierzchni. Wybuch niewielki, który wyda się jednak groźbą i potwierdzeniem obaw.

– Zrozumiałem. Ale co mnie do tego?

– Pan zajmował się już materiałami wybuchowymi i o ile mi wiadomo, jest pan w kontakcie ze specjalistami. Proszę właściwie podejść do rzeczy. Moim zdaniem wszystko powinno przebiec gładko, bo w nocy nikt nie pilnuje miejsc, w których prowadzone są te pierwsze roboty. Przypuśćmy jednak, że dojdzie do niefortunnego wypadku i zamachowiec zostanie ujęty. Jeśli będzie to Francuz, zaryzykuje kilka lat więzienia, jeśli Rosjanin, wybuchnie wojna francusko-rosyjska. Nie może więc to być jeden z moich ludzi.

Już chciałem zareagować gwałtownie. Nie mógł przecież zmusić mnie do takiej bezsensownej akcji, jestem człowiekiem spokojnym i mam swoje lata. Potem jednak się pohamowałem. Czyż powodem męczącego mnie od tygodni uczucia pustki wewnętrznej nie było to, że nie jestem już czynny?

Przyjmując proponowane mi zadanie, wracałem na pierwszą linię. Przyczyniałem się do uwiarygodnienia swojego praskiego cmentarza, do uczynienia go bardziej prawdopodobnym, a więc prawdziwszym, niż kiedykolwiek był. Raz jeszcze samotnie zadawałem klęskę całej rasie.

– Porozmawiam z właściwym człowiekiem – powiedziałem – i zawiadomię pana za kilka dni.

***

Poszedłem odszukać Gavialego. Pracuje nadal jako szmaciarz, lecz dzięki mojemu wstawiennictwu dokumenty ma w porządku i zaoszczędził trochę grosza. Niestety, przez niespełna pięć lat okropnie się postarzał – pobyt w Kajennie odciska piętno. Ręce mu się trzęsą i z trudem podnosi do ust kieliszek, który szczodrze raz po raz mu napełniam. Porusza się powoli, nie udaje mu się prawie schylać i nie wiem, jak może zbierać szmaty.

Na moją propozycję reaguje z entuzjazmem.

– Teraz nie jest już tak jak dawniej, kiedy nie można było stosować pewnych materiałów wybuchowych, bo brakowało czasu na ucieczkę. Teraz robi się wszystko za pomocą porządnej bomby zegarowej.

– Jak ona działa?

– To proste. Bierze się jakikolwiek budzik i nastawia na konkretną godzinę. We właściwej chwili odpowiednio połączona wskazówka budzika, zamiast uruchomić dzwonek, uruchamia detonator. Detonator powoduje wybuch ładunku – bum! A pan jest już o dziesięć mil stamtąd.

Następnego dnia przyszedł do mnie z przerażającym swoją prostotą aparacikiem. Czy to możliwe, żeby ta plątanina drutów i cebula, jaką noszą proboszczowie, spowodowały eksplozję? A jednak tak, zapewniał dumnie Gaviali.

Dwa dni później, z miną ciekawskiego, poszedłem zbadać wykopy. Zadałem też kilka pytań robotnikom. Znalazłem miejsce, skąd łatwo zejść z poziomu ulicy na poziom niższy, gdzie znajduje się wlot podtrzymywanego belkowaniem tunelu. Nie chcę wiedzieć, dokąd ten tunel prowadzi i czy w ogóle dokądś prowadzi. Wystarczy podłożyć u wlotu bombę i sprawa załatwiona.

Powiedziałem Gavialemu bezceremonialnie:

– Bardzo szanuję pańską wiedzę, ale ręce się panu trzęsą, nogi zawodzą, nie potrafiłby pan zejść do wykopu i Bóg wie, co by pan z tymi wszystkimi drucikami zrobił.

Oczy mu zwilgotniały.

– To prawda, jestem już skończony.

– Kto zamiast pana mógłby tę robotę wykonać?

– Nie znam już nikogo, proszę nie zapominać, że moi najlepsi towarzysze są jeszcze w Kajennie, pan ich tam wysłał. Powinien pan teraz odpowiedzialność wziąć na siebie. Chce pan, żeby wybuchła bomba? Niech ją pan sam podłoży.

– Głupstwa pan mówi. Nie jestem przecież specjalistą.

– Nie trzeba być specjalistą, kiedy od specjalisty dostanie się instrukcje. Proszę dobrze się przyjrzeć temu, co położyłem na stole. To rzeczy niezbędne do skonstruowania porządnej bomby zegarowej. Byle jaki budzik – taki jak ten – pod warunkiem, że zna się jego wewnętrzny mechanizm uruchamiający dzwonek o żądanej porze. Bateria, która po uruchomieniu dzwonka spowoduje, że zadziała detonator. Ja jestem człowiekiem starej daty i użyłbym tego ogniwa, zwanego Daniell Cell. W baterii tego typu, w odróżnieniu od baterii elektrochemicznej, zastosowano przede wszystkim składniki ciekłe. Trzeba napełnić zbiorniczek pół na pół siarczanem miedziowym i siarczanem cynku. W warstwę miedzi wkłada się płytkę miedzianą, w warstwę cynku – płytkę cynkową. Końce obu płytek stanowią oczywiście dwa bieguny baterii. Czy to jasne?

– Na razie tak.

– Dobrze. Jedyna trudność w tym, że ogniwo trzeba przenosić ostrożnie; dopóki jednak nie podłączy się go do detonatora

...Nie chcę wiedzieć, dokąd ten tunel prowadzi i czy w ogóle dokądś prowadzi. Wystarczy podłożyć u wlotu bombę i sprawa załatwiona... (s. 487)

i ładunku, nie ma żadnego ryzyka. Po podłączeniu musi zostać umieszczone na powierzchni płaskiej; inaczej postąpiłby tylko jakiś dureń. Na detonator wystarczy każdy mały ładunek. Przejdźmy teraz do ładunku właściwego. W dawnych czasach... pamięta pan... zachwalałem jeszcze czarny proch. Jednak jakieś dziesięć lat temu wynaleziono balistyt zawierający dziesięć procent kamfory oraz nitroglicerynę i kolodium w równych częściach. Początkowo łatwe ulatnianie się kamfory decydowało o niestałości produktu, ale odkąd balistyt wyrabiają Włosi w Aviglianie, wydaje się, że można mu ufać. Zawahałbym się jeszcze przed użyciem wynalezionego przez Anglików kordytu, w którym kamforę zastąpiono pięcioma procentami wazeliny, a reszta to pięćdziesiąt osiem procent nitrogliceryny i trzydzieści siedem procent bawełny strzelniczej rozpuszczonej w acetonie – wszystko w formie drutów podobnych do nitek makaronu, tyle że chropowatych. Zastanowię się, co wybrać, ale różnice są niewielkie. A więc najpierw trzeba nastawić wskazówki na żądaną godzinę, potem podłączyć budzik do baterii, baterię do detonatora, detonator do ładunku i nakręcić budzik. Proszę tylko pamiętać, że nie wolno zmieniać kolejności, bo jest oczywiste, że jeśli ktoś najpierw podłączy, potem nakręci, a na koniec nastawi wskazówki, to... bum! Zrozumiał pan? Później idzie się do domu, do teatru albo do restauracji. Bomba wszystko zrobi sama. Jasne?

– Jasne.

– Panie kapitanie, nie ośmieliłbym się powiedzieć, że poradziłoby sobie z tym nawet dziecko, ale z pewnością poradzi sobie były kapitan garybaldczyków. Ręka panu nie drży, wzrok ma pan dobry. Trzeba tylko wykonać kilka drobnych czynności, które wymieniłem. Wystarczy, żeby wykonał je pan we właściwej kolejności.

**

Zgodziłem się. Jeśli mi się uda, od razu odmłodnieję, sprawię, że padną mi do stóp wszyscy Mordechaje tego świata. Nie wyłączając kurewki z turyńskiego getta, która nazwała mnie *gagnu*. Już ja jej pokażę.

Chcę pozbyć się zapachu Diany w rui, który już od półtora roku prześladuje mnie w letnie noce. Pojmuję teraz, że istniałem jedynie po to, aby pokonać tę przeklętą rasę. Raczkowski ma słuszność – tylko nienawiść rozgrzewa serce.

Pójdę wypełnić swój obowiązek w galowym mundurze. Włożyłem frak i przyprawiłem sobie brodę znaną bywalcom salonu Juliette Adam. Niemal przypadkiem odkryłem na dnie jednej z szaf zapasik kokainy Parke & Davis, w którą zaopatrywałem doktora Froïde'a. Bóg wie skąd tam się wzięła. Nigdy jej nie próbowałem, lecz jeśli doktor się nie mylił, powinna dodać mi energii. Podlałem ją trzema kieliszkami koniaku. Czuję się teraz silny jak lew.

Gaviali chciałby mi towarzyszyć, ale mu nie pozwolę, rusza się już zbyt wolno, mógłby mi tylko przeszkadzać.

Zrozumiałem doskonale, co mam robić. Moja bomba przejdzie do historii.

Gaviali udziela mi ostatnich wskazówek:

– Proszę uważać na to, proszę uważać na tamto.

Do licha, nie jestem jeszcze ramolem.

BEZUŻYTECZNE UŚCIŚLENIA ERUDYCYJNE

Historia

Jedyną w tej książce postacią wymyśloną jest jej główny bohater, Simone Simonini. Nie został natomiast wymyślony jego dziadek, kapitan Simonini, chociaż w dziejach znany jest tylko jako tajemniczy autor listu do księdza Barruela. Wszystkie inne postaci (z wyjątkiem kilku pomniejszych, jak notariusz Rebaudengo i Ninuzzo) istniały w rzeczywistości; robiły też i mówiły rzeczy, które robią i mówią w niniejszej powieści. Dotyczy to nie tylko postaci występujących pod prawdziwym nazwiskiem (istniała nawet taka postać jak Taxil, chociaż wielu wyda się to nieprawdopodobne), lecz także tych, które noszą nazwiska fikcyjne. Ze względu bowiem na wymogi związane ze strukturą książki przypisywałem jednej osobie (wymyślonej) słowa i czyny należące w rzeczywistości do dwóch osób wziętych z historii.

Wystarczy jednak dobrze się zastanowić, aby dojść do wniosku, że w jakiś sposób istniał naprawdę również Simone Simonini, chociaż jest wynikiem kolażu, a zatem przypisane mu zostały rzeczy, których w istocie dokonali inni. Powiedzmy sobie otwarcie: Simonini jeszcze obraca się wśród nas.

Fabuła i intryga

Narrator zdaje sobie sprawę, że w dość chaotycznych splotach przedstawionego wyżej dziennika (z licznymi przebitkami z przeszłości, czyli *flashbacks* w terminologii filmowców) czytelnik może mieć problem z nawiązaniem do linearnego rozwoju wydarzeń od narodzin Simone do końca jego zapisków. To fatalny niedobór koordynacji między *story* i *plot*, jak mówią Anglosasi, lub – jeszcze gorzej – między fabułą i *siużetem*, czyli intrygą, jak mówili rosyjscy formaliści (sami Żydzi). Nawet Narratorowi często nie było łatwo w tym się rozeznać, uważa on jednak, że przyzwoity czytelnik nie powinien zwracać uwagi na podobne subtelności, tylko mimo to cieszyć się fabułą. Wszakże z myślą o czytelniku przesadnie wymagającym lub nieco mniej pojętnym zamieszczono poniżej zestawienie wyjaśniające związek między oboma poziomami (występują one zresztą w każdej powieści dobrze zbudowanej, jak kiedyś mawiano).

W kolumnie Intryga zarejestrowano kolejność stron dziennika odpowiadającą rozdziałom, z którymi zapoznaje się czytelnik. W kolumnie Fabuła zrekonstruowano natomiast rzeczywistą kolejność zdarzeń, które w różnych chwilach przypominają sobie i odtwarzają Simonini i Dalla Piccola.

ROZDZIAŁ	Intryga	Fabuła
1. PRZECHODZIEŃ, KTÓRY OWEGO SZAREGO PORANKA	Narrator zaczyna śledzić dziennik Simoniniego	
2. KIM JESTEM?	Dziennik, 24 marca 1897	
3. U MAGNY'EGO	Dziennik, 25 marca 1897 (wspomnienie obiadów w restauracji Magny'ego w latach 1885–1886)	
4. CZASY DZIADKA	Dziennik, 26 marca 1897	1830–1855 Dzieciństwo i wiek dojrzewania aż do śmierci dziadka
5. SIMONINO KARBONARIUSZEM	Dziennik, 27 marca 1897	1855–1859 Praca u notariusza Rebaudengo i pierwsze kontakty ze służbami
6. NA SŁUŻBIE U SŁUŻB	Dziennik, 28 marca 1897	1860 Rozmowa z szefami tajnych służb piemonckich
7. Z TYSIĄCEM	Dziennik, 29 marca 1897	1860 Na pokładzie „Emmy" z Dumasem Przybycie do Palermo Spotkanie z Nievem Pierwszy powrót do Turynu
8. „HERKULES"	Dziennik, 30 marca – 1 kwietnia 1897	1861 Zniknięcie Nieva Drugi powrót do Turynu i wygnanie do Paryża
9. PARYŻ	Dziennik, 2 kwietnia 1897	1861... Pierwsze lata w Paryżu
10. DALLA PICCOLA W KŁOPOCIE	Dziennik, 3 kwietnia 1897	
11. JOLY	Dziennik, 3 kwietnia 1897, w nocy	1865 W więzieniu, szpiegując Joly'ego Pułapka na karbonariuszy

ROZDZIAŁ	Intryga	Fabuła
12. NOC W PRADZE	Dziennik, 4 kwietnia 1897	1865–1866 Pierwsza wersja sceny na cmentarzu praskim Spotkania z Brafmannem i Gougenotem
13. DALLA PICCOLA TWIERDZI, ŻE NIE JEST DALLA PICCOLĄ	Dziennik, 5 kwietnia 1897	
14. *BIARRITZ*	Dziennik, 5 kwietnia 1897, późnym rankiem	1867–1868 Spotkanie z Goedschem w Monachium Zabójstwo Dalla Piccoli
15. DALLA PICCOLA OŻYŁ	Dziennik, 6 i 7 kwietnia 1897	1869 Lagrange mówi o księdzu Boullanie
16. BOULLAN	Dziennik, 8 kwietnia 1897	1869 Dalla Piccola u Boullana
17. DNI KOMUNY	Dziennik, 9 kwietnia 1897	1870 Dni Komuny
18. PROTOKOŁY	Dziennik, 10 i 11 kwietnia 1897	1871–1879 Powrót ojca Bergamaschiego Wzbogacenie sceny na praskim cmentarzu Zabójstwo Joly'ego
19. OSMAN-BEJ	Dziennik, 11 kwietnia 1897	1881 Spotkanie z Osman-bejem
20. ROSJANIE?	Dziennik, 12 kwietnia 1897	
21. TAXIL	Dziennik, 13 kwietnia 1897	1884 Simonini poznaje Taxila
22. *DIABEŁ W XIX WIEKU*	Dziennik, 14 kwietnia 1897	1884–1896 Taxil wrogiem masonerii
23. DWANAŚCIE NALEŻYCIE WYKORZYSTANYCH LAT	Dziennik, 15 i 16 kwietnia 1897	1884–1896 Te same lata widziane przez Simoniniego (w tym okresie Simonini spotyka u Magny'ego psychiatrów, o czym mowa w rozdz. 3)

ROZDZIAŁ	Intryga	Fabuła
24. NOCNA MSZA	Dziennik, 17 kwietnia 1897 (do świtu 18 kwietnia)	1896–1897 Klęska przedsięwzięcia Taxila 21 marca 1897: czarna msza
25. WYJAŚNIENIA	Dziennik, 18 i 19 kwietnia 1897	1897 Simonini wszystko pojmuje i unicestwia Dalla Piccolę
26. OSTATECZNE ROZWIĄZANIE	Dziennik, 10 listopada 1898	1898 Ostateczne rozwiązanie
27. DZIENNIK SIĘ URYWA	Dziennik, 20 grudnia 1898	1898 Przygotowania do zamachu

Pierwsze wydanie Protokołów mędrców Syjonu; *strona tytułowa książki Siergieja Nilusa* Wielkie w małym

DATA	Wydarzenia późniejsze
1905	W Rosji ukazuje się książka *Wielkie w małym* Siergieja Nilusa, która zawiera tekst przedstawiony następująco: „Otrzymałem od zmarłego już serdecznego przyjaciela rękopis opisujący dokładnie i niezwykle jasno plan i rozwój złowrogiego światowego spisku... Dokument ten trafił w moje ręce mniej więcej cztery lata temu z absolutną gwarancją, że stanowi wierny przekład dokumentów (oryginałów), skradzionych przez pewną kobietę jednemu z najpotężniejszych i najgłębiej wtajemniczonych przywódców masonerii... Kradzieży dokonano po zakończeniu obrad tajnego zgromadzenia «Wtajemniczonych» we Francji – kraju, będącym gniazdem «konspiracji masońsko-żydowskiej». Tym, którzy pragną zobaczyć i usłyszeć, ośmielam się ujawnić ów rękopis pod tytułem *Protokoły mędrców Syjonu*". *Protokoły* zostają natychmiast przetłumaczone na bardzo wiele języków.
1921	„London Times" odkrywa związki tego tekstu z książką Joly'ego i demaskuje *Protokoły* jako falsyfikat. Jednak będą one odtąd stale wydawane jako autentyk.
1925	Hitler, *Mein Kampf* (I, 11): „To, że istnienie tego ludu opiera się na trwającym nieprzerwanie kłamstwie, wynika ze słynnych *Protokołów mędrców Syjonu*. Są wynikiem fałszerstwa – biadoli co tydzień «Frankfurter Zeitung», dostarczając w ten sposób najlepszego dowodu ich prawdziwości... Kiedy ta książka stanie się wspólnym dobrem całego narodu, żydowskie niebezpieczeństwo będzie można uznać za zażegnane".
1939	Henri Rollin, *Apokalipsa naszych czasów*: „Można je [*Protokoły*] uważać za dzieło najbardziej rozpowszechnione w świecie po Biblii".

ODSYŁACZE IKONOGRAFICZNE

s. 146 *Zwycięstwo pod Calatafimi*, 1860 © Mary Evans Picture Library/Archivi Alinari

s. 189 Honoré Daumier, *Dzień, w którym się nie płaci...* (*Publiczność w Salon*, 10, dla „Charivari"), 1852 © BnF

s. 392 Honoré Daumier, *Że też są ludzie, którzy piją absynt w kraju wytwarzającym tak dobre wino jak to!* (*Szkice paryskie* dla „Le Journal Amusant"), 1864 © BnF

s. 415 „Le Petit Journal", 13 stycznia 1895 © Archivi Alinari

Wszystkie pozostałe ilustracje pochodzą z archiwum ikonograficznego Autora.

SPIS TREŚCI

Nakładem Oficyny Literackiej Noir sur Blanc ukazały się
następujące dzieła Umberta Eco:

BAUDOLINO
2001

WAHADŁO
FOUCAULTA
2002, 2005, 2007

WYSPA DNIA POPRZEDNIEGO
2003, 2007

IMIĘ RÓŻY
2002, 2006, 2007, 2009, 2011

TAJEMNICZY PŁOMIEŃ
KRÓLOWEJ LOANY
2005, 2006

Opracowanie redakcyjne
Mirosław Grabowski

Korekta
Beata Wyrzykowska
Elżbieta Jaroszuk

Projekt okładki
Witold Siemaszkiewicz

Fotografia na okładce
© Hulton Archive/Getty Images/Flash Press Media

Zamówienia prosimy kierować:
– telefonicznie: 800 42 10 40 (linia bezpłatna)
– faksem: 12 430 00 96 (czynnym całą dobę)
– e-mailem: nsb@wl.net.pl
– księgarnia internetowa: www.noirsurblanc.pl

Printed in Poland
Oficyna Literacka Noir sur Blanc Sp. z o.o., 2011
ul. Frascati 18, 00-483 Warszawa

Skład i łamanie
PLUS 2 Witold Kuśmierczyk
Druk i oprawa
Zakład Graficzny Colonel, spółka akcyjna